아^{름다운}샘
A~ssam

기본기를 다지는
문제기본서 **하이 매쓰**
Hi Math
미적분

이창주 지음

KB052866

[기본+유형]

- 교과서 개념을 다지는 기본편
- 학교 시험 완벽대비 유형편

아^{름다운}샘

[아샘 Hi] 검수 및 검토하신 선생님들

【서울】 권경택, 김도훈, 김명후, 김세철, 김영재, 김정효, 김태연, 박성철, 박정선, 박정한, 박준열, 서동혁, 송경섭, 양해조, 유민정, 유영호, 윤인영, 이재웅, 이창환, 장석진, 정효석, 최하나

【인천】 김성수, 김성욱, 정승기, 차승훈

【경기】 구대우, 김대성, 김대용, 김선덕, 김선옥, 김성현, 김영규, 김윤경, 김장현, 남재일, 박민서, 박종회, 신명섭, 오태경, 이대영, 이선미, 이창범, 이한진, 이한철, 임봉환, 장 민, 장순식, 장용준, 정근욱, 정순모, 홍영표, 홍인기

【대전】 강준규, 고지훈, 김덕한, 김선아, 김성운, 김윤태, 김태규, 김홍래, 박교석, 박교현, 박상신, 박수연, 성진욱, 손지원, 양상규, 오완균, 우홍제, 원종혜, 유재율, 이관희, 이광열, 이주호, 이준상, 이찬복, 임성묵, 임지혜, 정대영, 조용호, 차기원, 최고은, 최원제, 최의설, 최종민, 홍승완

【충남】 임봉철, 최원경

【충북】 강명현, 김대호, 김선경, 김재광, 김재원, 김정태, 김종화, 김혁수, 김혜연, 김호경, 노은경, 노은미, 박순제, 박시현, 박형근, 백원재, 변남균, 송기복, 신유리, 양세경, 염명호, 오동근, 오일영, 오현진, 원정호, 이정환, 이혜리, 이흔철, 임동윤, 임재석, 장난영, 장도리, 장효식, 정선혜, 조연화, 조영의, 조윤정, 주혜진, 한상호, 함종화

【울산】 곽석환, 김병섭, 김수영, 김윤근, 남성일, 문준호, 성수경, 송병근, 이길호, 이민혁, 조용득

【경남】 강현숙, 김동재, 김일용, 남창혁, 박건주, 박영남, 박임수, 박찬국, 배종так, 손봉기, 송창근, 오주영, 유지민, 윤성욱, 이광호, 이희경, 정성묵, 조주영, 주기호, 차현근, 탁언숙, 한희광, 허정민, 홍주연, 황정욱

【경북】 김병진, 김희열, 윤기원

【광주】 정다원

【전남】 김은경

【전북】 강성주, 고석채, 고은미, 김민수, 김순기, 김 억, 김용철, 김전수, 김종오, 김종호, 김차순, 문 욱, 박일용, 박종화, 박충기, 반석구, 서준석, 안영엽, 이경근, 이희진, 임태빈, 장미현, 정미라, 조효진, 최재완, 홍대의

[아샘 Hi] 검토하신 선생님들

【서울】 고수환, 구수해, 김도규, 김병규, 김순태, 김효건, 민병조, 박주완, 배재형, 백은화, 선 철, 신우진, 양철웅, 오종훈, 우미영, 유승우, 윤여균, 윤재춘, 윤현웅, 이경주, 이상훈, 이창석, 이창용, 임규철, 임노길, 임다혜, 정진우, 조영혜, 주종대, 지광근, 차현남

【인천】 김국련, 김용근, 김지원, 김태윤, 장효근, 정진호, 조성철, 최수빈

【경기】 김양진, 김유성, 김지윤, 문재웅, 송명준, 윤희용, 이명희, 이승천, 이승현, 전종태, 정윤교, 정장선, 조 욱, 최경희

【강원】 전대윤, 최수남

【대전】 김귀식, 김명구, 김중만, 박연실, 양상규, 오완균, 윤석주, 장윤희, 황재인

【세종】 조성윤

【충남】 김보람

【충북】 채주병

【부산】 김성빈, 김영해, 김 훈, 이경덕, 최재원, 최재혁

【울산】 김용래

【경남】 김민채, 김재현, 권병국, 배종우, 우하람

【대구】 구정모, 김영배, 김지영, 이태형, 최진혁

【경북】 이성국, 정효진

【광주】 구남용, 임태관

【전남】 강춘기, 편기석, 함영호

【전북】 김병화, 김성혁, 성준우, 안형진, 양형준, 유현수, 이춘우

 Hi 시리즈

❖ 아샘 Hi Math

- 수학(상)
- 수학(하)
- 수학 I
- 수학 II
- 확률과 통계
- 미적분
- 기하

❖ 아샘 Hi High

- 수학(상)
- 수학(하)
- 수학 I
- 수학 II
- 확률과 통계
- 미적분

아름다운샘
A~ssam

기본기를 다지는
문제기본서 하이 매쓰

Hi Math
미적분

수학의 자신감

역시! 믿고 보는 아샘 하이매쓰와 함께...

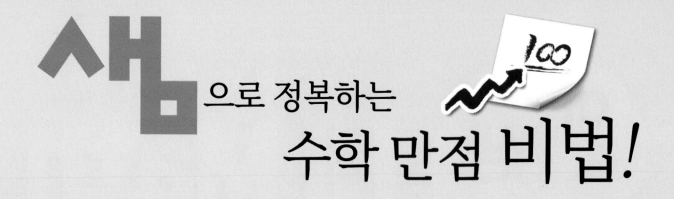

샘으로 정복하는
수학 만점 비법!

수학의 샘으로 기본기를 충실히!

수학 기본서 '수학의 샘'은 자세한 개념 설명으로 수학의
원리를 쉽게 이해할 수 있는 교재입니다. 최고의 기본서
수학의 샘으로 수학의 기본기를 충실히 다질 수 있습니다.

Hi Math로 학교 시험에
대한 자신감을!

충분한 기본 문제, 학교 시험에 자주 출제되는
문제를 수록하여 구성한 교재입니다.
유형별 문제기본서 '아샘 Hi Math'로 학교 시험에
대한 자신감을 가질 수 있습니다.

Hi High로 최고난도 문제에
대한 자신감을!

중간 난이도 수준의 문제부터 심화 문제까지
충분히 수록하여 구성한 교재입니다.
출제빈도가 높은 최상위권 유형을 충분히 연습하여
학교 시험 100점을 자신하게 됩니다.

◎ **대표저자** : 이창주(前 한영고, EBS·강남구청 강사, 7차 개정 교과서 집필위원), 이명구(한영고, 수학의 샘, 수학의 뿌리-3점짜리 시리즈, 전국 모의고사 집필위원)

◎ **편집 및 연구** : 박상원, 전신영, 신혜미, 김윤희, 장혜진, 정흥래, 권유림, 김지민, 김세리

◎ **일러스트 출처** : 1쪽_좌, 2쪽, 3쪽_상, 4쪽_상 designed by freepik.com

수능 레전드인 이유

쨍 7년 평균 적중률 85.3%

쨍 유형 시리즈

(수학 I, 수학 II, 확률과 통계, 미적분, 기하)

쨍 확장판 시리즈

(수학 I, 수학 II, 확률과 통계)

쨍 파이널 실전모의고사

(수학 영역)

쨍 쉬운 유형 반복학습을 위한 '쨍 확장판'

쨍 쉬운 유형

쨍 확장판

쨍 확장판 추천 대상

1. 수능 4등급 이하의 학생
2. 점수의 기복이 있는 학생
3. 쨍 쉬운 유형을 완벽히 풀지 못하는 학생

최상위권을 위한 유형별 문제기본서 (실력편)

Hi High

[전 6권] 수학(상), 수학(하), 수학Ⅰ, 수학Ⅱ, 확률과 통계, 미적분

최상위권 유형별
문제기본서 하이 하이
Hi High
고등 **수학**(상)
이창주 지음

[유형+심화]
• 학교 시험 완벽대비 유형편
• 고난도 심화문제 1등급편

- 유형문제, 심화(1등급)문제로 구성
- 개념기본서 「수학의 샘」, 문제기본서 「Hi Math」와 연계된 교재
- 변별력 있는 문제들을 충분히 연습할 수 있는 문제기본서
- 내신 1등급, 모의고사 1등급을 책임지는 문제기본서

Hi Math
미적분

"아름다운 샘 Hi Math는?"

Hi Math의 특징

개념기본서「수학의 샘」과 연계된 문제기본서

개념기본서「수학의 샘」에서 익힌 수학적 개념을 적용하여 문제 연습을 할 수 있는 문제기본서입니다. 단원의 구성과 순서가 동일하여「수학의 샘」의 개념과 「Hi Math」의 문제를 연계하여 공부할 수 있습니다.

수학의 기본을 다지는 문제기본서

처음으로 문제집을 공부하거나 기본기가 부족하다고 생각하는 학생을 위한 교재입니다. 기본 연산의 충분한 반복 연습, 알기 쉽게 체계적으로 분류된 유형별 문항 연습이 가능합니다.

기본 문제 수가 많은 문제기본서

이 교재의 구성은 [개념 정리] + [기본 문제] + [유형 문제] + [쌤이 시험에 꼭 내는 문제]입니다. 특히, [기본 문제]를 많이 수록하여 확실하게 개념 이해를 할 수 있도록 하였습니다.

내신 성적 2등급까지 책임지는 문제기본서

학교 시험 및 모의고사 등에 자주 출제되는 문제들을 분석하여 그 문제들을 위주로 수록한 교재입니다. 효율적인 문제 유형별 해법을 제시하여 시험 대비에 적합하며 시험에 대한 자신감을 갖게 합니다.

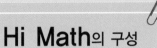

Hi Math의 구성

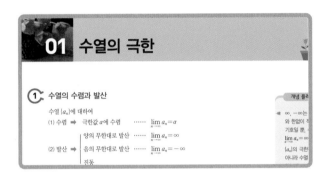

● **개념 정리**

교과서 내용을 꼼꼼하게 분석하여 각 단원의 중요 핵심 개념을 한눈에 볼 수 있도록 정리하였습니다. 보충설명이 필요한 부분은 개념플러스에서 추가하여 제시하였습니다.

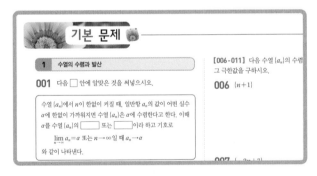

● **기본 문제**

수학의 기본을 다지는 계산 문제, 개념 이해 문제입니다. 단원의 핵심 개념에 해당하는 문제들을 충분히 반복 연습할 수 있도록 많은 문제들을 수록하였습니다.

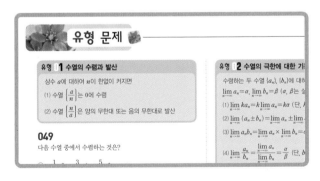

● **유형 문제**

학교 시험의 출제 경향을 치밀하게 분석하여 그 유형을 분류한 후, 해법을 제시하였습니다. 다양한 문제를 연습할 수 있도록 구성하였고, 시험에서 출제 비율이 높은 문항에는 '중요' 표시를 하였습니다.

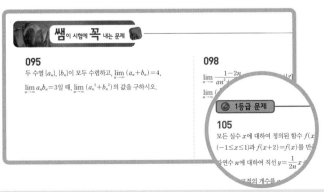

● **쌤이 시험에 꼭 내는 문제**

학교 시험에 꼭 나오는 단골 문제들을 선별하여 구성하였습니다. 자주 출제되는 유형의 문제들을 집중적으로 풀어 볼 수 있도록 하였고, 만점을 위한 '1등급 문제'도 수록하였습니다.

차례

01 수열의 극한

01 수열의 극한

1 수열의 수렴과 발산

수열 $\{a_n\}$에 대하여

(1) 수렴 ➡ 극한값 α에 수렴 ······ $\displaystyle\lim_{n\to\infty} a_n=\alpha$

(2) 발산 ➡
$\begin{cases} \text{양의 무한대로 발산} \cdots\cdots \displaystyle\lim_{n\to\infty} a_n=\infty \\ \text{음의 무한대로 발산} \cdots\cdots \displaystyle\lim_{n\to\infty} a_n=-\infty \\ \text{진동} \end{cases}$

개념 플러스

◀ ∞, $-\infty$는 각각 한없이 커지는 상태와 한없이 작아지는 상태를 나타내는 기호일 뿐, 수가 아니므로 $\displaystyle\lim_{n\to\infty} a_n=\infty$, $\displaystyle\lim_{n\to\infty} a_n=-\infty$는 수열 $\{a_n\}$의 극한값이 ∞, $-\infty$라는 뜻이 아니라 수열 $\{a_n\}$의 극한값이 존재하지 않는다는 의미이다.

2 수열의 극한에 대한 기본 성질

수렴하는 두 수열 $\{a_n\}$, $\{b_n\}$에 대하여 $\displaystyle\lim_{n\to\infty} a_n=\alpha$, $\displaystyle\lim_{n\to\infty} b_n=\beta$ (α, β는 실수)일 때,

(1) $\displaystyle\lim_{n\to\infty} ka_n=k\lim_{n\to\infty} a_n=k\alpha$ (단, k는 상수)

(2) $\displaystyle\lim_{n\to\infty} (a_n\pm b_n)=\lim_{n\to\infty} a_n\pm\lim_{n\to\infty} b_n=\alpha\pm\beta$ (복부호 동순)

(3) $\displaystyle\lim_{n\to\infty} a_n b_n=\lim_{n\to\infty} a_n\times\lim_{n\to\infty} b_n=\alpha\beta$

(4) $\displaystyle\lim_{n\to\infty} \frac{a_n}{b_n}=\frac{\lim\limits_{n\to\infty} a_n}{\lim\limits_{n\to\infty} b_n}=\frac{\alpha}{\beta}$ (단, $b_n\neq0$, $\beta\neq0$)

◀ 수열의 극한에 대한 기본 성질은 두 수열 $\{a_n\}$, $\{b_n\}$이 모두 수렴할 때만 성립함에 유의한다.

◀ 수렴하는 수열 $\{a_n\}$에 대하여 $\displaystyle\lim_{n\to\infty} a_n=\alpha$ (α는 실수)이면 $\displaystyle\lim_{n\to\infty} a_{n-1}=\lim_{n\to\infty} a_{n+1}=\lim_{n\to\infty} a_{n+2}=\cdots$ $=\displaystyle\lim_{n\to\infty} a_{2n}=\cdots=\alpha$

3 수열의 극한값의 계산

(1) $\dfrac{\infty}{\infty}$ 꼴의 극한

➡ 분모의 최고차항으로 분모, 분자를 각각 나눈다.

(2) $\infty-\infty$ 꼴의 극한

➡
$\begin{cases} \text{① 근호가 있을 때: 분모 또는 분자를 유리화한다.} \\ \text{② 근호가 없는 다항식일 때: 최고차항으로 묶는다.} \end{cases}$

◀ $\dfrac{\infty}{\infty}$ 꼴의 극한값

(1) (분자의 차수)=(분모의 차수)
  ⇨ 극한값은 최고차항의 계수의 비
(2) (분자의 차수)<(분모의 차수)
  ⇨ 극한값은 0
(3) (분자의 차수)>(분모의 차수)
  ⇨ 극한값은 없다.
  (∞ 또는 $-\infty$로 발산)

4 수열의 극한값의 대소 관계

수렴하는 두 수열 $\{a_n\}$, $\{b_n\}$에 대하여 $\displaystyle\lim_{n\to\infty} a_n=\alpha$, $\displaystyle\lim_{n\to\infty} b_n=\beta$ (α, β는 실수)일 때,

(1) 모든 자연수 n에 대하여 $a_n\leq b_n$이면 $\alpha\leq\beta$

(2) 수열 $\{c_n\}$이 모든 자연수 n에 대하여 $a_n\leq c_n\leq b_n$이고 $\alpha=\beta$이면 $\displaystyle\lim_{n\to\infty} c_n=\alpha$

◀ 두 수열 $\{a_n\}$, $\{b_n\}$에 대하여 $a_n<b_n$이지만 $\alpha=\beta$인 경우가 있다.

예를 들어 $a_n=2-\dfrac{1}{n}$, $b_n=2+\dfrac{1}{n}$이면 $a_n<b_n$이지만 $\displaystyle\lim_{n\to\infty} a_n=\lim_{n\to\infty} b_n=2$이다.

006 아샘 Hi Math 미적분

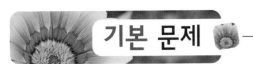

기본 문제

1 수열의 수렴과 발산

001 다음 ☐ 안에 알맞은 것을 써넣으시오.

> 수열 $\{a_n\}$에서 n이 한없이 커질 때, 일반항 a_n의 값이 어떤 실수 α에 한없이 가까워지면 수열 $\{a_n\}$은 α에 수렴한다고 한다. 이때 α를 수열 $\{a_n\}$의 ☐ 또는 ☐ 이라 하고 기호로
> $$\lim_{n \to \infty} a_n = \alpha \text{ 또는 } n \to \infty \text{일 때 } a_n \to \alpha$$
> 와 같이 나타낸다.

[002-005] 다음 수열의 수렴, 발산을 조사하고, 수렴하면 그 극한값을 구하시오.

002 $1, \dfrac{1}{2}, \dfrac{1}{3}, \dfrac{1}{4}, \cdots, \dfrac{1}{n}, \cdots$

003 $1, 3, 5, 7, \cdots, 2n-1, \cdots$

004 $5, 5, 5, 5, \cdots$

005 $-1, 1, -1, 1, \cdots, (-1)^n, \cdots$

[006-011] 다음 수열 $\{a_n\}$의 수렴, 발산을 조사하고, 수렴하면 그 극한값을 구하시오.

006 $\{n+1\}$

007 $\{-2n+7\}$

008 $\left\{100 - \dfrac{1}{n}\right\}$

009 $\left\{\dfrac{n}{n+1}\right\}$

010 $\{(-1)^n + 1\}$

011 $\{(-2)^n\}$

2 수열의 극한에 대한 기본 성질

[012-014] $\lim\limits_{n \to \infty} a_n = 3$, $\lim\limits_{n \to \infty} b_n = -2$일 때, 다음 극한값을 구하시오.

012 $\lim\limits_{n \to \infty} (a_n + b_n)$

013 $\lim\limits_{n \to \infty} (2a_n + 3b_n)$

014 $\lim\limits_{n \to \infty} (4a_n - b_n)$

[015-018] $\lim\limits_{n \to \infty} a_n = -1$, $\lim\limits_{n \to \infty} b_n = 4$일 때, 다음 극한값을 구하시오.

015 $\lim\limits_{n \to \infty} 2a_n b_n$

016 $\lim\limits_{n \to \infty} a_n^2 b_n$

017 $\lim\limits_{n \to \infty} \dfrac{b_n}{a_n}$

018 $\lim\limits_{n \to \infty} (a_n + 2)(b_n - 1)$

[019-022] 다음 극한값을 구하시오.

019 $\lim\limits_{n \to \infty} \left(2 + \dfrac{3}{n} \right)$

020 $\lim\limits_{n \to \infty} \dfrac{4n+1}{n^2}$

021 $\lim\limits_{n \to \infty} \left(\dfrac{5}{n} - 1 \right) \left(3 + \dfrac{1}{n} \right)$

022 $\lim\limits_{n \to \infty} \dfrac{3 + \dfrac{1}{n^2}}{1 - \dfrac{2}{n}}$

3 극한값의 계산 (1)

[023-030] 다음 극한을 조사하고, 극한이 존재하면 그 극한값을 구하시오.

023 $\lim\limits_{n \to \infty} \dfrac{2n+3}{n+2}$

024 $\lim\limits_{n \to \infty} \dfrac{4n^2 + 3n + 1}{n^2 + 2n - 3}$

025 $\displaystyle\lim_{n\to\infty}\frac{(n-1)(2n+3)}{n^2}$

026 $\displaystyle\lim_{n\to\infty}\frac{n^2-n}{2n-1}$

027 $\displaystyle\lim_{n\to\infty}\frac{(n-1)(3n-1)}{6n+1}$

028 $\displaystyle\lim_{n\to\infty}\frac{n+2}{n^2+1}$

029 $\displaystyle\lim_{n\to\infty}\frac{2n^2+1}{n^3-2n}$

030 $\displaystyle\lim_{n\to\infty}\frac{\sqrt{n+3}}{\sqrt{n}}$

[031-034] 다음을 만족시키는 두 상수 a, b의 값을 구하시오.

031 $\displaystyle\lim_{n\to\infty}\frac{an+5}{2n+3}=3$

032 $\displaystyle\lim_{n\to\infty}\frac{-2n^2+3n-1}{an^2+1}=-\frac{1}{2}$

033 $\displaystyle\lim_{n\to\infty}\frac{an^2+bn+3}{3n+2}=3$

034 $\displaystyle\lim_{n\to\infty}\frac{an^2-9n+1}{bn-3}=-3$

4 극한값의 계산 (2)

[035-042] 다음 극한을 조사하고, 극한이 존재하면 그 극한값을 구하시오.

035 $\displaystyle\lim_{n\to\infty}(n^2-3n+1)$

036 $\displaystyle\lim_{n\to\infty}(2n-n^2)$

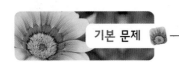

기본 문제

037 $\lim\limits_{n\to\infty} (2+3n^2-n^3)$

038 $\lim\limits_{n\to\infty} (\sqrt{n+5}-\sqrt{n}\,)$

039 $\lim\limits_{n\to\infty} \dfrac{\sqrt{n+3}-\sqrt{n}}{2}$

040 $\lim\limits_{n\to\infty} (\sqrt{n^2+n}-n)$

041 $\lim\limits_{n\to\infty} \dfrac{\sqrt{n^2+3n}-n}{4}$

042 $\lim\limits_{n\to\infty} (\sqrt{n^2+3n}-\sqrt{n^2+1})$

5 　극한값의 계산 (3)

[043-045] 다음 극한을 조사하고, 극한이 존재하면 그 극한값을 구하시오.

043 $\lim\limits_{n\to\infty} \dfrac{1}{\sqrt{n+1}-\sqrt{n}}$

044 $\lim\limits_{n\to\infty} \dfrac{1}{\sqrt{n^2-n}-n}$

045 $\lim\limits_{n\to\infty} \dfrac{1}{\sqrt{n^2+4n}-n}$

6 　수열의 극한값의 대소 관계

[046-048] 일반항 a_n이 다음을 만족시킬 때, 수열 $\{a_n\}$의 극한값을 구하시오.

046 $\dfrac{1}{n} \leq a_n \leq \dfrac{2}{n}$

047 $2n-1 < na_n < 2n+5$

048 $\dfrac{3n-2}{n^2} < \dfrac{a_n}{n} < \dfrac{3n+2}{n^2}$

유형 문제

유형 01 수열의 수렴과 발산

상수 a에 대하여 n이 한없이 커지면

(1) 수열 $\left\{\dfrac{a}{n}\right\}$는 0에 수렴

(2) 수열 $\left\{\dfrac{n}{a}\right\}$은 양의 무한대 또는 음의 무한대로 발산

049

다음 수열 중에서 수렴하는 것은?

① $-\dfrac{1}{2}, 2, -\dfrac{3}{2}, 4, -\dfrac{5}{2}, 6, \cdots$

② $\dfrac{2}{3}, \dfrac{4}{5}, \dfrac{6}{7}, \dfrac{8}{9}, \dfrac{10}{11}, \cdots$

③ $10, 1, 9, 1, 8, 1, \cdots$

④ $100, 98, 96, 94, 92, \cdots$

⑤ $\dfrac{1}{1000}, \dfrac{2}{1000}, \dfrac{3}{1000}, \dfrac{4}{1000}, \cdots$

050

〈보기〉의 수열의 수렴, 발산을 조사하여 순서대로 적은 것은?

┤ 보기 ├
ㄱ. $\{2n-3\}$ ㄴ. $\{(-1)^{n+2}\}$ ㄷ. $\{1-n^2\}$

① 수렴, 수렴, 수렴   ② 수렴, 발산, 수렴
③ 발산, 수렴, 발산   ④ 수렴, 발산, 발산
⑤ 발산, 발산, 발산

051

〈보기〉의 수열 중에서 수렴하는 것만을 있는 대로 고르시오.

┤ 보기 ├
ㄱ. $\left\{1-\left(\dfrac{1}{2}\right)^n\right\}$ ㄴ. $\{n\times(-1)^n\}$ ㄷ. $\left\{\dfrac{1}{\sqrt{n}+1}\right\}$

유형 02 수열의 극한에 대한 기본 성질

수렴하는 두 수열 $\{a_n\}, \{b_n\}$에 대하여
$\lim\limits_{n\to\infty} a_n=\alpha$, $\lim\limits_{n\to\infty} b_n=\beta$ (α, β는 실수)일 때,

(1) $\lim\limits_{n\to\infty} ka_n=k\lim\limits_{n\to\infty} a_n=k\alpha$ (단, k는 상수)

(2) $\lim\limits_{n\to\infty} (a_n\pm b_n)=\lim\limits_{n\to\infty} a_n \pm \lim\limits_{n\to\infty} b_n=\alpha\pm\beta$ (복부호 동순)

(3) $\lim\limits_{n\to\infty} a_n b_n=\lim\limits_{n\to\infty} a_n \times \lim\limits_{n\to\infty} b_n=\alpha\beta$

(4) $\lim\limits_{n\to\infty} \dfrac{a_n}{b_n}=\dfrac{\lim\limits_{n\to\infty} a_n}{\lim\limits_{n\to\infty} b_n}=\dfrac{\alpha}{\beta}$ (단, $b_n\neq0$, $\beta\neq0$)

052

$\lim\limits_{n\to\infty}\left(\dfrac{1}{n}+\dfrac{3}{n^2}\right)$의 값은?

① 0   ② 1   ③ 2
④ 3   ⑤ 4

053

수열 $\{a_n\}$에 대하여 $\lim\limits_{n\to\infty} a_n=3$일 때, $\lim\limits_{n\to\infty} (1-2a_n)^2$의 값을 구하시오.

054

두 수열 $\{a_n\}, \{b_n\}$에 대하여 $\lim\limits_{n\to\infty} a_n=2$, $\lim\limits_{n\to\infty} b_n=-3$일 때, $\lim\limits_{n\to\infty} (2a_n-1)(b_n+1)$의 값을 구하시오.

유형 **03** 극한값의 계산 – $\dfrac{\infty}{\infty}$ 꼴

분모의 최고차항으로 분모, 분자를 각각 나눈다.

055

$\displaystyle\lim_{n\to\infty}\dfrac{3n^2-1}{2n^2-n+2}$ 의 값은?

① $-\dfrac{3}{2}$ 　　② $-\dfrac{1}{2}$ 　　③ 1

④ $\dfrac{3}{2}$ 　　⑤ 2

056

다음에서 세 상수 a, b, c의 대소 관계를 옳게 나타낸 것은?

- $\displaystyle\lim_{n\to\infty}\dfrac{n+1}{3-2n}=a$
- $\displaystyle\lim_{n\to\infty}\dfrac{2n^2-4n+1}{3n^2-5n}=b$
- $\displaystyle\lim_{n\to\infty}\dfrac{1+n^2}{3n-n^3}=c$

① $a<b<c$ 　② $a<c<b$ 　③ $b<c<a$
④ $c<a<b$ 　⑤ $c<b<a$

057

$\displaystyle\lim_{n\to\infty}\dfrac{(3n+1)(4n+1)}{2n^2-1}$ 의 값을 구하시오.

058

다음 수열의 극한값을 구하시오.

$$\dfrac{2\times3}{3\times5},\ \dfrac{4\times5}{4\times6},\ \dfrac{6\times7}{5\times7},\ \dfrac{8\times9}{6\times8},\ \cdots$$

059

$\displaystyle\lim_{n\to\infty}\dfrac{2n+3}{\sqrt{9n^2+1}-\sqrt{n}}$ 의 값은?

① $\dfrac{1}{3}$ 　　② $\dfrac{2}{3}$ 　　③ 1

④ $\dfrac{4}{3}$ 　　⑤ $\dfrac{5}{3}$

060

$\displaystyle\lim_{n\to\infty}\{\log_2(n^2-2n+3)-\log_2(2n+1)^2\}$의 값을 구하시오.

유형 **04** 극한값의 계산 – $\infty - \infty$ 꼴

(1) 분모를 유리화하여 $\dfrac{\infty}{\infty}$ 꼴로 변형하여 극한값을 구한다.

(2) 분모, 분자에 모두 $\sqrt{}$ 가 있는 $\infty - \infty$ 꼴은 분모, 분자를 모두 유리화한다.

중요
061

$\displaystyle\lim_{n\to\infty} (\sqrt{4n^2+n} - 2n)$의 값은?

① 0   ② $\dfrac{1}{4}$ ③ $\dfrac{1}{2}$

④ 2   ⑤ 4

062

$\displaystyle\lim_{n\to\infty} (\sqrt{n^2-3n} - \sqrt{n^2-1})$의 값을 구하시오.

063

$\displaystyle\lim_{n\to\infty} \dfrac{2}{\sqrt{n^2+2n} - \sqrt{n^2-2n}}$의 값을 구하시오.

유형 **05** 미정계수의 결정

$\dfrac{\infty}{\infty}$ 꼴의 극한값이 0이 아닌 값으로 수렴할 때

⇨ (분자의 차수)=(분모의 차수)이고,

극한값은 $\dfrac{\text{분자의 최고차항의 계수}}{\text{분모의 최고차항의 계수}}$

064

$\displaystyle\lim_{n\to\infty} \dfrac{(n-1)(2n+1)}{an^2+3} = -\dfrac{1}{3}$일 때, 상수 a의 값을 구하시오.

중요
065

$\displaystyle\lim_{n\to\infty} \dfrac{an^2+bn+1}{3n+2} = 2$가 성립하도록 두 상수 a, b의 값을 정할 때, $a+b$의 값은?

① 3   ② 4   ③ 5

④ 6   ⑤ 7

066

$\displaystyle\lim_{n\to\infty} \dfrac{a(n+1)^2}{bn^3+3n^2-1} = -2$가 되도록 하는 두 상수 a, b에 대하여 $b-a$의 값을 구하시오.

067

$\lim\limits_{n\to\infty} \dfrac{\sqrt{n^2+1}-an}{n}=-3$일 때, 상수 a의 값은?

① 0 ② 1 ③ 2

④ 3 ⑤ 4

068

$\lim\limits_{n\to\infty}(\sqrt{n}\sqrt{n+a}-n)=2$일 때, 상수 a의 값을 구하시오.

069

$\lim\limits_{n\to\infty}(\sqrt{n^2+an}-bn)=1$일 때, 두 상수 a, b에 대하여 a^2+b^2의 값을 구하시오.

유형 16 극한값의 대소 관계

수렴하는 두 수열 $\{a_n\}$, $\{b_n\}$에 대하여 $\lim\limits_{n\to\infty}a_n=\alpha$, $\lim\limits_{n\to\infty}b_n=\beta$ (α, β는 실수)일 때, 수열 $\{c_n\}$이 모든 자연수 n에 대하여 $a_n\leq c_n\leq b_n$이고 $\alpha=\beta$이면 $\lim\limits_{n\to\infty}c_n=\alpha$

070

수열 $\{a_n\}$이 모든 자연수 n에 대하여 $n<a_n<n+1$을 만족시킬 때, $\lim\limits_{n\to\infty}\dfrac{a_n}{n}$의 값을 구하시오.

071

수열 $\{a_n\}$이 모든 자연수 n에 대하여

$$3n^2-2n+1<n^2a_n<3n^2+2n+3$$

을 만족시킬 때, $\lim\limits_{n\to\infty}a_n$의 값을 구하시오.

072

수열 $\{a_n\}$이 모든 자연수 n에 대하여

$$3n^2+2n-3<a_n<3n^2+2n+4$$

를 만족시킬 때, $\lim\limits_{n\to\infty}\dfrac{a_n-3n^2}{n}$의 값은?

① 1 ② 2 ③ 3

④ 4 ⑤ 5

유형 07 수열의 극한의 진위 판단

(1) 옳음을 보이려면 증명을 해야 하지만 옳지 않음을 보일 때는 반례를 들면 된다.
(2) 수열의 극한에 대한 기본 성질은 수열이 수렴할 때만 성립하므로 수렴하지 않는 수열에 적용하지 않도록 주의한다.

073

두 수열 $\{a_n\}$, $\{b_n\}$에 대하여 〈보기〉에서 옳은 것만을 있는 대로 고르시오.

┤ 보기 ├
ㄱ. $\lim\limits_{n \to \infty} a_n = \infty$, $\lim\limits_{n \to \infty} b_n = 0$이면 $\lim\limits_{n \to \infty} a_n b_n = 0$이다.

ㄴ. $\lim\limits_{n \to \infty} a_n = \infty$, $\lim\limits_{n \to \infty} b_n = \infty$이면 $\lim\limits_{n \to \infty} \dfrac{a_n}{b_n} = 1$이다.

ㄷ. $\lim\limits_{n \to \infty} a_n = \infty$, $\lim\limits_{n \to \infty} (a_n - b_n) = \alpha$ (α는 상수)이면 $\lim\limits_{n \to \infty} \dfrac{b_n}{a_n} = 1$이다.

074

두 수열 $\{a_n\}$, $\{b_n\}$에 대하여 〈보기〉에서 옳은 것만을 있는 대로 고른 것은?

┤ 보기 ├
ㄱ. 수열 $\{a_n\}$이 수렴하면 수열 $\{a_{2n}\}$도 수렴한다.

ㄴ. 수열 $\{a_n b_n\}$이 수렴하면 두 수열 $\{a_n\}$, $\{b_n\}$ 중에서 적어도 하나는 수렴한다.

ㄷ. 수열 $\{a_n\}$이 발산하고 수열 $\{b_n\}$이 수렴하면 수열 $\left\{\dfrac{b_n}{a_n}\right\}$은 0으로 수렴한다.

① ㄱ ② ㄴ ③ ㄱ, ㄴ
④ ㄱ, ㄷ ⑤ ㄱ, ㄴ, ㄷ

유형 08 치환을 이용한 수열의 극한

일반항 a_n을 포함하는 극한값
⇨ 수열 $\{a_n\}$을 포함하는 수열을 수열 $\{b_n\}$으로 놓고 수열 $\{a_n\}$을 수열 $\{b_n\}$에 대한 식으로 나타낸다.

참고 수열 $\{a_n\}$이 α로 수렴하면
$\lim\limits_{n \to \infty} a_{n-1} = \lim\limits_{n \to \infty} a_{n+1} = \lim\limits_{n \to \infty} a_{2n} = \cdots = \alpha$

075

수열 $\{a_n\}$에 대하여 $\lim\limits_{n \to \infty} (a_n - 1) = 3$일 때, $\lim\limits_{n \to \infty} a_n(a_n - 3)$의 값은?

① 1 ② 2 ③ 3
④ 4 ⑤ 5

중요 076

수열 $\{a_n\}$에 대하여 $\lim\limits_{n \to \infty} \dfrac{6 + 2a_n}{3a_n - 1} = \dfrac{3}{2}$일 때, $\lim\limits_{n \to \infty} a_n$의 값을 구하시오.

077

수렴하는 수열 $\{a_n\}$에 대하여 $\lim\limits_{n \to \infty} \dfrac{2a_{n+2} + 3}{a_n - 3} = -4$일 때, $\lim\limits_{n \to \infty} (4a_n + 3)$의 값을 구하시오.

078

수열 $\{a_n\}$이 $\lim\limits_{n\to\infty} na_n = 3$을 만족시킬 때, $\lim\limits_{n\to\infty} \dfrac{2(n-1)^2}{(n+1)^3 a_n}$의 값은?

① $\dfrac{1}{3}$ ② $\dfrac{2}{3}$ ③ 1

④ $\dfrac{3}{2}$ ⑤ 3

중요 079

수열 $\{a_n\}$이 $\lim\limits_{n\to\infty} (n+4)a_n = 5$를 만족시킬 때, $\lim\limits_{n\to\infty} (5n+2)a_n$의 값을 구하시오.

080

두 수열 $\{a_n\}$, $\{b_n\}$에 대하여 $\lim\limits_{n\to\infty} (3a_n - 5b_n) = 2$, $\lim\limits_{n\to\infty} a_n = 4$가 성립할 때, $\lim\limits_{n\to\infty} b_n$의 값을 구하시오.

유형 09 극한값의 응용

① 합 또는 곱으로 된 부분을 간단히 정리하여 n에 대한 유리식으로 나타낸다.

② $\dfrac{\infty}{\infty}$ 꼴로 변형한 다음 극한값을 구한다.

081

수열 $\{a_n\}$은 첫째항이 1이고 공차가 3인 등차수열, 수열 $\{b_n\}$은 첫째항이 3이고 공차가 2인 등차수열일 때, $\lim\limits_{n\to\infty} \dfrac{b_n}{2a_n}$의 값은?

① $\dfrac{1}{3}$ ② $\dfrac{1}{2}$ ③ $\dfrac{2}{3}$

④ 1 ⑤ $\dfrac{3}{2}$

중요 082

$\lim\limits_{n\to\infty} \dfrac{n^3}{1^2+2^2+3^2+\cdots+n^2}$의 값을 구하시오.

083

수열 $\dfrac{1^2+1}{1}$, $\dfrac{2^2+1}{1+2}$, $\dfrac{3^2+1}{1+2+3}$, $\cdots$의 극한값을 구하시오.

084

$\displaystyle\lim_{n\to\infty}\{\sqrt{1+2+3+\cdots+n}-\sqrt{1+2+3+\cdots+(n-1)}\}$의 값은?

① $\dfrac{\sqrt{2}}{2}$ ② 1   ③ $\sqrt{2}$

④ 2   ⑤ $2\sqrt{2}$

085

$\displaystyle\lim_{n\to\infty}\left(\dfrac{1}{2n^2+1}\sum_{k=1}^{2n}k\right)$의 값을 구하시오.

086

함수 $f(x)=x^2+3nx+1$에 대하여 방정식 $f(x)=0$의 두 근을 $a_n,\ b_n$이라 할 때, $\displaystyle\lim_{n\to\infty}\dfrac{a_n{}^2+b_n{}^2}{f(n)}$의 값을 구하시오.

(단, n은 자연수이다.)

유형 10 a_n과 S_n의 관계를 이용하여 극한값 구하기

수열 $\{a_n\}$의 첫째항부터 제 n항까지의 합이 S_n일 때,

① $a_1=S_1$

② $a_n=S_n-S_{n-1}\ (n\geq2)$

087

수열 $\{a_n\}$의 첫째항부터 제 n항까지의 합 S_n이 $S_n=n^2+2n$일 때, $\displaystyle\lim_{n\to\infty}\dfrac{a_n}{n}$의 값은?

① 1   ② 2   ③ 3

④ 4   ⑤ 5

088

수열 $\{a_n\}$의 첫째항부터 제 n항까지의 합 S_n이 $S_n=3n^2+2$일 때, $\displaystyle\lim_{n\to\infty}\dfrac{a_n a_{n+1}}{S_n}$의 값을 구하시오.

089

수열 $\{a_n\}$의 첫째항부터 제 n항까지의 합 S_n이 $S_n=n^2-3n$이고, 수열 $\{b_n\}$의 일반항이 $b_n=\dfrac{a_n+a_{n+1}}{2}$일 때, $\displaystyle\lim_{n\to\infty}\dfrac{b_n}{a_n}$의 값을 구하시오.

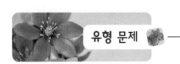 유형 문제

유형 11 도형에서의 극한값의 응용

① 주어진 조건을 이용하여 a_n과 a_{n+1}의 관계식을 구한다.

② ①에서 구한 식을 변형하여 일반항 a_n을 구한다.

③ 구하는 식에 a_n을 대입하여 극한값을 구한다.

090

이차함수 $f(x)=2x^2-2nx+\dfrac{1}{2}n^2+6n+1$ $(n=1, 2, 3, \cdots)$ 의 그래프의 꼭짓점의 좌표를 $P(x_n, y_n)$이라 할 때, $\displaystyle\lim_{n\to\infty}\dfrac{y_n}{x_n}$의 값을 구하시오.

091

이차함수 $f(x)=2x^2$의 그래프 위의 두 점 $P(n, f(n))$과 $Q(n+1, f(n+1))$ 사이의 거리를 a_n이라 할 때, $\displaystyle\lim_{n\to\infty}\dfrac{a_n}{n}$의 값을 구하시오. (단, n은 자연수이다.)

092 ^{중요}

곡선 $y=\sqrt{x}$ 위의 점 $P(n, \sqrt{n})$에서 x축에 내린 수선의 발을 Q라 할 때, $\displaystyle\lim_{n\to\infty}(\overline{OP}-\overline{OQ})$의 값은?

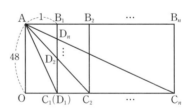

① $\dfrac{1}{4}$ 　　　② $\dfrac{1}{3}$

③ $\dfrac{1}{2}$ 　　　④ $\dfrac{2}{3}$

⑤ $\dfrac{3}{4}$

093

함수 $f(x)=\dfrac{2}{3}x+1$에 대하여 수열 $\{a_n\}$을 $a_1=1$, $a_{n+1}=f(a_n)$ $(n=1, 2, 3, \cdots)$으로 정의할 때, 그림의 두 직선 $y=\dfrac{2}{3}x+1$과 $y=x$를 이용하여 $\displaystyle\lim_{n\to\infty}a_n$의 값을 구하면?

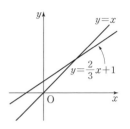

① $\dfrac{3}{2}$ 　　　② 2 　　　③ $\dfrac{5}{2}$

④ 3 　　　⑤ $\dfrac{7}{2}$

094

그림과 같이 자연수 n에 대하여 가로의 길이가 n, 세로의 길이가 48인 직사각형 OAB_nC_n이 있다. 대각선 AC_n과 선분 B_1C_1의 교점을 D_n이라 할 때, $\displaystyle\lim_{n\to\infty}\dfrac{\overline{AC_n}-\overline{OC_n}}{\overline{B_1D_n}}$의 값을 구하시오.

쌤이 시험에 **꼭** 내는 문제

095

두 수열 $\{a_n\}$, $\{b_n\}$이 모두 수렴하고, $\lim\limits_{n\to\infty}(a_n+b_n)=4$, $\lim\limits_{n\to\infty}a_nb_n=3$일 때, $\lim\limits_{n\to\infty}(a_n^2+b_n^2)$의 값을 구하시오.

096

$\lim\limits_{n\to\infty}(\log_3\sqrt{n}-\log_3\sqrt{3n+2}\,)$의 값을 구하시오.

097

$\lim\limits_{n\to\infty}\sqrt{n}\,(\sqrt{2n+1}-\sqrt{2n}\,)$의 값은?

① $\dfrac{\sqrt{2}}{4}$ ② $\dfrac{\sqrt{2}}{2}$ ③ $\dfrac{3\sqrt{2}}{4}$

④ $\sqrt{2}$ ⑤ $\dfrac{5\sqrt{2}}{4}$

098

$\lim\limits_{n\to\infty}\dfrac{1-2n}{an^2+bn-3}=\dfrac{1}{2}$을 만족시키는 두 상수 a, b에 대하여 $\lim\limits_{n\to\infty}(\sqrt{n^2-bn+a}-n)$의 값을 구하시오.

099

수열 $\{a_n\}$이 모든 자연수 n에 대하여 $4n^2+2<(2n-1)a_n<4n^2+3$을 만족시킬 때, $\lim\limits_{n\to\infty}\dfrac{a_n}{2n+1}$의 값을 구하시오.

100

두 수열 $\{a_n\}$, $\{b_n\}$에 대하여 〈보기〉에서 옳은 것만을 있는 대로 고른 것은?

┤ 보기 ├

ㄱ. 두 수열 $\{a_n\}$, $\{b_n\}$이 발산하면 수열 $\{a_n+b_n\}$도 발산한다.

ㄴ. $\lim\limits_{n\to\infty}a_n=\alpha$, $\lim\limits_{n\to\infty}b_n=\beta$이면 $\lim\limits_{n\to\infty}\dfrac{a_n}{b_n}=\dfrac{\alpha}{\beta}$이다.

(단, α, β는 실수이고, $b_n\neq 0$, $\beta\neq 0$)

ㄷ. 모든 자연수 n에 대하여 $a_n\neq b_n$이면 $\lim\limits_{n\to\infty}a_n\neq\lim\limits_{n\to\infty}b_n$이다.

① ㄱ ② ㄴ ③ ㄱ, ㄴ

④ ㄴ, ㄷ ⑤ ㄱ, ㄴ, ㄷ

쌤꼭 문제

101

수열 $\{a_n\}$에 대하여 $\lim_{n\to\infty}(2n-1)^2 a_n=6$이 성립할 때, $\lim_{n\to\infty}3n^2 a_n$의 값을 구하시오.

102

$$\lim_{n\to\infty}\left(1+\frac{1}{n}\right)\left(1+\frac{1}{n+1}\right)\left(1+\frac{1}{n+2}\right)\left(1+\frac{1}{n+3}\right)\times\cdots$$
$$\times\left(1+\frac{1}{n+n}\right)$$

의 값을 구하시오.

103

n이 자연수이고 x에 대한 이차방정식 $x^2+2nx-3n=0$의 음수인 근을 a_n이라 할 때, $\lim_{n\to\infty}\dfrac{n}{a_n}$의 값은?

① $-\dfrac{1}{2}$ ② $-\dfrac{1}{3}$ ③ $-\dfrac{1}{4}$

④ $-\dfrac{1}{5}$ ⑤ $-\dfrac{1}{6}$

104

자연수 n에 대하여 $\sqrt{n^2+3n+1}$의 소수 부분을 a_n이라 할 때, $\lim_{n\to\infty}100a_n$의 값을 구하시오.

1등급 문제

105

모든 실수 x에 대하여 정의된 함수 $f(x)$는 $f(x)=x^2$ $(-1\le x\le1)$과 $f(x+2)=f(x)$를 만족시킨다. 좌표평면 위에서 자연수 n에 대하여 직선 $y=\dfrac{1}{2n}x+\dfrac{1}{4n}$과 함수 $y=f(x)$의 그래프의 교점의 개수를 a_n이라 할 때, $\lim_{n\to\infty}\dfrac{a_n}{n}$의 값을 구하시오.

106

자연수 n에 대하여 그림과 같이 두 점 $A_n(n,0)$, $B_n(0,n+1)$이 있다. 삼각형 OA_nB_n에 내접하는 원의 중심을 C_n이라 하고, 두 점 B_n과 C_n을 지나는 직선이 x축과 만나는 점을 P_n이라 하자. $\lim_{n\to\infty}\dfrac{\overline{OP_n}}{n}$의 값을 구하시오. (단, O는 원점이다.)

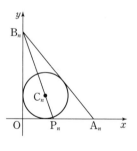

02 등비수열의 극한

02 등비수열의 극한

1 등비수열의 수렴과 발산

등비수열 $\{r^n\}$에서

(1) $r>1$일 때, $\lim\limits_{n\to\infty} r^n=\infty$ (발산)

(2) $r=1$일 때, $\lim\limits_{n\to\infty} r^n=1$ (수렴)

(3) $-1<r<1$일 때, $\lim\limits_{n\to\infty} r^n=0$ (수렴)

(4) $r\le-1$일 때, 수열 $\{r^n\}$은 진동 (발산)

2 등비수열의 극한

(1) 분수식의 극한 $\left(\dfrac{\infty}{\infty}\ \text{꼴}\right)$

➡ 분모에서 밑의 절댓값이 가장 큰 항으로 분모, 분자를 나눈다.

(2) 다항식의 극한 ($\infty-\infty$ 꼴)

➡ 밑의 절댓값이 가장 큰 항으로 묶어낸다.

3 등비수열의 수렴 조건

(1) 등비수열 $\{r^n\}$이 수렴하기 위한 조건 ➡ $-1<r\le1$

(2) 등비수열 $\{ar^{n-1}\}$이 수렴하기 위한 조건 ➡ $a=0$ 또는 $-1<r\le1$

4 r^n을 포함한 식의 극한

r^n을 포함한 수열의 극한은 r의 값의 범위를 다음의 네 가지로 나누어 구한다.

(i) $|r|<1$ (ii) $r=1$

(iii) $r=-1$ (iv) $|r|>1$

개념 플러스

◀ 분수식의 극한

(1) $\dfrac{b^n+c^n}{a^n}$ 꼴의 극한 $\left(\dfrac{\infty}{\infty}\ \text{꼴인 경우}\right)$

⇨ $\left(\dfrac{b}{a}\right)^n+\left(\dfrac{c}{a}\right)^n$ 으로 변형한다.

(2) $\dfrac{c^n+d^n}{a^n+b^n}$ 꼴의 극한 $\left(\dfrac{\infty}{\infty}\ \text{꼴인 경우}\right)$

⇨ 분모의 a^n, b^n 중에서 밑의 절댓값이 큰 항으로 분모와 분자를 나눈다.

◀ 등비수열 $\{r^n\}$의 첫째항과 공비는 모두 r이다.

◀ $\lim\limits_{n\to\infty} r^n=\begin{cases} 0 \ (|r|<1) \\ 1 \ (r=1) \\ \text{발산} \\ \quad (|r|>1 \text{ 또는 } r=-1) \end{cases}$

기본 문제

1 등비수열의 수렴과 발산

[001-006] 다음 등비수열의 수렴, 발산을 조사하고, 수렴하면 그 극한값을 구하시오.

001 $\{2^n\}$

002 $\{0.7^n\}$

003 $\left\{\left(-\dfrac{2}{3}\right)^n\right\}$

004 $\{(-5)^n\}$

005 $\left\{\dfrac{2^n}{3^n}\right\}$

006 $\{(\log_2 3)^n\}$

[007-012] 다음 등비수열의 수렴, 발산을 조사하고, 수렴하면 그 극한값을 구하시오.

007 $1, 2, 4, 8, 16, \cdots$

008 $-1, 1, -1, 1, \cdots$

009 $125, 25, 5, 1, \dfrac{1}{5}, \cdots$

010 $1, -\dfrac{1}{3}, \dfrac{1}{9}, -\dfrac{1}{27}, \cdots$

011 $\dfrac{2}{3}, \dfrac{4}{9}, \dfrac{8}{27}, \dfrac{16}{81}, \cdots$

012 $\sqrt{2}, 2, 2\sqrt{2}, 4, 4\sqrt{2}, \cdots$

2 등비수열의 극한

[013-019] 다음 극한을 조사하고, 극한이 존재하면 그 극한값을 구하시오.

013 $\lim\limits_{n\to\infty}\left\{1-\left(-\dfrac{1}{7}\right)^{n}\right\}$

014 $\lim\limits_{n\to\infty}\dfrac{2^{n}+1}{3^{n}-1}$

015 $\lim\limits_{n\to\infty}\dfrac{3^{n+1}}{3^{n}-1}$

016 $\lim\limits_{n\to\infty}\dfrac{4^{n}-3^{n}}{4^{n+1}}$

017 $\lim\limits_{n\to\infty}\dfrac{2^{n}+3^{n+1}}{2^{n}+3^{n}}$

018 $\lim\limits_{n\to\infty}\dfrac{3^{n}+5^{n}}{4^{n}+5^{n}}$

019 $\lim\limits_{n\to\infty}(3^{n}-2^{n})$

3 등비수열의 수렴 조건

[020-023] 다음 등비수열이 수렴하기 위한 실수 x의 값의 범위를 구하시오.

020 $\{x^{n}\}$

021 $\{(x-1)^{n}\}$

022 $\{(2x)^{n}\}$

023 $\left\{\left(\dfrac{4x+1}{5}\right)^{n}\right\}$

[024-026] 다음 등비수열이 수렴하기 위한 실수 x의 값의 범위를 구하시오.

024 $1,\ -x,\ x^{2},\ -x^{3},\ x^{4},\ \cdots$

025 $3,\ 9x,\ 27x^{2},\ 81x^{3},\ 243x^{4},\ \cdots$

026 $1,\ \dfrac{x}{4},\ \dfrac{x^{2}}{16},\ \dfrac{x^{3}}{64},\ \dfrac{x^{4}}{256},\ \cdots$

[027-031] 수열 $\{r^n\}$이 수렴할 때, 다음 수열이 항상 수렴하는 것은 ○, 항상 수렴하지 않는 것은 × 표를 하시오.

027 $\{r^{2n}\}$ ( )

028 $\{(2r)^n\}$ ( )

029 $\{(r+1)^n\}$ ( )

030 $\left\{\left(\dfrac{r}{2}\right)^n\right\}$ ( )

031 $\left\{\left(\dfrac{2r-1}{3}\right)^n\right\}$ ( )

4 r^n을 포함한 식의 극한

[032-035] 수열 $\left\{\dfrac{1+r^n}{r^n}\right\}$에 대하여 r의 값의 범위가 다음과 같을 때, 수렴, 발산을 조사하고, 수렴하면 그 극한값을 구하시오.

032 $-1 < r < 1$ (단, $r \neq 0$)

033 $r=1$

034 $r=-1$

035 $r < -1$ 또는 $r > 1$

유형 01 등비수열의 수렴과 발산

등비수열 $\{r^n\}$ 에서

(1) $r>1$일 때, $\lim\limits_{n\to\infty} r^n=\infty$ (발산)

(2) $r=1$일 때, $\lim\limits_{n\to\infty} r^n=1$ (수렴)

(3) $-1<r<1$일 때, $\lim\limits_{n\to\infty} r^n=0$ (수렴)

(4) $r\leq-1$일 때, 수열 $\{r^n\}$은 진동 (발산)

036

$\lim\limits_{n\to\infty}\left\{2+\left(-\dfrac{1}{5}\right)^n\right\}$의 값을 구하시오.

037

다음 수열의 수렴, 발산에 대한 설명으로 옳지 <u>않은</u> 것은?

① $\left\{\left(-\dfrac{9}{10}\right)^n\right\}$은 수렴한다.

② $\left\{\left(\dfrac{3}{\sqrt{5}}\right)^n\right\}$은 발산한다.

③ $\left\{\dfrac{n^2+1}{n}\right\}$은 발산한다.

④ $\{2n-n^2\}$은 발산한다.

⑤ $\{1+(-1)^n\}$은 수렴한다.

038

〈보기〉의 등비수열 중에서 수렴하는 것만을 있는 대로 고른 것은?

┌─ 보기 ├─

ㄱ. $\left\{\left(-\dfrac{7}{8}\right)^n\right\}$　　ㄴ. $\left\{\dfrac{3^n}{4^{n+1}}\right\}$　　ㄷ. $\{(-1.1)^n\}$

① ㄱ　　　　② ㄴ　　　　③ ㄱ, ㄴ

④ ㄱ, ㄷ　　⑤ ㄴ, ㄷ

유형 02 등비수열의 극한

(1) 분모에 r^n 꼴이 들어 있는 분수식의 극한

　⇨ 분모에서 밑의 절댓값이 가장 큰 항으로 분모, 분자를 각각 나눈다.

(2) 다항식의 극한

　⇨ 밑의 절댓값이 가장 큰 항으로 묶어낸다.

039

$\lim\limits_{n\to\infty}\dfrac{2^n-5^{n+1}}{3^n+5^n}$ 의 값은?

① -5　　　　② -1　　　　③ $-\dfrac{2}{3}$

④ $\dfrac{2}{5}$　　　　⑤ $\dfrac{2}{3}$

040

$\lim\limits_{n\to\infty}\dfrac{6^{n+1}+1}{(2^n+1)(3^n+1)}$ 의 값을 구하시오.

041

$\lim\limits_{n\to\infty}\dfrac{4^{n+2}+3^{2n-1}}{9^n-4^{n+1}}$ 의 값을 구하시오.

042

$\lim\limits_{n \to \infty} \dfrac{a \times 3^n + 1}{3^{n+1} + 2^n} = 2$를 만족시키는 상수 a의 값은?

① 4   ② 5   ③ 6

④ 7   ⑤ 8

043

첫째항이 a로 같은 두 등비수열 $\{a_n\}$, $\{b_n\}$의 공비가 각각 2, 3이다. $\lim\limits_{n \to \infty} \dfrac{a_n(a_n + b_n)}{6^n} = 24$일 때, 양수 a의 값을 구하시오.

044

모든 자연수 n에 대하여 수열 $\{a_n\}$이

$$3^{n+1} - 2^n < (2^{n+1} + 3^{n-1})a_n < 2^n + 3^{n+1}$$

을 만족시킬 때, $\lim\limits_{n \to \infty} a_n$의 값을 구하시오.

유형 03 수열의 극한의 성질을 이용한 극한값의 계산

$\dfrac{\infty}{\infty}$ 꼴의 극한

⇨ 분모의 밑의 절댓값이 가장 큰 항으로 분모와 분자를 각각 나눈다.

045

수열 $\{a_n\}$에 대하여 $\lim\limits_{n \to \infty} a_n = 6$일 때, $\lim\limits_{n \to \infty} \dfrac{5^n a_n}{a_n + 3 \times 5^n}$의 값은?

① 1   ② 2   ③ 3

④ 4   ⑤ 5

046

수렴하는 수열 $\{a_n\}$에 대하여 $\lim\limits_{n \to \infty} \dfrac{4 \times 3^n - 2^{n+1}a_n}{3^n a_n + 2^n} = 3$을 만족시킬 때, $\lim\limits_{n \to \infty} a_n$의 값을 구하시오.

047

수열 $\{a_n\}$에 대하여 $\lim\limits_{n \to \infty} \dfrac{3a_n - 1}{2a_n + 3} = 2$를 만족시킬 때, $\lim\limits_{n \to \infty} \dfrac{a_n \times 3^n}{a_n + 3^n}$의 값을 구하시오.

유형 **04** 등비수열의 수렴 조건

(1) 등비수열 $\{r^n\}$이 수렴하기 위한 조건
　　⇨ $-1 < r \le 1$
(2) 등비수열 $\{ar^{n-1}\}$이 수렴하기 위한 조건
　　⇨ $a = 0$ 또는 $-1 < r \le 1$

048

수열 $\left\{ \left(\dfrac{1}{3}x - 1 \right)^n \right\}$이 수렴하기 위한 정수 x의 개수를 구하시오.

049

수열 $\{(2x+3)^{n-1}\}$이 수렴하기 위한 실수 x의 값의 범위는?

① $-3 < x < -2$
② $-2 < x \le -1$
③ $-1 < x \le 0$
④ $0 < x \le 1$
⑤ $1 < x \le 2$

050

수열 $\left\{ x^n \left(\dfrac{x-1}{2} \right)^n \right\}$이 수렴하기 위한 정수 x의 개수를 구하시오.

유형 **05** r^n을 포함한 식의 극한

r^n을 포함한 수열의 극한은 r의 값의 범위를 다음의 네 가지로 나누어 구한다.

(i) $|r| < 1$　　　　(ii) $r = 1$
(iii) $r = -1$　　　(iv) $|r| > 1$

051

다음은 수열 $\left\{ \dfrac{2r^n}{1+r^n} \right\}$의 극한값에 대한 설명이다.

(i) $|r| < 1$일 때, $\displaystyle\lim_{n \to \infty} \dfrac{2r^n}{1+r^n} = \boxed{\text{(가)}}$

(ii) $r = 1$일 때, $\displaystyle\lim_{n \to \infty} \dfrac{2r^n}{1+r^n} = \boxed{\text{(나)}}$

(iii) $|r| > 1$일 때, $\displaystyle\lim_{n \to \infty} \dfrac{2r^n}{1+r^n} = \boxed{\text{(다)}}$

위의 (가), (나), (다)에 알맞은 값을 순서대로 나열한 것은?

① 0, 1, 2　　② 0, 2, 1　　③ 1, 0, 2
④ 2, 0, 1　　⑤ 2, 1, 0

052

함수 $f(x)$를 $f(x) = \displaystyle\lim_{n \to \infty} \dfrac{x^n + 3}{x^n + 1}$으로 정의할 때,

$f(-3) + f\left(\dfrac{1}{4} \right) + f(1)$의 값을 구하시오.

053

$\displaystyle\lim_{n \to \infty} \dfrac{r^{n+1} - 1}{r^n + 1} = 5$를 만족시키는 실수 r의 값을 구하시오.

(단, $r \ne -1$)

유형 06 등비수열의 극한값의 응용

① 주어진 식을 변형하여 수열의 일반항을 구한다.

② ①의 일반항을 이용하여 극한값을 구한다.

참고 수열 $\{a_n\}$의 첫째항부터 제n항까지의 합이 S_n일 때,

① $a_1 = S_1$

② $a_n = S_n - S_{n-1}$ (단, $n \geq 2$)

054

$\displaystyle\lim_{n \to \infty} \dfrac{5^n}{1 + 5 + 5^2 + \cdots + 5^n}$ 의 값은?

① 0   ② $\dfrac{1}{5}$ ③ $\dfrac{2}{5}$

④ $\dfrac{3}{5}$ ⑤ $\dfrac{4}{5}$

055

수열 $2, 4, 8, 16, \cdots$의 제n항을 a_n이라 하고, 첫째항부터 제n항까지의 합을 S_n이라 할 때, $\displaystyle\lim_{n \to \infty} \dfrac{a_n}{S_n}$ 의 값을 구하시오.

056

수열 $\{a_n\}$의 첫째항부터 제n항까지의 합 S_n이 $S_n = n \times 3^n$으로 주어질 때, $\displaystyle\lim_{n \to \infty} \dfrac{a_n}{S_n}$ 의 값을 구하시오.

057

수열 $\{a_n\}$의 첫째항부터 제n항까지의 합을 S_n이라 하고, $a_1 = 5$, $a_{n+1} = 2a_n$ $(n = 1, 2, 3, \cdots)$을 만족시킬 때, $\displaystyle\lim_{n \to \infty} \dfrac{a_n}{S_n}$ 의 값을 구하시오.

058

자연수 n에 대하여 다항식 $f(x) = 3^n x^2 + 2^n x - 1$을 $x-1$, $x-2$로 나눈 나머지를 각각 a_n, b_n이라 할 때, $\displaystyle\lim_{n \to \infty} \dfrac{a_n}{b_n}$ 의 값은?

① 0   ② $\dfrac{1}{6}$ ③ $\dfrac{1}{4}$

④ $\dfrac{1}{3}$ ⑤ $\dfrac{1}{2}$

중요 059

이차방정식 $x^2 - 4x + 2 = 0$의 두 실근을 α, β라 할 때, $\displaystyle\lim_{n \to \infty} \dfrac{\alpha^{n+1} + \beta^{n+1}}{\alpha^n + \beta^n}$ 의 값을 구하시오.

유형 **07** 등비수열의 극한값의 활용

① 그래프 위의 점의 좌표 또는 선분의 길이를 n에 대한 식으로 나타낸다.
② ①에서 구한 식의 극한값을 구한다.

060

두 수열 $\{a_n\}$, $\{b_n\}$의 일반항이 $a_n=5^n$, $b_n=3^n$일 때, 좌표평면 위의 두 점 P_n, Q_n을 $\mathrm{P}_n(n, a_n)$, $\mathrm{Q}_n(n, b_n)$으로 정의하자.

$\displaystyle\lim_{n\to\infty}\frac{\overline{\mathrm{P}_{n+1}\mathrm{Q}_{n+1}}}{\overline{\mathrm{P}_n\mathrm{Q}_n}}$ 의 값은? (단, n은 자연수이다.)

① 1   ② 2   ③ 3
④ 4   ⑤ 5

061

두 수열 $\{a_n\}$, $\{b_n\}$의 일반항이 $a_n=3^n$, $b_n=2^n$일 때, 좌표평면 위의 두 점 A_n, B_n을 $\mathrm{A}_n(n, a_n)$, $\mathrm{B}_n(n, b_n)$이라 하고, A_n에서 y축에 내린 수선의 발을 C_n이라 하자. 점 $\mathrm{P}(0, 1)$에 대하여 삼각형 $\mathrm{PA}_n\mathrm{B}_n$과 삼각형 $\mathrm{PA}_n\mathrm{C}_n$의 넓이를 각각 S_n, T_n이라 할 때, $\displaystyle\lim_{n\to\infty}\frac{S_n}{T_n}$ 의 값을 구하시오. (단, n은 자연수이다.)

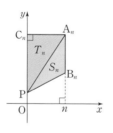

062

두 수열 $\{a_n\}$, $\{b_n\}$의 일반항이 $a_n=2^n$, $b_n=5^{n+1}$일 때, 좌표평면 위의 두 점 A_n, B_n을 $\mathrm{A}_n(a_n, n)$, $\mathrm{B}_n(b_n, n)$이라 하자. 사각형 $\mathrm{A}_n\mathrm{A}_{n+1}\mathrm{B}_{n+1}\mathrm{B}_n$의 넓이를 S_n이라 할 때, $\displaystyle\lim_{n\to\infty}\frac{2S_n}{5^{n-1}}$ 의 값을 구하시오. (단, n은 자연수이다.)

063

그림과 같이 직선 $2x+3y=10$이 직선 $y=\dfrac{2\times3^n}{3^{n+1}-2}x$와 만나는 점을 P_n, x축과 만나는 점을 A라 하자. 삼각형 OAP_n의 넓이를 S_n이라 할 때, $\displaystyle\lim_{n\to\infty}S_n$의 값을 구하시오. (단, n은 자연수이다.)

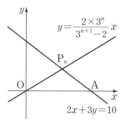

064

자연수 n에 대하여 좌표평면에서 방정식 $|x|+|y|=2^n$이 나타내는 도형의 넓이를 S_n이라 할 때, $\displaystyle\lim_{n\to\infty}\frac{S_n}{4^{n-1}+3^n}$ 의 값은?

① 2   ② 4   ③ 8
④ 16   ⑤ 32

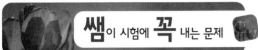

065

$\lim\limits_{n \to \infty} (3^n - 2^{n+1})$에 대한 설명으로 옳은 것은?

① 진동
② ∞로 발산
③ $-\infty$로 발산
④ 2에 수렴
⑤ 3에 수렴

066

$\lim\limits_{n \to \infty} \dfrac{6^{n+1} - 2^{3n+1}}{2^{3n} - 6^n}$의 값을 구하시오.

067

다음 세 수 A, B, C의 대소 관계를 바르게 나타낸 것은?

$$A = \lim_{n \to \infty} \frac{(-1)^n}{n}, \quad B = \lim_{n \to \infty} \frac{3n}{\sqrt{n^2 - 5n + n}},$$
$$C = \lim_{n \to \infty} \frac{3^n + 2^{n-1}}{3^{n-1} - 2^{n+1}}$$

① $A < B < C$
② $A < C < B$
③ $B < A < C$
④ $B < C < A$
⑤ $C < A < B$

068

수렴하는 수열 $\{a_n\}$에 대하여 $\lim\limits_{n \to \infty} \dfrac{5^{n+1} - 3^n a_n}{3^{n+1} + 5^n a_n} = 10$일 때,

$\lim\limits_{n \to \infty} \dfrac{a_n \times 4^n + 3^n}{a_n + 4^n}$의 값을 구하시오.

069

두 수열 $\{x^{2n+1}\}$과 $\{(1+x)^n\}$이 모두 수렴하도록 하는 실수 x의 값의 범위는?

① $-1 < x < 0$
② $-1 \le x < 0$
③ $-1 < x \le 0$
④ $-1 \le x \le 0$
⑤ $-1 \le x \le 1$

070

등비수열 $\{(\log_2 x - 1)^n\}$이 수렴하도록 하는 모든 자연수 x의 합을 구하시오.

071

등비수열 $\{r^n\}$이 수렴할 때, 〈보기〉의 수열 중에서 항상 수렴하는 것만을 있는 대로 고르시오.

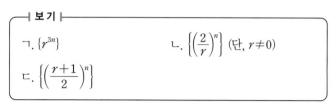

┤ 보기 ├

ㄱ. $\{r^{3n}\}$　　　　　　　　　ㄴ. $\left\{\left(\dfrac{2}{r}\right)^n\right\}$ (단, $r \neq 0$)

ㄷ. $\left\{\left(\dfrac{r+1}{2}\right)^n\right\}$

072

다음 중 함수 $f(x) = \lim\limits_{n \to \infty} \dfrac{x^{n+1}+1}{x^n+1}$ 의 그래프는?

①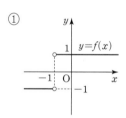

②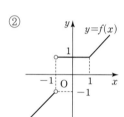

③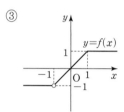

④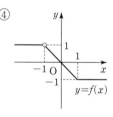

⑤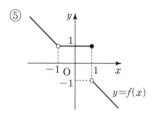

073

$\lim\limits_{n \to \infty} \dfrac{2^{2n+5}+3^{n+2}}{1+2^2+2^4+\cdots+2^{2n}}$ 의 값을 구하시오.

074

수열 $\{a_n\}$의 첫째항부터 제n항까지의 합 S_n이 $S_n = 2^{n+1}-3^n$일 때, $\lim\limits_{n \to \infty} \dfrac{a_{n+1}}{S_n}$ 의 값을 구하시오.

075

함수 $f(x)$를 $f(x) = \lim\limits_{n \to \infty} \dfrac{x^{n+1}+2^{n+2}}{x^n+2^n}$ 이라 정의할 때, $\sum\limits_{k=1}^{10} f(k)$의 값을 구하시오.

076

그림과 같이 검은색 직각이등변삼각형에 빗변과 한 점에서 만나도록 흰색 정사각형을 내접시킨 후 이 정사각형에 빗변과 평행한 대각선을 그은 도형을 T_1이라 하자. 도형 T_1의 각 검은색 삼각형에 빗변과 한 점에서 만나도록 흰색 정사각형을 내접시킨 후 모든 정사각형에 빗변과 평행한 대각선을 그은 도형을 T_2라 하자. 이와 같은 과정을 계속하여 n번째 얻은 도형 T_n의 검은색 삼각형과 흰색 삼각형의 개수의 합을 a_n이라 하자. 예를 들어 $a_1 = 4$, $a_2 = 10$이다. $\lim\limits_{n \to \infty} \dfrac{a_n}{2^n+2}$ 의 값을 구하시오.

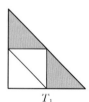 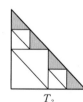 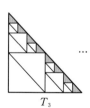

T_1　　　　　　T_2　　　　　　T_3

03 급수

03 급수

1 급수의 뜻

수열 $\{a_n\}$의 각 항을 덧셈 기호 $+$로 연결한 식

$$a_1+a_2+a_3+\cdots+a_n+\cdots$$

을 급수라 하고, 이것을 기호 $\sum$를 사용하여 $\displaystyle\sum_{n=1}^{\infty} a_n$과 같이 나타낸다.

2 급수의 합 S

부분합 S_n의 수열 $S_1, S_2, S_3, \cdots$에 대하여

$$S=\lim_{n\to\infty} S_n=\lim_{n\to\infty}\sum_{k=1}^{n} a_k$$

◀ 부분합

급수 $\displaystyle\sum_{n=1}^{\infty} a_n$에 대하여

$$S_n=a_1+a_2+a_3+\cdots+a_n$$

3 급수의 수렴과 발산

급수 $\displaystyle\sum_{n=1}^{\infty} a_n$의 부분합을 S_n이라 할 때

(1) 수열 $\{S_n\}$이 수렴하면 급수 $\displaystyle\sum_{n=1}^{\infty} a_n$은 수렴한다.

(2) 수열 $\{S_n\}$이 발산하면 급수 $\displaystyle\sum_{n=1}^{\infty} a_n$은 발산한다.

4 급수와 극한값 사이의 관계

(1) 급수 $\displaystyle\sum_{n=1}^{\infty} a_n$이 수렴하면 $\displaystyle\lim_{n\to\infty} a_n=0$이다.

(2) $\displaystyle\lim_{n\to\infty} a_n\neq0$이면 급수 $\displaystyle\sum_{n=1}^{\infty} a_n$은 발산한다.

◀ 급수와 극한값 사이의 관계의 역은 성립하지 않는다.

즉, $\displaystyle\lim_{n\to\infty} a_n=0$인데, 급수 $\displaystyle\sum_{n=1}^{\infty} a_n$이 발산하는 경우가 있다.

예 $a_n=\sqrt{n+1}-\sqrt{n}$은 $\displaystyle\lim_{n\to\infty} a_n=0$ 이지만 $\displaystyle\sum_{n=1}^{\infty} a_n$은 발산한다.

5 급수의 성질

두 급수 $\displaystyle\sum_{n=1}^{\infty} a_n$, $\displaystyle\sum_{n=1}^{\infty} b_n$이 각각 수렴하면

(1) $\displaystyle\sum_{n=1}^{\infty} ca_n=c\sum_{n=1}^{\infty} a_n$ (단, c는 상수)

(2) $\displaystyle\sum_{n=1}^{\infty} (a_n\pm b_n)=\sum_{n=1}^{\infty} a_n\pm\sum_{n=1}^{\infty} b_n$ (복부호 동순)

◀ 두 급수 $\displaystyle\sum_{n=1}^{\infty} a_n$, $\displaystyle\sum_{n=1}^{\infty} b_n$이 수렴하더라도 다음은 성립하지 않는다.

(1) $\displaystyle\sum_{n=1}^{\infty} a_n b_n\neq\sum_{n=1}^{\infty} a_n\sum_{n=1}^{\infty} b_n$

(2) $\displaystyle\sum_{n=1}^{\infty} \frac{a_n}{b_n}\neq\frac{\displaystyle\sum_{n=1}^{\infty} a_n}{\displaystyle\sum_{n=1}^{\infty} b_n}$

개념 플러스

1 급수의 합

[001-002] 다음 □ 안에 알맞은 것을 써넣으시오.

001 $\dfrac{1}{AB} = \dfrac{1}{\boxed{}}\left(\dfrac{1}{A} - \dfrac{1}{\boxed{}}\right)$

002 $\dfrac{1}{x(x+2)} = \dfrac{1}{\boxed{}}\left(\dfrac{1}{\boxed{}} - \dfrac{1}{x+2}\right)$

[003-007] 다음 수열의 합을 구하시오.

003 $\displaystyle\sum_{k=1}^{10} \dfrac{1}{k(k+1)}$

004 $\displaystyle\sum_{k=1}^{8} \left(\dfrac{1}{k} - \dfrac{1}{k+2}\right)$

005 $\dfrac{1}{1\times3} + \dfrac{1}{3\times5} + \dfrac{1}{5\times7} + \cdots + \dfrac{1}{13\times15}$

006 $\displaystyle\sum_{k=2}^{10} \dfrac{1}{k^2-1}$

007 $\displaystyle\sum_{k=1}^{n} (\sqrt{k} - \sqrt{k+1})$

[008-013] 수열 $\{a_n\}$의 제n항까지의 부분합 S_n이 다음과 같을 때, 급수 $\displaystyle\sum_{n=1}^{\infty} a_n$의 수렴, 발산을 조사하고 수렴하면 그 합을 구하시오.

008 $S_n = 2n-1$

009 $S_n = \dfrac{1}{n+2}$

010 $S_n = n^2+n$

011 $S_n = \dfrac{n-1}{n+1}$

012 $S_n = \dfrac{4n+1}{3n-1}$

013 $S_n = 1 - \left(\dfrac{1}{3}\right)^n$

[014-018] 다음 급수의 수렴, 발산을 조사하고, 수렴하면 그 합을 구하시오.

014 $-2+1+4+7+\cdots$

015 $\dfrac{1}{2\times3}+\dfrac{1}{3\times4}+\dfrac{1}{4\times5}+\cdots$

016 $\dfrac{1}{2^2-1}+\dfrac{1}{3^2-1}+\dfrac{1}{4^2-1}+\dfrac{1}{5^2-1}+\cdots$

017 $\displaystyle\sum_{n=1}^{\infty}\dfrac{1}{2n(2n+2)}$

018 $\displaystyle\sum_{n=1}^{\infty}(\sqrt{n+1}-\sqrt{n+2}\,)$

[019-023] 수열 $\{a_n\}$의 일반항이 다음과 같을 때, 급수 $\displaystyle\sum_{n=1}^{\infty}a_n$의 수렴, 발산을 조사하고 수렴하면 그 합을 구하시오.

019 $a_n=\dfrac{1}{n(n+2)}$

020 $a_n=\dfrac{1}{(n+1)(n+3)}$

021 $a_n=\dfrac{1}{(2n-3)(2n-1)}$

022 $a_n=\sqrt{n+2}-\sqrt{n}$

023 $a_n=\dfrac{1}{\sqrt{2n+1}+\sqrt{2n-1}}$

2 급수의 수렴과 발산

[024-025] 다음 급수가 발산함을 보이시오.

024 $-3+1+5+9+13+\cdots$

025 $2+2+2+2+2+\cdots$

[026-028] 다음 급수가 발산함을 보이시오.

026 $\sum\limits_{n=1}^{\infty}\dfrac{n+1}{3n-2}$

027 $\sum\limits_{n=1}^{\infty}(2^n-1)$

028 $\sum\limits_{n=1}^{\infty}\dfrac{3^{n+1}+1}{3^n-1}$

3 급수의 성질

[029-033] 두 수열 $\{a_n\}$, $\{b_n\}$에 대하여 $\sum\limits_{n=1}^{\infty}a_n=4$, $\sum\limits_{n=1}^{\infty}b_n=5$일 때, 다음 급수의 합을 구하시오.

029 $\sum\limits_{n=1}^{\infty}4a_n$

030 $\sum\limits_{n=1}^{\infty}\dfrac{b_n}{5}$

031 $\sum\limits_{n=1}^{\infty}(a_n+b_n)$

032 $\sum\limits_{n=1}^{\infty}(3a_n+2b_n)$

033 $\sum\limits_{n=1}^{\infty}(5a_n-3b_n)$

유형 01 부분분수를 이용하는 급수

$\dfrac{1}{AB} = \dfrac{1}{B-A}\left(\dfrac{1}{A} - \dfrac{1}{B}\right)$ $(A \neq B)$을 이용하여 부분합 S_n을 구한 후 부분합의 극한값을 구한다.

034

급수 $\displaystyle\sum_{n=1}^{\infty} \dfrac{1}{5(n+1)(n+2)}$의 합이 $\dfrac{b}{a}$일 때, $a+b$의 값을 구하시오. (단, a, b는 서로소인 자연수이다.)

035

다음 급수의 합은?

$$\dfrac{1}{1\times 3} + \dfrac{1}{3\times 5} + \dfrac{1}{5\times 7} + \cdots + \dfrac{1}{(2n-1)(2n+1)} + \cdots$$

① 0   ② $\dfrac{1}{4}$ ③ $\dfrac{1}{2}$

④ $\dfrac{3}{4}$ ⑤ 1

036

급수 $\displaystyle\sum_{n=1}^{\infty} \dfrac{8}{n(n+2)}$의 합을 구하시오.

037

급수 $\displaystyle\sum_{n=1}^{\infty} \dfrac{10}{1+2+3+\cdots+n}$의 합은?

① 10   ② 15   ③ 20

④ 25   ⑤ 30

038

이차방정식 $x^2 - (n^2+n)x + 2 = 0$의 두 근을 α_n, β_n이라 할 때, $\displaystyle\sum_{n=1}^{\infty} \dfrac{\alpha_n \beta_n}{\alpha_n + \beta_n}$의 값을 구하시오.

039

첫째항이 1, 공차가 1인 등차수열의 첫째항부터 제n항까지의 합을 S_n이라 할 때, $\displaystyle\sum_{n=1}^{\infty} \dfrac{1}{S_n}$의 값을 구하시오.

유형 **02** 무리식을 포함한 급수

(1) $\sum \dfrac{1}{(무리식)}$ 꼴 $\Rightarrow$ 분모를 유리화하여 항을 소거한다.

(2) $\sum (무리식)$ 꼴 $\Rightarrow$ 나열하여 항을 소거한다.

040

급수 $\displaystyle\sum_{n=1}^{\infty}\left(\dfrac{1}{\sqrt{n}}-\dfrac{1}{\sqrt{n+1}}\right)$ 의 합을 구하시오.

041

급수 $\displaystyle\sum_{n=1}^{\infty}\dfrac{\sqrt{n+2}-\sqrt{n}}{\sqrt{n}\sqrt{n+2}}$ 의 합은?

① $\dfrac{\sqrt{2}}{2}$　　　　② 1　　　　③ $1+\dfrac{\sqrt{2}}{2}$

④ 2　　　　⑤ $2+\dfrac{\sqrt{2}}{2}$

042

다음 급수에 대한 설명으로 옳은 것은?

$$\dfrac{1}{\sqrt{3}+\sqrt{5}}+\dfrac{1}{\sqrt{5}+\sqrt{7}}+\dfrac{1}{\sqrt{7}+\sqrt{9}}+\cdots$$

① $-\infty$로 발산　　　② -1에 수렴　　　③ 0에 수렴

④ 1에 수렴　　　⑤ ∞로 발산

유형 **03** 로그를 포함한 급수

$\sum$ 안에 $\log$가 있는 경우에는 로그의 성질을 이용하여 식을 고쳐서 푼다.

043

급수 $\log_4 \dfrac{3}{2}+\log_4 \dfrac{4}{3}+\log_4 \dfrac{5}{4}+\cdots$에 대한 설명으로 옳은 것은?

① $-\infty$로 발산　　② $-\dfrac{3}{4}$에 수렴　　③ $-\dfrac{1}{2}$에 수렴

④ $\dfrac{1}{3}$에 수렴　　　⑤ ∞로 발산

044

다음 급수의 합을 구하시오.

$$\log\left(1-\dfrac{1}{2^2}\right)+\log\left(1-\dfrac{1}{3^2}\right)+\log\left(1-\dfrac{1}{4^2}\right)+\cdots$$
$$+\log\left\{1-\dfrac{1}{(n+1)^2}\right\}+\cdots$$

045

급수 $\displaystyle\sum_{n=2}^{\infty}\left(\log_n 2-\log_{n+1} 2\right)$ 의 합을 구하시오.

유형 04 항의 부호가 교대로 바뀌는 급수

홀수 번째 항까지의 부분합 S_{2n-1}과 짝수 번째 항까지의
부분합 S_{2n}의 극한값을 구한 후

(1) $\lim_{n \to \infty} S_{2n-1} = \lim_{n \to \infty} S_{2n} = A$ (단, A는 실수)

　　⇨ $\lim_{n \to \infty} S_n$은 A에 수렴

(2) $\lim_{n \to \infty} S_{2n-1} \neq \lim_{n \to \infty} S_{2n}$ ⇨ $\lim_{n \to \infty} S_n$은 발산

046

급수 $1 - \dfrac{1}{2} + \dfrac{1}{2} - \dfrac{1}{3} + \dfrac{1}{3} - \cdots$에 대한 설명으로 옳은 것은?

① $\dfrac{1}{2}$에 수렴　　② $\dfrac{2}{3}$에 수렴　　③ $\dfrac{3}{4}$에 수렴

④ 1에 수렴　　⑤ 2에 수렴

047

급수 $3 - \dfrac{3}{2} + \dfrac{3}{2} - \dfrac{4}{3} + \cdots$에 대한 설명으로 옳은 것은?

① $\dfrac{1}{2}$에 수렴　　② 1에 수렴　　③ $\dfrac{3}{2}$에 수렴

④ 2에 수렴　　⑤ 발산

048

〈보기〉의 급수 중에서 수렴하는 것만을 있는 대로 고르시오.

┤ 보기 ├

ㄱ. $(1-1) + (1-1) + (1-1) + \cdots$

ㄴ. $1 - (1-1) - (1-1) - (1-1) - \cdots$

ㄷ. $1 - 1 + 1 - 1 + 1 - 1 + \cdots$

유형 05 급수와 극한값 사이의 관계

(1) 급수 $\sum\limits_{n=1}^{\infty} a_n$이 수렴하면 $\lim\limits_{n \to \infty} a_n = 0$이다.

　　　　　　　　　　　　(단, 역은 성립하지 않는다.)

(2) $\lim\limits_{n \to \infty} a_n \neq 0$이면 급수 $\sum\limits_{n=1}^{\infty} a_n$은 발산한다.

049

수열 $\{a_n\}$에 대하여 $\sum\limits_{n=1}^{\infty} a_n = 5$일 때, $\lim\limits_{n \to \infty} \dfrac{2a_n - 4n - 2}{3a_n + 2n + 1}$의 값은?

① -2　　　② -1　　　③ 0

④ 1　　　　⑤ 2

050

수열 $\{a_n\}$에 대하여 $\lim\limits_{n \to \infty} \sum\limits_{k=1}^{n} a_k = 100$일 때, $\lim\limits_{n \to \infty} \dfrac{5a_n + 2^{2n+1} - 1}{a_n - 4^{n+1}}$의 값을 구하시오.

051

급수 $\sum\limits_{n=1}^{\infty} a_n$은 수렴하고 그 합이 1이라고 한다.

$S_n = a_1 + a_2 + a_3 + \cdots + a_n$일 때, $\lim\limits_{n \to \infty} \dfrac{a_n + S_n}{3a_n + 4S_n}$의 값을 구하시오.

052

다음 급수가 수렴할 때, $\lim\limits_{n\to\infty} a_n$의 값은?

$$(a_1-1)+(a_2-1)+(a_3-1)+\cdots$$

① 1   ② 2   ③ 3

④ 4   ⑤ 5

053

수열 $\{a_n\}$에 대하여 $\sum\limits_{n=1}^{\infty} (a_n-5)$가 수렴할 때, $\lim\limits_{n\to\infty} \dfrac{a_n+3}{2a_n-1}$의 값은?

① $\dfrac{8}{9}$ ② $\dfrac{8}{5}$ ③ $\dfrac{5}{3}$

④ $\dfrac{9}{4}$ ⑤ $\dfrac{7}{2}$

054 중요

수열 $\{a_n\}$에 대하여 $\sum\limits_{n=1}^{\infty} \left(a_n - \dfrac{2n^2}{2n^2+1}\right) = \dfrac{1}{3}$일 때, $\lim\limits_{n\to\infty} a_n$의 값을 구하시오.

유형 06 급수와 극한 사이의 성질

급수 $\sum\limits_{n=1}^{\infty} a_n$의 부분합을 S_n이라 할 때

(1) 수열 $\{S_n\}$이 수렴하면 급수 $\sum\limits_{n=1}^{\infty} a_n$은 수렴한다.

(2) 수열 $\{S_n\}$이 발산하면 급수 $\sum\limits_{n=1}^{\infty} a_n$은 발산한다.

055

$S_n = \sum\limits_{k=1}^{n} a_k$일 때, 다음 중 항상 옳은 것은?

① $\lim\limits_{n\to\infty} S_n = \infty$이면 $\lim\limits_{n\to\infty} a_n = 1$이다.

② $\lim\limits_{n\to\infty} a_n = \lim\limits_{n\to\infty} a_{n-1}$

③ $\lim\limits_{n\to\infty} S_n$이 발산하면 $\lim\limits_{n\to\infty} S_n = \lim\limits_{n\to\infty} S_{n-1}$이다.

④ $\lim\limits_{n\to\infty} a_n = 0$이면 $\lim\limits_{n\to\infty} S_n$이 수렴한다.

⑤ $\lim\limits_{n\to\infty} S_n$이 수렴하면 $\lim\limits_{n\to\infty} a_n = 0$이다.

056 중요

수열 $\{a_n\}$에 대하여 〈보기〉의 설명 중에서 옳은 것만을 있는 대로 고르시오.

보기

ㄱ. $\sum\limits_{n=1}^{\infty} a_n$이 수렴하면 $\lim\limits_{n\to\infty} a_n = 0$이다.

ㄴ. $\lim\limits_{n\to\infty} a_n \neq 0$이면 $\sum\limits_{n=1}^{\infty} a_n$은 발산한다.

ㄷ. $\lim\limits_{n\to\infty} a_n = 0$이면 $\sum\limits_{n=1}^{\infty} a_n$은 수렴한다.

057

〈보기〉에서 옳은 것만을 있는 대로 고르시오.

보기

ㄱ. $\sum\limits_{n=1}^{\infty} \dfrac{4^n-2^n}{3^n}$은 수렴한다.

ㄴ. $\lim\limits_{n\to\infty} a_n \neq 0$이면 $\lim\limits_{n\to\infty} S_n$은 발산한다.

ㄷ. 급수 $\sum\limits_{n=1}^{\infty} a_n$이 수렴하면 $\lim\limits_{n\to\infty} a_n = 1$이다.

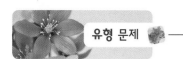

정답 및 해설 022쪽

유형 **07** 급수의 수렴과 발산

(1) $\lim_{n \to \infty} a_n \neq 0 \Rightarrow \sum_{n=1}^{\infty} a_n$은 발산

(2) $\lim_{n \to \infty} a_n = 0 \Rightarrow$ 수열 $\{a_n\}$의 부분합 S_n을 구한다.

058

〈보기〉의 급수 중에서 수렴하는 것만을 있는 대로 고르시오.

┤ 보기 ├

ㄱ. $\sum_{n=1}^{\infty} \dfrac{n}{n+1}$ ㄴ. $\sum_{n=1}^{\infty} (2n+1)$ ㄷ. $\sum_{n=1}^{\infty} \dfrac{2}{n(n+1)}$

059

〈보기〉의 급수 중에서 수렴하는 것만을 있는 대로 고르시오.

┤ 보기 ├

ㄱ. $1 + \dfrac{2}{3} + \dfrac{3}{5} + \dfrac{4}{7} + \cdots$

ㄴ. $1 + \dfrac{1}{1+2} + \dfrac{1}{1+2+3} + \dfrac{1}{1+2+3+4} + \cdots$

ㄷ. $\dfrac{1}{1+\sqrt{3}} + \dfrac{1}{\sqrt{2}+\sqrt{4}} + \dfrac{1}{\sqrt{3}+\sqrt{5}} + \dfrac{1}{\sqrt{4}+\sqrt{6}} + \cdots$

060

〈보기〉의 급수 중에서 발산하는 것만을 있는 대로 고르시오.

┤ 보기 ├

ㄱ. $\sum_{n=1}^{\infty} \dfrac{5n^2}{3n^2+2n}$ ㄴ. $\sum_{n=1}^{\infty} \dfrac{2}{n(n+2)}$

ㄷ. $\sum_{n=1}^{\infty} \dfrac{4^{n+1}}{3^n+4^n}$ ㄹ. $\sum_{n=1}^{\infty} \log \dfrac{n}{3n-1}$

유형 **08** 급수의 성질

두 급수 $\sum_{n=1}^{\infty} a_n$, $\sum_{n=1}^{\infty} b_n$이 각각 수렴하면

(1) $\sum_{n=1}^{\infty} c a_n = c \sum_{n=1}^{\infty} a_n$ (단, c는 상수)

(2) $\sum_{n=1}^{\infty} (a_n \pm b_n) = \sum_{n=1}^{\infty} a_n \pm \sum_{n=1}^{\infty} b_n$ (복부호 동순)

061

두 수열 $\{a_n\}$, $\{b_n\}$에 대하여 $\sum_{n=1}^{\infty} a_n = 2$, $\sum_{n=1}^{\infty} b_n = -3$일 때,

$\sum_{n=1}^{\infty} (a_n - 2b_n)$의 값을 구하시오.

062

$\sum_{n=1}^{\infty} a_n$이 수렴하고 $\sum_{n=1}^{\infty} b_n = -3$, $\sum_{n=1}^{\infty} (2a_n - 3b_n) = 13$일 때,

$\sum_{n=1}^{\infty} a_n$의 값을 구하시오.

063

두 급수 $\sum_{n=1}^{\infty} a_n$, $\sum_{n=1}^{\infty} b_n$에 대하여 $\sum_{n=1}^{\infty} (2a_n + b_n) = 6$,

$\sum_{n=1}^{\infty} (a_n - b_n) = 9$일 때, $\sum_{n=1}^{\infty} (a_n + b_n)$의 값은?

① -2 ② -1 ③ 0

④ 1 ⑤ 2

쌤이 시험에 꼭 내는 문제

064

수열 $\{a_n\}$의 첫째항부터 제n항까지의 합을 S_n이라 하자.

$$a_1=\frac{5}{4}, S_n=a_n+\frac{2n-3}{n+2} \ (n=2, 3, 4, \cdots)$$

일 때, $\displaystyle\sum_{n=1}^{\infty} a_n$의 값은?

① 1
② $\frac{5}{4}$
③ $\frac{3}{2}$

④ $\frac{7}{4}$
⑤ 2

065

급수 $\displaystyle\sum_{n=2}^{\infty} \frac{2}{n^2-1}$의 합은?

① 1
② $\frac{3}{2}$
③ 2

④ $\frac{5}{2}$
⑤ 3

066

급수 $\dfrac{1}{2}+\dfrac{1}{2+4}+\dfrac{1}{2+4+6}+\cdots$의 합을 구하시오.

067

급수 $\displaystyle\sum_{n=1}^{\infty} \frac{\sqrt{n+1}-\sqrt{n}}{\sqrt{n^2+n}}$의 합을 구하시오.

068

모든 항이 양수인 수열 $\{a_n\}$에 대하여

$$a_1 a_2 a_3 \cdots a_n = \frac{4n+1}{n+2} \ (n=1, 2, 3, \cdots)$$

이 성립할 때, $\displaystyle\sum_{n=1}^{\infty} \log_2 a_n$의 값을 구하시오.

069

〈보기〉의 급수 중에서 수렴하는 것만을 있는 대로 고른 것은?

┌ 보 기 ┐
ㄱ. $-7-4-1+2+5+\cdots$

ㄴ. $\dfrac{2}{3}-\dfrac{4}{5}+\dfrac{4}{5}-\dfrac{6}{7}+\dfrac{6}{7}-\dfrac{8}{9}+\cdots$

ㄷ. $1-\dfrac{1}{3}+\dfrac{1}{3}-\dfrac{1}{5}+\dfrac{1}{5}-\dfrac{1}{7}+\dfrac{1}{7}-\cdots$
└────────┘

① ㄱ
② ㄴ
③ ㄷ

④ ㄱ, ㄴ
⑤ ㄴ, ㄷ

070

수열 $\{a_n\}$에 대하여 $\sum\limits_{n=1}^{\infty} a_n=3$이고 $S_n=\sum\limits_{k=1}^{n} a_k$일 때,

$\lim\limits_{n\to\infty} \dfrac{2S_n+5a_n}{S_n-2}$ 의 값을 구하시오.

071

수열 $\{a_n\}$에 대하여 급수

$$(a_1-3)+\left(\dfrac{a_2}{\sqrt{2}}-3\right)+\left(\dfrac{a_3}{\sqrt{3}}-3\right)+\cdots+\left(\dfrac{a_n}{\sqrt{n}}-3\right)+\cdots$$

이 수렴할 때, $\lim\limits_{n\to\infty} \dfrac{a_n+\sqrt{n}}{a_n-\sqrt{4n}}$ 의 값을 구하시오.

072

두 수열 $\{a_n\}$, $\{b_n\}$에 대한 〈보기〉의 설명 중에서 옳은 것만을 있는 대로 고른 것은?

┤ 보기 ├

ㄱ. $\sum\limits_{n=1}^{\infty} a_n$, $\sum\limits_{n=1}^{\infty} (a_n+b_n)$이 모두 수렴하면 $\sum\limits_{n=1}^{\infty} b_n$도 수렴한다.

ㄴ. $\sum\limits_{n=1}^{\infty} a_n$, $\sum\limits_{n=1}^{\infty} b_n$이 모두 수렴하면 $\lim\limits_{n\to\infty} a_n b_n=0$이다.

ㄷ. $\sum\limits_{n=1}^{\infty} a_n b_n$이 수렴하고 $\lim\limits_{n\to\infty} a_n\neq 0$이면 $\lim\limits_{n\to\infty} b_n=0$이다.

① ㄱ   ② ㄱ, ㄴ   ③ ㄱ, ㄷ

④ ㄴ, ㄷ   ⑤ ㄱ, ㄴ, ㄷ

073

〈보기〉의 급수 중에서 수렴하는 것만을 있는 대로 고르시오.

┤ 보기 ├

ㄱ. $\sum\limits_{n=1}^{\infty} \dfrac{2n}{3n+1}$ ㄴ. $\sum\limits_{n=1}^{\infty} (\sqrt{n+1}-\sqrt{n})$

ㄷ. $\sum\limits_{n=1}^{\infty} \dfrac{2n^2}{n(n+1)}$ ㄹ. $\sum\limits_{n=1}^{\infty} \left(\dfrac{n}{n+1}-\dfrac{n+1}{n+2}\right)$

🎖 1등급 문제

074

수열 $\{a_n\}$에 대하여 다항식 $a_n x^2+a_n x+2$를 $x-n$으로 나눈 나머지가 25일 때, 급수 $\sum\limits_{n=1}^{\infty} a_n$의 합을 구하시오.

075

$n\geq 2$인 자연수 n에 대하여 중심이 원점이고 반지름의 길이가 1인 원 C를 x축의 방향으로 $\dfrac{2}{n}$만큼 평행이동시킨 원을 C_n이라 하자. 원 C와 원 C_n의 공통현의 길이를 l_n이라 할 때,

$\sum\limits_{n=2}^{\infty} \dfrac{1}{(nl_n)^2}=\dfrac{q}{p}$이다. $p+q$의 값을 구하시오.

(단, p, q는 서로소인 자연수이다.)

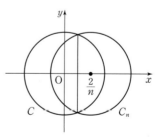

04 등비급수

04 등비급수

① 등비급수

첫째항이 a $(a \neq 0)$, 공비가 r인 등비수열 $\{ar^{n-1}\}$에서 얻은 급수

$$\sum_{n=1}^{\infty} ar^{n-1} = a + ar + ar^2 + \cdots + ar^{n-1} + \cdots$$

을 첫째항이 a, 공비가 r인 등비급수라고 한다.

개념 플러스

◀ 등비수열과 등비급수의 수렴 조건 비교
(1) 등비수열 $\{ar^{n-1}\}$의 수렴 조건
$\Rightarrow a=0$ 또는 $-1<r \leq 1$
(2) 등비급수 $\sum_{n=1}^{\infty} ar^{n-1}$의 수렴 조건
$\Rightarrow a=0$ 또는 $-1<r<1$

② 등비급수의 수렴과 발산

등비급수 $\sum_{n=1}^{\infty} ar^{n-1} = a + ar + ar^2 + \cdots + ar^{n-1} + \cdots$ $(a \neq 0)$에서

(1) $|r|<1$이면 수렴하고, 그 합은 $\dfrac{a}{1-r}$이다.

(2) $|r| \geq 1$이면 발산한다.

◀ 급수 $\sum_{n=1}^{\infty} ar^{n-1}$에서 $a=0$이면 제n항까지의 부분합이 0이므로 등비급수 $\sum_{n=1}^{\infty} ar^{n-1}$은 0에 수렴한다.

◀ 합이 주어진 등비급수 $\sum_{n=1}^{\infty} ar^{n-1} = a$ 이면 $\dfrac{a}{1-r} = a$ $(-1<r<1)$임을 이용하여 공비와 첫째항을 구한다.

③ 등비급수와 순환소수

(1) $0.\dot{a} = 0.a + 0.0a + 0.00a + 0.000a + \cdots$

$$= \frac{a}{10} + \frac{a}{10^2} + \frac{a}{10^3} + \frac{a}{10^4} + \cdots = \frac{\dfrac{a}{10}}{1 - \dfrac{1}{10}} = \frac{a}{9}$$

(2) $0.\dot{a}\dot{b} = 0.ab + 0.00ab + 0.0000ab + \cdots$

$$= \frac{ab}{100} + \frac{ab}{100^2} + \frac{ab}{100^3} + \cdots = \frac{\dfrac{ab}{100}}{1 - \dfrac{1}{100}} = \frac{ab}{99}$$

④ 등비급수의 도형에의 활용

① 문제의 뜻에 맞는 도형을 그린다.
② 줄어들거나 늘어나는 일정한 규칙을 이용하여 등비수열로 나타낸 다음 첫째항 a와 공비 r $(-1<r<1)$를 찾는다.
③ 등비급수의 합의 공식 $S = \dfrac{a}{1-r}$를 이용하여 구한다.

◀ 처음 주어진 도형에서 일정한 규칙에 따라 새로운 도형을 만들어 나갈 때, 만들어지는 도형의 둘레의 길이 또는 넓이는 차례대로 등비수열을 이룬다.

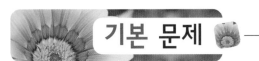

기본 문제

1 등비급수

[001-003] 첫째항과 공비가 다음과 같은 등비급수의 합을 구하시오.

001 첫째항: a, 공비: r (단, $-1 < r < 1$)

002 첫째항: 4, 공비: $\dfrac{1}{2}$

003 첫째항: 6, 공비: $\dfrac{2}{3}$

[004-006] 다음 등비급수의 수렴, 발산을 조사하고, 수렴하면 그 합을 구하시오.

004 $1 + \dfrac{2}{3} + \dfrac{4}{9} + \dfrac{8}{27} + \cdots$

005 $1 - \dfrac{1}{\sqrt{2}} + \dfrac{1}{2} - \dfrac{1}{2\sqrt{2}} + \cdots$

006 $\sqrt{3} + 3 + 3\sqrt{3} + 9 + \cdots$

[007-009] 첫째항이 a이고, 공비가 r인 등비수열 $\{a_n\}$에 대하여 $S_n = \sum\limits_{k=1}^{n} a_k$, $S = \lim\limits_{n \to \infty} S_n$이라 할 때, 다음을 구하시오.

007 $a = 4$, $r = \dfrac{3}{4}$일 때 S의 값

008 $r = \dfrac{4}{5}$, $S = 30$일 때 a의 값

009 $a = 10$, $S = 20$일 때 r의 값

[010-013] 첫째항 a와 공비 r가 다음과 같이 주어진 등비급수의 수렴과 발산을 조사하시오.

010 $a = 100$, $r = \dfrac{1}{10}$

011 $a = 2$, $r = \sqrt{2}$

012 $a = -1$, $r = 1$

013 $a = 10$, $r = \dfrac{1}{\sqrt{3}}$

2 등비급수의 수렴 조건

[014-018] 다음 등비급수가 수렴하기 위한 x의 값의 범위를 구하시오.

014 $\sum\limits_{n=1}^{\infty} x^n$

015 $\sum\limits_{n=1}^{\infty} \left(\dfrac{x}{4}\right)^n$

016 $\sum\limits_{n=1}^{\infty} (-2x+5)^n$

017 $1+2x+4x^2+8x^3+\cdots$

018 $1-\dfrac{3}{2}x+\dfrac{9}{4}x^2-\dfrac{27}{8}x^3+\cdots$

3 급수의 성질

[019-023] 다음 급수의 합을 구하시오.

019 $\sum\limits_{n=1}^{\infty} \left\{\left(\dfrac{1}{2}\right)^n+\left(\dfrac{1}{3}\right)^n\right\}$

020 $\sum\limits_{n=1}^{\infty} \left(\dfrac{1}{2^n}+\dfrac{2^n}{3^n}\right)$

021 $\sum\limits_{n=1}^{\infty} \dfrac{3^n-1}{4^n}$

022 $\sum\limits_{n=1}^{\infty} \dfrac{1-(-1)^n}{2^n}$

023 $\left(\dfrac{1}{3}-\dfrac{1}{4}\right)+\left(\dfrac{1}{3^2}-\dfrac{1}{4^2}\right)+\left(\dfrac{1}{3^3}-\dfrac{1}{4^3}\right)+\cdots$

유형 01 등비급수의 합

등비급수
$$\sum_{n=1}^{\infty} ar^{n-1}=a+ar+ar^2+\cdots+ar^{n-1}+\cdots \ (a\neq 0)$$
에서

(1) $|r|<1$이면 수렴하고, 그 합은 $\dfrac{a}{1-r}$이다.

(2) $|r|\geq 1$이면 발산한다.

024

첫째항이 12, 공비가 $\dfrac{1}{3}$인 등비수열 $\{a_n\}$에 대하여 $\sum\limits_{n=1}^{\infty} a_n$의 값을 구하시오.

025

등비급수 $\sqrt{2}+1+\dfrac{1}{\sqrt{2}}+\dfrac{1}{2}+\cdots$의 합은?

① $2\sqrt{3}-3$ ② $2\sqrt{2}-2$ ③ $2\sqrt{3}-2$
④ $3\sqrt{2}-2$ ⑤ $2\sqrt{2}+2$

026

급수
$$\log_3 3+\log_3 \sqrt{3}+\log_3 \sqrt[4]{3}+\log_3 \sqrt[8]{3}+\cdots$$
의 합을 구하시오.

027

등비수열 $\{a_n\}$에 대하여 $a_1=3$, $a_2=1$일 때, $\sum\limits_{n=1}^{\infty} a_n{}^2$의 값은?

① $\dfrac{81}{8}$ ② $\dfrac{83}{8}$ ③ $\dfrac{85}{8}$
④ $\dfrac{87}{8}$ ⑤ $\dfrac{89}{8}$

028

수열 $\{a_n\}$에서 $a_1=3$, $a_2=\dfrac{9}{4}$, $a_{n+1}{}^2=a_n a_{n+2}$가 성립할 때, $\sum\limits_{n=1}^{\infty} a_n$의 값을 구하시오.

029

등비급수 $1+\dfrac{1}{3}+\dfrac{1}{9}+\dfrac{1}{27}+\cdots$의 합을 S, 제n항까지의 부분합을 S_n이라 할 때, $S-S_n<\dfrac{1}{100}$이 되는 자연수 n의 최솟값을 구하시오.

유형 02 합이 주어진 등비급수

$\sum_{n=1}^{\infty} ar^{n-1} = \alpha$ (α는 상수)이면

$\Rightarrow \dfrac{a}{1-r} = \alpha$ (단, $-1 < r < 1$)

030

어떤 등비급수의 합이 8이고 첫째항이 6일 때, 공비를 구하시오.

031

첫째항이 2인 등비급수 $\sum_{n=1}^{\infty} a_n$의 합이 3일 때, $\sum_{n=1}^{\infty} a_n{}^2$의 값은?

① $\dfrac{3}{2}$ ② $\dfrac{5}{2}$ ③ $\dfrac{7}{2}$

④ $\dfrac{9}{2}$ ⑤ $\dfrac{11}{2}$

032

$\sum_{n=1}^{\infty} (\log_8 x)^n = 2$를 만족시키는 x의 값을 구하시오.

033

첫째항이 a, 공비가 r인 등비수열 $\{a_n\}$에서 $a_2 = \dfrac{8}{3}$, $\sum_{n=1}^{\infty} a_n = 12$일 때, 공비 r의 값을 구하시오.

034

등비급수 $a + ar + ar^2 + \cdots = 3$이고, $a^2 + a^2 r^2 + a^2 r^4 + \cdots = 18$일 때, r의 값은?

① $-\dfrac{1}{6}$ ② $-\dfrac{1}{5}$ ③ $-\dfrac{1}{4}$

④ $-\dfrac{1}{3}$ ⑤ $-\dfrac{1}{2}$

035

$a_n = a + b\left(\dfrac{1}{3}\right)^{n-1}$인 수열 $\{a_n\}$에 대하여 $\sum_{n=1}^{\infty} a_n = -72$이다. a, b의 값을 구하시오. (단, a, b는 상수이다.)

유형 **03** 등비급수의 응용

주어진 조건을 이용하여 첫째항과 공비를 찾아 등비급수의 합 공식에 대입한다.

036

수열 $\{a_n\}$의 첫째항부터 제n항까지의 합 $S_n=n\times 2^n$일 때, $\displaystyle\lim_{n\to\infty}\frac{1}{a_n}\sum_{k=1}^{n}a_k$의 값은?

① 1   ② 2   ③ 3

④ 4   ⑤ 5

037

자연수 n을 2로 나누었을 때의 나머지를 a_n이라 할 때, $\displaystyle\sum_{n=1}^{\infty}\frac{a_n}{5^n}$의 값을 구하시오.

038

첫째항이 1이고 $x^2+ax+b=0$의 두 근을 각각 공비로 하는 두 등비급수의 합을 A, B라 할 때, A, B는 $3x^2-11x+6=0$의 두 근이 된다고 한다. $a+b$의 값을 구하시오. (단, a, b는 상수이다.)

유형 **04** 등비급수의 수렴 조건

등비급수 $\displaystyle\sum_{n=1}^{\infty}ar^{n-1}$의 수렴 조건

⇨ $a=0$ 또는 $-1<r<1$

039

다음 등비급수가 수렴하도록 x의 값의 범위를 구하시오.

$$1-3x+9x^2-27x^3+\cdots$$

040

등비급수 $\displaystyle\sum_{n=1}^{\infty}(2x-1)^n$이 수렴하도록 x의 값의 범위를 구하시오.

041

급수 $\displaystyle\sum_{n=1}^{\infty}\left(\frac{1}{2}x^2-1\right)^{n-1}$이 수렴하도록 하는 정수 x의 개수는?

① 1   ② 2   ③ 3

④ 4   ⑤ 5

042

다음 등비급수가 수렴하도록 하는 x의 값의 범위를 구하시오.

$$1+\log_3 x+(\log_3 x)^2+(\log_3 x)^3+\cdots$$

---

043 _{중요}

등비급수 $\displaystyle\sum_{n=1}^{\infty}(x-3)\left(-\frac{1}{3}x\right)^{n-1}$ 이 수렴하기 위한 실수 x의 값의 범위를 구하시오.

044

등비급수 $\displaystyle\sum_{n=1}^{\infty}r^n$이 수렴할 때, 〈보기〉에서 수렴하는 것만을 있는 대로 고른 것은?

┤ 보기 ├
ㄱ. $\displaystyle\sum_{n=1}^{\infty}\left(-\frac{r}{3}\right)^n$ ㄴ. $\displaystyle\sum_{n=1}^{\infty}(r-1)^{2n}$ ㄷ. $\displaystyle\sum_{n=1}^{\infty}\left(\frac{r}{2}-\frac{1}{2}\right)^n$

① ㄱ   ② ㄱ, ㄴ   ③ ㄴ, ㄷ
④ ㄱ, ㄷ   ⑤ ㄱ, ㄴ, ㄷ

유형 05 급수의 성질과 등비급수

주어진 급수를 $\displaystyle\sum_{n=1}^{\infty}ar^{n-1}\ (a\neq 0)$ 꼴로 나타낸 다음 $-1<r<1$인 경우 그 합은 $\dfrac{a}{1-r}$임을 이용한다.

045 _{중요}

급수 $\displaystyle\sum_{n=1}^{\infty}\frac{2^n+3^n}{4^n}$의 합을 구하시오.

046

급수 $\dfrac{2+(-3)}{4}+\dfrac{2^2+(-3)^2}{4^2}+\dfrac{2^3+(-3)^3}{4^3}+\cdots$의 합은?

① $\dfrac{1}{7}$ ② $\dfrac{2}{7}$ ③ $\dfrac{3}{7}$

④ $\dfrac{4}{7}$ ⑤ $\dfrac{5}{7}$

047

급수 $\displaystyle\sum_{n=1}^{\infty}(2^n-1)\left(-\frac{1}{3}\right)^n$의 합을 구하시오.

048

이차함수 $y=x^2-x-12$의 그래프가 x축과 두 점 A, B에서 만난다. 두 점 A, B의 x좌표를 각각 α, β라 할 때, 급수 $\sum\limits_{n=1}^{\infty}\left(\dfrac{3}{\alpha^n}+\dfrac{2}{\beta^n}\right)$의 합은? (단, $\alpha>\beta$)

① $\dfrac{1}{2}$ ② $\dfrac{2}{3}$ ③ $\dfrac{3}{4}$

④ $\dfrac{4}{5}$ ⑤ 1

049

급수 $\dfrac{1}{3}+\dfrac{2}{3^2}+\dfrac{1}{3^3}+\dfrac{2}{3^4}+\dfrac{1}{3^5}+\dfrac{2}{3^6}+\cdots$의 합을 구하시오.

050

두 수열 $\{a_n\}$, $\{b_n\}$에 대하여 급수 $\sum\limits_{n=1}^{\infty}a_n$, $\sum\limits_{n=1}^{\infty}b_n$이 각각 α, β로 수렴할 때, 〈보기〉에서 옳은 것만을 있는 대로 고르시오.

┤ 보 기 ├
ㄱ. $\sum\limits_{n=1}^{\infty}(a_n-b_n)=\alpha-\beta$

ㄴ. $\sum\limits_{n=1}^{\infty}a_nb_n=\alpha\beta$

ㄷ. $\sum\limits_{n=1}^{\infty}(a_n^2+b_n^2)=\alpha^2+\beta^2$

유형 06 등비급수와 순환소수

주어진 순환소수를 분수로 나타낸 후 첫째항과 공비를 구하여 등비급수의 합 공식에 대입한다.

051

$0.51+0.0051+0.000051+0.00000051+\cdots$의 값을 구하시오.

052

첫째항이 $0.\dot{4}$, 제4항이 $0.05\dot{6}$인 등비급수의 합은?

① $\dfrac{2}{9}$ ② $\dfrac{4}{9}$ ③ $\dfrac{2}{3}$

④ $\dfrac{8}{9}$ ⑤ 1

053

첫째항이 $0.\dot{\alpha}$, 공비가 $0.0\dot{\alpha}$인 등비수열 $\{a_n\}$에 대하여 $\sum\limits_{n=1}^{\infty}a_n=\dfrac{10}{17}$일 때, 자연수 α의 값을 구하시오. (단, $1<\alpha<9$)

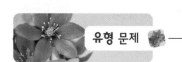
유형 07 등비급수의 활용

① 도형의 넓이가 줄어들거나 늘어나는 일정한 규칙을 찾는다.

② ①에서 찾은 규칙이 등비급수이면 첫째항 a와 공비 r를 구한다.

③ 등비급수의 합이 $\dfrac{a}{1-r}$ ($|r|<1$)임을 이용한다.

054

그림과 같이 점 P_1에서 직선 $y=x$에 내린 수선의 발을 P_2, 점 P_2에서 y축에 내린 수선의 발을 P_3, 점 P_3에서 직선 $y=-x$에 내린 수선의 발을 P_4라고 한다. $\overline{OP_1}=2$ 이고 이와 같은 과정을 한없이 반복할 때, $\overline{P_1P_2}+\overline{P_2P_3}+\overline{P_3P_4}+\cdots$ 의 값은?

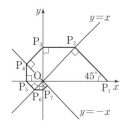

① $\sqrt{2}-1$ ② $\sqrt{2}$ ③ $\sqrt{2}+1$
④ $2\sqrt{2}+2$ ⑤ $2\sqrt{2}+3$

055

그림에서 삼각형 ABC는 $\angle A=30°$, $\angle B=60°$, $\overline{AC}=3$인 직각삼각형이다. 꼭짓점 C에서 빗변 AB에 수선 CD를 긋고, 점 D에서 변 AC에 수선 DE를 긋는다. 이와 같은 과정을 한없이 반복할 때, $\overline{CD}+\overline{DE}+\overline{EF}+\cdots=a+b\sqrt{3}$ 이다. $a+b$의 값을 구하시오.

(단, a, b는 정수이다.)

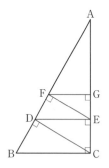

056

그림과 같이 반지름의 길이가 1인 원에 내접하는 정사각형을 $A_1B_1C_1D_1$이라 하고 정사각형 $A_1B_1C_1D_1$의 내접원에 내접하는 정사각형을 $A_2B_2C_2D_2$, 정사각형 $A_2B_2C_2D_2$의 내접원에 내접하는 정사각형을 $A_3B_3C_3D_3$이라 하자. 이와 같은 과정을 계속하여 n번째 얻은 정사각형 $A_nB_nC_nD_n$의 내접원에 내접하는 정사각형을 $A_{n+1}B_{n+1}C_{n+1}D_{n+1}$, 정사각형 $A_nB_nC_nD_n$의 넓이를 S_n이라 할 때, $\displaystyle\sum_{n=1}^{\infty} S_n$의 값을 구하시오.

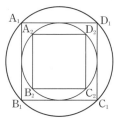

057

그림과 같이 직각삼각형 ABC에 내접하고 $\overline{BC}$ 위에 한 변이 있는 정삼각형을 한없이 배열하고 정삼각형의 넓이를 차례로 S_1, S_2, S_3, $\cdots$이라 할 때, 이들 정삼각형의 넓이의 합을 구하시오.

(단, $\overline{AB}=2$, $\angle A=60°$)

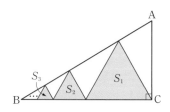

058

그림과 같이 이등변삼각형의 내부에 정사각형 S_1, S_2, S_3, $\cdots$을 한없이 만들어 나갈 때, 이들 정사각형의 넓이의 합을 구하시오.

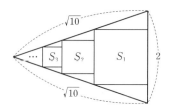

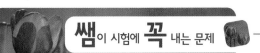

059

등비수열 $\{a_n\}$에서 $a_1+a_2=6$, $a_2+a_3=-3$일 때, $\sum\limits_{n=1}^{\infty} a_n$의 값을 구하시오.

060

수열 $\{a_n\}$이
$$a_1=\sqrt{3}, \ a_{n+1}=\sqrt{a_n} \ (n=1, 2, 3, \cdots)$$
을 만족시킬 때, $\sum\limits_{n=1}^{\infty} \log_9 a_n$의 값을 구하시오.

061

등비수열 $\{a_n\}$에 대하여 $\sum\limits_{n=1}^{\infty} a_n=4$, $\sum\limits_{n=1}^{\infty} a_n{}^2=48$일 때, 수열 $\{a_n\}$의 공비는?

① -1
② $-\dfrac{1}{2}$
③ $-\dfrac{1}{3}$
④ 2
⑤ 3

062

등비급수 $\sum\limits_{n=1}^{\infty} (x+1)\left(\dfrac{x-3}{2}\right)^{n-1}$이 수렴하기 위한 실수 x의 값의 범위를 구하시오.

063

두 등비급수 $\sum\limits_{n=1}^{\infty} (1+x)^n$, $\sum\limits_{n=1}^{\infty} \dfrac{1}{x^n}$이 모두 수렴하기 위한 실수 x의 값의 범위는?

① $-3<x<1$
② $-2<x<-1$
③ $-2<x<0$
④ $-1<x<1$
⑤ $-1<x<2$

064

등비급수 $\sum\limits_{n=1}^{\infty} r^n$이 수렴할 때, 〈보기〉에서 수렴하는 것만을 있는 대로 고른 것은?

┤ 보기 ├
ㄱ. $\sum\limits_{n=1}^{\infty}\left(\dfrac{r-1}{2}\right)^n$ ㄴ. $\sum\limits_{n=1}^{\infty}\left(\dfrac{1}{1+r}\right)^n$ ㄷ. $\sum\limits_{n=1}^{\infty}\dfrac{r^{2n}}{5^n}$

① ㄱ
② ㄴ
③ ㄱ, ㄷ
④ ㄴ, ㄷ
⑤ ㄱ, ㄴ, ㄷ

065

급수 $\displaystyle\sum_{n=1}^{\infty} \frac{1+3+3^2+\cdots+3^{n-1}}{2^{2n-1}}$ 의 합을 구하시오.

066

이차함수 $y=6^n x^2-(2^n-3^n)x-1$ 의 그래프가 x축과 만나는 두 점 사이의 거리를 l_n이라 할 때, $\displaystyle\sum_{n=1}^{\infty} l_n$ 의 값을 구하시오.

067

$\dfrac{3}{11}$ 을 소수로 나타낼 때, 소수점 아래 n번째 자리의 숫자를 a_n 이라 하자. 수열 $\{a_n\}$에 대하여 급수

$$\frac{a_1}{3}+\frac{a_2}{3^2}+\frac{a_3}{3^3}+\frac{a_4}{3^4}+\frac{a_5}{3^5}+\frac{a_6}{3^6}+\cdots$$

의 합이 $\dfrac{q}{p}$일 때, $p+q$의 값을 구하시오.

(단, p와 q는 서로소인 자연수이다.)

1등급 문제

068

등비급수 $1+x+x^2+x^3+\cdots$ 의 합이 4일 때, 급수 $1+2x+3x^2+4x^3+\cdots$ 의 합을 구하시오.

069

한 변의 길이가 2인 정사각형 $A_1B_1C_1D_1$이 있다. 그림과 같이 변 A_1D_1의 중점을 M_1이라 할 때, 두 삼각형 $A_1B_1M_1$과 $M_1C_1D_1$에 각각 내접하는 두 원을 그리고, 두 원에 색칠하여 얻은 그림을 R_1이라 하자.

그림 R_1에서 두 꼭짓점이 변 B_1C_1 위에 있고 삼각형 $M_1B_1C_1$에 내접하는 정사각형 $A_2B_2C_2D_2$를 그린 후 변 A_2D_2의 중점을 M_2라 할 때, 두 삼각형 $A_2B_2M_2$와 $M_2C_2D_2$에 각각 내접하는 두 원을 그리고, 두 원에 색칠하여 얻은 그림을 R_2라 하자.

그림 R_2에서 두 꼭짓점이 변 B_2C_2 위에 있고 삼각형 $M_2B_2C_2$에 내접하는 정사각형 $A_3B_3C_3D_3$을 그린 후 변 A_3D_3의 중점을 M_3이라 할 때, 두 삼각형 $A_3B_3M_3$과 $M_3C_3D_3$에 각각 내접하는 두 원을 그리고, 두 원에 색칠하여 얻은 그림을 R_3이라 하자.

이와 같은 과정을 계속하여 n번째 얻은 그림 R_n에 색칠되어 있는 부분의 넓이를 S_n이라 할 때, $\displaystyle\lim_{n\to\infty} S_n$의 값은?

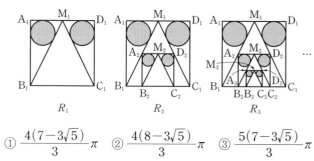

① $\dfrac{4(7-3\sqrt{5})}{3}\pi$ ② $\dfrac{4(8-3\sqrt{5})}{3}\pi$ ③ $\dfrac{5(7-3\sqrt{5})}{3}\pi$

④ $\dfrac{5(8-3\sqrt{5})}{3}\pi$ ⑤ $\dfrac{5(9-4\sqrt{5})}{3}\pi$

05 지수함수와 로그함수의 미분

05 지수함수와 로그함수의 미분

1 지수함수 $y=a^x$ $(a>0,\ a\neq1)$의 극한

(1) $a>1$일 때 $\displaystyle\lim_{x\to\infty} a^x=\infty$, $\displaystyle\lim_{x\to-\infty} a^x=0$

(2) $0<a<1$일 때 $\displaystyle\lim_{x\to\infty} a^x=0$, $\displaystyle\lim_{x\to-\infty} a^x=\infty$

참고 지수함수 $y=a^x$ $(a>0,\ a\neq1)$은 모든 실수에 대하여 연속이므로 상수 k에 대하여 $\displaystyle\lim_{x\to k} a^x=a^k$이다.

2 로그함수 $y=\log_a x$ $(a>0,\ a\neq1)$의 극한

(1) $a>1$일 때 $\displaystyle\lim_{x\to\infty} \log_a x=\infty$, $\displaystyle\lim_{x\to0+} \log_a x=-\infty$

(2) $0<a<1$일 때 $\displaystyle\lim_{x\to\infty} \log_a x=-\infty$, $\displaystyle\lim_{x\to0+} \log_a x=\infty$

참고 로그함수 $y=\log_a x$ $(a>0,\ a\neq1)$는 $x>0$에서 연속이므로 0보다 큰 상수 k에 대하여 $\displaystyle\lim_{x\to k} \log_a x=\log_a k$이다.

3 무리수 e와 자연로그

(1) $\displaystyle\lim_{x\to0}(1+x)^{\frac{1}{x}}=e$, $\displaystyle\lim_{x\to\infty}\left(1+\frac{1}{x}\right)^x=e$ (단, $e=2.7182\cdots$)

(2) 무리수 e를 밑으로 하는 $\log_e x$를 x의 자연로그라 하고
$$\log_e x=\ln x \ (e=2.7182\cdots)$$
와 같이 나타낸다.

(3) 무리수 e를 밑으로 하는 지수함수를 $y=e^x$으로 나타낸다.

4 무리수 e를 이용한 지수함수, 로그함수의 극한의 성질

(1) $\displaystyle\lim_{x\to0}\frac{\ln(1+x)}{x}=1$

(2) $\displaystyle\lim_{x\to0}\frac{e^x-1}{x}=1$

5 지수함수의 도함수

(1) $y=e^x \Rightarrow y'=e^x$

(2) $y=a^x$ (단, $a>0,\ a\neq1$) $\Rightarrow y'=a^x \ln a$

6 로그함수의 도함수

(1) $y=\ln x$ (단, $x>0$) $\Rightarrow y'=\dfrac{1}{x}$

(2) $y=\log_a x$ (단, $x>0,\ a>0,\ a\neq1$) $\Rightarrow y'=\dfrac{1}{x\ln a}$

개념 플러스

◀ 지수함수와 로그함수의 극한은 그래프를 이용하면 쉽게 알 수 있다.

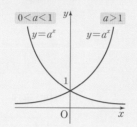

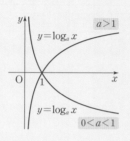

◀ 자연로그에 대해서도 다음 로그의 성질이 모두 성립한다.

(단, $x>0,\ y>0$)

(1) $\ln 1=0$, $\ln e=1$

(2) $\ln xy=\ln x+\ln y$

(3) $\ln \dfrac{x}{y}=\ln x-\ln y$

(4) $\ln x^n=n\ln x$ (단, n은 실수)

◀ 지수함수 $y=e^x$과 로그함수 $y=\ln x$는 서로 역함수 관계에 있다.

◀ $a>0,\ a\neq1$일 때

(1) $\displaystyle\lim_{x\to0}\frac{\log_a(1+x)}{x}=\frac{1}{\ln a}$

(2) $\displaystyle\lim_{x\to0}\frac{a^x-1}{x}=\ln a$

기본 문제

1 지수함수의 극한

[001-006] 다음 극한을 조사하시오.

001 $\lim\limits_{x \to \infty} \left(\dfrac{1}{5}\right)^x$

002 $\lim\limits_{x \to -\infty} \left(\dfrac{5}{3}\right)^x$

003 $\lim\limits_{x \to -\infty} \dfrac{3^x}{4^x}$

004 $\lim\limits_{x \to 0} \left(\dfrac{1}{10}\right)^x$

005 $\lim\limits_{x \to 1} \dfrac{4^x}{4^x - 3^x}$

006 $\lim\limits_{x \to \infty} \dfrac{3^x - 2^x}{3^x + 2^x}$

2 로그함수의 극한

[007-012] 다음 극한을 조사하시오.

007 $\lim\limits_{x \to \infty} \log_3 x$

008 $\lim\limits_{x \to 0+} \log_2 2x$

009 $\lim\limits_{x \to \infty} \log_{\frac{1}{4}} x^2$

010 $\lim\limits_{x \to 4} \log_2 (x+4)$

011 $\lim\limits_{x \to 2} \log_7 (x^2 + x + 1)$

012 $\lim\limits_{x \to \infty} \log_2 \dfrac{x^2 - 1}{x - 1}$

3 무리수 e와 자연로그

[013-014] $\lim_{x \to 0}(1+x)^{\frac{1}{x}}=e$임을 이용하여 □ 안에 알맞은 것을 써넣으시오.

013 $\lim_{x \to 0}(1+x)^{\frac{2}{x}}=\lim_{x \to 0}\{(1+x)^{\frac{1}{x}}\}^{\square}=e^{\square}$

014 $\lim_{x \to 0}(1+3x)^{\frac{1}{x}}=\lim_{x \to 0}\{(1+3x)^{\square}\}^{\square}=e^{\square}$

[015-016] $\lim_{x \to \infty}\left(1+\frac{1}{x}\right)^{x}=e$임을 이용하여 □ 안에 알맞은 것을 써넣으시오.

015 $\lim_{x \to \infty}\left(1+\frac{1}{x}\right)^{2x}=\lim_{x \to \infty}\left\{\left(1+\frac{1}{x}\right)^{x}\right\}^{\square}=e^{\square}$

016 $\lim_{x \to \infty}\left(1+\frac{5}{x}\right)^{x}=\lim_{x \to \infty}\left\{\left(1+\frac{5}{x}\right)^{\square}\right\}^{\square}=e^{\square}$

[017-018] 다음 극한값을 구하시오.

017 $\lim_{x \to 0}(1+3x)^{\frac{2}{x}}$

018 $\lim_{x \to \infty}\left(1-\frac{1}{x}\right)^{x}$

[019-022] 다음 값을 구하시오.

019 $\ln 1$

020 $\ln \sqrt{e}$

021 $\ln \frac{1}{2e}$

022 $\dfrac{1}{\log_5 e}+\dfrac{1}{\log_2 e}$

4 e를 이용한 지수함수, 로그함수의 극한의 성질

[023-024] $\lim\limits_{x \to 0}\dfrac{\ln(1+x)}{x}=1$임을 이용하여 ☐ 안에 알맞은 것을 써넣으시오.

023 $\lim\limits_{x \to 0}\dfrac{\ln(1+x)}{3x}=\lim\limits_{x \to 0}\dfrac{\ln(1+x)}{\boxed{}}\times\boxed{}=1\times\boxed{}=\boxed{}$

024 $\lim\limits_{x \to 0}\dfrac{\ln(1+2x)}{x}=\lim\limits_{x \to 0}\dfrac{\ln(1+2x)}{\boxed{}}\times\boxed{}$

$\qquad\qquad\qquad\qquad =1\times\boxed{}=\boxed{}$

[025-026] $\lim\limits_{x \to 0}\dfrac{e^x-1}{x}=1$임을 이용하여 ☐ 안에 알맞은 것을 써넣으시오.

025 $\lim\limits_{x \to 0}\dfrac{e^x-1}{2x}=\lim\limits_{x \to 0}\dfrac{e^x-1}{x}\times\boxed{}=1\times\boxed{}=\boxed{}$

026 $\lim\limits_{x \to 0}\dfrac{e^{3x}-1}{x}=\lim\limits_{x \to 0}\dfrac{e^{3x}-1}{\boxed{}}\times\boxed{}=1\times\boxed{}=\boxed{}$

[027-032] 다음 극한값을 구하시오.

027 $\lim\limits_{x \to 0}\dfrac{\ln(1+2x)}{5x}$

028 $\lim\limits_{x \to 0}\dfrac{\ln\left(1+\dfrac{x}{4}\right)}{x}$

029 $\lim\limits_{x \to 0}\dfrac{x}{\ln(1+2x)}$

030 $\lim\limits_{x \to 0}\dfrac{e^{5x}-1}{4x}$

031 $\lim\limits_{x \to 0}\dfrac{e^x-1}{\dfrac{x}{2}}$

032 $\lim\limits_{x \to 0}\dfrac{3x}{e^x-1}$

기본 문제

5 지수함수의 도함수

[033-038] 다음 함수를 미분하시오.

033 $y=e^{3x}$

034 $y=e^{-2x}$

035 $y=5^x$

036 $y=x^3-e^x$

037 $y=e^x+2^x$

038 $y=xe^x$

6 로그함수의 도함수

[039-044] 다음 함수를 미분하시오.

039 $y=\ln x^2$

040 $y=\ln 3x$

041 $y=\log 5x$

042 $y=\ln x+\log_3 x$

043 $y=(3x-2)\ln x$

044 $y=x^2\ln x$

유형 문제

유형 01 지수함수와 로그함수의 극한

(1) 지수함수의 극한

① $\lim\limits_{x \to \infty} \dfrac{c^x + d^x}{a^x + b^x}$ 꼴의 극한 ⇨ 분모에서 밑이 가장 큰 항으로 분모, 분자를 각각 나눈다.

$\lim\limits_{x \to \infty} (a^x - b^x)$ 꼴의 극한 ⇨ 밑이 가장 큰 항으로 묶는다.

② $a > 1$일 때, $\lim\limits_{x \to \infty} a^x = \infty$,

$0 < a < 1$일 때, $\lim\limits_{x \to \infty} a^x = 0$

(2) 로그함수의 극한

① (i) 주어진 식을 로그의 성질을 이용하여 $\log_a f(x)$ 꼴로 변형한다. (단, $a > 0$, $a \neq 1$, $f(x) > 0$)

(ii) $\lim\limits_{x \to \infty} \log_a f(x) = \log_a \{\lim\limits_{x \to \infty} f(x)\}$임을 이용한다.

② $a > 1$일 때, $\lim\limits_{x \to \infty} \log_a x = \infty$,

$0 < a < 1$일 때, $\lim\limits_{x \to \infty} \log_a x = -\infty$

045

$\lim\limits_{x \to \infty} \dfrac{5^x}{5^x + 2^x} + \lim\limits_{x \to \infty} \dfrac{2^x}{5^x - 1}$ 의 값을 구하시오.

046

$\lim\limits_{x \to 2} \{\log_3 (x^3 - 8) - \log_3 (x - 2)\}$의 값은?

① 1 　　　② $1 + 2\log_3 2$ 　　　③ $2 + \log_3 2$

④ $1 + 3\log_3 2$ 　　　⑤ 3

047 중요

$\lim\limits_{x \to \infty} \dfrac{2^x + 3^{x+a}}{2^x - 3^x} = -\dfrac{1}{9}$ 을 만족시키는 상수 a에 대하여

$\lim\limits_{x \to \infty} \log_2 (x - \sqrt{x^2 + ax})$의 값을 구하시오.

유형 02 무리수 e의 정의

(1) 무리수 e를 밑으로 하는 $\log_e x$를 x의 자연로그라 하고

$$\log_e x = \ln x \ (e = 2.7182\cdots)$$

와 같이 나타낸다.

(2) $\lim\limits_{x \to 0} (1+x)^{\frac{1}{x}} = e$, $\lim\limits_{x \to \infty} \left(1 + \dfrac{1}{x}\right)^x = e$ (단, $e = 2.7182\cdots$)

048 중요

$\lim\limits_{x \to 0} \left(1 + \dfrac{3}{2}x\right)^{\frac{3}{x}}$의 값은?

① $e^{\frac{2}{3}}$ 　　　② $e^{\frac{3}{2}}$ 　　　③ e^3

④ $e^{\frac{9}{2}}$ 　　　⑤ e^6

049

$\lim\limits_{x \to \infty} \left\{\left(1 + \dfrac{1}{x}\right)\left(1 + \dfrac{1}{3x}\right)\right\}^x$의 값을 구하시오.

050

$\lim\limits_{x \to 0} (1 + x + x^2)^{\frac{1}{x}}$의 값을 구하시오.

유형 03 $\lim\limits_{x \to 0} \dfrac{\ln (1+x)}{x}$ 꼴의 극한

$\lim\limits_{\blacksquare \to 0} \dfrac{\ln (1+\blacksquare)}{\blacksquare} = 1$ 임을 이용한다.

참고 $\lim\limits_{x \to 0} \dfrac{\ln (1+ax)}{x} = a$, $\lim\limits_{x \to 0} \dfrac{\ln (1+bx)}{ax} = \dfrac{b}{a}$

051

$\lim\limits_{x \to 0} \dfrac{\ln (2x+1)}{2x^2+x}$ 의 값은?

① -1　　　　② 0　　　　③ $\dfrac{1}{2}$

④ 1　　　　⑤ 2

052

$\lim\limits_{x \to 0} \dfrac{\ln \sqrt{1+x}}{x}$ 의 값을 구하시오.

053

$\lim\limits_{x \to 0} \dfrac{ax}{\ln (1+3x)} = 4$ 를 만족시키는 상수 a의 값을 구하시오.

054

$\lim\limits_{x \to 1} \dfrac{\ln x}{x-1}$ 의 값은?

① $\dfrac{1}{4}$　　　　② $\dfrac{1}{2}$　　　　③ 1

④ e　　　　⑤ e^2

055

연속함수 $f(x)$가 $\lim\limits_{x \to 0} \dfrac{f(x)}{\ln (1-x)} = 4$를 만족시킬 때,

$\lim\limits_{x \to 0} \dfrac{f(x)}{x}$ 의 값을 구하시오.

056

함수 $f(x) = \begin{cases} \dfrac{2x}{\ln (1+x)} & (x \neq 0) \\ a & (x=0) \end{cases}$ 가 $x=0$에서 연속일 때,

상수 a의 값을 구하시오.

유형 04 $\lim\limits_{x \to 0} \dfrac{e^x - 1}{x}$ 꼴의 극한

$\lim\limits_{\blacksquare \to 0} \dfrac{e^{\blacksquare} - 1}{\blacksquare} = 1$임을 이용한다.

참고 $\lim\limits_{x \to 0} \dfrac{e^{ax} - 1}{x} = a$, $\lim\limits_{x \to 0} \dfrac{e^{bx} - 1}{ax} = \dfrac{b}{a}$

057

$\lim\limits_{x \to 0} \dfrac{e^{2x} - 1}{x^2 - x}$ 의 값은?

① $-\dfrac{1}{2}$ ② -1 ③ $-\dfrac{3}{2}$

④ -2 ⑤ $-\dfrac{5}{2}$

058

$\lim\limits_{x \to 0} \dfrac{\ln(1 + 4x)}{e^{3x} - 1}$ 의 값을 구하시오.

059

$\lim\limits_{x \to 0} \dfrac{e^x + a}{x} = b$를 만족시키는 두 상수 a, b에 대하여 ab의 값을 구하시오.

060

$\lim\limits_{x \to 2} \dfrac{e^{x-2} - (x-1)^2}{x - 2}$ 의 값을 구하시오.

061

연속함수 $f(x)$가 $\lim\limits_{x \to 0} \dfrac{f(x)}{e^{2x} - 1} = 100$을 만족시킬 때, $\lim\limits_{x \to 0} \dfrac{f(x)}{x}$ 의 값은?

① $\dfrac{1}{200}$ ② $\dfrac{1}{100}$ ③ 50

④ 100 ⑤ 200

062

함수 $f(x) = \begin{cases} \dfrac{e^{2x} + a}{x} & (x \neq 0) \\ b & (x = 0) \end{cases}$ 가 $x = 0$에서 연속이 되도록

두 상수 a, b의 값을 정할 때, $a + b$의 값을 구하시오.

유형 **05** $\displaystyle\lim_{x\to 0}\dfrac{\log_a(1+x)}{x}$ 꼴의 극한

$\displaystyle\lim_{\blacksquare\to 0}\dfrac{\log_a(1+\blacksquare)}{\blacksquare}=\dfrac{1}{\ln a}$임을 이용한다. (단, $a>0$, $a\neq 1$)

참고

$\displaystyle\lim_{x\to 0}\dfrac{\log_a(1+bx)}{cx}=\lim_{x\to 0}\dfrac{\log_a(1+bx)}{bx}\times\dfrac{b}{c}=\dfrac{b}{c}\times\dfrac{1}{\ln a}$

063

$\displaystyle\lim_{x\to 0}\dfrac{\log_3(1+3x)}{x}$ 의 값은?

① $\dfrac{1}{2\ln 3}$ 　　② $\dfrac{1}{\ln 3}$ 　　③ $\ln 3$

④ $2\ln 3$ 　　⑤ $\dfrac{3}{\ln 3}$

중요 064

$\displaystyle\lim_{x\to 1}\dfrac{\log_2 x}{x-1}$ 의 값을 구하시오.

065

$\displaystyle\lim_{x\to\infty}x\left\{\log_2\left(2+\dfrac{1}{x}\right)-1\right\}$ 의 값을 구하시오.

유형 **06** $\displaystyle\lim_{x\to 0}\dfrac{a^x-1}{x}$ 꼴의 극한

$\displaystyle\lim_{\blacksquare\to 0}\dfrac{a^{\blacksquare}-1}{\blacksquare}=\ln a$임을 이용한다. (단, $a>0$, $a\neq 1$)

참고

$\displaystyle\lim_{x\to 0}\dfrac{a^x-1}{bx}=\lim_{x\to 0}\dfrac{a^x-1}{x}\times\dfrac{1}{b}=\dfrac{1}{b}\ln a$

중요 066

$\displaystyle\lim_{x\to 0}\dfrac{6x}{3^{2x}-1}$ 의 값은?

① 0 　　② 1 　　③ $\ln 3$

④ $\dfrac{3}{\ln 3}$ 　　⑤ 3

067

$\displaystyle\lim_{x\to 0}\dfrac{2^x-1}{\log_2(1+x)}$ 의 값을 구하시오.

068

$\displaystyle\lim_{x\to 0}\dfrac{e^x-2^{-x}}{x}$ 의 값을 A라 할 때, e^A의 값을 구하시오.

유형 07 지수함수와 로그함수의 극한의 활용

지수함수와 로그함수의 극한의 활용 문제는
① 구하는 선분의 길이 또는 도형의 넓이를 식으로 나타낸다.
② 극한의 성질을 이용하여 극한값을 구한다.

069

곡선 $y=2^x-1$ 위의 점 $P(t, 2^t-1)$에서 y축에 내린 수선의 발을 A, 원점을 O라 할 때, $\lim\limits_{t \to 0+} \dfrac{\overline{\text{AP}}}{\overline{\text{OA}}}$의 값은?

(단, 점 P는 제1사분면 위의 점이다.)

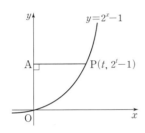

① $\dfrac{1}{e}$ ② $\dfrac{1}{2}$ ③ $\ln 2$

④ $\dfrac{1}{\ln 2}$ ⑤ 2

070

x축 위의 두 점 $A(t, 0)$, $B(10t, 0)$을 각각 지나고 y축에 평행한 두 직선이 곡선 $y=\ln(x+1)$과 만나는 점을 각각 C, D라 하자. 삼각형 OAC의 넓이를 $S(t)$, 사다리꼴 ABDC의 넓이를 $T(t)$라 할 때, $\lim\limits_{t \to 0+} \dfrac{T(t)}{S(t)}$의 값을 구하시오.

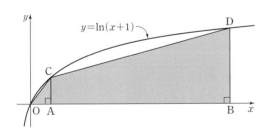

유형 08 지수함수의 도함수

(1) $y=e^x \Rightarrow y'=e^x$
(2) $y=a^x$ (단, $a>0$, $a \neq 1$) $\Rightarrow y'=a^x \ln a$

071

함수 $f(x)=xe^x-5x$일 때, $f'(3)$의 값은?

① $4e^3+5$ ② $4e^3-5$ ③ $3e^3+5$

④ $3e^3-5$ ⑤ e^3-5

072

함수 $f(x)=(x^2-2)e^{x+1}$일 때, $f'(-1)$의 값을 구하시오.

073

함수 $f(x)=2^x+2x$에 대하여 $\lim\limits_{h \to 0} \dfrac{f(2+h)-f(2-h)}{h}$의 값을 구하시오.

유형 09 로그함수의 도함수

(1) $y=\ln x$ (단, $x>0$) $\Rightarrow y'=\dfrac{1}{x}$

(2) $y=\log_a x$ (단, $x>0$, $a>0$, $a\neq 1$) $\Rightarrow y'=\dfrac{1}{x\ln a}$

074

함수 $f(x)=e^x\ln x+5$에 대하여 $f'(1)$의 값을 구하시오.

075

함수 $f(x)=3x\ln x+x^2$에 대하여 $\displaystyle\lim_{x\to 1}\dfrac{f(x)-1}{x^2-1}$의 값을 구하시오.

076

함수 $f(x)=x^2+x\log_2 x$에 대하여 $\displaystyle\lim_{h\to 0}\dfrac{f(1+2h)-f(1-h)}{h}$의 값은?

① $\dfrac{1}{\ln 2}$ ② $3+\dfrac{1}{\ln 2}$ ③ $3+\dfrac{3}{\ln 2}$

④ $6+\dfrac{3}{\ln 2}$ ⑤ $6+\dfrac{6}{\ln 2}$

유형 10 지수함수와 로그함수의 미분가능성

미분가능한 함수 $f(x)$, $g(x)$에 대하여

$$h(x)=\begin{cases} f(x) & (x<a) \\ g(x) & (x\geq a) \end{cases}$$ 가 $x=a$에서 미분가능할 조건은

① $x=a$에서 연속이다.

$\Rightarrow \displaystyle\lim_{x\to a-}f(x)=\lim_{x\to a+}g(x)=h(a)$

② 미분계수 $h'(a)$가 존재한다.

$\Rightarrow \displaystyle\lim_{x\to a-}f'(x)=\lim_{x\to a+}g'(x)$

077

함수 $f(x)=\begin{cases} ax+b & (x<1) \\ \ln x & (x\geq 1) \end{cases}$ 가 모든 실수 x에 대하여 미분가능할 때, $a-b$의 값은? (단, a, b는 상수이다.)

① $\dfrac{1}{2}$ ② 1 ③ $\dfrac{3}{2}$

④ 2 ⑤ $\dfrac{5}{2}$

078

함수 $f(x)=\begin{cases} ae^x+b & (x<0) \\ 3x+4 & (x\geq 0) \end{cases}$ 가 $x=0$에서 미분가능할 때, a^2+b^2의 값을 구하시오. (단, a, b는 상수이다.)

079

함수 $f(x)=\begin{cases} \ln ax & (x<1) \\ be^{x-1}+2 & (x\geq 1) \end{cases}$ 가 모든 양수 x에 대하여 미분가능할 때, ab의 값을 구하시오. (단, a, b는 상수이다.)

쌤이 시험에 **꼭** 내는 문제

080

$\lim_{x \to \infty} (3^x - 2^x)^{\frac{1}{x}}$의 값을 구하시오.

081

〈보기〉에서 극한값이 e인 것은 모두 몇 개인가?

┤ 보 기 ├

ㄱ. $\lim_{x \to 0} (1-x)^{\frac{1}{x}}$ ㄴ. $\lim_{x \to 1} x^{\frac{1}{x-1}}$

ㄷ. $\lim_{x \to \infty} \left(1 - \frac{1}{2x}\right)^{2x}$ ㄹ. $\lim_{x \to -\infty} \left(1 - \frac{1}{3x}\right)^{-3x}$

① 0개   ② 1개   ③ 2개

④ 3개   ⑤ 4개

082

$\lim_{x \to -\infty} \left(\dfrac{x-1}{x}\right)^{2x}$의 값을 구하시오.

083

$\lim_{x \to \infty} x\{\ln(x+2) - \ln x\}$의 값을 구하시오.

084

$\lim_{x \to 0} \dfrac{\ln(1+x)(1+3x)}{e^{4x}-1}$의 값은?

① $\dfrac{1}{4}\ln(e+1)$ ② 1   ③ 2

④ 3   ⑤ $2\ln(e+16)$

085

$\lim_{x \to 0} \dfrac{\ln(1+x)}{e^{ax}-b} = \dfrac{1}{7}$을 만족시키는 두 실수 a, b에 대하여 $a-b$의 값을 구하시오.

086

$t<1$인 실수 t에 대하여 곡선 $y=\ln x$와 직선 $x+y=t$가 만나는 점을 P라 하자. 점 P에서 x축에 내린 수선의 발을 H, 직선 PH 와 곡선 $y=e^x$이 만나는 점을 Q라 할 때, 삼각형 OHQ의 넓이를 $S(t)$라 하자. $\displaystyle\lim_{t\to0+}\frac{2S(t)-1}{t}$의 값을 구하시오.

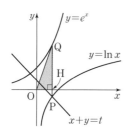

087

곡선 $y=x^2e^x+3^x$에 대하여 $x=1$에서의 접선의 기울기는?

① $e+\ln 3$ ② $2e+2\ln 3$ ③ $3e+2\ln 3$

④ $2e+3\ln 3$ ⑤ $3e+3\ln 3$

088

함수 $f(x)=a+x\ln bx$에 대하여 $f(1)=5$, $f'(1)=2$일 때, $f(e^2)$의 값을 구하시오. (단, a, b는 상수이다.)

089

함수 $f(x)=\begin{cases} ax^2+5 & (x<1) \\ \ln bx & (x\geq1) \end{cases}$가 모든 실수 x에 대하여 미분가능 하도록 하는 두 상수 a, b의 값은 $a=\alpha$, $b=e^\beta$이다. $2\alpha+4\beta$의 값을 구하시오.

🏅 1등급 문제

090

$\displaystyle\lim_{x\to0}\frac{3\ln\{(1+x)(1+3x)(1+5x)(1+7x)\}}{e^{4x}+e^{2x}-2}$의 값을 구하 시오.

091

함수

$$f(x)=\begin{cases} \dfrac{e^{x-1}-ax^2}{1-x} & (x\neq1) \\ b & (x=1) \end{cases}$$

가 실수 전체의 집합에서 연속이 되도록 하는 두 상수 a, b에 대하여 $a+b$의 값은?

① -2 ② -1 ③ 0

④ 1 ⑤ 2

06 삼각함수의 미분

06 삼각함수의 미분

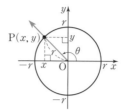

1 삼각함수

(1) 동경 OP가 나타내는 각 θ에 대하여

$$\csc\theta=\frac{r}{y}\,(y\neq0),\ \sec\theta=\frac{r}{x}\,(x\neq0),\ \cot\theta=\frac{x}{y}\,(y\neq0)$$

(2) 삼각함수 사이의 관계

① $\csc\theta=\dfrac{1}{\sin\theta}$ ② $\sec\theta=\dfrac{1}{\cos\theta}$

③ $\cot\theta=\dfrac{1}{\tan\theta}$ ④ $\sin^2\theta+\cos^2\theta=1$

⑤ $1+\tan^2\theta=\sec^2\theta$ ⑥ $1+\cot^2\theta=\csc^2\theta$

개념 플러스

◀ csc, sec, cot를 각각 코시컨트, 시컨트, 코탄젠트라고 읽는다.

◀ $\csc\theta$, $\sec\theta$, $\cot\theta$의 값의 부호는 각각 $\sin\theta$, $\cos\theta$, $\tan\theta$의 값의 부호와 같다.

2 삼각함수의 덧셈정리(복부호 동순)

(1) $\sin(\alpha\pm\beta)=\sin\alpha\cos\beta\pm\cos\alpha\sin\beta$

(2) $\cos(\alpha\pm\beta)=\cos\alpha\cos\beta\mp\sin\alpha\sin\beta$

(3) $\tan(\alpha\pm\beta)=\dfrac{\tan\alpha\pm\tan\beta}{1\mp\tan\alpha\tan\beta}$

3 삼각함수의 극한

임의의 실수 a에 대하여

(1) $\lim\limits_{x\to a}\sin x=\sin a$ (2) $\lim\limits_{x\to a}\cos x=\cos a$

(3) $\lim\limits_{x\to a}\tan x=\tan a\left(\text{단},\ a\neq n\pi+\dfrac{\pi}{2}\ (n\text{은 정수})\right)$

◀ $\lim\limits_{x\to\infty}\sin x$, $\lim\limits_{x\to\infty}\cos x$, $\lim\limits_{x\to\frac{\pi}{2}}\tan x$, $\lim\limits_{x\to-\frac{\pi}{2}}\tan x$의 값은 존재하지 않는다.

4 $\lim\limits_{x\to0}\dfrac{\sin x}{x}$, $\lim\limits_{x\to0}\dfrac{\tan x}{x}$의 값

(1) $\lim\limits_{x\to0}\dfrac{\sin x}{x}=1$, $\lim\limits_{x\to0}\dfrac{x}{\sin x}=1$ (2) $\lim\limits_{x\to0}\dfrac{\tan x}{x}=1$, $\lim\limits_{x\to0}\dfrac{x}{\tan x}=1$

참고 ① $\lim\limits_{x\to0}\dfrac{x}{\sin x}=\lim\limits_{x\to0}\dfrac{1}{\dfrac{\sin x}{x}}=1$

② $\lim\limits_{x\to0}\dfrac{\tan x}{x}=\lim\limits_{x\to0}\dfrac{\dfrac{\sin x}{\cos x}}{x}=\lim\limits_{x\to0}\left(\dfrac{\sin x}{x}\times\dfrac{1}{\cos x}\right)=1$

③ $\lim\limits_{x\to0}\dfrac{x}{\tan x}=\lim\limits_{x\to0}\dfrac{1}{\dfrac{\tan x}{x}}=1$

◀ 삼각함수의 극한값의 활용

(1) $\lim\limits_{x\to0}\dfrac{\sin bx}{ax}$

$=\lim\limits_{x\to0}\dfrac{\sin bx}{bx}\times\dfrac{bx}{ax}=\dfrac{b}{a}$

(2) $\lim\limits_{x\to0}\dfrac{\tan bx}{ax}$

$=\lim\limits_{x\to0}\dfrac{\tan bx}{bx}\times\dfrac{bx}{ax}=\dfrac{b}{a}$

5 삼각함수의 미분

(1) $(\sin x)'=\cos x$ (2) $(\cos x)'=-\sin x$

기본 문제

1 삼각함수

[001-003] 각 θ를 나타내는 동경과 원점 O를 중심으로 하는 원의 교점이 P$(-4,\ 3)$일 때, 각 θ에 대하여 다음 삼각함수의 값을 구하시오.

001 $\csc\theta$

002 $\sec\theta$

003 $\cot\theta$

2 삼각함수 사이의 관계

[004-005] 주어진 공식을 이용하여 다음을 구하시오.

004 θ가 제4사분면의 각이고 $\tan\theta=-\dfrac{3}{4}$일 때, $\sec\theta$의 값

$$1+\tan^2\theta=\sec^2\theta$$

005 θ가 제3사분면의 각이고 $\csc\theta=-\dfrac{5}{4}$일 때, $\cot\theta$의 값

$$1+\cot^2\theta=\csc^2\theta$$

[006-007] θ가 제2사분면의 각이고, $\sin\theta+\cos\theta=\dfrac{1}{2}$일 때, 곱셈 공식 $(a\pm b)^2=a^2\pm2ab+b^2$을 이용하여 다음 식의 값을 구하시오.

006 $\sin\theta\cos\theta$

007 $\sin\theta-\cos\theta$

3 삼각함수의 덧셈정리

[008-013] 삼각함수의 덧셈정리를 이용하여 다음 삼각함수의 값을 구하시오.

008 $\sin75°$

009 $\cos15°$

010 $\tan105°$

011 $\sin\dfrac{\pi}{12}$

012 $\cos\dfrac{7}{12}\pi$

013 $\tan\dfrac{5}{12}\pi$

[014-016] 다음 식의 값을 구하시오.

014 $\sin100°\cos80°+\cos100°\sin80°$

015 $\cos20°\cos10°-\sin20°\sin10°$

016 $\dfrac{\tan 70° + \tan 50°}{1 - \tan 70° \tan 50°}$

[017-022] $0 < \alpha < \dfrac{\pi}{2}$, $0 < \beta < \dfrac{\pi}{2}$이고, $\sin \alpha = \dfrac{1}{2}$, $\cos \beta = \dfrac{4}{5}$
일 때, 다음 삼각함수의 값을 구하시오.

017 $\cos \alpha$

018 $\sin \beta$

019 $\sin(\alpha + \beta)$

020 $\sin(\alpha - \beta)$

021 $\cos(\alpha + \beta)$

022 $\cos(\alpha - \beta)$

4 삼각함수의 합성

[023-025] 다음 삼각함수를 $r\sin(\theta + \alpha)$ 꼴로 나타내시오.
(단, $r > 0$, $0 \le \alpha < 2\pi$)

023 $\sqrt{3}\sin \theta + \cos \theta$

024 $\sin \theta + \cos \theta$

025 $-\sin \theta - \cos \theta$

[026-029] 다음 삼각함수의 주기와 최댓값, 최솟값을 각각 구하시오.

026 $y = \sqrt{2}\sin \theta + \sqrt{2}\cos \theta$

027 $y = \sqrt{3}\sin \theta - \cos \theta$

028 $y = \sin \theta - \cos \theta$

029 $y = \dfrac{\sqrt{3}}{2}\sin \theta + \dfrac{1}{2}\cos \theta$

5 삼각함수의 극한

[030-032] 다음 극한값을 구하시오.

030 $\lim\limits_{x \to 0} \sin x$

031 $\lim\limits_{x \to \frac{\pi}{4}} \cos 3x$

032 $\lim\limits_{x \to \frac{\pi}{3}} \dfrac{2 \sin x}{\tan x}$

6 $\lim\limits_{x \to 0} \dfrac{\sin x}{x} = 1$과 $\lim\limits_{x \to 0} \dfrac{\tan x}{x} = 1$ 꼴의 극한

[033-042] 다음 극한값을 구하시오.

033 $\lim\limits_{x \to 0} \dfrac{\sin 3x}{x}$

034 $\lim\limits_{x \to 0} \dfrac{\sin x}{2x}$

035 $\lim\limits_{x \to 0} \dfrac{x}{\sin 6x}$

036 $\lim\limits_{x \to 0} \dfrac{\sin 5x}{\sin 4x}$

037 $\lim\limits_{x \to 0} \dfrac{\tan 2x}{x}$

038 $\lim\limits_{x \to 0} \dfrac{2x}{\tan 3x}$

039 $\lim\limits_{x \to 0} \dfrac{\sin 2x + \tan x}{x}$

040 $\lim\limits_{x \to 0} \dfrac{\sin x}{\tan x}$

041 $\lim\limits_{x \to 0} \dfrac{\tan 8x}{\sin 4x}$

042 $\lim\limits_{x \to 0} \dfrac{1 - \cos x}{x}$

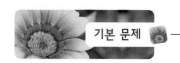
7 삼각함수의 미분

[043-052] 다음 함수를 미분하시오.

043 $y=4\sin x$

044 $y=3x-2\sin x$

045 $y=5x^2+2\cos x$

046 $y=3\sin x+4\cos x$

047 $y=\cos x-5\sin x$

048 $y=\ln x-\cos x$

049 $y=x\cos x$

050 $y=x^2\sin x$

051 $y=e^x\cos x$

052 $y=\sin x\cos x$

유형 문제

유형 01 삼각함수의 정의

동경 OP가 나타내는 각 θ에 대하여

(1) $r = \overline{\mathrm{OP}} = \sqrt{x^2 + y^2}$

(2) $\csc \theta = \dfrac{r}{y}$ $(y \neq 0)$

$\sec \theta = \dfrac{r}{x}$ $(x \neq 0)$

$\cot \theta = \dfrac{x}{y}$ $(y \neq 0)$

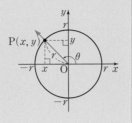

중요
053

원점 O와 점 P(4, -3)에 대하여 동경 OP가 나타내는 각을 θ라 할 때, $\cos \theta + \csc \theta$의 값을 구하시오.

054

직선 $y = -\dfrac{4}{3}x$ 위의 점 P(a, b) $(b > 0)$에 대하여 $\overline{\mathrm{OP}}$가 x축의 양의 방향과 이루는 각의 크기를 θ라 할 때, $\csc \theta \sec \theta$의 값을 구하시오. (단, O는 원점이다.)

055

$\dfrac{3}{2}\pi < x < 2\pi$일 때, $\cos x + \cot x + |\cos x| + \sqrt{\cot^2 x}$를 간단히 하면?

① -1 ② 0 ③ 1

④ $2\cos x$ ⑤ $2\cot x$

유형 02 삼각함수 사이의 관계

(1) $\tan \theta = \dfrac{\sin \theta}{\cos \theta}$, $\cot \theta = \dfrac{\cos \theta}{\sin \theta}$

(2) $\sin^2 \theta + \cos^2 \theta = 1$

(3) $1 + \tan^2 \theta = \sec^2 \theta$

(4) $1 + \cot^2 \theta = \csc^2 \theta$

056

$\dfrac{\cos \theta}{1 - \tan \theta} + \dfrac{\sin \theta}{1 - \cot \theta}$를 간단히 하면?

① 1 ② $\sin \theta$ ③ $\cos \theta$

④ $\sin \theta - \cos \theta$ ⑤ $\sin \theta + \cos \theta$

057

$\tan \theta + \cot \theta = 2$일 때, $\csc^2 \theta + \sec^2 \theta$의 값을 구하시오.

중요
058

이차방정식 $x^2 + kx - 3 = 0$의 두 근이 $\csc \theta$, $\sec \theta$일 때, k^2의 값을 구하시오. (단, k는 상수이다.)

유형 03 삼각함수의 덧셈정리

(1) $\sin(\alpha\pm\beta)=\sin\alpha\cos\beta\pm\cos\alpha\sin\beta$ (복부호 동순)

(2) $\cos(\alpha\pm\beta)=\cos\alpha\cos\beta\mp\sin\alpha\sin\beta$ (복부호 동순)

(3) $\tan(\alpha\pm\beta)=\dfrac{\tan\alpha\pm\tan\beta}{1\mp\tan\alpha\tan\beta}$ (복부호 동순)

059

$\sin125°\cos55°+\cos125°\sin55°$의 값을 구하시오.

060

$\sin\alpha=\dfrac{3}{5}$일 때, $\cos\left(\dfrac{\pi}{3}+\alpha\right)$의 값을 구하시오. $\left(단, 0<\alpha<\dfrac{\pi}{2}\right)$

061

$\sin\alpha=\dfrac{1}{2}$, $\cos\beta=\dfrac{\sqrt{2}}{2}$일 때, $\cos(\alpha+\beta)$의 값은?

$\left(단, 0<\alpha<\dfrac{\pi}{2}, 0<\beta<\dfrac{\pi}{2}\right)$

① $\dfrac{\sqrt{2}-\sqrt{6}}{4}$ ② $\dfrac{\sqrt{3}-\sqrt{2}}{4}$ ③ $\dfrac{\sqrt{6}-\sqrt{3}}{4}$

④ $\dfrac{\sqrt{6}-\sqrt{2}}{4}$ ⑤ $\dfrac{\sqrt{6}+\sqrt{2}}{4}$

062

이차방정식 $x^2-4x+2=0$의 두 근이 $\tan\alpha$, $\tan\beta$일 때, $\tan(\alpha+\beta)$의 값을 구하시오.

063

그림과 같이 삼각형 ABC의 점 A에서 변 BC에 내린 수선의 발을 D라 하자.
$\angle ABD=\alpha$, $\angle ACD=\beta$ 라 할 때, $\cos(\alpha+\beta)$의 값은?

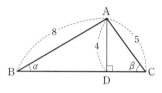

① $\dfrac{3\sqrt{3}-4}{10}$ ② $\dfrac{5\sqrt{3}-6}{10}$ ③ $\dfrac{3\sqrt{3}+4}{10}$

④ $\dfrac{7\sqrt{3}}{10}$ ⑤ $\dfrac{5\sqrt{3}+6}{10}$

064

그림과 같이 $\overline{AD}=3$, $\overline{AB}=2$인 직사각형 ABCD에서 $\overline{BC}$를 $2:1$로 내분한 점을 M이라 하자.
$\angle AMD=\theta$라 할 때, $\tan\theta$의 값을 구하시오.

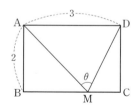

두 직선 $y=mx+n$, $y=m'x+n'$이 x축의 양의 방향과 이루는 각의 크기를 각각 α, β라 하고, 두 직선이 이루는 예각의 크기를 θ라 하면

$$\tan\theta=|\tan(\alpha-\beta)|=\left|\frac{\tan\alpha-\tan\beta}{1+\tan\alpha\tan\beta}\right|=\left|\frac{m-m'}{1+mm'}\right|$$

065

두 직선 $y=\dfrac{1}{2}x$, $y=4x$가 이루는 예각의 크기를 θ라 할 때, $\tan\theta$의 값을 구하시오.

066

두 직선 $y=2x-1$과 $y=ax+1$이 이루는 예각의 크기가 $45°$일 때, 상수 a의 값을 구하시오. (단, $0<a<2$)

067

그림과 같이 두 직선 $y=\dfrac{1}{2}x$, $y=3x$ 위의 두 점 A, B와 원점 O를 꼭짓점으로 하고 $\angle\mathrm{B}=90°$인 직각삼각형 OAB가 있다. $\overline{\mathrm{OA}}=2$일 때, $\overline{\mathrm{AB}}$의 길이는?

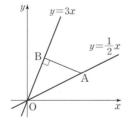

① $\dfrac{4}{5}$ ② 1 ③ $\sqrt{2}$

④ $\dfrac{8}{5}$ ⑤ $\sqrt{3}$

$$a\sin\theta+b\cos\theta=\sqrt{a^2+b^2}\sin(\theta+\alpha)$$
$$\left(\text{단, }\cos\alpha=\frac{a}{\sqrt{a^2+b^2}},\ \sin\alpha=\frac{b}{\sqrt{a^2+b^2}}\right)$$

068

함수 $f(x)=5+4\sin x-3\cos x$에 대한 〈보기〉의 설명 중에서 옳은 것만을 있는 대로 고른 것은?

┤ 보기 ├

ㄱ. 주기는 2π이다.   ㄴ. 최댓값은 10이다.

ㄷ. 최솟값은 -5이다.

① ㄱ   ② ㄱ, ㄴ   ③ ㄱ, ㄷ

④ ㄴ, ㄷ   ⑤ ㄱ, ㄴ, ㄷ

069

함수 $f(x)=a\sin x+\cos x$의 최댓값이 3일 때, 상수 a의 값을 구하시오. (단, $a>0$)

070

그림과 같이 $\overline{\mathrm{AC}}=10$, $\angle\mathrm{CAB}=\theta$인 직각삼각형 ABC를 만들 때, $2\overline{\mathrm{AB}}+\overline{\mathrm{BC}}$의 최댓값을 구하시오.

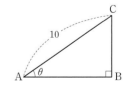

유형 06 $\lim\limits_{x \to 0} \dfrac{\sin x}{x} = 1$을 이용한 삼각함수의 극한

(1) $\lim\limits_{x \to 0} \dfrac{\sin x}{x} = 1$

(2) $\lim\limits_{x \to 0} \dfrac{\sin bx}{ax} = \lim\limits_{x \to 0} \dfrac{\sin bx}{bx} \times \dfrac{b}{a} = 1 \times \dfrac{b}{a} = \dfrac{b}{a}$

071

$\lim\limits_{x \to 0} \dfrac{\sin 6x}{ax} = 3$을 만족시키는 상수 a의 값은?

① 1   ② 2   ③ 3

④ 4   ⑤ 5

072

$\lim\limits_{x \to 0} \dfrac{\sin(3x^3 + 5x^2 + 4x)}{2x^3 + 2x^2 + x}$의 값을 구하시오.

073

두 함수 $f(x) = 5x$, $g(x) = \sin x$에 대하여 $\lim\limits_{x \to 0} \dfrac{f(g(x))}{g(f(x))}$의 값을 구하시오.

074

$\lim\limits_{x \to 0} \dfrac{\sin 3x}{\sqrt{ax+b}-2} = 4$를 만족시키는 두 상수 a, b에 대하여 $a+b$의 값을 구하시오.

075

$\lim\limits_{x \to \infty} x \sin \dfrac{3}{x}$의 값을 구하시오.

076

$\lim\limits_{x \to \infty} x \sin \dfrac{3k}{x+k}$의 값은? (단, k는 상수이다.)

① $-2k$ ② $-k$ ③ $\dfrac{k}{2}$

④ k ⑤ $3k$

유형 **07** $\lim\limits_{x \to 0} \dfrac{\tan x}{x} = 1$을 이용한 삼각함수의 극한

(1) $\lim\limits_{x \to 0} \dfrac{\tan x}{x} = 1$, $\lim\limits_{x \to 0} \dfrac{x}{\tan x} = 1$

(2) $\lim\limits_{x \to 0} \dfrac{\tan bx}{ax} = \lim\limits_{x \to 0} \dfrac{\tan bx}{bx} \times \dfrac{b}{a} = 1 \times \dfrac{b}{a} = \dfrac{b}{a}$

(3) $\lim\limits_{x \to 0} \dfrac{\sin bx}{\tan ax} = \lim\limits_{x \to 0} \dfrac{\sin bx}{bx} \times \dfrac{ax}{\tan ax} \times \dfrac{b}{a} = \dfrac{b}{a}$

077

$\lim\limits_{x \to 0} \dfrac{\tan 3x + \tan 5x}{2x}$ 의 값을 구하시오.

078

$\lim\limits_{x \to 0} \dfrac{\tan (2x^2 + x)}{\sin (x^2 + 2x)}$ 의 값은?

① 0　　　　　② $\dfrac{1}{2}$　　　　③ 1

④ 2　　　　　⑤ 4

079

$\lim\limits_{x \to 0} \dfrac{\sin x}{2x + \tan x}$ 의 값을 구하시오.

080

$\lim\limits_{x \to 0} \dfrac{\tan \left(\sin \dfrac{\pi}{2} x \right)}{x}$ 의 값은?

① $\dfrac{\pi}{2}$　　　　② π　　　　③ $\dfrac{3}{2}\pi$

④ 2π　　　　⑤ $\dfrac{5}{2}\pi$

081

$\lim\limits_{x \to \infty} x \tan \dfrac{2}{x}$ 의 값을 구하시오.

082

$\lim\limits_{x \to 0} \dfrac{\sin x}{\tan (ax + b)} = \dfrac{1}{3}$ 을 만족시키는 두 상수 a, b에 대하여 $a - b$의 값을 구하시오. (단, $0 \le b < \pi$)

유형 **08** $\lim\limits_{x\to 0}\dfrac{1-\cos x}{x}$ 꼴의 극한

$1-\cos kx\,(k$는 실수$)$ 꼴이 있으면 $1+\cos kx$를 곱하여 $1-\cos^2 kx=\sin^2 kx$임을 이용한다.

083

$\lim\limits_{x\to 0}\dfrac{1-\cos x}{x\sin x}$ 의 값은?

① -1 ② $-\dfrac{1}{2}$ ③ $\dfrac{1}{2}$

④ 1 ⑤ $\dfrac{3}{2}$

084

$\lim\limits_{x\to 0}\dfrac{\sin(1-\cos 2x)}{2x^2}$ 의 값을 구하시오.

085

$\lim\limits_{x\to \frac{\pi}{2}}\dfrac{\sec x-\tan x}{x-\dfrac{\pi}{2}}$ 의 값을 구하시오.

유형 **09** 도형에서의 삼각함수의 극한

도형의 변의 길이를 삼각함수의 값을 이용하여 나타내고 피타고라스 정리, 삼각형의 넓이, 부채꼴의 호의 길이와 넓이 등을 이용하여 극한값을 구한다.

086

그림과 같이 $\overline{AB}=6$인 직각삼각형 ABC에 대하여 꼭짓점 A에서 변 BC에 내린 수선의 발을 H, $\angle ABC=\theta$라 할 때, $\lim\limits_{\theta\to 0}\dfrac{\overline{CH}}{\theta^2}$ 의 값은?

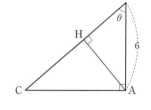

① 2 ② 4 ③ 6

④ 8 ⑤ 10

087

그림과 같이 반지름의 길이가 1인 부채꼴 OAB가 있다. 호 AB 위의 점 P에 대하여 $\angle BOP=\theta$라 할 때, 호 PB의 길이를 $l(\theta)$, 삼각형 BOP의 넓이를 $S(\theta)$라 하자. $\lim\limits_{\theta\to 0}\dfrac{l(\theta)}{S(\theta)}$ 의 값을 구하시오.

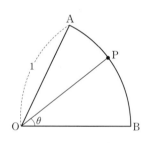

088

그림과 같이 원 $x^2+(y-2)^2=4$의 제1사분면 위의 점 P에 대하여 선분 OP가 x축의 양의 방향과 이루는 각의 크기를 θ, 선분 OP의 길이를 r라 할 때, $\lim\limits_{\theta\to 0}\dfrac{r}{\theta}$ 의 값을 구하시오.

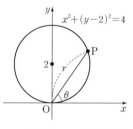

(단, O는 원점이다.)

089

그림과 같이 좌표평면에서 점 P가 원점 O를 출발하여 x축을 따라 양의 방향으로 이동할 때, 점 Q는 점 $(0, 30)$을 출발하여 $\overline{PQ}=30$을 만족시키며 y축을 따라 음의 방향으로 이동한다. $\angle OPQ=\theta \left(0<\theta<\dfrac{\pi}{2}\right)$일 때, 삼각형 OPQ의 내접원의 반지름의 길이를 $r(\theta)$라 하자. $\displaystyle\lim_{\theta \to 0+} \dfrac{r(\theta)}{\theta}$의 값을 구하시오.

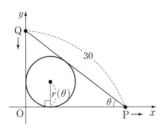

090

그림과 같이 중심이 O, 반지름의 길이가 4인 원 위의 점 A에 대하여 선분 OA에 수직인 현 PQ가 있다. 각 AOP의 크기를 θ라 하고, 삼각형 APQ의 넓이를 θ로 나타내어 $f(\theta)$라 할 때, $\displaystyle\lim_{\theta \to 0+} \dfrac{f(\theta)}{\theta^3}$의 값을 구하시오. $\left(\text{단, } 0<\theta<\dfrac{\pi}{2}\right)$

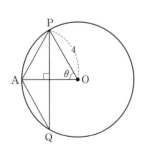

함수 $f(x)$가 $x=a$에서 연속일 조건
$\Rightarrow \displaystyle\lim_{x \to a} f(x)=f(a)$

091

실수 x에 대하여 함수 $f(x)$를

$$f(x)=\begin{cases} \dfrac{\sin 3(x-2)}{x-2} & (x \neq 2) \\ a & (x=2) \end{cases}$$

로 정의한다. $x=2$에서 $f(x)$가 연속일 때, 상수 a의 값은?

① 1 　　　　② 2 　　　　③ 3

④ 4 　　　　⑤ 5

092

함수

$$f(x)=\begin{cases} \dfrac{x^3+ax^2-x-2}{\tan(x^2-1)} & (x \neq 1) \\ b & (x=1) \end{cases}$$

가 $x=1$에서 연속이 되도록 하는 두 상수 a, b에 대하여 $a+b$의 값을 구하시오.

093

함수

$$f(x)=\begin{cases} \dfrac{e^x-\sin 2x-a}{3x} & (x \neq 0) \\ b & (x=0) \end{cases}$$

가 $x=0$에서 연속일 때, 두 상수 a, b에 대하여 $a+b$의 값을 구하시오.

유형 11 삼각함수의 도함수

(1) $y = \sin x \Rightarrow y' = \cos x$

$y = \cos x \Rightarrow y' = -\sin x$

(2) 함수 $f(x)$에 대하여 $x=a$에서의 미분계수 $f'(a)$는

$$f'(a) = \lim_{h \to 0} \frac{f(a+h)-f(a)}{h} = \lim_{x \to a} \frac{f(x)-f(a)}{x-a}$$

094

곡선 $y = \cos x$ 위의 점 $\left(\dfrac{\pi}{3}, \dfrac{1}{2}\right)$에서의 접선의 기울기는?

① $-\dfrac{\sqrt{3}}{2}$ ② $-\dfrac{1}{2}$ ③ $-\dfrac{\sqrt{3}}{4}$

④ $\dfrac{\sqrt{3}}{4}$ ⑤ $\dfrac{\sqrt{3}}{2}$

095

함수 $f(x) = e^x(3\cos x - 5)$에 대하여 $f'(0)$의 값을 구하시오.

096

함수 $f(x) = x\cos x$에 대하여 $\displaystyle \lim_{h \to 0} \frac{f(\pi+3h)-f(\pi)}{h}$의 값을 구하시오.

097

함수 $f(x) = \displaystyle \lim_{h \to 0} \frac{x\sin(x+h)-x\sin x}{2h}$에 대하여 $f'(\pi)$의 값을 구하시오.

098

함수 $f(x)$가

$$f(x) = \begin{cases} 3\sin x + x^2 \cos \dfrac{1}{x} & (x \neq 0) \\ 0 & (x=0) \end{cases}$$

일 때, $f'(0)$의 값을 구하시오.

099

함수 $f(x) = \begin{cases} ax+1 & (x<0) \\ \sin x + b & (x \geq 0) \end{cases}$가 $x=0$에서 미분가능할 때, 두 상수 a, b에 대하여 $a+b$의 값은?

① 1 ② 2 ③ 3

④ 4 ⑤ 5

100
이차방정식 $3x^2-x+k=0$의 두 근이 $\sin\theta$, $\cos\theta$이고, 이차방정식 $ax^2+bx+8=0$의 두 근이 $\tan\theta$, $\cot\theta$이다. 세 상수 a, b, k에 대하여 abk의 값을 구하시오.

101
$\sin\alpha+\cos\beta=\dfrac{1}{2}$, $\sin\beta+\cos\alpha=\dfrac{\sqrt{2}}{2}$ 일 때, $\sin(\alpha+\beta)$의 값은?

① $-\dfrac{5}{8}$ ② $-\dfrac{5}{4}$ ③ $-\dfrac{3}{2}$

④ $\dfrac{3}{2}$ ⑤ $\dfrac{7}{4}$

102
그림과 같이 $\overline{AB}=10$, $\overline{BC}=6$, $\angle ABC=\alpha$, $\angle C=90\degree$인 직각삼각형 ABC에서 $\overline{CD}=6$이 되도록 하는 변 AC 위의 점 D에 대하여 $\angle DBC=\beta$일 때, $\sin(\alpha+\beta)$의 값을 구하시오.

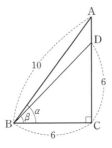

103
함수 $f(x)=2\sin x-2\sin\left(x+\dfrac{4}{3}\pi\right)$의 주기는 $a\pi$이고 최댓값은 b일 때, a^2+b^2의 값을 구하시오.

104
$\displaystyle\sum_{n=1}^{\infty}\lim_{x\to0}\dfrac{x}{\sin x+\sin 2x+\cdots+\sin nx}$ 의 값을 구하시오.

105
$\displaystyle\lim_{x\to\frac{\pi}{2}}\dfrac{ax+b}{\cos x}=-2$를 만족시키는 두 상수 a, b에 대하여 ab의 값은?

① -4π ② -2π ③ 0

④ 2π ⑤ 4π

106

$\displaystyle\lim_{x \to 0} \frac{\tan^2 x + \tan x}{\tan^2 x + x \tan x + x + \tan x}$ 의 값은?

① $\dfrac{1}{2}$ ② 1 ③ $\dfrac{3}{2}$

④ 2 ⑤ $\dfrac{5}{2}$

107

$\displaystyle\lim_{x \to 0} \frac{1 - \cos x}{ax^2 + b} = \frac{1}{10}$ 을 만족시키는 두 상수 a, b에 대하여 $a + b$의 값을 구하시오.

108

함수 $f(x) = \begin{cases} \dfrac{\sin x - a}{x - \frac{\pi}{2}} & \left(x \ne \frac{\pi}{2}\right) \\ b & \left(x = \frac{\pi}{2}\right) \end{cases}$ 가 $x = \dfrac{\pi}{2}$ 에서 연속일 때,

두 상수 a, b에 대하여 $a + b$의 값을 구하시오.

109

함수 $f(x) = \sin x + a \cos x$에 대하여 $\displaystyle\lim_{x \to \frac{\pi}{2}} \frac{f(x) - 1}{x - \frac{\pi}{2}} = 3$일 때, $f\left(\dfrac{\pi}{4}\right)$의 값을 구하시오. (단, a는 상수이다.)

1등급 문제

110

그림과 같이 원 $x^2 + y^2 = 1$ 위의 점 P_1에서의 접선이 x축과 만나는 점을 Q_1이라 할 때, 삼각형 $P_1 O Q_1$의 넓이는 $\dfrac{1}{4}$이다. 점 P_1을 원점 O를 중심으로 $\dfrac{\pi}{4}$만큼 시계 반대 방향으로 회전시킨 점을 P_2라 하고, 점 P_2에서의 접선이 x축과 만나는 점을 Q_2라 하자. 삼각형 $P_2 O Q_2$의 넓이를 구하시오.

(단, 점 P_1은 제1사분면 위의 점이다.)

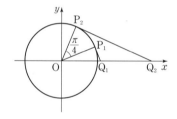

111

그림과 같이 길이가 2인 선분 AB를 지름으로 하고 중심이 O인 반원이 있다. 호 AB 위를 움직이는 점 P에 대하여 $\angle POB = \theta$일 때, 삼각형 PAO에 내접하는 원의 넓이를 $f(\theta)$라 하자. $\displaystyle\lim_{\theta \to 0+} \frac{f(\theta)}{\theta^2}$의 값을 구하시오. (단, $0 < \theta < \pi$)

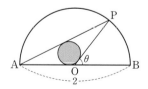

07 몫의 미분법과 합성함수의 미분법

07 몫의 미분법과 합성함수의 미분법

① 함수의 몫의 미분법

미분가능한 두 함수 $f(x)$, $g(x)$ $(g(x) \neq 0)$에 대하여

(1) $\left\{ \dfrac{1}{g(x)} \right\}' = -\dfrac{g'(x)}{\{g(x)\}^2}$

(2) $\left\{ \dfrac{f(x)}{g(x)} \right\}' = \dfrac{f'(x)g(x)-f(x)g'(x)}{\{g(x)\}^2}$

개념 플러스

◀ $y = \dfrac{f(x)}{g(x)}$에서 $f(x)=1$이면

$f'(x)=0$이므로 $y' = -\dfrac{g'(x)}{\{g(x)\}^2}$

② 함수 $y = x^n$ (n은 정수)의 도함수

n이 정수일 때, $y=x^n$이면 $y'=nx^{n-1}$

③ 삼각함수의 도함수

(1) $y = \sin x$이면 $y' = \cos x$

(2) $y = \cos x$이면 $y' = -\sin x$

(3) $y = \tan x$이면 $y' = \sec^2 x$

(4) $y = \sec x$이면 $y' = \sec x \tan x$

(5) $y = \csc x$이면 $y' = -\csc x \cot x$

(6) $y = \cot x$이면 $y' = -\csc^2 x$

◀ $\sec x = \dfrac{1}{\cos x}$, $\csc x = \dfrac{1}{\sin x}$, $\cot x = \dfrac{1}{\tan x}$ 이므로 함수의 몫의 미분법을 이용하여 도함수를 구할 수 있다.

④ 합성함수의 미분법

미분가능한 두 함수 $y=f(u)$, $u=g(x)$에 대하여 합성함수 $y=f(g(x))$의 도함수는

$$\frac{dy}{dx} = \frac{dy}{du} \cdot \frac{du}{dx} \ \ \text{또는} \ \ y'=f'(g(x))g'(x)$$

◀ 간단한 합성함수의 미분법

(1) $y=f(ax+b)$
$\Rightarrow y'=af'(ax+b)$
(단, a, b는 상수)

(2) $y=\{f(x)\}^n$
$\Rightarrow y'=n\{f(x)\}^{n-1}f'(x)$
(단, n은 정수)

(3) $y=\sqrt{f(x)} \Rightarrow y'=\dfrac{f'(x)}{2\sqrt{f(x)}}$

⑤ 지수함수와 로그함수의 도함수

(1) $y=e^{f(x)} \Rightarrow y'=e^{f(x)}f'(x)$

(2) $y=a^{f(x)} \Rightarrow y'=a^{f(x)}f'(x)\ln a$ (단, $a>0$, $a \neq 1$)

(3) $y=\ln|f(x)| \Rightarrow y'=\dfrac{f'(x)}{f(x)}$ (단, $f(x) \neq 0$)

(4) $y=\log_a|f(x)| \Rightarrow y'=\dfrac{f'(x)}{f(x)\ln a}$ (단, $a>0$, $a \neq 1$, $f(x) \neq 0$)

◀ $a>0$, $a \neq 1$, $x>0$일 때

(1) $y=e^x \Rightarrow y'=e^x$

(2) $y=a^x \Rightarrow y'=a^x \ln a$

(3) $y=\ln x \Rightarrow y'=\dfrac{1}{x}$

(4) $y=\log_a x \Rightarrow y'=\dfrac{1}{x\ln a}$

⑥ 함수 $y = x^n$ (n은 실수)의 도함수

n이 실수일 때, $y=x^n$이면 $y'=nx^{n-1}$

기본 문제

1 함수의 몫의 미분법

[001-007] 함수의 몫의 미분법을 이용하여 다음 함수를 미분하시오.

001 $y = \dfrac{1}{x+1}$

002 $y = \dfrac{1}{2x-1}$

003 $y = \dfrac{1}{e^x - 2}$

004 $y = \dfrac{3x+4}{2x}$

005 $y = \dfrac{2x+1}{x^2+1}$

006 $y = \dfrac{\ln x}{x}$

007 $y = \dfrac{e^x}{x-1}$

2 함수 $y = x^n$ (n은 정수)의 도함수

[008-014] 다음 함수를 미분하시오.

008 $y = x^{-4}$

009 $y = 2x^{-3}$

010 $y = \dfrac{1}{x^7}$

011 $y = x + \dfrac{2}{x^4}$

012 $y = x^2 - \dfrac{3}{x^5}$

013 $y = \dfrac{x^3+1}{x^2}$

014 $y = \dfrac{6x^2+2}{x^4}$

3 삼각함수의 도함수

[015-020] 다음 함수를 미분하시오.

015 $y = x + \tan x$

016 $y = 2\tan x + \sec x$

017 $y = \csc x - \cot x$

018 $y = \sec x + \csc x$

019 $y = x \tan x$

020 $y = e^x \cot x$

4 합성함수의 미분법

[021-030] 다음 함수를 미분하시오.

021 $y = (3x+1)^2$

022 $y = (x^3 - 2x)^5$

023 $y = (x^2 + 2x - 5)^3$

024 $y = \dfrac{1}{(3-5x)^2}$

025 $y = \sin 2x$

026 $y = \cos(3x+5)$

027 $y = \cot 3x$

028 $y = (e^x - 3)^2$

029 $y = 3^{2x+1}$

030 $y = \ln(4x - 7)$

5 함수 $y = x^n$ (n은 실수)의 도함수

[031-038] 다음 함수를 미분하시오.

031 $y = x^{\sqrt{2}}$

032 $y = (3x + 2)^{\sqrt{3}}$

033 $y = x^{\frac{1}{2}} + x^{\frac{3}{4}}$

034 $y = \sqrt{x}$

035 $y = \sqrt{x^5}$

036 $y = \sqrt{x^3 - 5x}$

037 $y = \dfrac{1}{\sqrt{2x-1}}$

038 $y = \sqrt{\sin x}$

유형 **01** 함수의 몫의 미분법

두 함수 $f(x)$, $g(x)$ $(g(x) \neq 0)$가 미분가능할 때,

(1) $y = \dfrac{1}{g(x)} \Rightarrow y' = -\dfrac{g'(x)}{\{g(x)\}^2}$

(2) $y = \dfrac{f(x)}{g(x)} \Rightarrow y' = \dfrac{f'(x)g(x) - f(x)g'(x)}{\{g(x)\}^2}$

039

함수 $f(x) = \dfrac{1}{x+3}$ 에 대하여 $\displaystyle\lim_{h \to 0} \dfrac{f(a+h) - f(a)}{h} = -\dfrac{1}{4}$ 을 만족시키는 모든 실수 a의 값의 곱은?

① 1   ② 2   ③ 3

④ 4   ⑤ 5

040

함수 $f(x) = \dfrac{1-x}{1+x^2}$ 의 그래프 위의 점 $(-1, 1)$에서의 접선의 기울기를 구하시오.

041

함수 $f(x) = \dfrac{x^2+1}{e^x}$ 에 대하여 $f(1) - f'(1)$의 값을 구하시오.

042

함수 $f(x) = \dfrac{1+\sin x}{\cos x}$ 일 때, $\displaystyle\lim_{x \to -\frac{\pi}{2}} f'(x)$의 값은?

① $-\dfrac{\sqrt{2}}{2}$ ② $-\dfrac{1}{2}$ ③ $\dfrac{1}{2}$

④ $\dfrac{\sqrt{2}}{2}$ ⑤ $\dfrac{\sqrt{3}}{2}$

043

미분가능한 함수 $g(x)$에 대하여 $f(x) = \dfrac{x}{g(x)-1}$ 이고 $f'(1) = -\dfrac{1}{2}$, $g'(1) = 0$일 때, $g(1)$의 값을 구하시오.

(단, $g(x) \neq 1$)

044

함수

$$f(x) = \begin{cases} x^2 + a & (x < 1) \\ \dfrac{b}{x+1} & (x \geq 1) \end{cases}$$

가 $x=1$에서 미분가능하도록 두 상수 a, b의 값을 정할 때, ab의 값을 구하시오.

유형 **02** 함수 $y=x^n$ (n은 정수)의 도함수

n이 정수일 때
$$y=x^n \Rightarrow y'=nx^{n-1}$$

045

함수 $f(x)=\dfrac{3x^4-2x^2-1}{x^2}$ 에 대하여 $f'(1)$의 값을 구하시오.

046

함수 $f(x)=\dfrac{1}{x^2}+\dfrac{1}{x^4}+\dfrac{1}{x^6}+\cdots+\dfrac{1}{x^{20}}$ 에 대하여

$\displaystyle\lim_{x\to 0}\dfrac{f(1+x)-f(1-x)}{x}$ 의 값은?

① -220　　　② -110　　　③ 0

④ 110　　　⑤ 220

047

함수 $f(x)=\dfrac{2x^5-5x^3-1}{x^3}$ 에 대하여

$\displaystyle\lim_{x\to 0}\dfrac{f(1+3x)-f(1-6x)}{x}$ 의 값을 구하시오.

유형 **03** 삼각함수의 도함수

(1) $y=\sin x \Rightarrow y'=\cos x$
(2) $y=\cos x \Rightarrow y'=-\sin x$
(3) $y=\tan x \Rightarrow y'=\sec^2 x$
(4) $y=\sec x \Rightarrow y'=\sec x \tan x$
(5) $y=\csc x \Rightarrow y'=-\csc x \cot x$
(6) $y=\cot x \Rightarrow y'=-\csc^2 x$

048

곡선 $y=\tan x$ 위의 점 $\left(\dfrac{\pi}{3},\ \sqrt{3}\right)$에서의 접선의 기울기를 구하시오.

049

함수 $f(x)=\sec x+\tan x$에 대하여 $f'\left(\dfrac{\pi}{3}\right)=a\sqrt{3}+b$일 때, $a+b$의 값을 구하시오. (단, a, b는 유리수이다.)

050

함수 $f(x)=\dfrac{1+\sec x}{\tan x}$에 대하여 $f'\left(\dfrac{\pi}{6}\right)$의 값은?

① $-4-2\sqrt{3}$　　　② -4　　　③ $-4+2\sqrt{3}$

④ $4-2\sqrt{3}$　　　⑤ $4+2\sqrt{3}$

유형 04 합성함수의 미분법

(1) 미분가능한 두 함수 $y=f(u)$, $u=g(x)$에 대하여
$$y=f(g(x)) \Rightarrow y'=f'(g(x))g'(x)$$

(2) $y=f(ax+b) \Rightarrow y'=af'(ax+b)$ (단, a, b는 상수)

(3) $y=\{f(x)\}^n \Rightarrow y'=n\{f(x)\}^{n-1}f'(x)$ (단, n은 정수)

051

함수 $f(x)=(2x-3)^3(x^2+1)$에 대하여 $f'(1)$의 값은?

① 8   ② 10   ③ 12

④ 14   ⑤ 16

052

곡선 $y=\tan(\sin 2x)$ 위의 점 $\left(\dfrac{\pi}{2}, 0\right)$에서의 접선의 기울기를 구하시오.

053

모든 실수 x에 대하여 미분가능한 함수 $f(x)$가 $f(2)=f'(2)=5$를 만족시킨다. 함수 $g(x)$를 $g(x)=\dfrac{\{f(x)\}^3}{2x+1}$이라 할 때, $g'(2)$의 값을 구하시오.

054 ☆중요

미분가능한 두 함수 $f(x)$, $g(x)$에 대하여
$$f(1)=-2, f'(1)=3, g(1)=1, g'(1)=2$$
일 때, $\displaystyle\lim_{x \to 1} \dfrac{f(g(x))+2}{x-1}$의 값은?

① 2   ② 4   ③ 6

④ 8   ⑤ 10

055

미분가능한 함수 $f(x)$가 $f(2x+1)=3f(x)-1$을 만족시킨다. $f'(1)=4$일 때, $f'(3)$의 값을 구하시오.

056 ☆중요

다항식 $x^{10}-ax^2+b$가 $(x^2-1)^2$으로 나누어떨어질 때, a^2+b^2의 값을 구하시오. (단, a, b는 상수이다.)

유형 05 지수함수와 로그함수의 도함수

(1) $y=e^{f(x)} \Rightarrow y'=e^{f(x)}f'(x)$

(2) $y=a^{f(x)} \Rightarrow y'=a^{f(x)}f'(x)\ln a$ (단, $a>0$, $a \neq 1$)

(3) $y=\ln|f(x)| \Rightarrow y'=\dfrac{f'(x)}{f(x)}$

(4) $y=\log_a|f(x)| \Rightarrow y'=\dfrac{f'(x)}{f(x)\ln a}$ (단, $a>0$, $a \neq 1$)

057

함수 $f(x)=2^{2x+1}$에 대하여 $f'(0)$의 값은?

① $\ln 2$ ② $2\ln 2$ ③ $3\ln 2$

④ $4\ln 2$ ⑤ $5\ln 2$

058

$0<x<\dfrac{\pi}{2}$에서 정의된 함수 $f(x)=\ln(\tan x)$에 대하여

$f'\left(\dfrac{\pi}{12}\right)$의 값을 구하시오.

중요
059

함수 $f(x)=3\ln(x^2-2x+7)$에 대하여 방정식 $f'(x)=1$의 모든 실근의 곱을 구하시오.

중요
060

두 함수 $f(x)=kx^2-2x$, $g(x)=e^{3x}+1$이 있다. 함수 $h(x)=(f \circ g)(x)$에 대하여 $h'(0)=42$일 때, 상수 k의 값을 구하시오.

061

함수 $f(x)=\ln\sqrt{\dfrac{1+\cos x}{1-\cos x}}$에 대하여 $f'\left(\dfrac{\pi}{6}\right)$의 값을 구하시오.

062

함수

$$f(x)=\begin{cases} ae^{-x}+1 & (x<1) \\ b\sin\dfrac{\pi}{2}x+x & (x \geq 1) \end{cases}$$

가 $x=1$에서 미분가능할 때, 두 상수 a, b에 대하여 $a+b$의 값은?

① $-e-1$ ② $-e+1$ ③ $e-1$

④ $e+1$ ⑤ $2e$

유형 **06** 로그함수의 미분법의 응용

복잡한 분수함수와 밑, 지수가 변수인 함수는 양변의 절댓값에 자연로그를 취한 후 양변을 x에 대하여 미분한다.

063

함수 $f(x)=\dfrac{x^4}{(x+1)(x-3)^2}$ 에 대하여 $16f'(1)$의 값을 구하시오.

064

함수 $f(x)=\sqrt{\dfrac{(x-2)(x+3)}{x-1}}$ 에 대하여 $f'(0)$의 값은?

① $\dfrac{\sqrt{6}}{12}$ ② $\dfrac{\sqrt{6}}{6}$ ③ $\dfrac{\sqrt{6}}{4}$

④ $\dfrac{\sqrt{6}}{3}$ ⑤ $\dfrac{5\sqrt{6}}{12}$

065 중요

곡선 $f(x)=x^{\ln x}$ 위의 점 $(e,\ f(e))$에서의 접선의 기울기를 구하시오.

유형 **07** 함수 $y=x^n$ (n은 실수)의 도함수

n이 실수일 때
$$y=x^n \Rightarrow y'=nx^{n-1}$$

066

곡선 $y=x^{\sqrt{3}}-1$ 위의 점 $(1,\ 0)$에서의 접선이 x축과 이루는 예각의 크기는?

① $15°$ ② $30°$ ③ $45°$

④ $60°$ ⑤ $75°$

067 중요

함수 $f(x)=\sqrt[3]{x^3+6x+1}$에 대하여 $4f'(1)$의 값을 구하시오.

068

함수 $f(x)=x^{\pi}$에 대하여 $\displaystyle\lim_{h\to0}\dfrac{f(1+2h)-f(1)}{h}$의 값을 구하시오.

쌤이 시험에 꼭 내는 문제

069

함수 $f(x) = \dfrac{ax}{x+2}$에 대하여 $\lim\limits_{x \to 1} \dfrac{f(x)-f(1)}{x^2-1} = 3$일 때,

상수 a의 값을 구하시오.

070

실수 전체의 집합에서 미분가능한 함수 $f(x)$에 대하여 함수 $g(x)$

를 $g(x) = \dfrac{f(x)}{e^{x-3}}$라 하자. $\lim\limits_{x \to 3} \dfrac{f(x)-2}{x-3} = 5$일 때, $g'(3)$의

값을 구하시오.

071

함수 $f(x) = \sum\limits_{n=1}^{9} (4x-3)^n$에 대하여 $f'(1)$의 값은?

① 90   ② 135   ③ 180

④ 225   ⑤ 270

072

함수 $f(x) = x^2 + 2x + \tan x$일 때,

$\lim\limits_{h \to 0} \dfrac{f(\pi+h)-f(\pi-h)}{h}$ 의 값은?

① $2\pi+2$ ② $2\pi+4$ ③ $2\pi+6$

④ $4\pi+4$ ⑤ $4\pi+6$

073

함수 $f(x) = \dfrac{x+2}{x^2+2}$와 미분가능한 함수 $g(x)$의 합성함수

$h(x) = (g \circ f)(x)$가 있다. $h'(0) = 4$일 때, $g'(1)$의 값을 구하

시오.

074

함수 $f(x) = \ln(x^2+3x+2)$에 대하여 $\sum\limits_{n=1}^{\infty} \dfrac{f'(n)}{2n+3}$ 의 값을 구하

시오.

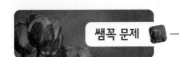

075

$\displaystyle\lim_{x\to0}\frac{1}{x}\ln\frac{2^x+4^x+8^x}{3}=a\ln2$를 만족시키는 상수 a의 값을 구하시오.

076

함수 $f(x)=\dfrac{x^5(x-1)^4(x-2)^3}{(x-3)^2}$에 대하여 $\displaystyle\lim_{x\to5}\frac{f'(x)}{f(x)}$의 값을 구하시오.

077

함수 $f(x)=x^{\sqrt{x}}\ (x>0)$에 대하여 $\dfrac{f'(e^2)}{f(e^2)}$의 값은?

① $\dfrac{1}{e}$ 　　　 ② $\dfrac{2}{e}$ 　　　 ③ 1

④ $\dfrac{e}{2}$ 　　　 ⑤ e

078

함수 $f(x)=\sqrt[3]{\dfrac{x+1}{x+3}}$에 대하여 $f'(-2)$의 값은?

① $\dfrac{1}{3}$ 　　　 ② $\dfrac{1}{2}$ 　　　 ③ $\dfrac{2}{3}$

④ 1 　　　 ⑤ $\sqrt[3]{2}$

🏅 1등급 문제

079

함수 $f(x)=\displaystyle\sum_{k=1}^{10}(k-11)x^{k-11}$에 대하여 $\displaystyle\lim_{x\to1}\frac{f(x^2)-f(1)}{x-1}$의 값을 구하시오.

080

$\displaystyle\lim_{x\to0}\frac{1}{x}\ln\frac{e^x+e^{2x}+e^{3x}+\cdots+e^{nx}}{n}=10$을 만족시키는 자연수 n의 값을 구하시오.

08 여러 가지 미분법

08 여러 가지 미분법

1 매개변수로 나타낸 함수의 미분법

(1) 두 변수 x, y 사이의 관계를 변수 t를 매개로 하여

$$x=f(t), y=g(t) \quad \cdots\cdots \textcircled{\small ㄱ}$$

꼴로 나타낼 때 변수 t를 매개변수라 하며, $\textcircled{\small ㄱ}$을 매개변수로 나타낸 함수라고 한다.

(2) 매개변수로 나타낸 함수의 미분법

매개변수로 나타낸 함수 $x=f(t)$, $y=g(t)$가 t에 대하여 미분가능하고 $f'(t)\neq 0$이면

$$\frac{dy}{dx}=\frac{\dfrac{dy}{dt}}{\dfrac{dx}{dt}}=\frac{g'(t)}{f'(t)}$$

개념 플러스

◀ 매개변수로 나타낸 곡선의 접선의 방정식

매개변수로 나타낸 곡선 $x=f(t)$, $y=g(t)$에서 $t=t_1$일 때 접선의 방정식

$$\Rightarrow y=\frac{g'(t_1)}{f'(t_1)}\{x-f(t_1)\}+g(t_1)$$

(단, $t=t_1$에서 미분가능하고 $f'(t_1)\neq 0$이다.)

2 음함수의 미분법

(1) x와 y의 값의 범위를 적당히 정하면 y는 x의 함수가 되는

$$f(x,y)=0$$

꼴을 y의 x에 대한 음함수 표현이라고 한다.

(2) 음함수의 미분법

x의 함수 y가 음함수 $f(x,y)=0$ 꼴로 주어질 때는 y를 x의 함수로 보고 각 항을 x에 대하여 미분하여 $\dfrac{dy}{dx}$를 구한다.

◀ y가 x의 함수일 때 $y=f(x)$를 y의 x에 대한 양함수 표현이라고 한다.

◀ 음함수의 미분법은 $f(x,y)=0$에서 $y=g(x)$ 꼴로 고치기 어려운 함수를 미분할 때 편리하다.

3 역함수의 미분법

미분가능한 함수 $f(x)$의 역함수 $y=f^{-1}(x)$가 존재하고 미분가능할 때,

$$\frac{dy}{dx}=\frac{1}{\dfrac{dx}{dy}} \text{ 또는 } (f^{-1})'(x)=\frac{1}{f'(y)}\left(\text{단, }\frac{dx}{dy}\neq 0, f'(y)\neq 0\right)$$

◀ 함수가 일대일대응일 때, 역함수가 존재한다.

◀ 역함수의 미분법을 이용하면 역함수를 직접 구하지 않고도 역함수의 도함수를 구할 수 있다.

4 이계도함수

함수 $f(x)$의 도함수 $f'(x)$가 미분가능할 때,

$$f''(x)=\{f'(x)\}'=\lim_{\Delta x \to 0}\frac{f'(x+\Delta x)-f'(x)}{\Delta x}$$

를 이계도함수라고 한다.

◀ 일반적으로 양의 정수 n에 대하여 함수 $f(x)$를 n번 미분하여 얻은 함수를 $y=f(x)$의 n계도함수라 하고, 기호로

$$f^{(n)}(x), y^{(n)}, \frac{d^n y}{dx^n}, \frac{d^n}{dx^n}f(x)$$

와 같이 나타낸다.

기본 문제

1 매개변수로 나타낸 함수의 미분법

[001-004] 매개변수로 나타낸 다음 함수에서 x, y 사이의 관계식을 구하시오.

001 $x=2t, y=t+2$

002 $x=t+1, y=t^2$

003 $x=t-1, y=e^t$

004 $x=\cos\theta, y=\sin\theta \ (0\leq\theta\leq\pi)$

[005-010] 매개변수로 나타낸 다음 함수에서 $\dfrac{dy}{dx}$ 를 구하시오.

005 $x=2t+1, y=t^2$

006 $x=3t-2, y=2t^2+3$

007 $x=3t-3, y=-t^3+3t-7$

008 $x=t^2-1, y=t^4+t^2$

009 $x=3\cos\theta, y=2\sin\theta \ (0<\theta<\pi)$

010 $x=\theta-\sin\theta, y=1-\cos\theta$

2 음함수의 미분법

[011-013] 다음 함수를 음함수 꼴로 나타내시오.

011 $y=\dfrac{4}{x}$

012 $y=x^2+1$

013 $y=\dfrac{x-1}{3x+1}$

[014-020] 다음 음함수에서 $\dfrac{dy}{dx}$를 구하시오.

014 $x^2+y^2=4$

015 $xy=1$

016 $x+2y^2=6$

017 $x^2-y^2=1$

018 $x^2-xy-2y=0$

019 $x^2+y^3-5xy=0$

020 $x+\sin y-y=0$

3 역함수의 미분법

[021-025] 역함수의 미분법을 이용하여 다음 함수의 $\dfrac{dy}{dx}$ 를 구하시오.

021 $y=\sqrt[4]{x}\ (x>0)$

022 $y=\sqrt[3]{3x}\ (x\neq 0)$

023 $y=\sqrt[4]{x-5}\ (x>5)$

024 $y=\sqrt[3]{2x+4}\left(x\neq -\dfrac{1}{2}\right)$

025 $y=\sqrt{x-3}+1\ (x>3)$

4 이계도함수

[026-032] 다음 함수의 이계도함수를 구하시오.

026 $y=x^3+4x^2-1$

027 $y=e^x-2x^2$

028 $y=\ln x+e^{2x}$

029 $y=(2x-1)^3$

030 $y=\sin 3x$

031 $y=x^2\ln x$

032 $y=x\cos x$

유형 01 매개변수로 나타낸 함수의 미분법

$x=f(t)$, $y=g(t)$가 t에 대하여 미분가능하고 $f'(t) \neq 0$이면

$$\frac{dy}{dx} = \frac{\dfrac{dy}{dt}}{\dfrac{dx}{dt}} = \frac{g'(t)}{f'(t)}$$

033

매개변수 t로 나타내어진 함수 $x=t^2+t+2$, $y=t^3+2t$에 대하여 이 곡선 위의 점 $(4, 3)$에서의 접선의 기울기를 구하시오.

034

매개변수 t로 나타내어진 함수 $x=t^3-2t^2+3t+1$, $y=t^2+t+1$에 대하여 $y=f(x)$로 나타낼 때,

$\displaystyle\lim_{h \to 0} \frac{f(3+4h)-f(3)}{h}$의 값은?

① 2   ② 4   ③ 6

④ 8   ⑤ 10

035

매개변수 t로 나타내어진 곡선 $x=t^3+1$, $y=t^2-at+3a^2$에 대하여 $t=2$에 대응하는 점에서의 접선의 기울기가 -1일 때, 상수 a의 값을 구하시오.

036

매개변수 t로 나타내어진 함수 $x=t+\dfrac{1}{t}$, $y=\dfrac{2t}{1+t^2}$ $(t>0)$에 대하여 $\displaystyle\lim_{t \to 1} \frac{dy}{dx}$의 값을 구하시오.

037

매개변수 t $(t>0)$로 나타내어진 함수 $x=t+2\sqrt{t}$, $y=4t^3$에 대하여 $t=1$일 때, $\dfrac{dy}{dx}$의 값을 구하시오.

038

매개변수 t로 나타내어진 곡선 $x=t\sin t$, $y=e^t \cos t$에 대하여 $t=\dfrac{\pi}{2}$에 대응하는 점에서의 접선의 기울기는?

① $-e^{\frac{\pi}{2}}$ ② $-e^{-\frac{\pi}{2}}$ ③ $e^{-\frac{\pi}{2}}$

④ 1   ⑤ $e^{\frac{\pi}{2}}$

039

매개변수 t로 나타내어진 함수 $x=3e^{t-2}$, $y=e^{3t-1}$에 대하여 $\dfrac{dy}{dx}$는?

① e^{2t-1}　　　　② e^{2t+1}　　　　③ $3e^{2t-1}$

④ $3e^{2t}$　　　　⑤ $3e^{2t+1}$

040

좌표평면 위를 움직이는 점 P의 좌표 (x, y)가 t $(t>0)$를 매개변수로 하여

$$x=2t+1,\ y=t+\dfrac{3}{t}$$

으로 나타내어진다. 점 P가 그리는 곡선 위의 한 점 (a, b)에서의 접선의 기울기가 -1일 때, $a+b$의 값을 구하시오.

041

그림과 같이 한 변의 길이가 $100\,\mathrm{m}$인 정사각형 모양의 산책로가 있다. 한 사람이 B지점에서 C지점으로 $1\,\mathrm{m/s}$의 속력으로 걸어갈 때, B지점에서 $50\,\mathrm{m}$ 떨어진 지점을 통과하는 순간의 A지점에서 멀어지는 속력을 구하시오. (단, 단위는 $\mathrm{m/s}$이다.)

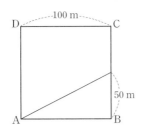

유형 02 음함수의 미분법

음함수 $f(x, y)=0$의 각 항을 x에 대하여 미분하면 음함수의 도함수를 구할 수 있다.

$$\dfrac{d}{dx}x^n=nx^{n-1},\ \dfrac{d}{dx}y^n=ny^{n-1}\dfrac{dy}{dx}\ \text{(단, } n\text{은 실수)}$$

042

곡선 $x^3-2xy^2=3$ 위의 점 $(3, 2)$에서의 접선의 기울기는?

① $\dfrac{17}{24}$　　　　② $\dfrac{3}{4}$　　　　③ $\dfrac{19}{24}$

④ $\dfrac{5}{6}$　　　　⑤ $\dfrac{7}{8}$

043

곡선 $x^3+y^3-2xy-5=0$ 위의 점 $\mathrm{P}(1, a)$에서의 접선의 기울기가 m일 때, am의 값을 구하시오. (단, a는 실수이다.)

044

곡선 $x\sqrt{x}+y\sqrt{y}=2$ 위의 점 $(1, 1)$에서의 접선의 기울기를 구하시오.

045

음함수 $e^y + \ln \cos x = 1$에 대하여 $e^y \dfrac{dy}{dx}$ 는? $\left(\text{단}, 0 < x < \dfrac{\pi}{2}\right)$

① $\sin x$ ② $\cos x$ ③ $\tan x$

④ $\sec x$ ⑤ $\csc x$

046

곡선 $x^3 + y^3 + 3x^2 + 3x = 1$과 직선 $y = x + 1$의 교점에서의 이 곡선에 대한 접선의 기울기를 구하시오.

047 중요

곡선 $x^3 + y^3 + axy + b = 0$ 위의 점 $(1, -3)$에서의 접선의 기울기가 $\dfrac{1}{5}$일 때, 두 상수 a, b에 대하여 $b - a$의 값을 구하시오.

유형 03 역함수의 미분법

미분가능한 함수 $f(x)$의 역함수 $g(x)$가 존재하고 미분가능하면

$$g'(x) = \frac{1}{f'(g(x))} \ (\text{단}, f'(g(x)) \neq 0)$$

048

함수 $f(x) = x^3 + x$의 역함수를 $g(x)$라 할 때, 곡선 $y = g(x)$ 위의 점 $(2, 1)$에서의 접선의 기울기를 구하시오.

049 중요

함수 $f(x) = \dfrac{x + 2}{x - 2}$의 역함수를 $g(x)$라 할 때, $g'(0)$의 값을 구하시오.

050

함수 $f(x) = \tan x \left(0 \leq x < \dfrac{\pi}{2}\right)$의 역함수를 $g(x)$라 할 때, $g'(1)$의 값은?

① $\dfrac{1}{4}$ ② $\dfrac{1}{2}$ ③ 1

④ 2 ⑤ 4

051

함수 $f(x) = \dfrac{1}{2}(e^x - e^{-x})$의 역함수를 $g(x)$라 할 때, $g'(1)$의 값은?

① $\dfrac{\sqrt{3}}{3}$ ② $\dfrac{\sqrt{2}}{2}$ ③ 1

④ $\sqrt{2}$ ⑤ $\sqrt{3}$

052

함수 $f(x) = \ln(e^x - 1)$의 역함수를 $g(x)$라 할 때, 양수 a에 대하여 $\dfrac{1}{f'(a)} + \dfrac{1}{g'(a)}$의 값을 구하시오.

053

함수 $f(x) = 2x^2 + 4x + 3\ (x > -1)$의 역함수를 $g(x)$라 할 때, $\displaystyle\lim_{x \to 3} \dfrac{x^2 g(3) - 9g(x)}{x - 3}$의 값을 구하시오.

유형 04 역함수의 미분법의 성질

함수 $f(x)$가 미분가능하고 $f(x)$의 역함수를 $g(x)$라 할 때,
$$f(g(x)) = x$$
위 식의 양변을 x에 대하여 미분하면 $f'(g(x))g'(x) = 1$이므로
$$g'(x) = \dfrac{1}{f'(g(x))} \ (단, f'(g(x)) \neq 0)$$

054

실수 전체의 집합에서 미분가능한 두 함수 $f(x)$, $g(x)$가 있다. $f(x)$가 $g(x)$의 역함수이고 $f(1) = 2$, $f'(1) = 3$이다. 함수 $h(x) = xg(x)$라 할 때, $h'(2)$의 값을 구하시오.

055

실수 전체의 집합에서 증가하고 미분가능한 함수 $f(x)$가 $\displaystyle\lim_{x \to 1} \dfrac{f(x) - 2}{x - 1} = \dfrac{1}{3}$을 만족시킨다. $f(x)$의 역함수를 $g(x)$라 할 때, $g(2) + g'(2)$의 값을 구하시오.

056

미분가능한 함수 $f(x)$의 역함수를 $g(x)$라 하고 두 함수 $y = f(x)$와 $y = f'(x)$의 그래프가 그림과 같을 때, 다음 중 $g'(\beta)$와 같은 것은?

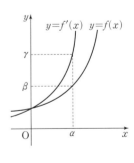

① α ② β

③ γ ④ $\dfrac{1}{\alpha}$

⑤ $\dfrac{1}{\gamma}$

유형 **05** 이계도함수

$f(x)$의 이계도함수 $\Rightarrow f(x)$를 두 번 미분한다.

057

함수 $f(x)=xe^x$에 대하여 $f''(1)$의 값은?

① $\dfrac{1}{e}$ ② e ③ $2e$

④ $3e$ ⑤ $4e$

058

함수 $f(x)=e^{\tan x}$에 대하여 $g(x)=\dfrac{f''(x)}{f(x)}$ 일 때, $g\left(\dfrac{\pi}{4}\right)$의 값을 구하시오.

중요 059

함수 $f(x)=3x\ln x-x^2$에 대하여 $\displaystyle\lim_{x\to 1}\dfrac{f'(x)-1}{x^2-1}$의 값을 구하시오.

060

함수 $f(x)=e^{ax}\sin bx$에 대하여 $f'(0)=4$, $f''(0)=8$일 때, 두 상수 a, b에 대하여 $a+b$의 값을 구하시오.

061

모든 실수 x에 대하여 함수 $f(x)=e^{ax}\cos x$가 등식 $f''(x)-2f'(x)+2f(x)=0$을 만족시킬 때, 상수 a의 값을 구하시오.

062

함수 $f(x)=\sin x+\cos x$에 대하여 함수 $f_n(x)$를
$$f_1(x)=f'(x),\ f_{n+1}(x)=f_n'(x)\ (n=1,2,3,\cdots)$$
로 정의할 때, $\displaystyle\sum_{n=1}^{30} f_n\left(\dfrac{\pi}{2}\right)$의 값은?

① -2 ② -1 ③ 0

④ 1 ⑤ 2

063

매개변수 t로 나타내어진 곡선 $x=2t-1$, $y=t^2+1$ 위의 한 점 $P(a, b)$에서의 접선의 기울기가 2일 때, $a+b$의 값을 구하시오.

064

매개변수 t로 나타내어진 함수 $x=\dfrac{t-1}{1+t}$, $y=\dfrac{t^2}{1+t}$의 그래프 위의 $t=k$ (k는 자연수)에 대응하는 점에서의 접선의 기울기를 $f(k)$라 하자. $f(k)=4$를 만족시키는 k의 값을 구하시오.

065

x, y가 매개변수 t에 대하여
$$x=t+t^2+t^3+\cdots+t^n, \ y=3t+2$$
로 정의될 때, $\displaystyle\sum_{n=1}^{\infty}\lim_{t\to 1}\dfrac{dy}{dx}$의 값은?

① 2   ② 3   ③ 4
④ 5   ⑤ 6

066

곡선 $y^3=\ln(10-x^2)+xy+18$ 위의 점 $(3, 3)$에서의 접선의 기울기를 구하시오.

067

곡선 $a\sqrt{x}+\sqrt{y}=b$ 위의 점 $(1, 4)$에서의 접선이 직선 $x-4y+4=0$과 수직일 때, 두 상수 a, b에 대하여 $a+b$의 값을 구하시오.

068

곡선 $x^2+2xy-y^2-9=0$ 위의 서로 다른 두 점 A, B에 대하여 점 A에서의 접선의 기울기와 점 B에서의 접선의 기울기가 3으로 같을 때, 두 점 A, B 사이의 거리는?

① $3\sqrt{5}$ ② $4\sqrt{5}$ ③ $5\sqrt{5}$
④ $6\sqrt{5}$ ⑤ $7\sqrt{5}$

069

함수 $f(x)=2^{x^2+2x}+3 \ (x \geq -1)$의 역함수를 $g(x)$라 할 때, $g'(4)$의 값을 구하시오.

070

함수 $f(x)=e^x+\ln x$의 역함수를 $g(x)$라 할 때, $g'(e)$의 값은?

① $\dfrac{1}{e}$ ② $\dfrac{1}{e+1}$ ③ $\dfrac{e}{e+1}$

④ e ⑤ $e+1$

071

모든 실수 x에 대하여 미분가능한 함수 $f(x)$의 역함수 $g(x)$가 $\lim\limits_{x \to 1} \dfrac{g(x)-2}{x^2+x-2}=1$을 만족시킬 때, $f'(2)$의 값을 구하시오.

072

함수 $f(x)=xe^{ax+b}$에 대하여 $f'(0)=e^4$, $f''(0)=6e^4$일 때, 두 상수 a, b에 대하여 $a+b$의 값을 구하시오.

1등급 문제

073

매개변수 t에 대하여
$$x=p(t)=t^2+at+1, \ y=q(t)=t^2+bt+3$$
으로 주어진 함수 $y=f(x)$의 그래프 위의 점 $(1, 11)$에서의 접선의 기울기가 3이다. $p(3)+q(2)$의 값을 구하시오.

(단, a, b는 $a<0<b$인 정수이다.)

074

미분가능한 함수 $f(x)$의 역함수 $g(x)$에 대하여
$$f\left(2g(x)-\dfrac{x+1}{x-1}\right)=x$$를 만족시킬 때, $f'(2)$의 값은?

① -4 ② -2 ③ 1

④ 2 ⑤ 4

09 접선의 방정식과 극대 · 극소

09 접선의 방정식과 극대·극소

1 접선의 방정식

(1) 곡선 $y=f(x)$ 위의 점 $(a, f(a))$에서의 접선의 방정식은
$$y-f(a)=f'(a)(x-a)$$
(2) 곡선 $y=f(x)$에 접하고 기울기가 m인 접선의 방정식
　① 접점의 좌표를 $(a, f(a))$로 놓는다.
　② $f'(a)=m$임을 이용하여 접점의 좌표를 구한다.
　③ $y-f(a)=m(x-a)$를 이용하여 접선의 방정식을 구한다.
(3) 곡선 $y=f(x)$ 밖의 한 점 (x_1, y_1)이 주어졌을 때
　① 접점의 좌표를 $(a, f(a))$로 놓는다.
　② $y-f(a)=f'(a)(x-a)$에 점 (x_1, y_1)의 좌표를 대입하여 a의 값을 구한다.
　③ a의 값을 $y-f(a)=f'(a)(x-a)$에 대입하여 접선의 방정식을 구한다.

개념 플러스

◆ 두 곡선 $y=f(x)$, $y=g(x)$가 점 (a, b)에서 공통접선을 가지려면
(1) $x=a$에서 함숫값이 같아야 한다.
　⇨ $f(a)=g(a)=b$
(2) $x=a$에서 기울기가 같아야 한다.
　⇨ $f'(a)=g'(a)$

◆ 매개변수로 나타낸 곡선의 접선의 방정식
매개변수로 나타낸 곡선 $x=f(t)$, $y=g(t)$에서 $t=t_1$일 때 접선의 방정식은
$$y=\frac{g'(t_1)}{f'(t_1)}\{x-f(t_1)\}+g(t_1)$$
(단, $t=t_1$에서 미분가능하고 $f'(t_1)\neq0$이다.)

2 함수의 증가와 감소

함수 $f(x)$가 어떤 구간에서 미분가능하고, 그 구간에서
(1) $f'(x)>0$이면 $f(x)$는 그 구간에서 증가한다.
(2) $f'(x)<0$이면 $f(x)$는 그 구간에서 감소한다.

3 함수의 극대와 극소

(1) 함수의 극대와 극소
　함수 $f(x)$에서 $x=a$를 포함하는 어떤 열린구간에 속하는 모든 x에 대하여
　① $f(x)\leq f(a)$이면 $f(x)$는 $x=a$에서 극대이고, 극댓값은 $f(a)$이다.
　② $f(x)\geq f(a)$이면 $f(x)$는 $x=a$에서 극소이고, 극솟값은 $f(a)$이다.
(2) 이계도함수를 이용한 극대와 극소의 판정
　이계도함수를 갖는 함수 $f(x)$에 대하여 $f'(a)=0$일 때
　① $f''(a)<0$이면 $f(x)$는 $x=a$에서 극대이고, 극댓값은 $f(a)$이다.
　② $f''(a)>0$이면 $f(x)$는 $x=a$에서 극소이고, 극솟값은 $f(a)$이다.

◆ 함수의 극대와 극소의 판정
미분가능한 함수 $f(x)$에 대하여 $f'(a)=0$이 되는 $x=a$의 좌우에서 $f'(x)$의 부호가
(1) 양 ⇨ 음 으로 바뀌면 $f(x)$는 $x=a$에서 극대이다.
(2) 음 ⇨ 양 으로 바뀌면 $f(x)$는 $x=a$에서 극소이다.

4 함수의 최댓값과 최솟값

닫힌구간 $[a, b]$에서 연속인 함수 $f(x)$의 최댓값, 최솟값은 다음과 같은 순서로 구한다.
① 주어진 구간에서의 $f(x)$의 극댓값과 극솟값을 모두 구한다.
② 주어진 구간의 양 끝점에서의 함숫값 $f(a)$, $f(b)$를 구한다.
③ 위에서 구한 극댓값, 극솟값, $f(a)$, $f(b)$의 크기를 비교하여, 가장 큰 값이 최댓값이고, 가장 작은 값이 최솟값이다.

1 접선의 방정식

[001-005] 다음 곡선 위의 $x=1$인 점에서의 접선의 기울기를 구하시오.

001 $y=\dfrac{1}{x+2}$

002 $y=\sqrt{2x}$

003 $y=e^{x-2}$

004 $y=x-\ln x$

005 $y=e^{2x+\ln 3}$

[006-017] 다음 곡선 위의 주어진 점에서의 접선의 방정식을 구하시오.

006 $y=\dfrac{3}{x-1}$ $(4,1)$

007 $y=\sqrt{x-1}$ $(5,2)$

008 $y=e^x+2$ $(0,3)$

009 $y=\ln x-3$ $(1,-3)$

010 $y=\sin x$ $\left(\dfrac{\pi}{3},\dfrac{\sqrt{3}}{2}\right)$

011 $x^2-xy-3=0$ $(1,-2)$

012 $x^2+y^2-5=0$ $(2,1)$

013 $x^2+xy-3y^2=1$ $(1,0)$

014 $2x^2+3y^2=14$ $(1,2)$

015 $x=2t-1,\ y=-2t^3+1$ $(1,-1)$

016 $x=t^2-1,\ y=2t^3+t$ $(0,3)$

017 $x=2\cos\theta,\ y=\sin\theta\ (0\leq\theta\leq\pi)$ $\left(1,\dfrac{\sqrt{3}}{2}\right)$

[018-020] 다음 곡선에 접하고 기울기가 m인 접선의 방정식을 구하시오.

018 $y=e^{2x},\ m=2$

019 $y=\ln(x+2),\ m=\dfrac{1}{3}$

020 $y=\sin 2x\left(단,\ 0<x<\dfrac{\pi}{4}\right),\ m=1$

[021-022] 주어진 점에서 다음 곡선에 그은 접선의 방정식을 구하시오.

021 $y=\sqrt{x}$ $(-4, 0)$

022 $y=e^x$ $(0, 0)$

---

2 함수의 증가와 감소

[023-028] 다음 함수의 증가, 감소를 조사하시오.

023 $f(x)=\dfrac{1}{3}x^3-2x^2-5x+6$

024 $f(x)=\dfrac{1}{x^2+2}$

025 $f(x)=x+\dfrac{4}{x-1}$

026 $f(x)=\sqrt{x^2-2x+5}$

027 $f(x)=x+\ln x$

028 $f(x)=xe^x$

---

3 함수의 극대와 극소

[029-032] 다음 함수의 극값을 구하시오.

029 $f(x)=-x^3+3x+2$

030 $f(x)=x^2e^x$

031 $f(x) = x \ln x$

032 $f(x) = \sin x + \cos x \ (0 \le x \le \pi)$

[033-035] 이계도함수를 이용하여 다음 함수의 극값을 구하시오.

033 $f(x) = x + \dfrac{1}{x}$

034 $f(x) = x - e^x$

035 $f(x) = \cos x - \sin x \ (0 \le x \le \pi)$

---

4 함수의 최댓값과 최솟값

[036-040] 다음 함수의 주어진 구간에서의 최댓값과 최솟값을 구하시오.

036 $f(x) = x^3 - 6x^2 - 1 \ [-1, 1]$

037 $f(x) = \dfrac{x}{x^2 + 1} \ [0, 3]$

038 $f(x) = xe^{-x} \ [0, 3]$

039 $f(x) = x - \ln x \ \left[\dfrac{1}{2}, e^2 \right]$

040 $f(x) = \sin x + \cos x \ [0, \pi]$

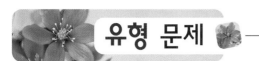

유형 문제

유형 01 접선의 방정식 – 곡선 위의 점이 주어질 때

곡선 $y=f(x)$ 위의 점 $(a, f(a))$에서의

(1) 접선의 방정식

$\Rightarrow y-f(a)=f'(a)(x-a)$

(2) 접선과 수직인 직선의 방정식

$\Rightarrow y-f(a)=-\dfrac{1}{f'(a)}(x-a)$ (단, $f'(a) \neq 0$)

041

곡선 $y=xe^x+1$ 위의 점 $(0, 1)$에서의 접선의 x절편은?

① $-e$ ② -1 ③ $\dfrac{1}{e}$

④ 1 ⑤ e

042

곡선 $y=\dfrac{1}{x^2}$ 위의 점 $(1, 1)$에서의 접선의 y절편을 구하시오.

043

곡선 $f(x)=\sin 2x$ 위의 점 $(\pi, 0)$에서의 접선의 방정식이 $y=ax+b$일 때, 두 상수 a, b에 대하여 ab의 값을 구하시오.

044

곡선 $x^3-7y^2=1$ 위의 점 $(2, 1)$에서의 접선의 방정식이 $y=mx+n$일 때, $m+n$의 값을 구하시오. (단, m, n은 상수이다.)

045

곡선 $x^3-y^3+axy+b=0$ 위의 점 $(0, -1)$에서의 접선의 방정식이 $y=2x-1$일 때, 두 상수 a, b에 대하여 ab의 값을 구하시오.

046

곡선 $x=t^2+\dfrac{1}{t}$, $y=t^3-\dfrac{1}{t}$ 위의 $t=1$에 대응하는 점에서의 접선의 방정식은?

① $y=4x-8$ ② $y=4x-4$ ③ $y=2x-4$

④ $y=2x-2$ ⑤ $y=x-2$

047

곡선 $y=\ln(x+1)$ 위의 점 $P(1, \ln 2)$에서의 접선을 l_1, 점 P를 지나며 접선 l_1에 수직인 직선을 l_2라 하자. 두 직선 l_1, l_2가 y축과 만나는 점을 각각 Q, R라 할 때, 삼각형 PQR의 넓이는?

① $\dfrac{1}{4}$ ② $\dfrac{1}{2}$ ③ $\dfrac{3}{4}$

④ 1 ⑤ $\dfrac{5}{4}$

048

두 곡선 $f(x)=\ln x+1$과 $g(x)=ax^2$이 $x=t$인 점에서 공통인 접선을 가질 때, 상수 a의 값을 구하시오.

049

두 곡선 $y=e^x$, $y=\sqrt{2x+a}$가 서로 접할 때, 상수 a의 값을 구하시오.

유형 **02** 접선의 방정식 – 기울기가 주어질 때

곡선 $y=f(x)$의 접선의 기울기 m이 주어질 때
① 접점의 좌표를 $(a, f(a))$로 놓는다.
② $f'(a)=m$임을 이용하여 접점의 좌표를 구한다.
③ $y-f(a)=m(x-a)$를 이용하여 접선의 방정식을 구한다.

050

곡선 $y=x\ln x+x$에 접하고 직선 $y=3x+4$에 평행한 직선의 방정식은?

① $y=3x-2e$ ② $y=3x-e$ ③ $y=3x-1$

④ $y=3x+2$ ⑤ $y=3x+e$

051

매개변수 t로 나타낸 곡선 $x=2t$, $y=\sqrt{t}-1$에 접하고 기울기가 $\dfrac{1}{4}$인 접선의 방정식을 구하시오.

052

두 함수 $f(x)=e^x$과 $g(x)=\ln x$에 대하여 기울기가 1인 접선의 방정식을 각각 $y=x+k_1$, $y=x+k_2$라 하자. 이 두 직선 사이의 거리를 구하시오. (단, k_1, k_2는 상수이다.)

유형 **03** 접선의 방정식 - 곡선 밖의 한 점이 주어질 때

곡선 $y=f(x)$ 밖의 한 점 (x_1, y_1)이 주어질 때
① 접점의 좌표를 $(a, f(a))$로 놓는다.
② $y-f(a)=f'(a)(x-a)$에 점 (x_1, y_1)의 좌표를 대입하여 a의 값을 구한다.
③ a의 값을 $y-f(a)=f'(a)(x-a)$에 대입하여 접선의 방정식을 구한다.

053
원점에서 곡선 $y=\ln x$에 그은 접선의 방정식을 $y=f(x)$라 할 때, $f(e^2)$의 값을 구하시오.

054
원점에서 곡선 $y=\dfrac{e^x}{x}$에 그은 접선이 점 $\left(k, \dfrac{e}{2}\right)$를 지날 때, k의 값을 구하시오.

055
두 곡선 $y=\ln x$, $y=e^x$에 대하여 원점에서 이 두 곡선에 그은 접선의 접점을 각각 A, B라 할 때, 두 점 A, B 사이의 거리는?

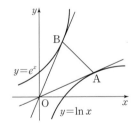

① $e-1$　　　　② $\sqrt{2}(e-1)$
③ $2(e-1)$　　　④ $2\sqrt{2}(e-1)$
⑤ $3(e-1)$

유형 **04** 역함수의 그래프의 접선의 방정식

함수 $f(x)$의 역함수를 $g(x)$라 할 때, 곡선 $y=g(x)$ 위의 $x=a$인 점에서의 접선의 방정식
① $g(a)=b$라 하면 $f(b)=a$
② $g'(a)=\dfrac{1}{f'(b)}$ (단, $f'(b)\neq0$)
③ $y-b=\dfrac{1}{f'(b)}(x-a)$ (단, $f'(b)\neq0$)

056
함수 $f(x)=x^3-x^2+x$의 역함수를 $g(x)$라 할 때, 곡선 $y=g(x)$ 위의 x좌표가 1인 점에서의 접선의 방정식은?

① $y=-2x+3$　　② $y=-x+2$　　③ $y=-\dfrac{1}{2}x+\dfrac{3}{2}$

④ $y=\dfrac{1}{2}x+\dfrac{1}{2}$　　⑤ $y=2x-1$

057
함수 $f(x)=e^{2x-1}$의 역함수를 $g(x)$라 할 때, 곡선 $y=g(x)$ 위의 $x=1$인 점에서의 접선의 방정식을 구하시오.

058
함수 $f(x)=\sqrt{x+3}$의 역함수를 $g(x)$라 할 때, 곡선 $y=g(x)$ 위의 $x=2$인 점에서의 접선의 x절편을 구하시오.

유형 **05** 함수의 증가와 감소

(1) 함수의 증가·감소

함수 $f(x)$가 어떤 구간에서 미분가능하고, 그 구간에서

① $f'(x)>0$이면 $f(x)$는 그 구간에서 증가한다.

② $f'(x)<0$이면 $f(x)$는 그 구간에서 감소한다.

(2) 함수의 증가·감소가 되는 조건

함수 $f(x)$가 어떤 구간에서 미분가능하고, 그 구간에서

① $f(x)$가 증가하면 $\Rightarrow f'(x)\geq0$

② $f(x)$가 감소하면 $\Rightarrow f'(x)\leq0$

참고 증가(감소)하는 구간의 경계에 있으면서 $f'(x)=0$인 경우의 x의 값도 증가(감소)하는 구간에 포함된다.

059

함수 $f(x)=\dfrac{x-1}{x^2+3}$ 의 증가하는 구간은?

① $-2\leq x\leq1$ ② $-1\leq x\leq3$

③ $-1\leq x\leq4$ ④ $x\leq0$ 또는 $x\geq3$

⑤ $x\leq-1$ 또는 $x\geq3$

^{중요}060

함수 $f(x)=x-2\ln x$가 구간 (a, b)에서 감소할 때, $b-a$의 최댓값을 구하시오.

061

함수 $f(x)=e^{x+1}(x^2+3x+1)$이 구간 (a, b)에서 감소할 때, $b-a$의 최댓값을 구하시오.

062

함수 $f(x)=x-4\sqrt{x+1}$이 구간 $(a, 3)$에서 감소하고 구간 (b, ∞)에서 증가할 때, $a+b$의 최솟값을 구하시오.

063

함수 $f(x)=(ax^2-1)e^x$이 구간 $(-2, -1)$에서 감소하도록 하는 실수 a의 값의 범위를 구하시오. (단, $a>0$)

^{중요}064

함수 $f(x)=kx+\ln(x^2+2)$가 임의의 두 실수 x_1, x_2에 대하여 $x_1<x_2$이면 $f(x_1)<f(x_2)$를 만족시킬 때, 실수 k의 최솟값은?

① $\dfrac{\sqrt{2}}{4}$ ② $\dfrac{\sqrt{2}}{2}$ ③ 1

④ $\sqrt{2}$ ⑤ $2\sqrt{2}$

유형 **06** 유리함수와 무리함수의 극대·극소

유리함수와 무리함수의 극값을 구할 때는

① $y=\dfrac{f(x)}{g(x)}$ ⇨ $y'=\dfrac{f'(x)g(x)-f(x)g'(x)}{\{g(x)\}^2}$

  $y=\sqrt{f(x)}$ ⇨ $y'=\dfrac{f'(x)}{2\sqrt{f(x)}}$

를 이용하여 $y'=0$이 되는 x의 값을 구한다.

② 함수의 증가, 감소를 표로 나타내어 극값을 구한다.

참고 무리함수의 정의역 ⇨ ($\sqrt{}$ 안의 값)≥0

065

함수 $f(x)=\dfrac{x}{x^2+1}$의 극댓값이 α, 극솟값이 β일 때, $\alpha+\beta$의 값을 구하시오.

066

함수 $f(x)=\dfrac{x^2+ax+b}{x-1}$가 $x=3$에서 극값이 -2가 되도록 두 상수 a, b의 값을 정할 때, ab의 값은?

① -88 ② -44 ③ -22

④ 22 ⑤ 44

067

함수 $f(x)=\sqrt{x}+\sqrt{2-x}$가 $x=\alpha$에서 극댓값 β를 가질 때, $\alpha\beta$의 값을 구하시오.

유형 **07** 지수함수와 로그함수의 극대·극소

지수함수와 로그함수의 극값을 구할 때는

① $y=e^{f(x)}$ ⇨ $y'=e^{f(x)}f'(x)$

  $y=\ln|f(x)|$ ⇨ $y'=\dfrac{f'(x)}{f(x)}$

를 이용하여 $y'=0$이 되는 x의 값을 구한다.

② 함수의 증가, 감소를 표로 나타내어 극값을 구한다.

068

함수 $y=x^2e^{-x}$은 $x=a$에서 극댓값 b를 가질 때, ab의 값은?

① 0 ② $\dfrac{1}{e}$ ③ $\dfrac{4}{e^2}$

④ $\dfrac{8}{e^2}$ ⑤ $\dfrac{27}{e^2}$

069

함수 $f(x)=e^x+e^{-x}+k$의 극솟값이 0일 때, 상수 k의 값을 구하시오.

070

함수 $f(x)=(x^2+ax+a)e^{-x}$의 극댓값이 4일 때, 상수 a의 값을 구하시오. (단, $a>2$)

071

함수 $f(x)=x(\ln x)^3$의 극솟값은?

① $-\dfrac{27}{e^3}$ ② $-\dfrac{27}{4e^3}$ ③ $-\dfrac{27}{8e^3}$

④ $\dfrac{27}{8e^3}$ ⑤ $\dfrac{27}{4e^3}$

072

함수 $f(x)=x\ln x-2x$가 $x=a$에서 극솟값 b를 가질 때, ab의 값을 구하시오.

073

함수 $f(x)=(-x^2+ax+b)e^{2x}$이 $x=-\sqrt{2}$, $x=\sqrt{2}$에서 극값을 가질 때, 두 상수 a, b에 대하여 $a+b$의 값을 구하시오.

유형 8 삼각함수의 극대·극소

삼각함수의 극값을 구할 때는
① 삼각함수의 미분법을 이용하여 $f'(x)=0$이 되는 x의 값을 구한다.
② 함수의 증가, 감소를 표로 나타내어 극값을 구한다.

074

$0\le x\le 2\pi$에서 함수 $f(x)=\sin 2x-2\cos x$의 극댓값을 α, 극솟값을 β라 할 때, $\alpha-\beta$의 값은?

① $\dfrac{3\sqrt{2}}{2}$ ② $\dfrac{3\sqrt{3}}{2}$ ③ $2\sqrt{2}$

④ $3\sqrt{3}$ ⑤ $4\sqrt{2}$

075

함수 $f(x)=x+a\cos x\,(0<x<2\pi)$의 극댓값이 π일 때, $f(x)$의 극솟값을 구하시오. (단, $a>1$)

076

함수 $f(x)=\tan x-2x\,(0<x<2\pi)$에 대하여 $y=f(x)$의 그래프의 극대 또는 극소가 되는 점의 개수를 구하시오.

유형 **09** 함수가 극값을 가질 조건

미분가능한 함수 $f(x)$에 대하여

(1) 극값을 가질 조건

① $f'(x)=0$의 실근의 좌우에서 $f'(x)$의 부호가 바뀐다.

② 이차방정식 $f'(x)=0$이 서로 다른 두 실근을 가진다.

(2) 극값을 갖지 않을 조건

① $f'(x)\leq0$ 또는 $f'(x)\geq0$

② 이차방정식 $f'(x)=0$이 중근 또는 허근을 가진다.

077

함수 $f(x)=(x^2+6x-a)e^x$이 극값을 갖지 않도록 하는 실수 a의 값의 범위는?

① $a\leq-10$ ② $-10\leq a\leq-6$ ③ $a\leq-6$

④ $-6\leq a\leq2$ ⑤ $a\geq2$

078

함수 $f(x)=2\ln x-\dfrac{a}{x}-x$가 극값을 갖지 않을 때, 다음 중 상수 a의 값으로 적당한 것은?

① -3 ② $-\dfrac{1}{2}$ ③ $\dfrac{1}{2}$

④ 1 ⑤ 2

★중요
079

함수 $f(x)=\sin x+ax+1$이 극값을 가질 때, 실수 a의 값의 범위를 구하시오.

유형 **10** 유리함수와 무리함수의 최대·최소

① $y=\dfrac{f(x)}{g(x)} \Rightarrow y'=\dfrac{f'(x)g(x)-f(x)g'(x)}{\{g(x)\}^2}$

$y=\sqrt{f(x)} \Rightarrow y'=\dfrac{f'(x)}{2\sqrt{f(x)}}$

임을 이용하여 극댓값, 극솟값을 구한다.

② 주어진 구간과 정의역에 유의하여 최댓값, 최솟값을 구한다.

080

$-1\leq x\leq4$에서 함수 $f(x)=\dfrac{3x-4}{x^2+1}$의 최댓값과 최솟값의 합은?

① -4 ② -2 ③ 0

④ 2 ⑤ 4

★중요
081

함수 $f(x)=\sqrt{4-x^2}$의 최댓값을 M, 최솟값을 m이라 할 때, $M-m$의 값을 구하시오.

082

실수 전체의 집합에서 정의된 함수 $f(x)=\dfrac{ax+b}{x^2+x+1}$가 $x=2$에서 최댓값 1을 가질 때, $a+b$의 값을 구하시오.

(단, a, b는 상수이다.)

유형 11 지수함수와 로그함수의 최대·최소

① $y=e^{f(x)} \Rightarrow y'=e^{f(x)}f'(x)$

$y=\ln|f(x)| \Rightarrow y'=\dfrac{f'(x)}{f(x)}$

임을 이용하여 극댓값, 극솟값을 구한다.

② 주어진 구간에서 극댓값, 극솟값, 구간의 양 끝값을 비교한다.

083

함수 $f(x)=e^x\sqrt{2-x^2}$의 최댓값을 M, 최솟값을 m이라 할 때, $M-m$의 값은?

① e ② $2e$ ③ $3e$

④ $4e$ ⑤ $5e$

084

함수 $f(x)=\dfrac{\ln x-1}{x}$이 $x=a$에서 최댓값 b를 가질 때, $\dfrac{a}{b}$의 값을 구하시오.

085

좌표평면에서 곡선 $f(x)=e^{-x}$ $(x>0)$ 위의 점 $\mathrm{P}(t,\ e^{-t})$에서의 접선이 x축, y축과 만나는 점을 각각 A, B라 할 때, 삼각형 OAB의 넓이의 최댓값을 구하시오.

(단, O는 원점이다.)

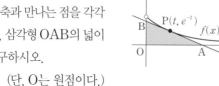

유형 12 삼각함수의 최대·최소

① $y=\sin x \Rightarrow y'=\cos x$

$y=\cos x \Rightarrow y'=-\sin x$

임을 이용하여 극댓값, 극솟값을 구한다.

② 주어진 구간에서 극댓값, 극솟값, 구간의 양 끝값을 비교한다.

086

$0\le x\le\pi$에서 함수 $f(x)=x+\cos 2x+1$의 최댓값은?

① 4 ② $\dfrac{\pi}{2}+3$ ③ $\pi+2$

④ $\dfrac{\pi}{12}+\dfrac{\sqrt{3}}{2}$ ⑤ $\dfrac{5}{12}\pi-\dfrac{\sqrt{3}}{2}$

087

구간 $[-\pi,\ \pi]$에서 함수 $f(x)=e^x\sin x$의 최댓값을 M, 최솟값을 m이라 할 때, Mm의 값을 구하시오.

088

그림과 같이 지름의 길이가 4인 반원 O에 내접하는 사다리꼴 ABCD의 넓이의 최댓값을 구하시오.

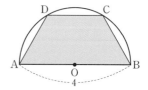

089

곡선 $y=ax+\cos x+b$ 위의 점 $(0, 1)$에서의 접선의 방정식이 $y=3x+c$일 때, 세 상수 a, b, c에 대하여 $a+b+c$의 값을 구하시오.

090

곡선 $y^3=\ln(5-x^2)+xy+4$ 위의 점 $(2, 2)$에서의 접선의 방정식은?

① $x+5y-12=0$ ② $x-5y+8=0$

③ $5x+y-12=0$ ④ $5x-y-8=0$

⑤ $5x+9y-28=0$

091

곡선 $y=xe^x-1$에 접하고 기울기가 1인 접선의 방정식을 $y=f(x)$라 할 때, $f(1)$의 값을 구하시오.

092

함수 $f(x)=(2x+a)e^{x^2}$이 실수 전체의 집합에서 증가할 때, 실수 a의 최댓값은?

① 1 ② $\sqrt{2}$ ③ 2

④ $2\sqrt{2}$ ⑤ $3\sqrt{2}$

093

양수 k에 대하여 함수 $f(x)=x+\dfrac{k}{x-1}$의 극댓값이 -3이고, 극솟값은 α라 할 때, α^2+k^2의 값을 구하시오.

094

함수 $f(x)=kx^2-\ln x$가 극솟값 $\dfrac{1}{2}$을 가질 때, 양수 k의 값을 구하시오.

095

함수 $f(x)=x+a\sin x+b\cos x$가 $x=\dfrac{\pi}{3}$와 $x=\pi$에서 극값을 가질 때, $f(x)$의 극솟값을 구하시오.

$\left(\text{단, }a,\ b\text{는 상수이고, }0<x<\dfrac{3}{2}\pi\right)$

096

그림과 같이 밑면이 정삼각형인 삼각기둥의 부피가 16일 때, 이 삼각기둥의 겉넓이를 최소로 하는 밑면의 한 변의 길이는 a이고 높이는 b이다. ab의 값은?

① $\dfrac{10\sqrt{3}}{3}$ ② $4\sqrt{3}$

③ $\dfrac{14\sqrt{3}}{3}$ ④ $\dfrac{16\sqrt{3}}{3}$

⑤ $6\sqrt{3}$

097

구간 $[0,\ 1]$에서 정의된 함수 $f(x)=e^{x^2-2x-a}+b$의 최댓값이 $e^{-3}-e^{-4}$이고 최솟값이 0일 때, 두 상수 $a,\ b$에 대하여 ab의 값을 구하시오.

098

함수 $f(x)=x-k\sin x$가 $0<x<2\pi$에서 최솟값 -1을 가질 때, $f(x)$의 최댓값을 구하시오. (단, $k>1$)

1등급 문제

099

곡선 $y=\ln x$ 위의 점 P에서의 접선이 직선 $x=-1$과 만나는 점을 Q, 점 P에서 직선 $x=-1$에 내린 수선의 발을 R라 할 때, 삼각형 PQR의 넓이의 최솟값은?

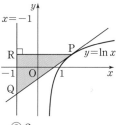

① $\ln 2$ ② $2\ln 2$ ③ 2

④ $1+\ln 2$ ⑤ $2+\ln 2$

100

그림과 같이 곡선 $y=\sin x$ $(0<x<\pi)$ 위의 한 점 $(\theta,\ \sin\theta)$에서의 접선과 x축, y축 및 직선 $x=\pi$로 둘러싸인 부분의 넓이의 최솟값을 구하시오.

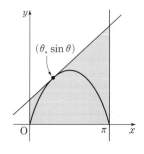

10 도함수의 활용

10 도함수의 활용

1 곡선의 오목과 볼록

함수 $f(x)$가 어떤 구간에서

(1) $f''(x)>0$이면 곡선 $y=f(x)$는 이 구간에서 아래로 볼록하다.

(2) $f''(x)<0$이면 곡선 $y=f(x)$는 이 구간에서 위로 볼록하다.

2 변곡점의 판정

함수 $f(x)$에서 $f''(a)=0$이고 $x=a$의 좌우에서 $f''(x)$의 부호가 바뀌면 점 $(a,\ f(a))$는 곡선 $y=f(x)$의 변곡점이다.

3 방정식의 실근의 개수

(1) 방정식 $f(x)=0$의 실근의 개수

$\Longleftrightarrow$ 함수 $y=f(x)$의 그래프와 x축의 교점의 개수

(2) 방정식 $f(x)=g(x)$의 실근의 개수

$\Longleftrightarrow$ 두 함수 $y=f(x)$, $y=g(x)$의 그래프의 교점의 개수

4 부등식의 증명

(1) 부등식 $f(x)>0$의 증명 ➡ ($f(x)$의 최솟값)>0임을 보인다.

(2) 부등식 $f(x)>g(x)$의 증명 ➡ ($f(x)-g(x)$의 최솟값)>0임을 보인다.

(3) $x>a$인 범위에서 부등식 $f(x)>0$의 증명

[방법1] $x>a$인 범위에서 ($f(x)$의 최솟값)>0임을 보인다.

[방법2] $x>a$인 범위에서 $y=f(x)$는 증가하고, $f(a)\geq0$임을 보인다.

5 직선 운동에서의 속도, 가속도

수직선 위를 움직이는 점 P의 시각 t에서의 위치 x가 t에 대한 함수 $x=f(t)$로 나타내어질 때, 시각 t에서의 점 P의

(1) 속도: $v=\dfrac{dx}{dt}=f'(t)$

(2) 가속도: $a=\dfrac{dv}{dt}=\dfrac{d^2x}{dt^2}=f''(t)$

6 평면 운동에서의 속도, 가속도

좌표평면 위를 움직이는 점 P(x,y)의 시각 t에서의 위치가 $x=f(t)$, $y=g(t)$일 때, 시각 t에서의 점 P의

(1) 속도: $\left(\dfrac{dx}{dt},\ \dfrac{dy}{dt}\right)=(f'(t),g'(t))$

(2) 가속도: $\left(\dfrac{d^2x}{dt^2},\ \dfrac{d^2y}{dt^2}\right)=(f''(t),g''(t))$

개념 플러스

◀ 함수 $f(x)$가 어떤 구간에서

(1) $f''(x)>0$

$\Rightarrow f'(x)$: 증가

$\Rightarrow$ 접선의 기울기: 증가

$\Rightarrow$ 아래로 볼록

(2) $f''(x)<0$

$\Rightarrow f'(x)$: 감소

$\Rightarrow$ 접선의 기울기: 감소

$\Rightarrow$ 위로 볼록

◀ $f''(a)=0$이지만 $x=a$의 좌우에서 $f''(x)$의 부호가 바뀌지 않으면 점 $(a,\ f(a))$는 변곡점이 아니다.

◀ 평면 운동에서의 속력과 가속도의 크기

(1) 속력: $\sqrt{\left(\dfrac{dx}{dt}\right)^2+\left(\dfrac{dy}{dt}\right)^2}$

$=\sqrt{\{f'(t)\}^2+\{g'(t)\}^2}$

(2) 가속도의 크기:

$\sqrt{\left(\dfrac{d^2x}{dt^2}\right)^2+\left(\dfrac{d^2y}{dt^2}\right)^2}$

$=\sqrt{\{f''(t)\}^2+\{g''(t)\}^2}$

1 곡선의 오목과 볼록

[001-005] 다음 곡선의 오목과 볼록을 조사하시오.

001 $y=-x^3+6x^2$

002 $y=x^4-2x^3+3x+5$

003 $y=3^x$

004 $y=\ln x$

005 $y=\sin x\,(0<x<2\pi)$

2 변곡점

[006-010] 다음 곡선의 변곡점이 있는지 조사하고, 변곡점을 구하시오.

006 $y=x^3-3x^2+3$

007 $y=-x^4+2x^3-1$

008 $y=xe^x$

009 $y=\ln(x^2+9)$

010 $y=x+2\cos x\,(0<x<\pi)$

3 함수의 그래프

[011-015] 다음 함수의 그래프를 그리시오.

011 $y=x^3-3x^2-9x$

012 $y=\dfrac{1}{4}x^4-\dfrac{3}{2}x^2+\dfrac{9}{4}$

013 $y=x+\dfrac{2}{x}$

014 $y=\dfrac{1}{2}e^{-x^2}$

015 $y=x-\sqrt{2}\sin x\ (0\le x\le 2\pi)$

4 방정식과 부등식에의 활용

[016-018] 다음 방정식의 서로 다른 실근의 개수를 구하시오.

016 $e^x-x-3=0$

017 $e^x+e^{-x}=0$

018 $3x-2\cos x=0$

[019-020] $x>0$일 때, 다음 부등식이 성립함을 보이시오.

019 $x+\dfrac{32}{x^2}-6\ge 0$

020 $\sin x+3x>0$

5 　직선 운동에서의 속도와 가속도

[021-022] 수직선 위를 움직이는 점 P의 시각 t에서의 위치 x가 다음과 같을 때, 주어진 시각에서의 속도와 가속도를 각각 구하시오.

021 $x=t^2-9t$ $(t=2)$

022 $x=t^3-2t$ $(t=1)$

6 　평면 운동에서의 속도와 가속도

[023-028] 좌표평면 위를 움직이는 점 $P(x, y)$의 시각 t에서의 위치가 $x=t^2+2t$, $y=t^3$일 때, 다음을 구하시오.

023 시각 t에서의 속도

024 시각 t에서의 가속도

025 시각 $t=1$에서의 속도

026 시각 $t=1$에서의 속력

027 시각 $t=1$에서의 가속도

028 시각 $t=1$에서의 가속도의 크기

[029-030] 좌표평면 위를 움직이는 점 $P(x, y)$의 시각 t에서의 위치가 다음과 같을 때, 주어진 시각에서의 속도와 가속도를 각각 구하시오.

029 $x=2t+1$, $y=t^2-2$ $(t=2)$

030 $x=\sin t$, $y=\cos t$ $\left(t=\dfrac{\pi}{3}\right)$

여러 가지 함수의 그래프

(1) $y=e^{-2x^2}$

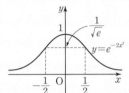

(2) $y=xe^x$

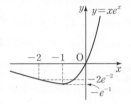

(3) $y=(1-x)e^x$

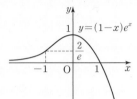

(4) $y=\dfrac{e^x}{x}$

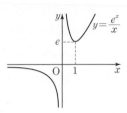

(5) $y=\ln(x^2+2)$

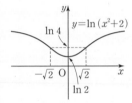

(6) $y=x-\ln x$

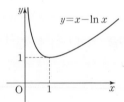

(7) $y=x\ln x$

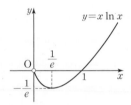

(8) $y=\dfrac{\ln x}{x}$

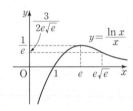

(9) $y=\dfrac{x}{x^2+1}$

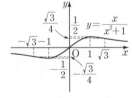

(10) $y=\dfrac{1}{x^2+1}$

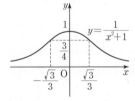

(11) $y=x+\dfrac{1}{x}$

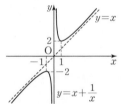

(12) $y=\dfrac{x+1}{x^2}$

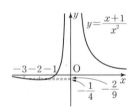

(13) $y=\sqrt{x}-x$

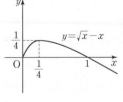

(14) $y=\dfrac{x}{\sqrt{x+1}}$

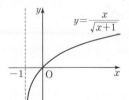

(15) $y=(1-\cos x)^2$

$(0\leq x\leq 2\pi)$

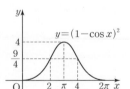

(16) $y=x+\sin x$

$(0\leq x\leq 2\pi)$

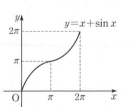

유형 문제

유형 01 곡선의 오목과 볼록

함수 $f(x)$가 어떤 구간에서
(1) $f''(x)>0$이면 곡선 $y=f(x)$는 이 구간에서 아래로 볼록하다.
(2) $f''(x)<0$이면 곡선 $y=f(x)$는 이 구간에서 위로 볼록하다.

031

곡선 $y=x+3\sin x\ (0<x<2\pi)$가 아래로 볼록한 구간은?

① $0<x<\dfrac{\pi}{2}$　　② $0<x<\pi$　　③ $\dfrac{\pi}{2}<x<\pi$

④ $\dfrac{\pi}{2}<x<\dfrac{3}{2}\pi$　　⑤ $\pi<x<2\pi$

032

$x>a$에서 함수 $f(x)=x^3-9x^2+24x$가 서로 다른 임의의 두 실수 x_1, x_2에 대하여 부등식 $f\left(\dfrac{x_1+x_2}{2}\right)<\dfrac{f(x_1)+f(x_2)}{2}$ 를 항상 만족시킬 때, a의 최솟값을 구하시오.

033

곡선 $y=(ax^2+1)e^x$이 실수 전체의 집합에서 아래로 볼록할 때, 다음 중 양수 a의 값이 될 수 있는 것은?

① $\dfrac{1}{3}$　　② $\dfrac{2}{3}$　　③ 1

④ $\dfrac{4}{3}$　　⑤ $\dfrac{5}{3}$

유형 02 변곡점

(1) 함수 $f(x)$에서 $f''(a)=0$이고 $x=a$의 좌우에서 $f''(x)$의 부호가 바뀌면 점 $(a,f(a))$는 곡선 $y=f(x)$의 변곡점이다.
(2) 점 (a,b)가 곡선 $y=f(x)$의 변곡점이면
  ⇨ $f''(a)=0$, $f(a)=b$

034

곡선 $y=\dfrac{\ln x}{x}$의 변곡점의 좌표를 (a,b)라 할 때, ab의 값은?

① $\dfrac{1}{2}$　　② $\dfrac{3}{2}$　　③ $\dfrac{5}{2}$

④ $\dfrac{7}{2}$　　⑤ $\dfrac{9}{2}$

035

곡선 $y=xe^{-x^2}$의 변곡점의 x좌표를 작은 것부터 순서대로 a_1, a_2, a_3이라 할 때, $a_1{}^2+a_2{}^2+a_3{}^2$의 값을 구하시오.

036

곡선 $y=x^2+\ln x$의 변곡점에서 이 곡선에 접선을 그을 때, 접선의 기울기를 구하시오.

037

곡선 $y = \dfrac{1}{x^2+3}$ 의 두 변곡점을 각각 A, B라 할 때, 삼각형 OAB의 넓이는? (단, O는 원점이다.)

① $\dfrac{1}{4}$ ② $\dfrac{1}{2}$ ③ $\dfrac{\sqrt{2}}{2}$

④ 1   ⑤ $\sqrt{2}$

038

함수 $f(x) = ax^2 + bx - 4\ln x$ 가 $x=2$에서 극대이고, 곡선 $y = f(x)$의 변곡점의 x좌표가 $\sqrt{2}$일 때, 함수 $f(x)$의 극솟값을 구하시오. (단, a, b는 상수이다.)

039

곡선 $y = x^2 + a\sin x$가 변곡점을 갖도록 하는 자연수 a의 최솟값을 구하시오.

유형 03 그래프의 활용

함수 $f(x)$가 어떤 구간에서
(1) $f''(x) > 0$ ⇨ $f'(x)$: 증가
            ⇨ 접선의 기울기: 증가
            ⇨ 아래로 볼록
(2) $f''(x) < 0$ ⇨ $f'(x)$: 감소
            ⇨ 접선의 기울기: 감소
            ⇨ 위로 볼록

040

함수 $f(x)$의 도함수 $y = f'(x)$의 그래프가 그림과 같을 때, 함수 $y = f(x)$의 그래프의 모양이 위로 볼록한 구간에 속하는 x의 값의 범위를 구하시오.

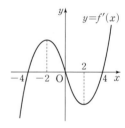

041

함수 $y = f(x)$의 그래프가 그림과 같을 때, $f'(x)$와 $f''(x)$의 부호가 같은 점을 모두 고른 것은? (단, 점 D는 변곡점, 점 B는 극대, 점 E는 극소이다.)

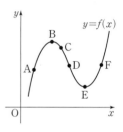

① B, E   ② C, F
③ D, F   ④ C, D
⑤ A, F

042

함수 $y = f(x)$의 그래프가 그림과 같을 때, 〈보기〉에서 옳은 것만을 있는 대로 고르시오. (단, 점 $(c, f(c))$는 변곡점, 점 $(b, f(b))$는 극소, 점 $(d, f(d))$는 극대이다.)

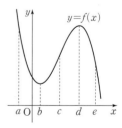

┤ 보 기 ├
ㄱ. $f'(a)f''(b) > 0$ ㄴ. $f'(b)f''(d) > 0$
ㄷ. $f'(c)f''(e) < 0$ ㄹ. $f'(e)f''(a) < 0$

유형 04 그래프의 성질

함수 $f(x)$에 대하여

(1) 함수의 정의역과 치역
(2) 곡선과 좌표축의 교점
(3) 그래프의 대칭성과 주기
(4) 함수의 증가와 감소, 극대와 극소
(5) 곡선의 오목과 볼록, 변곡점
(6) $\lim\limits_{x\to\infty} f(x)$, $\lim\limits_{x\to-\infty} f(x)$, 점근선

등을 조사하여 함수 $y=f(x)$의 그래프의 성질을 파악한다.

043

함수 $f(x)=x^4-8x^3+16x^2$에 대하여 〈보기〉에서 옳은 것만을 있는 대로 고르시오.

─┤ 보기 ├─

ㄱ. 방정식 $f'(x)=0$은 서로 다른 세 실근을 갖는다.
ㄴ. 함수 $f(x)$는 극댓값 16을 갖는다.
ㄷ. 함수 $f(x)$의 변곡점의 개수는 2이다.

044

함수 $f(x)=\dfrac{ax}{x^2+1}$에 대하여 $f'(0)=2$일 때, 〈보기〉에서 옳은 것만을 있는 대로 고르시오. (단, a는 상수이다.)

─┤ 보기 ├─

ㄱ. $a=2$
ㄴ. 극댓값은 2이다.
ㄷ. 점근선의 방정식은 $y=0$이다.

045

함수 $f(x)=\dfrac{x^2}{e^x}$에 대하여 〈보기〉에서 옳은 것만을 있는 대로 고르시오.

─┤ 보기 ├─

ㄱ. $x=0$에서 극솟값 0을 갖는다.
ㄴ. $x=4$에서 극댓값 $\dfrac{16}{e^4}$을 갖는다.
ㄷ. 변곡점 $\left(2, \dfrac{4}{e^2}\right)$를 갖는다.

유형 05 방정식의 실근의 개수

(1) 방정식 $f(x)=k$의 실근의 개수
 ⟺ 함수 $y=f(x)$의 그래프와 직선 $y=k$의 교점의 개수

(2) 방정식 $f(x)=g(x)$의 실근의 개수
 ⟺ 두 함수 $y=f(x)$와 $y=g(x)$의 그래프의 교점의 개수

046

방정식 $x^2 e^{-x^2}-a=0$이 서로 다른 네 실근을 갖기 위한 실수 a의 값의 범위는?

① $0<a<\dfrac{1}{e}$ ② $\dfrac{1}{e}<a<\dfrac{1}{\sqrt{e}}$ ③ $\dfrac{1}{\sqrt{e}}<a<1$
④ $1<a<e$ ⑤ $e<a<e^2$

047

방정식 $\ln x-x+10-n=0$이 서로 다른 두 실근을 갖도록 하는 자연수 n의 개수를 구하시오.

048

함수 $y=\dfrac{16}{x}$의 그래프와 함수 $y=-x^2+a$의 그래프가 서로 다른 두 점에서 만날 때, 상수 a의 값을 구하시오.

049

방정식 $e^x = kx$의 실근의 개수에 대하여 〈보기〉에서 옳은 것만을 있는 대로 고른 것은? (단, k는 실수이다.)

┤ 보기 ├

ㄱ. $k < 0$일 때, 1개의 실근을 갖는다.

ㄴ. $k > e$일 때, 2개의 실근을 갖는다.

ㄷ. $0 < k < e$일 때, 1개의 실근을 갖는다.

① ㄱ   ② ㄴ   ③ ㄷ

④ ㄱ, ㄴ   ⑤ ㄴ, ㄷ

050

함수 $f(x) = x^3$과 $g(x) = \sin x$에 대하여 〈보기〉에서 옳은 것만을 있는 대로 고른 것은?

┤ 보기 ├

ㄱ. 방정식 $f(x) - g(x) = 0$의 실근의 개수는 3이다.

ㄴ. 방정식 $f'(x) - g'(x) = 0$의 실근의 개수는 2이다.

ㄷ. 방정식 $f''(x) - g''(x) = 0$의 실근의 개수는 1이다.

① ㄱ   ② ㄴ   ③ ㄱ, ㄷ

④ ㄴ, ㄷ   ⑤ ㄱ, ㄴ, ㄷ

유형 16 부등식이 성립할 조건

(1) 모든 실수 x에 대하여 부등식 $f(x) \geq 0$임을 보이려면 $(f(x)$의 최솟값$) \geq 0$임을 보인다.

(2) 모든 실수 x에 대하여 부등식 $f(x) \geq g(x)$가 성립함을 보이려면 $(f(x) - g(x)$의 최솟값$) \geq 0$임을 보인다.

051

$x \geq 0$인 모든 실수 x에 대하여 부등식 $\sin x - 2x + a < 0$을 만족시키는 실수 a의 값의 범위는?

① $a > -1$ ② $a > 0$ ③ $a < 0$

④ $-1 < a < 1$ ⑤ $0 < a < 1$

052

모든 양의 실수 x에 대하여 부등식 $ax \geq \ln x$가 성립하도록 하는 상수 a의 최솟값을 구하시오.

053

$1 \leq x \leq 2$인 모든 실수 x에 대하여 부등식 $ax \leq e^x \leq \beta x$가 성립하도록 두 실수 α, β의 값을 정할 때, $\beta - \alpha$의 최솟값은?

① $\dfrac{e}{2}$ ② $e\left(\dfrac{e}{2} - 1\right)$ ③ e

④ $e\left(\dfrac{e^3}{4} - 1\right)$ ⑤ $e\left(\dfrac{e^3}{3} - 1\right)$

유형 07 직선 운동에서의 속도와 가속도

수직선 위를 움직이는 점 P의 시각 t에서의 위치 x가 t에 대한 함수 $x=f(t)$로 나타내어질 때, 시각 t에서의 점 P의

속도: $v=\dfrac{dx}{dt}=f'(t)$, 가속도: $a=\dfrac{d^2x}{dt^2}=f''(t)$

054

수직선 위를 운동하는 점 P의 시각 t에서의 위치 x가 $x=\sin t+\cos t$일 때, 다음 물음에 답하시오. (단, $0\le t\le \pi$)

(1) $t=\pi$일 때, 점 P의 속도와 가속도를 구하시오.

(2) 점 P는 출발 후 $t=\alpha$일 때 운동 방향을 바꾼다. α의 값을 구하시오.

055

수직선 위를 움직이는 점 P의 시각 t에서의 위치 $x=f(t)$가 $f(t)=e^t\cos\pi t$이다. 점 P가 출발 후 운동 방향을 처음으로 바꾸는 순간이 $t=k$일 때, 다음 중 $t=k$에서 점 P의 가속도를 나타내는 것은?

① $\pi\sqrt{\pi^2-1}\,e^{2k}$ ② $\pi\sqrt{\pi^2-1}\,e^k$ ③ $\pi\sqrt{\pi^2+1}\,e^k$

④ $-\pi\sqrt{\pi^2+1}\,e^{2k}$ ⑤ $-\pi\sqrt{\pi^2+1}\,e^k$

056

원점을 동시에 출발하여 수직선 위를 움직이는 두 점 P, Q의 t초 후의 위치가 각각 $x_1=3\sin t$, $x_2=\sqrt{3}\cos t$일 때, $0<t<2\pi$에서 점 P의 가속도와 점 Q의 가속도가 같아지는 순간의 모든 t의 값의 합을 구하시오.

유형 08 평면 운동에서의 속도

좌표평면 위를 움직이는 점 $\mathrm{P}(x, y)$의 시각 t에서의 위치가 $x=f(t)$, $y=g(t)$일 때, 시각 t에서의 점 P의

(1) 속도: $\left(\dfrac{dx}{dt}, \dfrac{dy}{dt}\right)=(f'(t), g'(t))$

(2) 속력: $\sqrt{\left(\dfrac{dx}{dt}\right)^2+\left(\dfrac{dy}{dt}\right)^2}=\sqrt{\{f'(t)\}^2+\{g'(t)\}^2}$

057

좌표평면 위를 움직이는 점 $\mathrm{P}(x, y)$의 시각 t에서의 위치가 $x=t-\sin t$, $y=1-\cos t$로 주어질 때, $t=\dfrac{\pi}{3}$에서의 점 P의 속력을 구하시오.

058

좌표평면 위를 움직이는 점 $\mathrm{P}(x, y)$의 시각 t에서의 위치가 $x=t^2+at$, $y=2at^2+4t$로 주어졌다. $t=1$에서의 점 P의 속력이 $4\sqrt{10}$일 때, 상수 a의 값은? (단, $a>0$)

① 1   ② $\dfrac{5}{4}$ ③ $\dfrac{3}{2}$

④ $\dfrac{7}{4}$ ⑤ 2

059

좌표평면 위를 움직이는 점 $\mathrm{P}(x, y)$의 시각 t에서의 위치가 $x=2t+1$, $y=t-t^2$이다. 점 P의 속력이 최소일 때의 점 P의 좌표를 구하시오.

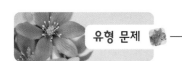 유형 문제

유형 09 평면 운동에서의 가속도

좌표평면 위를 움직이는 점 $P(x, y)$의 시각 t에서의 위치가 $x=f(t)$, $y=g(t)$일 때, 시각 t에서의 점 P의

(1) 가속도: $\left(\dfrac{d^2x}{dt^2}, \dfrac{d^2y}{dt^2}\right)=(f''(t), g''(t))$

(2) 가속도의 크기: $\sqrt{\left(\dfrac{d^2x}{dt^2}\right)^2+\left(\dfrac{d^2y}{dt^2}\right)^2}=\sqrt{\{f''(t)\}^2+\{g''(t)\}^2}$

060

좌표평면 위를 움직이는 점 $P(x, y)$의 시각 t에서의 위치가 $x=10t$, $y=6t-3t^2$이라고 한다. $t=1$에서의 점 P의 속력과 가속도의 크기를 순서대로 적은 것은?

① 3, 4   ② 6, 4   ③ 6, 6

④ 8, 6   ⑤ 10, 6

중요
061

좌표평면 위를 움직이는 점 P의 x좌표와 y좌표가 각각 시각 t에 대한 함수 $x=t^2$, $y=t$로 나타내어질 때, 점 P의 속력과 가속도의 크기가 같아지는 시각 t의 값을 구하시오.

062

좌표평면 위를 움직이는 점 $P(x, y)$의 시각 t에서의 위치가 $x=t-\sin t$, $y=1-\cos t$로 주어졌을 때, 속력이 최대가 되는 순간 점 P의 가속도를 구하시오.

유형 10 평면 운동의 활용

주어진 조건을 이용하여 관계식을 세우고 속력을 구한다.

중요
063

수평면으로부터 $45°$의 각을 이루는 방향으로 $20\,\text{m/s}$의 속력으로 던져 올린 야구공의 t초 후의 위치 (x, y)가 $x=10\sqrt{2}\,t$, $y=-5t^2+10\sqrt{2}\,t$이었다. 야구공이 지면에 떨어질 때의 속력을 구하시오.

064

한 비행기 P가 지평면에 평행하게 고도 $3\,\text{km}$를 유지하여 매초 $0.2\,\text{km}$의 속력으로 비행하고 있다. 현재 이 비행기가 지평면 위에 있는 A지점 위의 B지점을 비행하고 있

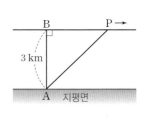

다면 20초 후에 지평면의 A지점과 비행기 P 사이의 거리는 어떤 비율로 변하는가?

① 매초 $0.10\,\text{km}$의 속력으로 멀어진다.

② 매초 $0.12\,\text{km}$의 속력으로 멀어진다.

③ 매초 $0.14\,\text{km}$의 속력으로 멀어진다.

④ 매초 $0.16\,\text{km}$의 속력으로 멀어진다.

⑤ 매초 $0.18\,\text{km}$의 속력으로 멀어진다.

065

함수 $f(x)=e^{-2x^2}$에 대하여 곡선 $y=f(x)$가 위로 볼록한 구간에 속하는 정수 x의 개수는?

① 1   ② 2   ③ 3

④ 4   ⑤ 5

066

곡선 $y=\ln(1+x^2)$의 변곡점은 두 개가 있다. 이 두 점과 원점을 이어서 만든 삼각형의 넓이를 구하시오.

067

곡선 $y=\left(\ln\dfrac{1}{ax}\right)^2$의 변곡점이 직선 $y=2x$ 위에 있을 때, 양수 a의 값을 구하시오.

068

그림과 같이 삼차함수 $y=f(x)$의 그래프에서 두 점 A, C는 극점, 점 B는 변곡점이다. $\dfrac{f''(x)}{f'(x)}\leq0$을 만족시키는 자연수 x의 개수를 구하시오.

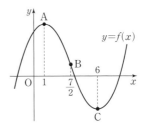

069

함수 $f(x)=(x^2+k)e^x$에 대하여 〈보기〉에서 옳은 것만을 있는 대로 고른 것은? (단, k는 상수이다.)

┤ 보기 ├

ㄱ. $k>1$이면 함수 $f(x)$는 $(-\infty,\infty)$에서 증가한다.

ㄴ. $k<1$이면 함수 $f(x)$는 극값을 2개 갖는다.

ㄷ. $k=1$이면 함수 $f(x)$는 $x=1$에서 변곡점을 갖는다.

① ㄱ   ② ㄴ   ③ ㄷ

④ ㄱ, ㄴ   ⑤ ㄱ, ㄴ, ㄷ

070

함수 $f(x)=4\ln x+\ln(10-x)$에 대하여 〈보기〉에서 옳은 것만을 있는 대로 고르시오.

┤ 보기 ├

ㄱ. 함수 $f(x)$의 최댓값은 $13\ln2$이다.

ㄴ. 구간 $[1, 9]$에서 방정식 $f(x)=0$은 실근을 갖지 않는다.

ㄷ. 함수 $g(x)=e^{f(x)}$은 $x=8$에서 극댓값을 갖는다.

071

방정식 $\dfrac{\ln x}{x}=kx$가 서로 다른 두 실근을 가질 때, 실수 k의 값의 범위를 구하시오.

072

임의의 양의 실수 x에 대하여 $2x\ln x+k\geq0$이 성립할 때, 상수 k의 최솟값을 구하시오.

073

좌표평면 위를 움직이는 점 $\mathrm{P}(x,y)$의 시각 t에서의 위치가 $x=e^{t}\cos t,\ y=e^{t}\sin t$로 나타내어진다. 점 P의 속력이 $\sqrt{2}e^{3}$일 때의 시각을 구하시오.

074

좌표평면 위를 움직이는 점 $\mathrm{P}(x,y)$의 시각 t에서의 위치가 $x=t-a\cos t,\ y=at^{2}-a\sin t$이다. $t=\pi$에서의 점 P의 가속도의 크기가 10일 때, 양수 a의 값을 구하시오.

🎖 1등급 문제

075

세 점 $(x,0)$, $(x+2,0)$, $(x+4,\ e^{x+4})$을 꼭짓점으로 하는 삼각형의 넓이를 $f(x)$라 할 때, 〈보기〉에서 옳은 것만을 있는 대로 고르시오.

┤ 보 기 ├
ㄱ. 함수 $f(x)$의 최댓값은 e^{4}이다.
ㄴ. 직선 $y=0$은 곡선 $y=f(x)$의 점근선이다.
ㄷ. 함수 $f(x)$의 변곡점은 한 개이다.

076

구간 $(0,\ 2\pi)$에서 정의된 함수 $f(x)=(1-\sin x)\sin x-\dfrac{1}{n}$이 있다. 자연수 n에 대하여 방정식 $f(x)=0$의 서로 다른 실근의 개수를 $S(n)$이라 할 때, $\displaystyle\sum_{n=1}^{10}S(n)$의 값을 구하시오.

11 여러 가지 적분법

11 여러 가지 적분법

1 함수 $y=x^n$ (n은 실수)의 부정적분

(1) $\displaystyle\int x^n dx = \frac{1}{n+1}x^{n+1}+C$ (단, $n \neq -1$)

(2) $\displaystyle\int \frac{1}{x}dx = \ln|x|+C$

> **개념 플러스**
>
> ▶ 함수 $y=(ax+b)^n$ ($a \neq 0$, $n \neq -1$)의 부정적분
> $$\int (ax+b)^n dx$$
> $$=\frac{1}{a(n+1)}(ax+b)^{n+1}+C$$

2 지수함수의 부정적분

(1) $\displaystyle\int e^x dx = e^x + C$

(2) $\displaystyle\int a^x dx = \frac{a^x}{\ln a}+C$ (단, $a>0$, $a \neq 1$)

3 삼각함수의 부정적분

(1) $\displaystyle\int \sin x\, dx = -\cos x + C$

(2) $\displaystyle\int \cos x\, dx = \sin x + C$

(3) $\displaystyle\int \sec^2 x\, dx = \tan x + C$

(4) $\displaystyle\int \csc^2 x\, dx = -\cot x + C$

(5) $\displaystyle\int \sec x \tan x\, dx = \sec x + C$

(6) $\displaystyle\int \csc x \cot x\, dx = -\csc x + C$

> ◀ $\displaystyle\int \tan x\, dx = -\ln|\cos x|+C$
>
> $\displaystyle\int \cot x\, dx = \ln|\sin x|+C$
>
> ▶ 삼각함수가 간단히 적분되지 않는 경우에는 삼각함수 사이의 관계를 이용하여 변형한 후 부정적분을 구한다.

4 치환적분법

(1) 미분가능한 함수 $g(t)$에 대하여 $x=g(t)$로 놓으면
$$\int f(x)\,dx = \int f(g(t))g'(t)\,dt$$

(2) $g(x)=t$로 놓으면
$$\int f(g(x))g'(x)\,dx = \int f(t)\,dt$$

(3) $\displaystyle\int \frac{f'(x)}{f(x)}\,dx = \ln|f(x)|+C$

> ◀ $\displaystyle\int f(x)\,dx = F(x)+C$이면
> $$\int f(ax+b)\,dx = \frac{1}{a}F(ax+b)+C$$
> (단, a, b는 상수, $a \neq 0$)

5 부분적분법

두 함수 $f(x)$, $g(x)$가 미분가능할 때,
$$\int f(x)g'(x)\,dx = f(x)g(x) - \int f'(x)g(x)\,dx$$

> ▶ 부분적분법을 이용할 때는 미분한 결과가 간단한 함수(다항함수, 로그함수)를 $f(x)$, 적분하기 쉬운 함수(지수함수, 삼각함수)를 $g'(x)$로 놓으면 계산이 편리하다.

기본 문제

1 함수 $y=x^n$ (n은 실수)의 부정적분

[001-006] 다음 부정적분을 구하시오.

001 $\displaystyle\int x^{-2}\,dx$

002 $\displaystyle\int \frac{3}{x^3}\,dx$

003 $\displaystyle\int \sqrt{x}\,dx$

004 $\displaystyle\int x\sqrt{x}\,dx$

005 $\displaystyle\int \frac{3}{x}\,dx$

006 $\displaystyle\int \frac{1}{2x\sqrt{x}}\,dx$

2 지수함수의 부정적분

[007-012] 다음 부정적분을 구하시오.

007 $\displaystyle\int e^x\,dx$

008 $\displaystyle\int 3e^x\,dx$

009 $\displaystyle\int (2x-e^x)\,dx$

010 $\displaystyle\int \frac{e^{2x}-1}{e^x-1}\,dx$

011 $\displaystyle\int 2^x\,dx$

012 $\displaystyle\int \frac{9^x-1}{3^x-1}\,dx$

3   삼각함수의 부정적분

[013-016] 다음 부정적분을 구하시오.

013 $\int 3\sin x\, dx$

014 $\int (\sin x - 2\cos x)\, dx$

015 $\int (\sec^2 x - 3\sin x)\, dx$

016 $\int \cot^2 x\, dx$

4   치환적분법

[017-020] 치환적분법을 이용하여 다음 부정적분을 구하시오.

017 $\int 3(3x+1)^5\, dx$

018 $\int (2x-3)^3\, dx$

019 $\int 2x(x^2+5)^2\, dx$

020 $\int (x+3)(x^2+6x)^2\, dx$

[021-024] 치환적분법을 이용하여 다음 부정적분을 구하시오.

021 $\int \sqrt{2x}\, dx$

022 $\int 2x\sqrt{x^2-1}\, dx$

023 $\int \dfrac{x}{\sqrt{x^2+1}}\, dx$

024 $\int x\sqrt{2x}\, dx$

[025-029] 치환적분법을 이용하여 다음 부정적분을 구하시오.

025 $\displaystyle\int e^{-x}\,dx$

026 $\displaystyle\int e^{2x}\,dx$

027 $\displaystyle\int xe^{x^2}\,dx$

028 $\displaystyle\int 4x\,e^{2x^2+1}\,dx$

029 $\displaystyle\int 6^{3x}\,dx$

[030-032] 치환적분법을 이용하여 다음 부정적분을 구하시오.

030 $\displaystyle\int \frac{\ln x}{x}\,dx$

031 $\displaystyle\int \frac{(\ln x)^2}{x}\,dx$

032 $\displaystyle\int \frac{3^x \ln 3}{3^x+1}\,dx$

[033-036] 치환적분법을 이용하여 다음 부정적분을 구하시오.

033 $\displaystyle\int \sin 2x\,dx$

034 $\displaystyle\int \cos(2x-3)\,dx$

035 $\displaystyle\int 2x\cos x^2\,dx$

036 $\displaystyle\int \sin^2 x \cos x\,dx$

5 $\int \dfrac{f'(x)}{f(x)}\,dx$ 꼴의 부정적분

[037-041] 다음 부정적분을 구하시오.

037 $\displaystyle\int \dfrac{2x}{x^2+1}\,dx$

038 $\displaystyle\int \dfrac{-3x^2+2}{x^3-2x}\,dx$

039 $\displaystyle\int \dfrac{e^x}{e^x+2}\,dx$

040 $\displaystyle\int \dfrac{1}{x\ln x}\,dx$

041 $\displaystyle\int \tan x\,dx$

6 부분적분법

[042-046] 부분적분법을 이용하여 다음 부정적분을 구하시오.

042 $\displaystyle\int xe^x\,dx$

043 $\displaystyle\int x\cos x\,dx$

044 $\displaystyle\int \ln x\,dx$

045 $\displaystyle\int 2x\ln x\,dx$

046 $\displaystyle\int xe^{-3x}\,dx$

유형 문제

유형 01 함수 $y=x^n$ (n은 실수)의 부정적분

(1) $\int x^n dx = \dfrac{1}{n+1}x^{n+1}+C$ (단, $n\neq -1$)

(2) $\int \dfrac{1}{x}dx = \ln|x|+C$

047

함수 $f(x)=\displaystyle\int \dfrac{3x^3+2x^2+4}{x}\,dx$에 대하여 $f(1)=0$일 때, $f(-1)$의 값을 구하시오.

048

함수 $f(x)=x\sqrt{x}+x+1$의 한 부정적분을 $F(x)$라 하자. $F(1)=2$일 때, 함수 $F(x)$를 구하시오.

049

곡선 $y=f(x)$ 위의 점 $(x,\,f(x))$에서의 접선의 기울기가 $1-\dfrac{1}{x}$이고, 이 곡선이 점 $(1,\,0)$을 지날 때, $f(e)$의 값은?

① $-e$ ② $1-e$ ③ $e-2$
④ $e-1$ ⑤ $e+1$

유형 02 지수함수의 부정적분

(1) $\int e^x dx = e^x+C$

(2) $\int a^x dx = \dfrac{a^x}{\ln a}+C$ (단, $a>0$, $a\neq 1$)

(3) $\int e^{ax} dx = \dfrac{1}{a}e^{ax}+C$ (단, $a\neq 0$)

(4) $\int a^{bx} dx = \dfrac{1}{b\ln a}a^{bx}+C$ (단, $a>0$, $a\neq 1$, $b\neq 0$)

050

함수 $f(x)=\displaystyle\int (e^{-x}+e^{2x})\,dx$이고 $f(0)=-\dfrac{1}{2}$일 때, $f(1)$의 값은?

① $2e^2-\dfrac{1}{e}$ ② $2e^2-\dfrac{1}{e}+\dfrac{1}{2}$ ③ $\dfrac{1}{2}e^2-\dfrac{1}{e}$

④ $\dfrac{1}{2}e^2-\dfrac{1}{e}+\dfrac{1}{2}$ ⑤ $\dfrac{1}{2}e^2+\dfrac{1}{e}$

051

함수 $f(x)$가 $f'(x)=\dfrac{xe^x-1}{x}$, $f(1)=e$를 만족시킬 때, $f(-1)$의 값을 구하시오.

052

함수 $f(x)=\ln 9\displaystyle\int (3^x-9^x)\,dx$이고 $f(0)=1$일 때, $\displaystyle\sum_{n=1}^{\infty} f(-n)$의 값을 구하시오.

유형 03 삼각함수의 부정적분

(1) $\int \sin x\, dx = -\cos x + C$

(2) $\int \cos x\, dx = \sin x + C$

(3) $\int \sec^2 x\, dx = \tan x + C$

(4) $\int \csc^2 x\, dx = -\cot x + C$

(5) $\int \sec x \tan x\, dx = \sec x + C$

(6) $\int \csc x \cot x\, dx = -\csc x + C$

053
함수 $f(x)$의 도함수가 $f'(x)=\sin x$일 때, $f(\pi)-f(0)$의 값을 구하시오.

054
$0<x<\pi$에서 정의된 함수 $f(x)$가 $f'(x)=\dfrac{\cos^2 x}{1+\sin x}$, $f\left(\dfrac{\pi}{2}\right)=\dfrac{\pi}{2}$를 만족시킬 때, $4f\left(\dfrac{3}{4}\pi\right)$의 값은?

① $3\pi+4\sqrt{2}$ ② $3\pi+2\sqrt{2}$ ③ 3π
④ $3\pi-2\sqrt{2}$ ⑤ $3\pi-4\sqrt{2}$

중요
055
곡선 $y=f(x)$ 위의 임의의 점 (x, y)에서의 접선의 기울기가 $\tan^2 x$이고, 곡선 $y=f(x)$가 원점과 점 $\left(\dfrac{\pi}{4},\, a\right)$를 지날 때, 상수 a의 값을 구하시오.

유형 04 다항함수의 치환적분법

다항함수 $f(x)$에 대하여 $\int f'(x)\{f(x)\}^n\, dx$ 꼴의 적분

① $f(x)=t$로 놓으면 $f'(x)\, dx=dt$

② $\int f'(x)\{f(x)\}^n\, dx = \int t^n\, dt$

중요
056
등식
$$\int (x+1)(x^2+2x-1)^3\, dx = \frac{1}{a}(x^2+2x-1)^b + C$$
가 성립할 때, 두 상수 a, b에 대하여 ab의 값은?
(단, C는 적분상수이다.)

① 24   ② 28   ③ 32
④ 36   ⑤ 40

057
함수 $f(x)=(kx-5)^3$의 한 부정적분을 $F(x)$라 하자. $F(x)$의 최고차항의 계수가 16일 때, 상수 k의 값을 구하시오.

058
자연수 n에 대하여 함수 $f_n(x)$가
$$f_n(x)=\int \frac{1}{n}(x+1)^n\, dx, \quad f_n(-1)=0$$
을 만족시킬 때, $\displaystyle\sum_{n=1}^{\infty} f_n(0)$의 값을 구하시오.

유형 **05** 무리함수의 치환적분법

$\displaystyle\int \sqrt{f(x)}\,f'(x)\,dx$ 또는 $\displaystyle\int \frac{f'(x)}{\sqrt{f(x)}}\,dx$ 꼴의 적분

① $f(x)=t$로 놓으면 $f'(x)\,dx=dt$

② $\displaystyle\int \sqrt{f(x)}\,f'(x)\,dx=\int \sqrt{t}\,dt$

$\displaystyle\int \frac{f'(x)}{\sqrt{f(x)}}\,dx=\int \frac{1}{\sqrt{t}}\,dt$

059

등식 $\displaystyle\int 2x\sqrt{x^2+3}\,dx=a(x^2+3)\sqrt{x^2+3}+C$가 성립할 때, 상수 a의 값은? (단, C는 적분상수이다.)

① $\dfrac{1}{3}$ ② $\dfrac{2}{3}$ ③ 1

④ $\dfrac{4}{3}$ ⑤ $\dfrac{5}{3}$

060

함수 $f(x)=\displaystyle\int \frac{1}{2x\sqrt{\ln x+1}}\,dx$에 대하여 $f(e^3)=4$일 때, $f(e^8)$의 값을 구하시오.

061

함수 $f(x)$가 $f'(x)=\dfrac{x^2}{\sqrt{x+1}}$, $f(0)=2$를 만족시킬 때, $f(-1)$의 값을 구하시오.

유형 **06** 지수·로그함수의 치환적분법

(1) 지수함수의 치환적분법

$\displaystyle\int f'(x)e^{f(x)}\,dx$ 꼴의 적분

① $f(x)=t$로 놓으면 $f'(x)\,dx=dt$

② $\displaystyle\int f'(x)e^{f(x)}\,dx=\int e^t\,dt$

(2) 로그함수의 치환적분법

$\displaystyle\int \frac{\ln x}{ax}\,dx\ (a\neq 0)$ 꼴의 적분

① $\ln x=t$로 놓으면 $\dfrac{1}{x}\,dx=dt$

② $\displaystyle\int \frac{\ln x}{ax}\,dx=\frac{1}{a}\int \ln x\cdot \frac{1}{x}\,dx=\frac{1}{a}\int t\,dt$

062

미분가능한 함수 $f(x)$가

$$\lim_{h\to 0}\frac{f(x+h)-f(x)}{h}=2xe^{x^2}$$

을 만족시킬 때, $f(1)-f(0)$의 값을 구하시오.

063

함수 $f(x)=\displaystyle\int \frac{(\ln x)^2}{x}\,dx$에 대하여 $f(e)=\dfrac{7}{3}$일 때, $3f(e^2)$의 값을 구하시오.

064

곡선 $y=f(x)$ 위의 임의의 점 (x, y)에서의 접선의 기울기가 $\dfrac{1}{x\ln x}$이고, 이 곡선이 점 $(e, 1)$을 지날 때, $f(e^3)$의 값은?

① 0 ② 1 ③ $\ln 3+1$

④ 3 ⑤ $3\ln 3$

유형 07 삼각함수의 치환적분법

(1) $\int \sin ax\, dx = -\dfrac{1}{a}\cos ax + C$ (단, $a \neq 0$)

(2) $\int \cos ax\, dx = \dfrac{1}{a}\sin ax + C$ (단, $a \neq 0$)

(3) $\int f(\sin x)\cos x\, dx$ 꼴의 적분

  ① $\sin x = t$로 놓으면 $\cos x\, dx = dt$

  ② $\int f(\sin x)\cos x\, dx = \int f(t)\, dt$

065

함수 $f(x) = \displaystyle\int (\sin^3 x + 1)\cos x\, dx$에 대하여 $f(\pi) = 1$일 때,

$f\left(\dfrac{\pi}{2}\right)$의 값을 구하시오.

066

함수 $f(x) = \displaystyle\int \tan x \sec^2 x\, dx$에 대하여 $f\left(\dfrac{\pi}{6}\right) = 1$일 때,

$f\left(\dfrac{\pi}{4}\right)$의 값을 구하시오.

067

부정적분 $\displaystyle\int \dfrac{3\cos^2 3x}{1 - \sin 3x}\, dx$를 구하면? (단, C는 적분상수이다.)

① $3x - \cos 3x + C$ ② $3x + \cos 3x + C$

③ $3x - \sin 3x + C$ ④ $3x + \sin 3x + C$

⑤ $\sin 3x - \cos 3x + C$

068

등식 $\displaystyle\int \sin^3 x \cos^2 x\, dx = \alpha \cos^5 x + \beta \cos^3 x + C$가 성립할 때,

두 상수 α, β에 대하여 $\alpha\beta$의 값을 구하시오.

(단, C는 적분상수이다.)

069

함수 $f(x) = \displaystyle\int \dfrac{\cos(\pi \ln x)}{x}\, dx$이고 $f(1) = 0$일 때,

$f(\sqrt{e}\,)$의 값은?

① $\dfrac{1}{2\pi}$ ② $\dfrac{1}{\pi}$ ③ $\dfrac{2}{\pi}$

④ $\dfrac{\pi}{2}$ ⑤ π

070

함수 $f(x)$가 다음 조건을 만족시킬 때, $f(\pi)$의 값을 구하시오.

> (가) $\dfrac{d}{dx}\{f(x)\cos x\} = 3\sin 3x + \sin x$
>
> (나) $f\left(\dfrac{\pi}{3}\right) = 1$

유형 **08** $\int \dfrac{f'(x)}{f(x)}\,dx$ 꼴의 부정적분

(1) $\dfrac{f'(x)}{f(x)}$ 꼴이면 $\int \dfrac{f'(x)}{f(x)}\,dx=\ln|f(x)|+C$

(2) $\dfrac{f'(x)}{f(x)}$ 꼴이 아니면 다음과 같이 푼다.

  ① (분자의 차수)≥(분모의 차수)일 때

    (i) 인수분해가 되면 인수분해하여 약분한다.

    (ii) 인수분해가 되지 않으면 직접 나눗셈을 하여 몫과

       나머지로 분리하여 적분한다.

  ② (분자의 차수)<(분모의 차수)일 때 부분분수로 분리한다.

071

함수 $f(x)$에 대하여 $f(x)=\displaystyle\int \dfrac{x-1}{x^2-2x-2}\,dx$, $f(1)=3$일 때, $f(-2)$의 값은?

① $\dfrac{1}{2}\ln 2-3$ ② $\dfrac{1}{2}\ln 2$ ③ $\dfrac{1}{2}\ln 2+3$

④ $\dfrac{1}{2}\ln 6$ ⑤ $\dfrac{1}{2}\ln 6+3$

072

$f(0)=0$을 만족시키는 함수 $f(x)$의 도함수가

$f'(x)=\dfrac{\sin x}{3-\cos x}$일 때, $f(\pi)$의 값을 구하시오.

073

함수 $f(x)=\displaystyle\int \dfrac{e^{2x}}{e^{2x}-1}\,dx-\int \dfrac{e^{x}}{e^{2x}-1}\,dx$가 $f(0)=0$을 만족시킬 때, $f(1)$의 값을 구하시오.

074

함수 $f(x)=\displaystyle\int \dfrac{x^3-1}{x^2-1}\,dx$에 대하여 $f(0)=0$일 때, $f(1)$의 값은?

① $\dfrac{1}{2}+\ln 2$ ② $\dfrac{1}{2}+2\ln 2$ ③ $1+\ln 2$

④ $1+2\ln 2$ ⑤ $2+\ln 2$

075

함수

$$f(x)=\int \dfrac{x-5}{x^2+4x+3}\,dx+\int \dfrac{6-x}{x^2+4x+3}\,dx$$

에 대하여 $f(-2)=0$일 때, $f(1)+f(2)+f(3)$의 값을 구하시오.

076

$0\le x<\dfrac{\pi}{2}$에서 정의된 함수 $f(x)$가

$$f'(x)=\dfrac{1}{\cos x},\ f(0)=0$$

을 만족시킬 때, $f\left(\dfrac{\pi}{6}\right)$의 값을 구하시오.

유형 09 부분적분법

$$\int f(x)g'(x)\,dx = f(x)g(x) - \int f'(x)g(x)\,dx$$

- $f(x)$는 미분하기 쉬운 함수 ⇨ 다항함수, 로그함수
- $g'(x)$는 적분하기 쉬운 함수 ⇨ 지수함수, 삼각함수

참고 부분적분법을 2번 적용하는 경우

(1) 부분적분법을 1회 실시하여 부정적분을 구할 수 없을 때는 부분적분법을 2회 실시한다.

(2) (지수함수)×(삼각함수) 꼴의 부정적분은 같은 꼴이 나타날 때까지 부분적분법을 반복한다.

077

부정적분 $\int 9x^2 \ln x\,dx$를 구하면? (단, C는 적분상수이다.)

① $x^2 \ln x - 4x^2 + C$
② $2x^2 \ln x - x^2 + C$
③ $x^3 \ln x - x^3 + C$
④ $2x^3 \ln x - 4x^2 + C$
⑤ $3x^3 \ln x - x^3 + C$

078

함수 $f(x)$에 대하여 $f'(x) = xe^{-x}$이고 $f(-1) = 1$일 때, $f(0)$의 값을 구하시오.

079

곡선 $y = f(x)$ 위의 임의의 점 (x, y)에서의 접선의 기울기가 $x \sin x$일 때, $f(3\pi) - f(2\pi)$의 값을 구하시오.

080

점 $(1, 0)$을 지나는 곡선 $y = f(x)$가 있다. 이 곡선 위의 임의의 점 (x, y)에서의 접선에 수직인 직선의 기울기가 $\dfrac{1}{\ln x}$일 때, 이 곡선의 방정식을 구하시오.

081

양의 실수를 정의역으로 하는 두 함수 $f(x) = x$, $h(x) = \ln x$에 대하여 다음 조건을 만족시키는 함수 $g(x)$가 있다. $g(e)$의 값은?

(가) $f'(x)g(x) + f(x)g'(x) = h(x)$
(나) $g(1) = -1$

① -2
② -1
③ 0
④ 1
⑤ 2

082

부정적분 $\int e^x \sin x\,dx$를 구하면? (단, C는 적분상수이다.)

① $\dfrac{1}{2}e^x(\sin x - \cos x) + C$
② $\dfrac{1}{2}e^x(\cos x - \sin x) + C$
③ $e^x(\sin x - \cos x) + C$
④ $e^x(\cos x - \sin x) + C$
⑤ $e^x(\sin x + \cos x) + C$

083

실수 전체의 집합에서 연속인 함수 $f(x)$의 도함수 $f'(x)$가

$$f'(x) = \begin{cases} \dfrac{1}{x^2} & (x < -1) \\ 3x^2 + 1 & (x > -1) \end{cases}$$

이고 $f(-2) = \dfrac{1}{2}$일 때, $f(0)$의 값은?

① 1   ② 2   ③ 3

④ 4   ⑤ 5

084

함수 $f(x) = \displaystyle\int (5x^2 + ae^{-x} + x)\,dx$에 대하여 곡선 $y = f(x)$ 위의 $x = 1$인 점에서의 접선의 기울기가 $e^2 + 6$일 때, 상수 a의 값을 구하시오.

085

$x > 0$에서 정의된 함수 $f(x)$의 한 부정적분을 $F(x)$라 할 때, $F(x) = xf(x) - (x \sin x + \cos x)$, $F\left(\dfrac{\pi}{2}\right) = \dfrac{\pi}{2}$가 성립한다. $f(\pi)$의 값을 구하시오.

086

다항함수 $f(x)$가 다음 조건을 만족시킨다.

> (가) $\displaystyle\lim_{x \to \infty} \dfrac{f(x)}{x^2 + x - 4} = 1$
>
> (나) $\displaystyle\lim_{x \to 4} \dfrac{f(x)}{x - 4} = 6$

$F(x) = \displaystyle\int (x-1)\{f(x)\}^3\,dx$라 할 때, $F(2) - F(-2)$의 값을 구하시오.

087

함수 $f(x) = \displaystyle\int \dfrac{x}{\sqrt{x^2 + 3}}\,dx$에 대하여 $f(1) = -2$일 때, 방정식 $f(x) = 0$을 만족시키는 모든 실수 x의 값의 곱은?

① -13 ② -11 ③ -7

④ 11   ⑤ 13

088

함수 $f(x)$의 도함수가 $f'(x) = \dfrac{\ln x}{x}$이고 곡선 $y = f(x)$가 점 $(1, 10)$을 지날 때, $f(e^4)$의 값을 구하시오.

 쌤꼭 문제

089

함수 $f(x) = \displaystyle\int \frac{e^{2x}}{e^x + 1}\,dx$, $f(0) = \dfrac{1}{2}$일 때, $f(\ln 3)$의 값을 구하시오.

090

곡선 $y = f(x)$ 위의 점 (x, y)에서의 접선의 기울기가 $e^{\sin x}\cos x$이고 이 곡선이 점 $(0, 1)$을 지날 때, $f\!\left(\dfrac{3}{2}\pi\right)$의 값은?

① $\dfrac{1}{e}$ ② $\dfrac{2}{e}$ ③ e

④ e^2 ⑤ e^3

091

$-\dfrac{\pi}{2} < x < \dfrac{\pi}{2}$에서 정의된 함수

$$f(x) = \int \frac{\sin x}{1 - \sin^2 x}\,dx$$

에 대하여 $f\!\left(\dfrac{\pi}{3}\right) - f(0)$의 값을 구하시오.

092

양의 실수 전체의 집합에서 정의된 미분가능한 함수 $f(x)$에 대하여 $\displaystyle\lim_{h \to 0} \frac{f(x+h) - f(x)}{h} = \dfrac{\ln x}{x^2}$이고 $f(e) = 0$일 때, $f(1)$의 값을 구하시오.

🎖 1등급 문제

093

실수 전체의 집합에서 연속인 함수 $f(x)$의 도함수 $f'(x)$가

$$f'(x) = \begin{cases} \sin^2 x \cos x & (x < 0) \\ xe^{x^2} & (x > 0) \end{cases}$$

이고 $f(-\pi) = -2$일 때, $f(1)$의 값은?

① $\dfrac{1}{2}e - \dfrac{5}{2}$ ② $\dfrac{1}{2}e - 2$ ③ $\dfrac{1}{2}e - 1$

④ $e - 5$ ⑤ $e - 2$

094

등식 $\displaystyle\int \frac{x-1}{x^3+1}\,dx = p\ln|x+1| + q\ln(x^2 - x + 1) + C$가 성립할 때, 두 상수 p, q에 대하여 $p + q$의 값을 구하시오.

(단, C는 적분상수이다.)

12 정적분

12 정적분

1 정적분의 정의

구간 $[a, b]$에서 연속인 함수 $f(x)$의 한 부정적분을 $F(x)$라 할 때,

$$\int_a^b f(x)\,dx=\Big[F(x)\Big]_a^b=F(b)-F(a)$$

이다. 이때 $\int_a^b f(x)\,dx$의 값 $F(b)-F(a)$를 함수 $f(x)$의 a에서 b까지의 정적분이라고 한다.

2 치환적분법을 이용한 정적분

(1) 구간 $[a, b]$에서 연속인 함수 $f(x)$에 대하여 미분가능한 함수 $x=g(t)$의 도함수 $g'(t)$가 구간 $[\alpha, \beta]$에서 연속이고 $a=g(\alpha)$, $b=g(\beta)$이면

$$\int_a^b f(x)\,dx=\int_\alpha^\beta f(g(t))g'(t)\,dt$$

(2) 삼각치환법

① $\sqrt{a^2-x^2}$, $\dfrac{1}{\sqrt{a^2-x^2}}$ $(a>0)$ 꼴 ➡ $x=a\sin\theta\left(-\dfrac{\pi}{2}\le\theta\le\dfrac{\pi}{2}\right)$로 치환

② $\sqrt{x^2+a^2}$, $\dfrac{1}{\sqrt{x^2+a^2}}$ $(a>0)$ 꼴 ➡ $x=a\tan\theta\left(-\dfrac{\pi}{2}<\theta<\dfrac{\pi}{2}\right)$로 치환

3 부분적분법을 이용한 정적분

두 함수 $f(x)$, $g(x)$가 미분가능하고 $f'(x)$, $g'(x)$가 연속일 때,

$$\int_a^b f(x)g'(x)\,dx=\Big[f(x)g(x)\Big]_a^b-\int_a^b f'(x)g(x)\,dx$$

4 정적분으로 정의된 함수의 미분

(1) $\dfrac{d}{dx}\displaystyle\int_a^x f(t)\,dt=f(x)$ (단, a는 상수)

(2) $\dfrac{d}{dx}\displaystyle\int_x^{x+a} f(t)\,dt=f(x+a)-f(x)$ (단, a는 상수)

5 정적분으로 정의된 함수의 극한

(1) $\displaystyle\lim_{x\to a}\dfrac{1}{x-a}\int_a^x f(t)\,dt=f(a)$

(2) $\displaystyle\lim_{x\to 0}\dfrac{1}{x}\int_a^{x+a} f(t)\,dt=f(a)$

기본 문제

1 정적분의 계산

[001-010] 다음 정적분의 값을 구하시오.

001 $\int_2^5 \dfrac{1}{x}\,dx$

002 $\int_1^9 \sqrt{x}\,dx$

003 $\int_0^3 e^x\,dx$

004 $\int_0^2 3^x\,dx$

005 $\int_{\frac{\pi}{2}}^{\pi} \sin t\,dt$

006 $\int_1^2 (e^x+2x)\,dx$

007 $\int_{\pi}^{2\pi} (\cos x - \sin x)\,dx$

008 $\int_1^2 (\sqrt{x}-2)\,dx + \int_2^4 (\sqrt{x}-2)\,dx$

009 $\int_0^1 \sin^2 x\,dx + \int_0^1 \cos^2 x\,dx$

010 $\int_0^1 (e^x+1)^2\,dx - \int_0^1 (e^x-1)^2\,dx$

[011-013] 우함수와 기함수의 성질을 이용하여 다음 정적분의 값을 구하시오.

011 $\displaystyle\int_{-2}^{2}(x^3+3x^2+x)\,dx$

012 $\displaystyle\int_{-1}^{1}(e^x+e^{-x})\,dx$

013 $\displaystyle\int_{-\frac{\pi}{2}}^{\frac{\pi}{2}}(\cos x+\sin x)\,dx$

---

2 치환적분법을 이용한 정적분

[014-025] 치환적분법을 이용하여 다음 정적분의 값을 구하시오.

014 $\displaystyle\int_{1}^{2}(2x-3)^4\,dx$

015 $\displaystyle\int_{0}^{\pi}\sin(2x-\pi)\,dx$

016 $\displaystyle\int_{0}^{1}2x(x^2+1)^3\,dx$

017 $\displaystyle\int_{1}^{7}\sqrt{x+2}\,dx$

018 $\displaystyle\int_{0}^{\sqrt{3}}2x\sqrt{x^2+1}\,dx$

019 $\displaystyle\int_{2}^{3}\frac{2x}{x^2-1}\,dx$

020 $\displaystyle\int_{0}^{\frac{\pi}{2}}\sin^2 x\cos x\,dx$

021 $\displaystyle\int_{0}^{\frac{\pi}{3}} \cos^2 x \sin x \, dx$

022 $\displaystyle\int_{0}^{1} \frac{e^x}{e^x+2} \, dx$

023 $\displaystyle\int_{1}^{e^2} \frac{\ln x}{x} \, dx$

024 $\displaystyle\int_{0}^{\frac{\pi}{2}} \frac{\sin x}{1+\cos x} \, dx$

025 $\displaystyle\int_{e}^{e^2} \frac{1}{x \ln x} \, dx$

[026-028] 삼각치환법을 이용하여 다음 정적분의 값을 구하시오.

026 $\displaystyle\int_{0}^{1} \sqrt{1-x^2} \, dx$

027 $\displaystyle\int_{0}^{2} \sqrt{4-x^2} \, dx$

028 $\displaystyle\int_{0}^{1} \frac{1}{x^2+1} \, dx$

[029-030] 임의의 실수 x에 대하여 다음 식을 만족시키는 함수 $f(x)$의 주기를 a라 할 때, a의 최댓값을 구하시오.

029 $f(x+3)=f(x)$

030 $f(x-2)=f(x)$

3   부분적분법을 이용한 정적분

[031-035] 부분적분법을 이용하여 다음 정적분의 값을 구하시오.

031 $\displaystyle\int_1^e \ln x\, dx$

032 $\displaystyle\int_0^1 2xe^x\, dx$

033 $\displaystyle\int_0^1 xe^{-x}\, dx$

034 $\displaystyle\int_1^e x \ln x\, dx$

035 $\displaystyle\int_0^{\frac{\pi}{2}} x \cos x\, dx$

4   정적분으로 정의된 함수

036 다음은 함수 $f(x)=2x+\displaystyle\int_0^2 f(t)dt$에 대하여 $f(2)$의 값을 구하는 과정이다. ☐ 안에 알맞은 것을 써넣으시오.

$$\int_0^2 f(t)dt = k \ (k\text{는 상수})\text{로 놓으면}$$
$$f(x) = \boxed{}$$
$$\int_0^2 f(t)dt = \int_0^2 \boxed{}\, dt$$
$$= \left[\, \boxed{}\, \right]_0^2 = k$$
따라서 $k = \boxed{}$이므로
$$f(x) = \boxed{}$$
$$\therefore f(2) = \boxed{}$$

[037-038] 연속함수 $f(x)$가 모든 실수 x에 대하여 다음 식을 만족시킬 때, 상수 a의 값을 구하시오.

037 $\displaystyle\int_0^x f(t)\, dt = e^x + a$

038 $\displaystyle\int_1^x f(t)\, dt = \ln x - 2x + a$

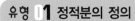

유형 01 정적분의 정의

구간 $[a, b]$에서 연속인 함수 $f(x)$의 한 부정적분을 $F(x)$라 하면
$$\int_a^b f(x)\,dx = \Big[\, F(x)\, \Big]_a^b = F(b) - F(a)$$

039
$\displaystyle\int_1^a \left(\dfrac{1}{x^2} + \dfrac{1}{x^3} \right) dx = \dfrac{7}{8}$ 일 때, 양수 a의 값을 구하시오.

040
$\displaystyle\int_0^1 (x + \sqrt{x})^2\, dx = \dfrac{q}{p}$ 일 때, $p+q$의 값을 구하시오.

(단, p와 q는 서로소인 자연수이다.)

041
정적분 $\displaystyle\int_0^1 \dfrac{4^x - 1}{2^x - 1}\, dx$의 값은?

① $\ln 2$　　　② $\dfrac{1}{\ln 2}$　　　③ $\ln 2 + 1$

④ $\dfrac{1}{\ln 2} + 1$　　　⑤ $\dfrac{1}{\ln 2} + 2$

042
정적분 $\displaystyle\int_0^\pi (4e^{2x} + \cos x)\, dx$의 값은?

① $e^\pi - 1$　　　② $e^{2\pi} - 2$　　　③ $e^{2\pi} + 2$

④ $2e^{2\pi} - 2$　　　⑤ $2e^{2\pi} + 2$

043
정적분 $\displaystyle\int_0^a \dfrac{1}{\sin^2 x - 1}\, dx = 1$일 때, 상수 a의 값을 구하시오.

(단, $0 < a < \pi$)

044
$\displaystyle\int_0^1 \dfrac{1}{x^2 + 5x + 6}\, dx = \ln k$일 때, 양수 k의 값을 구하시오.

유형 02 정적분의 성질

두 함수 $f(x)$, $g(x)$가 구간 $[a, b]$에서 연속일 때

(1) $\displaystyle\int_a^b kf(x)\,dx=k\int_a^b f(x)\,dx$ (단, k는 상수)

(2) $\displaystyle\int_a^b \{f(x)\pm g(x)\}\,dx=\int_a^b f(x)\,dx\pm\int_a^b g(x)\,dx$

(복부호 동순)

(3) $\displaystyle\int_a^b f(x)\,dx=-\int_b^a f(x)\,dx$

(4) $\displaystyle\int_a^b f(x)\,dx=\int_a^c f(x)\,dx+\int_c^b f(x)\,dx$

045

$\displaystyle\int_1^4 (\sqrt{x}+1)^2\,dx-\int_1^4 (\sqrt{x}-1)^2\,dx=\dfrac{q}{p}$일 때, $p+q$의 값을 구하시오. (단, p와 q는 서로소인 자연수이다.)

046 중요

정적분 $\displaystyle\int_0^1 (2x+e^{-x})\,dx+\int_1^2 (2y+e^{-y})\,dy$의 값은?

① $5-\dfrac{1}{e^2}$ ② $5-\dfrac{2}{e^2}$ ③ $4-\dfrac{1}{e^2}$

④ $4-\dfrac{2}{e^2}$ ⑤ $3-\dfrac{1}{e^2}$

047

정적분 $\displaystyle\int_0^{\frac{\pi}{2}} \dfrac{1}{1+\cos x}\,dx+\int_{\frac{\pi}{2}}^0 \dfrac{\cos^2 x}{1+\cos x}\,dx$의 값을 구하시오.

유형 03 구간별로 주어진 함수의 정적분

$a<c<b$인 세 상수 a, b, c에 대하여 실수 전체의 집합에서 연속인 함수 $f(x)$가

$$f(x)=\begin{cases} g(x) & (x<c) \\ h(x) & (x\geq c) \end{cases}$$일 때,

$$\int_a^b f(x)\,dx=\int_a^c g(x)\,dx+\int_c^b h(x)\,dx$$

048

함수 $f(x)=\begin{cases} \cos x+2 & \left(x<\dfrac{\pi}{2}\right) \\ 2\sin x & \left(x\geq\dfrac{\pi}{2}\right) \end{cases}$에 대하여 정적분

$\displaystyle\int_0^\pi f(x)\,dx$의 값은?

① $3-\dfrac{\pi}{2}$ ② 3 ③ $3+\dfrac{\pi}{2}$

④ $3+\pi$ ⑤ 2π

049

함수 $f(x)=\begin{cases} e^x & (x<0) \\ \sqrt[3]{x}+1 & (x\geq 0) \end{cases}$일 때, 정적분 $\displaystyle\int_{\ln\frac{1}{2}}^1 f(x)\,dx$의 값을 구하시오.

050 중요

함수 $f(x)=\begin{cases} \sin x+1 & \left(x<\dfrac{\pi}{2}\right) \\ \cos x+k & \left(x\geq\dfrac{\pi}{2}\right) \end{cases}$가 모든 실수 x에 대하여 연속

일 때, 정적분 $\displaystyle\int_0^\pi f(x)\,dx$의 값을 구하시오. (단, k는 상수이다.)

유형 04 절댓값 기호를 포함한 함수의 정적분

절댓값 기호 안의 식의 값을 0이 되게 하는 x의 값을 경계로 적분 구간을 나눈다.

051

정적분 $\displaystyle\int_0^{\frac{\pi}{2}} |\sin x - \cos x|\, dx$의 값을 구하시오.

052

정적분 $\displaystyle\int_0^1 |e^x - 2|\, dx$의 값은?

① $4\ln 2 + 2e - 1$ ② $4\ln 2 + 2e - 3$ ③ $4\ln 2 + 2e - 5$

④ $4\ln 2 + e - 3$ ⑤ $4\ln 2 + e - 5$

053

$\displaystyle\int_0^2 \left| \frac{x-1}{x+1} \right| dx = \ln k$일 때, 양수 k의 값을 구하시오.

유형 05 우함수와 기함수의 정적분

함수 $f(x)$가 구간 $[-a,\ a]$에서 연속이고

(1) $f(-x) = f(x)$이면 $\displaystyle\int_{-a}^a f(x)\, dx = 2\int_0^a f(x)\, dx$

(2) $f(-x) = -f(x)$이면 $\displaystyle\int_{-a}^a f(x)\, dx = 0$

054

정적분 $\displaystyle\int_{-\frac{\pi}{2}}^{\frac{\pi}{2}} (\cos x + 3\sin x)\, dx$의 값을 구하시오.

055

정적분 $\displaystyle\int_{-1}^1 (2^x + 3^x + 2^{-x} - 3^{-x})\, dx$의 값을 구하시오.

056

임의의 두 실수 $a,\ b$에 대하여

$$\int_{-a}^{-b} f(x)\, dx = \int_a^b f(x)\, dx$$

를 만족시키는 함수를 〈보기〉에서 있는 대로 고른 것은?

┤ 보기 ├

ㄱ. $f(x) = e^x + \cos x$ ㄴ. $f(x) = x^2 + \cos x$

ㄷ. $f(x) = \sin x \cos x + \dfrac{1}{x^3}$

① ㄱ   ② ㄴ   ③ ㄷ

④ ㄱ, ㄷ   ⑤ ㄴ, ㄷ

유형 06 정적분의 치환적분법 (1)

(1) 피적분함수가 복잡할 때는 치환적분법을 이용하되 변수가 바뀌면 적분 구간이 바뀐다는 점에 주의한다.

(2) 주어진 식의 적당한 부분을 t로 놓고

$$y=e^{f(x)} \Rightarrow y'=f'(x)e^{f(x)}$$

$$y=\ln f(x) \Rightarrow y'=\frac{f'(x)}{f(x)}$$

임을 이용하여 t에 대한 정적분의 식으로 고친다.

057

정적분 $2\int_{-1}^{1} \dfrac{x+1}{x^2+2x+5}\,dx$의 값은?

① $\ln 2$ ② $\ln 4$ ③ $\ln 6$

④ $\ln 8$ ⑤ $\ln 10$

058

정적분 $\int_{0}^{\sqrt{3}} 3x\sqrt{x^2+1}\,dx$의 값을 구하시오.

059

정적분 $\int_{0}^{1} 2xe^{x^2}\,dx$의 값을 구하시오.

060

정적분 $\int_{-2}^{0} \dfrac{e^x}{e^x+1}\,dx - \int_{2}^{0} \dfrac{e^x}{e^x+1}\,dx$의 값은?

① 1 ② $\ln(e^2-1)$ ③ 2

④ $\ln(e^2+1)$ ⑤ $\ln(e^2+2)$

061

정적분 $\int_{1}^{e} \dfrac{(\ln x)^2}{x}\,dx$의 값을 구하시오.

062

정적분 $\int_{1}^{e} \dfrac{1}{x(1+\ln x)^3}\,dx$의 값을 구하시오.

유형 07 정적분의 치환적분법 (2)

(1) 주어진 식의 적당한 부분을 t로 놓고 $(\sin x)'=\cos x$, $(\cos x)'=-\sin x$임을 이용하여 t에 대한 정적분의 식으로 고친다.

(2) 삼각치환법

　① $\sqrt{a^2-x^2}$, $\dfrac{1}{\sqrt{a^2-x^2}}$ $(a>0)$ 꼴

　　$\Rightarrow x=a\sin\theta\left(-\dfrac{\pi}{2}\le\theta\le\dfrac{\pi}{2}\right)$로 치환

　② $\sqrt{x^2+a^2}$, $\dfrac{1}{\sqrt{x^2+a^2}}$ $(a>0)$ 꼴

　　$\Rightarrow x=a\tan\theta\left(-\dfrac{\pi}{2}<\theta<\dfrac{\pi}{2}\right)$로 치환

063

정적분 $\displaystyle\int_0^{\frac{\pi}{2}}\sin x\cos^3 x\,dx$의 값을 구하시오.

064

정적분 $\displaystyle\int_0^{\pi}\dfrac{\sin^3 x}{1+\cos x}\,dx$의 값은?

① $\dfrac{1}{2}$ ② 1 ③ $\dfrac{3}{2}$

④ 2 ⑤ $\dfrac{5}{2}$

065

$\displaystyle\int_0^{\frac{\pi}{2}}\dfrac{\sin x\cos x}{1+\sin^2 x}\,dx=\dfrac{1}{2}\ln k$가 성립할 때, 양수 k의 값을 구하시오.

066

정적분 $\displaystyle\int_0^{\frac{\pi}{4}}\dfrac{1}{\cos x}\,dx$의 값은?

① $\dfrac{1}{2}\ln(3-2\sqrt{2})$ ② $\ln(3-2\sqrt{2})$

③ $\dfrac{1}{2}\ln(3+2\sqrt{2})$ ④ $\ln(3+2\sqrt{2})$

⑤ $2\ln(3+2\sqrt{2})$

067

정적분 $\displaystyle\int_0^1\dfrac{1}{\sqrt{1-x^2}}\,dx$의 값을 구하시오.

068

$\displaystyle\int_{e^2}^{e^3}\dfrac{a+\ln x}{x}\,dx=\int_0^{\frac{\pi}{2}}(1+\sin x)\cos x\,dx$가 성립할 때, 상수 a의 값을 구하시오.

함수 $f(x)$가 임의의 실수 x에 대하여
$$f(x+p)=f(x) \ (p는 0이 아닌 상수)$$
일 때,

(1) $\int_{a+np}^{b+np} f(x)dx=\int_a^b f(x)dx$ (단, n은 정수)

(2) $\int_a^{a+np} f(x)dx=n\int_0^b f(x)dx$ (단, n은 정수)

069

정적분 $\int_1^{1+2\pi} |\sin x|\, dx$의 값은?

① 2　　　　　② π　　　　　③ 4

④ 6　　　　　⑤ 2π

070

함수 $f(x)=\begin{cases} \pi x^2 & (0\le x\le 1) \\ \pi \sin \dfrac{\pi}{2} x & (1<x\le 2) \end{cases}$ 가 모든 실수 x에 대하여

$f(x+2)=f(x)$를 만족시킨다. $\int_0^{12} f(x)\,dx=a\pi+b$일 때,

두 정수 a, b에 대하여 $a+b$의 값을 구하시오.

071

연속함수 $y=f(x)$의 그래프가 직선 $x=1$에 대하여 대칭이고,
모든 실수 a에 대하여
$$\int_{a-2}^a f(a-x)\,dx=30$$
일 때, $\int_0^1 f(x)\,dx$의 값을 구하시오.

$$\int_a^b f(x)g'(x)\,dx=\Big[f(x)g(x)\Big]_a^b-\int_a^b f'(x)g(x)\,dx$$
• $f(x)$는 미분하기 쉬운 함수 ⇨ 로그함수, 다항함수
• $g'(x)$는 적분하기 쉬운 함수 ⇨ 지수함수, 삼각함수

072

정적분 $\int_0^{\frac{\pi}{2}} x\sin x\,dx$의 값을 구하시오.

073

$\int_0^{\frac{\pi}{k}} x\cos kx\,dx=-\dfrac{1}{18}$ 을 만족시키는 양수 k의 값을 구하시오.

074
중요

정적분 $\int_0^1 (2x+e^{2x})^2\,dx-\int_0^1 (2x-e^{2x})^2\,dx$의 값은?

① e^2+1　　　② $2(e^2-1)$　　　③ $2(e^2+1)$

④ $4(e^2-1)$　　　⑤ $4(e^2+1)$

075

함수 $f(x)=xe^x$에 대하여 정적분

$\int_2^4 f(x)\,dx - \int_3^4 f(x)\,dx + \int_1^2 f(x)\,dx$의 값을 구하시오.

076

정적분 $\int_0^{2\pi} e^t \cos t\,dt$의 값은?

① $\dfrac{2e}{3}$ ② $\dfrac{e^{2\pi}-1}{3}$ ③ $\dfrac{e^{2\pi}}{3}$

④ $\dfrac{e^{2\pi}-1}{2}$ ⑤ $\dfrac{e^{2\pi}}{2}$

077

두 실수 a, b에 대하여 연산 $*$를 $a*b = \begin{cases} a & (a \geq b) \\ b & (a < b) \end{cases}$로 정의할

때, 정적분 $\int_1^{e^2} (\ln x * 1)\,dx$의 값을 구하시오.

유형 10 정적분으로 정의된 함수 – 적분 구간이 상수

$f(x)=g(x)+\int_a^b f(t)\,dt$ (a, b는 상수) 꼴의 등식이 주어지면

$f(x)$는 다음과 같은 순서로 구한다.

① $\int_a^b f(t)\,dt = k$ (k는 상수)로 놓는다.

② $f(x)=g(x)+k$를 $\int_a^b f(t)\,dt = k$에 대입하여 k의 값을 구한다.

078 ⭐중요

함수 $f(x)=e^x+2\int_0^1 f(t)\,dt$에 대하여 $f(x)=2$를 만족시키는

x의 값은?

① $\ln 2$ ② $1+\ln 2$ ③ $2+\ln 2$

④ $e+\ln 2$ ⑤ $e+\ln 3$

079

연속함수 $f(x)$가

$$f(x)=\cos \pi x + \int_0^{\frac{1}{2}} f(t)\,dt$$

를 만족시킬 때, 정적분 $\int_0^{\frac{1}{2}} \{\cos \pi x + f(x)\}\,dx$의 값을 구하시오.

080

함수 $f(x)=e^x+\int_0^2 2xf(t)\,dt$에 대하여 $f(1)=ae^2+e+b$일

때, $a+b$의 값을 구하시오. (단, a, b는 유리수이다.)

유형 문제

유형 **11** 정적분으로 정의된 함수 – 적분 구간이 변수

함수 $f(x)$가 $\int_a^x f(t)\,dt = g(x)$ (a는 상수) 꼴의 등식이 주어지면 $f(x)$는 다음과 같은 순서로 구한다.

① 양변에 $x=a$를 대입한다.

⇨ $\int_a^a f(t)\,dt = 0$이므로 $g(a) = 0$

② 양변을 x에 대하여 미분한다.

⇨ $\dfrac{d}{dx}\int_a^x f(t)\,dt = g'(x)$이므로 $f(x) = g'(x)$

081

모든 실수 x에 대하여 미분가능한 함수 $f(x)$가

$\int_0^x f(t)\,dt = e^x + 2x - a$를 만족시킬 때, $a+f(a)$의 값은?

(단, a는 상수이다.)

① $e+1$ 　② $e+2$ 　③ $e+3$

④ $e+4$ 　⑤ $e+5$

082

$x>0$에서 미분가능한 함수 $f(x)$가 $xf(x) - x = \int_1^x f(t)\,dt$를 만족시킬 때, $f(e^3) + f\left(\dfrac{1}{e}\right)$의 값을 구하시오.

083

$\int_0^x (x-t)f(t)\,dt = x(e^{2x} - 1)$을 만족시키는 함수 $f(x)$에 대하여 $f(1)$의 값을 구하시오.

유형 **12** 정적분으로 정의된 함수 – 극한과 미분

(1) $f(x) = \int_a^x g(t)\,dt$ (a는 상수)로 정의된 함수 $f(x)$의 극값은 양변을 x에 대하여 미분하면 $f'(x) = g(x)$임을 이용한다.

(2) 정적분으로 정의된 함수의 극한

① $\displaystyle\lim_{x \to a} \dfrac{1}{x-a}\int_a^x f(t)\,dt = f(a)$

② $\displaystyle\lim_{x \to 0} \dfrac{1}{x}\int_a^{x+a} f(t)\,dt = f(a)$

084

함수 $f(x) = \int_x^{x+1} te^t\,dt$가 $x=a$에서 극솟값을 가질 때, a의 값은?

① $\dfrac{e}{e-1}$ 　② $\dfrac{e}{e+1}$ 　③ $-\dfrac{e-1}{e}$

④ $-\dfrac{e+1}{e}$ 　⑤ $-\dfrac{e}{e-1}$

085

$\displaystyle\lim_{x \to \frac{\pi}{2}} \dfrac{1}{x-\frac{\pi}{2}}\int_{\frac{\pi}{2}}^x \dfrac{1}{2-\cos t}\,dt$의 값을 구하시오.

086

함수 $f(x) = e^x \sin \dfrac{\pi}{2}x + 3x^2 + 4$에 대하여

$\displaystyle\lim_{x \to 2} \dfrac{1}{x^2 - 4}\int_2^x f(t)\,dt$의 값을 구하시오.

정답 및 해설 108쪽

087

$\displaystyle\int_0^1 (2^x+1)(4^x-2^x+1)\,dx = \dfrac{a}{\ln 8} + b$일 때, 두 자연수 a, b에 대하여 $a+b$의 값을 구하시오.

088

정적분 $\displaystyle\int_0^{\ln 2} \dfrac{1}{e^x+1}\,dx - \int_{\ln 2}^0 \dfrac{e^{3t}}{e^t+1}\,dt$의 값을 구하시오.

089

$\displaystyle\int_0^{\frac{\pi}{2}} |\cos 2x|\,dx$의 값은?

① 1   ② 2   ③ 3

④ 4   ⑤ 5

090

임의의 실수 x에 대하여 $f(-x)=f(x)$를 만족시키는 함수 $f(x)$의 이계도함수가 존재하고 $f'(1)=10$일 때, $\displaystyle\int_{-1}^1 f'(x)\,dx + \int_{-1}^1 f''(x)\,dx$의 값을 구하시오.

091

$\displaystyle\int_1^a e^{2x-2a}\,dx = -\dfrac{1}{2}$을 만족시키는 상수 a의 값은?

① $-\dfrac{1}{2} - \dfrac{1}{2}\ln 2$ ② $-\dfrac{1}{2}\ln 2$ ③ $1-\ln 2$

④ $1-\dfrac{1}{2}\ln 2$ ⑤ $\ln 2$

092

함수 $f(x) = \dfrac{x}{1+x^2}\ln(1+x^2)$에 대하여

$\displaystyle\int_0^1 f(x)\,dx + \int_1^2 f(x)\,dx - \int_{\sqrt{3}}^2 f(x)\,dx$의 값을 구하시오.

093

연속함수 $f(x)$가 모든 실수 x에 대하여

$$f(x)+f(-x)=\cos x$$

를 만족시킬 때, $\displaystyle\int_{-\frac{\pi}{4}}^{\frac{\pi}{4}} f(x)\, dx$의 값을 구하시오.

096

함수 $f(x)$에 대하여 $\displaystyle\int_{1}^{x}(x-t)f(t)\, dt=x^2\ln x+ax+b$가

성립할 때, $b-a$의 값을 구하시오. (단, a, b는 상수이다.)

094

$f(x)=\displaystyle\sum_{k=1}^{12}(-1)^k\times k\ln x$에 대하여 정적분 $\displaystyle\int_{1}^{e}xf(x)\, dx$의 값은?

① $\dfrac{1}{2}(e^2+1)$ ② e^2-1 ③ e^2+1

④ $\dfrac{3}{2}(e^2-1)$ ⑤ $\dfrac{3}{2}(e^2+1)$

1등급 문제

097

정적분 $\displaystyle\int_{0}^{1}\dfrac{1}{\sqrt{x^2+1}}\, dx$의 값은?

① $\ln(\sqrt{2}-1)$ ② $\ln(2\sqrt{2}-1)$ ③ $\ln(\sqrt{2}+1)$
④ $\ln 2\sqrt{2}$ ⑤ $\ln(2\sqrt{2}+1)$

098

k가 음수일 때, 함수 $f(x)=\dfrac{3}{x}+k\ (x>0)$에 대하여 함수 $g(x)$를

$$g(x)=mx+\int_{1}^{x}|f(t)|\, dt\ (x>0)$$

라 하자. 함수 $g(x)$가 오직 하나의 극값을 갖도록 하는 실수 m의 최댓값이 -3일 때, $f\left(\dfrac{1}{3}\right)$의 값을 구하시오.

095

연속함수 $f(x)$가 $f(x)=e^{x^2}+\displaystyle\int_{0}^{1}tf(t)\, dt$를 만족시킬 때,

$\displaystyle\int_{0}^{1}xf(x)\, dx$의 값을 구하시오.

13 정적분과 도형의 넓이

13 정적분과 도형의 넓이

1 구분구적법

도형의 넓이나 입체의 부피를 다음과 같은 순서로 구한다.
① 주어진 도형을 충분히 작은 n개의 기본 도형으로 세분한다.
② 그 기본 도형의 넓이나 부피의 합 S_n을 구한다.
③ $n \to \infty$일 때, S_n의 극한값을 구한다.
이와 같이 도형의 넓이나 부피를 구하는 방법을 구분구적법이라고 한다.

2 정적분과 급수의 관계

(1) $\displaystyle \lim_{n \to \infty} \sum_{k=1}^{n} f\left(a + \frac{b-a}{n} \times k\right) \times \frac{b-a}{n} = \int_a^b f(x)\,dx$

(2) $\displaystyle \lim_{n \to \infty} \sum_{k=1}^{n} f\left(\frac{pk}{n}\right) \times \frac{p}{n} = \int_0^p f(x)\,dx$

(3) $\displaystyle \lim_{n \to \infty} \sum_{k=1}^{n} f\left(\frac{k}{n}\right) \times \frac{1}{n} = \int_0^1 f(x)\,dx$

3 곡선과 x축 사이의 넓이

함수 $y = f(x)$가 구간 $[a, b]$에서 연속일 때, 곡선 $y = f(x)$와 x축 및 두 직선 $x = a$, $x = b$로 둘러싸인 부분의 넓이 S는

$$S = \int_a^b |f(x)|\,dx$$

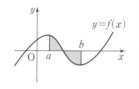

4 곡선과 y축 사이의 넓이

함수 $x = g(y)$가 구간 $[c, d]$에서 연속일 때, 곡선 $x = g(y)$와 y축 및 두 직선 $y = c$, $y = d$로 둘러싸인 부분의 넓이 S는

$$S = \int_c^d |g(y)|\,dy$$

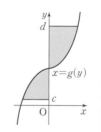

5 두 곡선 사이의 넓이

(1) 두 함수 $y = f(x)$, $y = g(x)$가 구간 $[a, b]$에서 연속일 때, 두 곡선 $y = f(x)$, $y = g(x)$와 두 직선 $x = a$, $x = b$로 둘러싸인 부분의 넓이 S는

$$S = \int_a^b |f(x) - g(x)|\,dx$$

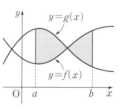

(2) 두 함수 $x = f(y)$, $x = g(y)$가 구간 $[c, d]$에서 연속일 때, 두 곡선 $x = f(y)$, $x = g(y)$와 두 직선 $y = c$, $y = d$로 둘러싸인 부분의 넓이 S는

$$S = \int_c^d |f(y) - g(y)|\,dy$$

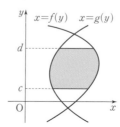

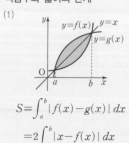

기본 문제

정답 및 해설 110쪽

1 구분구적법

001 다음은 곡선 $y=x^2$과 x축 및 직선 $x=1$로 둘러싸인 부분의 넓이를 구분구적법을 이용하여 구하는 과정이다. ☐ 안에 알맞은 것을 써넣으시오.

그림과 같이 구간 $[0, 1]$을 n등분하면 각 분점의 x좌표는 순서대로

$$\frac{1}{n}, \frac{2}{n}, \frac{3}{n}, \cdots, \frac{n}{n} (=1)$$

직사각형의 세로의 길이는 각 구간에서의 함숫값이므로 순서대로

$$\left(\frac{1}{n}\right)^2, \boxed{}, \boxed{}, \cdots, \left(\frac{n}{n}\right)^2$$

또 각 직사각형의 가로의 길이는 모두 $\frac{1}{n}$이므로 색칠한 부분의 직사각형의 넓이의 합을 S_n이라 하면

$$S_n=\frac{1}{n}\left(\frac{1}{n}\right)^2+\frac{1}{n}\left(\frac{2}{n}\right)^2+\frac{1}{n}\left(\frac{3}{n}\right)^2+\cdots+\frac{1}{n}\left(\frac{n}{n}\right)^2$$

$$=\boxed{}(1^2+2^2+3^2+\cdots+n^2)$$

$$=\frac{n(n+1)(2n+1)}{\boxed{}}$$

$$=\boxed{}\left(1+\frac{1}{n}\right)\left(2+\frac{1}{n}\right)$$

따라서 구하는 부분의 넓이를 S라 하면

$$S=\lim_{n\to\infty}S_n=\lim_{n\to\infty}\boxed{}\left(1+\frac{1}{n}\right)\left(2+\frac{1}{n}\right)=\boxed{}$$

2 정적분과 급수의 관계

[002-005] 그림은 함수 $y=2x$의 그래프에서 닫힌구간 $[0, 1]$을 n등분하여 나타낸 것이다.

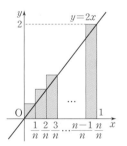

$\displaystyle\lim_{n\to\infty}\frac{2+4+6+\cdots+2n}{n^2}$ 의 값을 정적분의 정의를 이용하여 구하려고 할 때, 다음 물음에 답하시오.

002 직사각형의 가로의 길이를 구하시오.

003 k번째 직사각형의 세로의 길이를 구하시오.

004 직사각형의 넓이의 합을 $\sum$를 이용하여 나타내시오.

005 $n\to\infty$일 때, 직사각형의 넓이의 합을 구하시오.

[006-008] 다음 ☐ 안에 알맞은 수를 써넣으시오.

006 $\displaystyle\lim_{n\to\infty}\sum_{k=1}^{n}\left(1+\frac{2k}{n}\right)^2\times\frac{2}{n}=\int_{\boxed{}}^{\boxed{}}(1+x)^2\,dx$

007 $\displaystyle\lim_{n\to\infty}\sum_{k=1}^{n}\left(1+\frac{2k}{n}\right)^2\times\frac{2}{n}=\int_{\boxed{}}^{\boxed{}}x^2\,dx$

008 $\displaystyle\lim_{n\to\infty}\sum_{k=1}^{n}\left(1+\frac{2k}{n}\right)^2\times\frac{2}{n}=\boxed{}\int_{\boxed{}}^{\boxed{}}(1+2x)^2\,dx$

3 곡선과 x축 사이의 넓이

[009-010] 다음 곡선과 x축으로 둘러싸인 부분의 넓이를 구하시오.

009 $y=x^2-2x$

010 $y=4x-x^3$

[011-014] 다음 곡선과 직선으로 둘러싸인 부분의 넓이를 구하시오.

011 $y=\dfrac{1}{x}$, x축, $x=1$, $x=2$

012 $y=\sqrt{x}$, x축, $x=2$

013 $y=e^x$, x축, $x=0$, $x=1$

014 $y=e^x-1$, x축, $x=-2$, $x=1$

4 두 곡선으로 둘러싸인 부분의 넓이

[015-018] 다음 곡선 또는 직선으로 둘러싸인 부분의 넓이를 구하시오.

015 $y=x^2+x+1$, $y=x+2$

016 $y=x^3-4x^2+4x$, $y=x$

017 $y=\sqrt{x}$, $y=x$

018 $y=\sqrt{x}$, $y=\dfrac{1}{x}$, $x=4$

유형 문제

유형 01 구분구적법

구분구적법으로 도형의 넓이나 부피를 구할 때
① 주어진 도형을 충분히 작은 n개의 기본 도형으로 세분한다.
② 그 기본 도형의 넓이나 부피의 합 S_n을 구한다.
③ $n \to \infty$일 때, S_n의 극한값을 구한다.

019

다음은 반지름의 길이가 r인 원의 넓이 S를 구분구적법을 이용하여 구하는 과정이다.

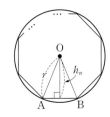

그림과 같이 반지름의 길이가 r인 원 O에 내접하는 정n각형의 둘레의 길이를 l_n, 넓이를 S_n, 삼각형 OAB의 높이를 h_n이라 하면

$S_n = n \times (\text{삼각형 OAB의 넓이}) = \boxed{\text{(가)}}$

$n \to \infty$일 때 $h_n \to \boxed{\text{(나)}}$, $l_n \to \boxed{\text{(다)}}$, $S_n \to S$이므로

$S = \lim_{n \to \infty} S_n = \pi r^2$

위의 (가), (나), (다)에 알맞은 것을 순서대로 적은 것은? (단, $n \geq 3$)

① $\dfrac{1}{2} l_n h_n,\ \dfrac{1}{2}r,\ \pi r$
② $\dfrac{1}{2} l_n h_n,\ r,\ \pi r$

③ $\dfrac{1}{2} l_n h_n,\ r,\ 2\pi r$
④ $l_n h_n,\ \dfrac{1}{2}r,\ \pi r$

⑤ $l_n h_n,\ r,\ 2\pi r$

020

곡선 $y = x^2$과 x축 및 직선 $x = 2$로 둘러싸인 부분의 넓이 S를 구분구적법을 이용하여 구하려고 한다. 구간 $[0, 2]$를 n등분한 각 구간을 밑변으로 하고 각 구간의 오른쪽 끝점에서의 함숫값을 높이로 하는 n개의 직사각형을 만들 때, 넓이 S를 나타내는 식으로 옳은 것은?

① $\displaystyle \lim_{n \to \infty} \sum_{k=1}^{n} \left(\dfrac{k}{n}\right)^2 \times \dfrac{1}{n}$
② $\displaystyle \lim_{n \to \infty} \sum_{k=1}^{n} \left(\dfrac{k}{n}\right)^2 \times \dfrac{2}{n}$

③ $\displaystyle \lim_{n \to \infty} \sum_{k=1}^{n} \left(\dfrac{k}{2n}\right)^2 \times \dfrac{2}{n}$
④ $\displaystyle \lim_{n \to \infty} \sum_{k=1}^{n} \left(\dfrac{2k}{n}\right)^2 \times \dfrac{1}{n}$

⑤ $\displaystyle \lim_{n \to \infty} \sum_{k=1}^{n} \left(\dfrac{2k}{n}\right)^2 \times \dfrac{2}{n}$

021

다음은 밑넓이가 S, 높이가 h인 정사각뿔의 부피 V를 구분구적법을 이용하여 나타낸 것이다.

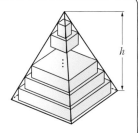

그림과 같이 정사각뿔의 높이를 n등분하여 각 분점을 지나고 밑면에 평행한 평면으로 정사각뿔을 잘라 $(n-1)$개의 직육면체를 만든다. 각 직육면체의 높이는 $\boxed{\text{(가)}}$ 이므로 $(n-1)$개의 직육면체의 부피의 합을 V_n이라 하면

$V_n = \dfrac{Sh}{n^3} \times \boxed{\text{(나)}}$

$\therefore V = \lim_{n \to \infty} V_n = \dfrac{1}{3}Sh$

위의 (가), (나)에 알맞은 것을 순서대로 적은 것은?

① $\dfrac{1}{n},\ \displaystyle\sum_{k=1}^{n-1} (k-1)^2$
② $\dfrac{1}{n},\ \displaystyle\sum_{k=1}^{n} k^2$

③ $\dfrac{h}{n},\ \displaystyle\sum_{k=1}^{n-1} (k-1)^2$
④ $\dfrac{h}{n},\ \displaystyle\sum_{k=1}^{n-1} k^2$

⑤ $\dfrac{h}{n},\ \displaystyle\sum_{k=1}^{n} k^2$

022

다음은 밑면의 반지름의 길이가 r, 높이가 h인 원뿔의 부피 V를 구분구적법을 이용하여 나타낸 것이다.

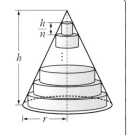

그림과 같이 높이가 $\dfrac{h}{n}$인 원기둥으로 세분할 때, 이들 원기둥의 부피의 합 V_n이라 하면

$V_n = \dfrac{\pi r^2 h}{6n^3} \times \boxed{\text{(가)}}$

$\therefore V = \lim_{n \to \infty} V_n = \boxed{\text{(나)}}$

위의 (가), (나)에 알맞은 것을 구하시오.

유형 **02** 정적분과 급수

(1) $\lim\limits_{n \to \infty} \sum\limits_{k=1}^{n} f\left(a + \dfrac{b-a}{n} \times k\right) \times \dfrac{b-a}{n} = \int_{a}^{b} f(x)\,dx$

(2) $\lim\limits_{n \to \infty} \sum\limits_{k=1}^{n} f\left(\dfrac{pk}{n}\right) \times \dfrac{p}{n} = \int_{0}^{p} f(x)\,dx$

(3) $\lim\limits_{n \to \infty} \sum\limits_{k=1}^{n} f\left(\dfrac{k}{n}\right) \times \dfrac{1}{n} = \int_{0}^{1} f(x)\,dx$

023

함수 $f(x) = \dfrac{1}{x}$에 대하여 $\lim\limits_{n \to \infty} \sum\limits_{k=1}^{n} f\left(1 + \dfrac{2k}{n}\right)\dfrac{2}{n}$의 값은?

① $\ln 2$ ② $\ln 3$ ③ $2\ln 2$

④ $\ln 5$ ⑤ $\ln 6$

024

$\lim\limits_{n \to \infty} \dfrac{1}{n} \sum\limits_{k=1}^{n} e^{2 + \frac{k}{n}} = \int_{a}^{b} e^{x}\,dx$일 때, 두 상수 a, b에 대하여 $a + b$의 값을 구하시오.

025

$\lim\limits_{n \to \infty} \dfrac{\pi}{n^{2}} \sum\limits_{k=1}^{n} k \sin \dfrac{k}{n} \pi$의 값을 구하시오.

026

$\lim\limits_{n \to \infty}\left(\dfrac{1}{n+1} + \dfrac{1}{n+2} + \dfrac{1}{n+3} + \cdots + \dfrac{1}{2n}\right)$의 값을 구하시오.

027

$\lim\limits_{n \to \infty} \dfrac{2^{2}}{n^{2}}\left(e^{\frac{2}{n}} + 2e^{\frac{4}{n}} + 3e^{\frac{6}{n}} + \cdots + ne^{\frac{2n}{n}}\right)$의 값은?

① $e^{2} + 2$ ② $e^{2} + 1$ ③ e^{2}

④ $e^{2} - 1$ ⑤ $e^{2} - 2$

028

함수 $f(x) = e^{x}$이 있다. 2 이상인 자연수 n에 대하여 닫힌구간 $[1, 2]$를 n등분한 각 분점(양 끝점도 포함)을 순서대로 $1 = x_{0}, x_{1}, x_{2}, \cdots, x_{n-1}, x_{n} = 2$라 하자. 세 점 $(0, 0)$, $(x_{k}, 0)$, $(x_{k}, f(x_{k}))$를 꼭짓점으로 하는 삼각형의 넓이를 A_{k} $(k = 1, 2, \cdots, n)$라 할 때, $\lim\limits_{n \to \infty} \dfrac{1}{n} \sum\limits_{k=1}^{n} A_{k}$의 값을 구하시오.

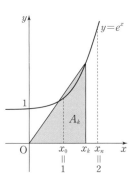

유형 03 곡선과 x축, y축 사이의 넓이

(1) 곡선 $y=f(x)$와 x축으로 둘러싸인 부분의 넓이를 S라 하면

$$S=S_1+S_2$$
$$=\int_a^c f(x)\,dx-\int_c^b f(x)\,dx$$

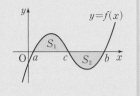

(2) 곡선 $x=g(y)$와 y축으로 둘러싸인 부분의 넓이를 S라 하면

$$S=S_1+S_2$$
$$=\int_a^c g(y)\,dy-\int_c^b g(y)\,dy$$

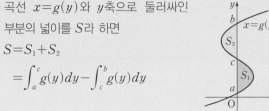

029

곡선 $y=\ln(x+1)$과 x축 및 직선 $x=3$으로 둘러싸인 부분의 넓이는?

① $\ln 4-3$　　　② $3\ln 4-3$　　　③ $4\ln 4-3$

④ $\ln 4+3$　　　⑤ $3\ln 4+3$

030

곡선 $y=\sin \pi x \ (-4 \le x \le 4)$와 x축으로 둘러싸인 부분의 넓이를 구하시오.

031

곡선 $y=\dfrac{1}{x+1}$과 x축 및 두 직선 $x=0$, $x=a$로 둘러싸인 부분의 넓이가 $\ln 5$일 때, 상수 a의 값을 구하시오. (단, $a>0$)

032

곡선 $y=e^x$과 x축 및 두 직선 $x=a$, $x=a+1$로 둘러싸인 부분의 넓이를 $S(a)$라 할 때, $\dfrac{S(4)}{S(0)}$의 값을 구하시오.

(단, a는 상수이다.)

033

그림과 같이 구간 $[0, \pi]$에서 곡선 $y=x\sin 2x$와 x축으로 둘러싸인 부분의 넓이를 구하시오.

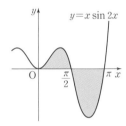

034

곡선 $y=-\ln(x-1)$과 y축 및 두 직선 $y=0$, $y=2$로 둘러싸인 부분의 넓이는?

① $1-\dfrac{1}{e^2}$　　　② $1+\dfrac{1}{e^2}$　　　③ $2-\dfrac{1}{e^2}$

④ $2+\dfrac{1}{e^2}$　　　⑤ $3-\dfrac{1}{e^2}$

유형 04 곡선과 직선 사이의 넓이

유형 04 곡선과 직선 사이의 넓이

곡선과 직선 사이의 넓이를 구할 때에는
① 곡선과 직선을 그려 위치 관계를 파악한다.
② 곡선과 직선의 교점의 x좌표를 구하여 적분 구간을 정한다.
③ {(위 곡선의 식)−(아래 곡선의 식)}을 정적분한다.

035

곡선 $y=\sqrt{x}$ 와 x축 및 직선 $y=x-2$로 둘러싸인 부분의 넓이를 구하시오.

036

곡선 $y=xe^x$과 직선 $y=2x$로 둘러싸인 부분의 넓이를 구하시오.

037

곡선 $xy=1$ $(x>0)$ 위의 두 점 $\mathrm{P}\left(p, \dfrac{1}{p}\right)$, $\mathrm{Q}\left(q, \dfrac{1}{q}\right)$에 대하여 곡선 $xy=1$과 두 직선 OP, OQ로 둘러싸인 부분의 넓이는?
(단, O는 원점이고, $p<q$)

① $\ln pq$ ② $\ln (p+q)$ ③ $\ln \dfrac{p}{q}$

④ $\ln \dfrac{q}{p}$ ⑤ $\dfrac{\ln p}{\ln q}$

유형 05 두 곡선 사이의 넓이

(1) 두 곡선의 교점의 x좌표를 구하여 적분 구간을 정한 후 넓이를 구한다.
⇨ $S=\displaystyle\int_a^b \{(\text{위 식})-(\text{아래 식})\}dx$

(2) 두 곡선의 교점의 y좌표를 구하여 적분 구간을 정한 후 넓이를 구한다.
⇨ $S=\displaystyle\int_c^d \{(\text{오른쪽 식})-(\text{왼쪽 식})\}dy$

038

그림과 같이 두 곡선 $y=\sqrt{x+9}$, $y=\sqrt{x+4}$와 x축, y축으로 둘러싸인 부분의 넓이는?

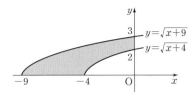

① $\dfrac{32}{3}$ ② $\dfrac{34}{3}$ ③ 12

④ $\dfrac{38}{3}$ ⑤ $\dfrac{40}{3}$

039

$0 \le x \le 2\pi$일 때, 두 곡선 $y=3\sin x$, $y=\sin 2x$로 둘러싸인 부분의 넓이를 구하시오.

040

두 곡선 $y=\dfrac{1}{x}$, $y=\sqrt{x}$와 두 직선 $x=\dfrac{1}{4}$, $x=4$로 둘러싸인 부분의 넓이를 구하시오.

041

그림에서 두 곡선 $y=e^x$, $y=xe^x$과 y축으로 둘러싸인 부분 A의 넓이를 a, 두 곡선 $y=e^x$, $y=xe^x$과 직선 $x=2$로 둘러싸인 부분 B의 넓이를 b라 할 때, $b-a$의 값을 구하시오.

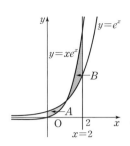

042

자연수 n에 대하여 구간 $[0, \pi]$에서 두 곡선 $y=\dfrac{1}{n}\sin x$, $y=\dfrac{1}{n+1}\sin x$로 둘러싸인 부분의 넓이를 S_n이라 할 때, $\displaystyle\sum_{n=1}^{10} S_n$의 값을 구하시오.

043

두 곡선 $y=e^x$, $y=e^{-x}$과 직선 $y=4$로 둘러싸인 부분의 넓이는?

① $14\ln 2-6$ ② $14\ln 2-4$ ③ $16\ln 2-6$

④ $16\ln 2-4$ ⑤ $16\ln 2-2$

유형 ❙6 곡선과 접선으로 둘러싸인 부분의 넓이

곡선 $y=f(x)$ 위의 점 $(a, f(a))$에서의 접선의 방정식은 $y-f(a)=f'(a)(x-a)$임을 이용한다.

044

곡선 $y=3\sqrt{x-9}$와 이 곡선 위의 점 $(18, 9)$에서의 접선 및 x축으로 둘러싸인 부분의 넓이를 구하시오.

045

곡선 $y=e^x$과 원점에서 이 곡선에 그은 접선 및 두 직선 $y=0$, $x=-2$로 둘러싸인 부분의 넓이를 구하시오.

046

곡선 $y=\ln(x+1)$과 곡선 위의 점 $(e-1, 1)$에서의 접선 및 x축으로 둘러싸인 부분의 넓이를 구하시오.

유형 **07** 두 곡선 사이의 넓이의 응용

색칠한 도형의 넓이 $S(S=S_1+S_2)$
를 곡선 $y=g(x)$가 이등분할 때,
$$S=S_1+S_2=2S_1$$
$$=2\int_0^a \{f(x)-g(x)\}dx$$

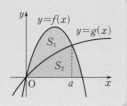

047
구간 $\left[0, \dfrac{\pi}{2}\right]$에서 곡선 $y=\cos x$와 x축, y축으로 둘러싸인 부분의 넓이를 직선 $x=k$가 이등분할 때, 상수 k의 값을 구하시오.

048
곡선 $y=\ln(x+1)$과 두 직선 $x=0$, $y=k$로 둘러싸인 부분을 A, 곡선 $y=\ln(x+1)$과 두 직선 $x=e-1$, $y=k$로 둘러싸인 부분을 B라 하자. 두 부분 A, B의 넓이가 서로 같을 때, 실수 k의 값을 구하시오.

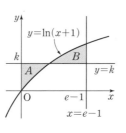

049
곡선 $y=e^{2x}$과 y축 및 직선 $y=-2x+a$로 둘러싸인 부분을 A, 곡선 $y=e^{2x}$과 두 직선 $y=-2x+a$, $x=1$로 둘러싸인 부분을 B라 하자. A의 넓이와 B의 넓이가 같을 때, 상수 a의 값은?

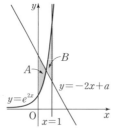

① $\dfrac{e^2+1}{2}$ ② $\dfrac{2e^2+1}{4}$

③ $\dfrac{e^2}{2}$ ④ $\dfrac{2e^2-1}{4}$

⑤ $\dfrac{e^2-1}{2}$

유형 **08** 함수와 그 역함수의 정적분

(1) 역함수의 그래프의 넓이 ⇨ 그래프를 그려서 생각한다.
(2) 두 함수 $y=f(x)$와 $y=g(x)$가 서로 역함수 관계이면 두 함수의 그래프는 직선 $y=x$에 대하여 대칭이다.
(3) 함수 $y=f(x)$와 그 역함수 $y=g(x)$의 그래프로 둘러싸인 부분의 넓이 ⇨ 곡선 $y=f(x)$와 직선 $y=x$로 둘러싸인 부분의 넓이의 2배이다.

050
함수 $f(x)=\sqrt{ax}$의 그래프와 그 역함수 $y=f^{-1}(x)$의 그래프로 둘러싸인 부분의 넓이가 $\dfrac{16}{3}$일 때, 양수 a의 값을 구하시오.

051
함수 $f(x)=\ln x$의 역함수를 $g(x)$라 할 때, $\displaystyle\int_1^{e^3} f(x)\,dx+\int_0^3 g(x)\,dx$의 값을 구하시오.

052
함수 $f(x)=\sin\dfrac{\pi}{2}x\,(-1\le x\le 1)$의 그래프와 그 역함수 $y=g(x)$의 그래프로 둘러싸인 부분의 넓이는?

① $\dfrac{2}{\pi}-2$ ② $\dfrac{4}{\pi}-2$ ③ $\dfrac{4}{\pi}-1$

④ $\dfrac{8}{\pi}-2$ ⑤ $\dfrac{8}{\pi}$

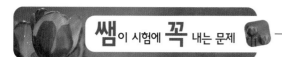

053

곡선 $y=x^2$과 x축 및 직선 $x=1$로 둘러싸인 부분의 넓이를 구분구적법으로 구하시오.

054

$\lim\limits_{n\to\infty} \dfrac{\pi}{n^2}\left(\cos\dfrac{\pi}{n}+2\cos\dfrac{2\pi}{n}+3\cos\dfrac{3\pi}{n}+\cdots+n\cos\dfrac{n\pi}{n}\right)$
의 값은?

① $-\dfrac{2}{\pi}$ ② $-\dfrac{1}{\pi}$ ③ 0

④ $\dfrac{1}{\pi}$ ⑤ $\dfrac{2}{\pi}$

055

그림과 같이 곡선 $y=\dfrac{1}{x}$과 x축 및 두 직선 $x=1$, $x=8$로 둘러싸인 부분의 넓이를 직선 $x=a$가 이등분할 때, 상수 a의 값을 구하시오.

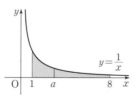

056

자연수 n에 대하여 곡선 $y=e^{-x}$과 x축 및 두 직선 $x=n$, $x=n+1$로 둘러싸인 부분의 넓이를 S_n이라 할 때, $\sum\limits_{n=1}^{\infty} S_n$의 값은?

① $\dfrac{1}{e}$ ② $\dfrac{1}{2}$ ③ 1

④ $\sqrt{e}$ ⑤ e

057

곡선 $y=\sqrt{x+2}$와 직선 $y=\dfrac{1}{2}x+k$가 서로 다른 두 점에서 만날 때, 곡선과 직선으로 둘러싸인 부분의 넓이를 $S(k)$라 하자. $S(k)$의 최댓값을 구하시오.

058

두 곡선 $y=\sin x$, $y=-\ln(x+1)$과 직선 $x=\pi$로 둘러싸인 부분의 넓이를 구하시오.

059

좌표평면에서 두 곡선 $y=\dfrac{2x}{x^2+1}$ 와 $y=x^3$으로 둘러싸인 두 부분의 넓이의 합은?

① $\ln 2-1$ ② $\ln 2$ ③ $2\ln 2-1$

④ $2\ln 2-\dfrac{1}{2}$ ⑤ $2\ln 2$

060

양의 실수 k에 대하여 곡선 $y=k\ln x$와 직선 $y=x$가 접할 때, 곡선 $y=k\ln x$, 직선 $y=x$ 및 x축으로 둘러싸인 부분의 넓이를 구하시오.

061

그림과 같이 곡선 $y=x\sin x\left(0\le x\le\dfrac{\pi}{2}\right)$에 대하여 이 곡선과 x축, 직선 $x=k$로 둘러싸인 부분을 A, 이 곡선과 직선 $x=k$, 직선 $y=\dfrac{\pi}{2}$로 둘러싸인 부분을 B라 하자. 부분 A의 넓이와 부분 B의 넓이가 같을 때, 상수 k의 값을 구하시오. $\left(\text{단, } 0\le k\le\dfrac{\pi}{2}\right)$

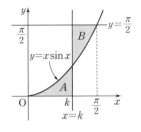

062

두 곡선 $y=\left(\dfrac{1}{e}\right)^x$, $y=\log_{\frac{1}{e}} x$의 교점의 x좌표를 a라 할 때, 두 곡선과 x축, y축으로 둘러싸인 부분의 넓이는 $-a^2+ka+2$이다. 상수 k의 값을 구하시오.

1등급 문제

063

$0\le x\le\pi$에서 정의된 함수 $f(x)=\dfrac{\cos x}{\sin x+2}$에 대하여 곡선 $y=f(x)$와 x축, y축으로 둘러싸인 부분의 넓이를 S_1, 곡선 $y=f(x)$와 x축 및 직선 $x=\pi$로 둘러싸인 부분의 넓이를 S_2라 하자. S_1+S_2의 값은?

① $\ln\dfrac{3}{2}$ ② $\ln\dfrac{4}{3}$ ③ $2\ln\dfrac{3}{2}$

④ $2\ln\dfrac{4}{3}$ ⑤ $4\ln\dfrac{3}{2}$

064

좌표평면에서 꼭짓점의 좌표가 $O(0, 0)$, $A(2^n, 0)$, $B(2^n, 2^n)$, $C(0, 2^n)$인 정사각형 $OABC$와 두 곡선 $y=2^x$, $y=\log_2 x$에 대하여 정사각형 $OABC$와 그 내부는 두 곡선 $y=2^x$, $y=\log_2 x$에 의하여 그림과 같이 세 부분으로 나뉜다. 자연수 n에 대하여 이 세 부분 중에서 색칠된 부분의 넓이를 $S(n)$이라 할 때, $S(2)+S(3)+S(4)$의 값을 구하시오.

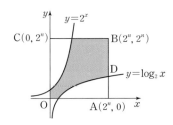

14 정적분의 활용

1 입체도형의 부피

구간 $[a, b]$의 임의의 점 x에서 x축에 수직인 평면으로
자른 단면의 넓이가 $S(x)$인 입체도형의 부피 V는

$$V=\int_a^b S(x)\,dx$$

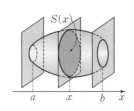

2 직선 위에서 점이 움직인 거리

수직선 위를 움직이는 점 P의 시각 t에서의 속도가 $v(t)$일 때,
$t=a$에서 $t=b$ $(a<b)$까지 점 P가 움직인 거리 s는

$$s=\int_a^b |v(t)|\,dt$$

3 평면 위에서 점이 움직인 거리

좌표평면 위를 움직이는 점 $P(x, y)$의 시각 t에서의 위치가 $x=f(t)$, $y=g(t)$일 때,
$t=a$에서 $t=b$ $(a<b)$까지 점 P가 움직인 거리 s는

$$s=\int_a^b \sqrt{\left(\frac{dx}{dt}\right)^2+\left(\frac{dy}{dt}\right)^2}\,dt=\int_a^b \sqrt{\{f'(t)\}^2+\{g'(t)\}^2}\,dt$$

4 곡선의 길이

(1) 곡선 $x=f(t)$, $y=g(t)$ $(a\leq t\leq b)$의 길이 l은

$$l=\int_a^b \sqrt{\left(\frac{dx}{dt}\right)^2+\left(\frac{dy}{dt}\right)^2}\,dt=\int_a^b \sqrt{\{f'(t)\}^2+\{g'(t)\}^2}\,dt$$

(2) 곡선 $y=f(x)$ $(a\leq x\leq b)$의 길이 l은

$$l=\int_a^b \sqrt{1+\{f'(x)\}^2}\,dx$$

기본 문제

1 입체도형의 부피

[001-003] 그림과 같이 곡선 $y=\sqrt{\sin x}\,(0\le x\le \pi)$와 x축으로 둘러싸인 부분을 밑면으로 하는 입체도형을 x축에 수직인 평면으로 자른 단면이 항상 정사각형이다. 다음 물음에 답하시오.

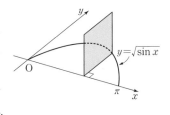

$y=\sqrt{\sin x}$

001 점 $(t, 0)$을 지나고, x축에 수직인 평면으로 자른 정사각형의 한 변의 길이를 구하시오.

002 $x=t$에서의 입체도형의 단면의 넓이 $S(t)$를 구하시오.

003 정적분을 이용하여 입체도형의 부피 V를 구하시오.

[004-006] 다음 주어진 구간 $[a, b]$의 임의의 점 x에서 x축에 수직인 평면으로 자른 단면의 넓이가 $S(x)$인 입체도형의 부피 V를 구하시오.

004 $S(x)=\sqrt{x+2}$ $[1, 3]$

005 $S(x)=e^{2x}$ $[0, 1]$

006 $S(x)=\cos x$ $\left[0, \dfrac{\pi}{2}\right]$

2 점의 이동거리

[007-009] 좌표평면 위를 움직이는 점 $P(x, y)$의 시각 t에서의 위치가 다음과 같을 때, $t=0$에서 $t=2$까지 점 P가 움직인 거리 s를 구하시오.

007 $x=3t^2, y=t^3-3t$

008 $x=t-\dfrac{1}{2}t^2, y=-\dfrac{4}{3}t\sqrt{t}$

009 $x=\cos t, y=\sin t$

3 곡선의 길이

[010-012] 다음 곡선의 길이 l을 구하시오.

010 $x=3t^2, y=1-t^2\,(0\le t\le 2)$

011 $x=\sin t, y=\cos t\left(0\le t\le \dfrac{\pi}{4}\right)$

012 $y=\dfrac{2}{3}x\sqrt{x}\,(0\le x\le 2)$

구간 $[a, b]$의 임의의 점 x에서 x축에 수직인 평면으로 자른 단면의 넓이가 $S(x)$인 입체도형의 부피 V는

$$V = \int_a^b S(x)\,dx$$

013

어떤 그릇에 깊이가 $x\,\mathrm{cm}$가 되도록 물을 넣었을 때, 수면의 넓이는 $(x^2+4x)\,\mathrm{cm}^2$이다. 물의 깊이가 $3\,\mathrm{cm}$일 때, 물의 부피는?

① $25\,\mathrm{cm}^3$ ② $26\,\mathrm{cm}^3$ ③ $27\,\mathrm{cm}^3$

④ $28\,\mathrm{cm}^3$ ⑤ $29\,\mathrm{cm}^3$

014

어떤 입체도형을 밑면으로부터 높이가 h인 지점에서 밑면과 평행한 평면으로 자를 때 생기는 단면은 한 변의 길이가 $\sqrt{h}\,e^{\frac{h}{2}}$인 정사각형이다. 이 입체도형의 밑면으로부터 높이가 10이 되는 지점까지의 부피를 구하시오. (단, $h \geq 0$)

015

어떤 입체도형을 밑면으로부터 높이가 x인 지점에서 밑면과 평행한 평면으로 자른 단면의 넓이는 $x \ln(x^2+1)$이다. 이 입체도형의 높이가 a일 때의 부피가 $\dfrac{5}{2}\ln 5 - 2$이다. a의 값을 구하시오.

입체도형의 단면의 한 변의 길이를 찾아 넓이를 구한 후 정적분하여 입체도형의 부피를 구한다.

016

그림과 같이 함수 $f(x) = \sqrt{x}\,e^{\frac{x}{2}}$에 대하여 좌표평면 위의 두 점 $\mathrm{A}(x, 0)$, $\mathrm{B}(x, f(x))$를 이은 선분을 한 변으로 하는 정사각형을 x축에 수직인 평면 위에 그린다. 점 A의 좌표가 $x=1$에서 $x=\ln 6$까지 변할 때, 이 정사각형이 만드는 입체도형의 부피는 $-a+b\ln 6$이다. $a+b$의 값을 구하시오. (단, a, b는 자연수이다.)

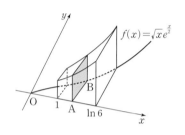

017

함수 $f(x) = \ln x$에 대하여 곡선 $y = f(x)$ 위의 점 $\mathrm{P}(x, f(x))$에서 x축에 내린 수선의 발을 $\mathrm{Q}(x, 0)$라 하자. 그림과 같이 선분 PQ를 한 변으로 하는 정사각형을 x축에 수직인 평면 위에 그린다. 점 P의 x좌표가 $x=1$에서 $x=2$까지 변할 때, 이 정사각형이 만드는 입체도형의 부피는?

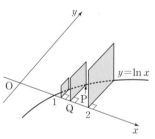

① $(\ln 2 - 1)^2$ ② $2(\ln 2 - 1)^2$ ③ $(\ln 2 + 1)^2$

④ $4(\ln 2 - 1)^2$ ⑤ $2(\ln 2 + 1)^2$

018

그림과 같이 곡선 $y=3x+\dfrac{2}{x}$ $(x>0)$와 x축 및 두 직선 $x=1$, $x=2$로 둘러싸인 부분을 밑면으로 하는 입체도형이 있다. 이 입체도형을 x축에 수직인 평면으로 자른 단면이 모두 정삼각형일 때, 이 입체도형의 부피는?

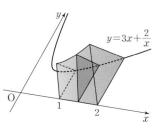

① $\dfrac{35\sqrt{3}}{4}$

② $\dfrac{37\sqrt{3}}{4}$

③ $\dfrac{39\sqrt{3}}{4}$

④ $\dfrac{41\sqrt{3}}{4}$

⑤ $\dfrac{43\sqrt{3}}{4}$

019

그림과 같이 곡선 $y=2\sqrt{\sin x}$와 x축으로 둘러싸인 부분이 밑면이고, x축에 수직인 평면으로 자른 단면이 항상 정삼각형일 때, 이 입체도형의 부피를 구하시오.

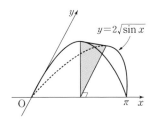

020

그림과 같이 밑면은 원 $x^2+y^2=1$로 둘러싸인 부분이고, y축에 수직인 평면으로 자른 단면은 직각이등변삼각형인 입체도형이 있다. 이 입체도형의 부피가 $\dfrac{q}{p}$일 때, $p+q$의 값을 구하시오.

(단, p, q는 서로소인 자연수이다.)

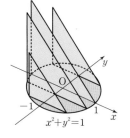

유형 **03** 단면이 원 또는 반원인 입체도형의 부피

입체도형의 단면의 반지름의 길이 또는 지름의 길이를 찾아 넓이를 구한 후 입체도형의 부피를 구한다.

021

그림과 같이 곡선 $y=2x-x^2$ $(0\le x\le 2)$ 위를 움직이는 점 P에서 x축에 내린 수선의 발을 Q라 하고 선분 PQ를 지름으로 하는 반원을 x축에 수직이 되도록 만들 때, 이 반원이 만드는 입체도형의 부피를 구하시오.

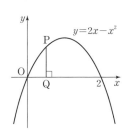

022

그림과 같이 지름의 길이가 6인 반원을 밑면으로 하는 입체도형이 있다. 이 반원의 지름 AB에 수직인 평면으로 자른 단면이 반원일 때, 이 입체도형의 부피는 $k\pi$이다. 상수 k의 값을 구하시오.

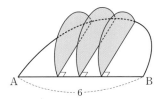

023

곡선 $y=e^x$과 x축, y축 및 직선 $x=1$로 둘러싸인 부분을 x축의 둘레로 회전시켜서 만든 그릇 모양의 입체도형의 부피는?

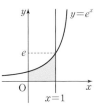

① $\dfrac{\pi}{2}(e-1)$

② $\pi(e+1)$

③ $\dfrac{\pi}{2}(e^2-1)$

④ $\dfrac{\pi}{2}(e^2+1)$

⑤ $\pi(e^2+1)$

유형 **04** 원기둥을 잘랐을 때 생기는 입체도형의 부피

원기둥을 잘랐을 때 생기는 입체도형의 부피는 다음과 같이 구한다.

① x축과 원점을 정한다.

② x축 위의 점 $(x, 0)$을 지나고 x축에 수직인 평면으로 잘린 입체의 단면의 넓이 $S(x)$를 구한다.

③ 단면의 넓이 $S(x)$를 적분한다. 즉, $V = \int_a^b S(x)\,dx$

참고 밑면의 반지름의 길이가 r인 원기둥에서 밑면의 중심을 지나고 밑면과 θ의 각을 이루는 평면으로 이 원기둥을 자를 때, 작은 입체의 부피 V는 $V = \dfrac{2}{3}r^3\tan\theta$

024

그림과 같이 밑면의 반지름의 길이가 1, 높이가 3인 원기둥이 있다. 이 원기둥을 밑면의 한 지름을 지나고 밑면과 $60°$의 각을 이루는 평면으로 자를 때 생기는 작은 입체도형의 부피를 구하시오.

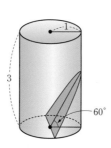

025

밑면의 반지름의 길이가 3이고 높이가 5인 원기둥이 있다. 이 원기둥을 한 밑면의 지름을 포함하고 그 밑면과 $45°$의 각도를 이루는 평면으로 자를 때 생기는 두 입체도형 중 작은 입체도형의 부피를 구하시오.

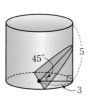

★중요 **026**

밑면의 반지름의 길이가 3, 높이가 $\sqrt{3}$인 원기둥 모양의 그릇에 물이 가득 담겨 있다. 그림과 같이 이 그릇을 $60°$의 각도로 기울였을 때, 그릇에 남아 있는 물의 부피를 구하시오.

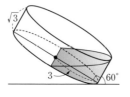

유형 **05** 단면의 넓이와 부피 사이의 관계

물의 깊이가 t일 때의 수면의 넓이를 $S(t)$라 하면 물의 깊이가 x일 때,

(1) 물의 부피 $\Rightarrow V = \int_0^x S(t)\,dt$

(2) 수면의 넓이

$\Rightarrow S(x) = \dfrac{dV}{dx} = \dfrac{d}{dx}\int_0^x S(t)\,dt$

027

어떤 용기에 물의 깊이가 x가 되도록 물을 넣으면 물의 부피 V는 $V = 2x^3 + 8x$가 된다고 한다. 물의 깊이가 2일 때, 수면의 넓이는?

① 26   ② 28   ③ 30

④ 32   ⑤ 34

★중요 **028**

어떤 그릇에 깊이가 x cm가 되도록 물을 넣으면 그때의 물의 부피가 $\dfrac{1}{\ln 3}(9^x + 3^x - 2)$ cm³라고 한다. 수면의 넓이가 21 cm²일 때 채워진 물의 깊이를 구하시오.

029

어떤 꽃병에 물의 깊이가 x가 되도록 물을 넣으면 물의 부피는 $2x(x+1)(x+5)$가 된다. 수면의 넓이가 40일 때, 이 꽃병에 담긴 물의 부피를 구하시오.

유형 06 직선 위에서 점이 움직인 거리

수직선 위를 움직이는 점 P의 시각 t에서의 속도를 $v(t)$,
시각 t_0에서의 점 P의 위치를 $x(t_0)$이라 할 때

(1) 시각 t에서의 점 P의 위치는

$$x(t)=x(t_0)+\int_{t_0}^{t}v(t)\,dt$$

(2) 시각 $t=a$에서 $t=b$ $(a<b)$까지 점 P가 움직인 거리 s는

$$s=\int_{a}^{b}|v(t)|\,dt$$

030

원점을 출발하여 수직선 위를 움직이는 점 P의 속도가
$v(t)=\sin t-\sin 2t$일 때, 시각 $t=\pi$에서의 점 P의 위치를
구하시오.

031

원점을 출발하여 수직선 위를 움직이는 점 P의 시각 t에서의 속도
가 $v(t)=(t+1)e^{-t}$일 때, $t=0$에서 $t=2$까지 점 P가 움직인
거리를 구하시오.

032

수직선 위를 움직이는 점 P의 시각 t에서의 위치 x는
$x=2t-8\sqrt{t+1}$이다. 점 P가 진행 방향을 바꿀 때의 시각을 a,
그때까지 움직인 거리를 s라 할 때, $a-s$의 값을 구하시오.

유형 07 평면 위에서 점이 움직인 거리

좌표평면 위를 움직이는 점 $P(x,\ y)$가 $t=a$에서 $t=b$
$(a<b)$까지 움직인 거리 s는

$$s=\int_{a}^{b}\sqrt{\left(\frac{dx}{dt}\right)^2+\left(\frac{dy}{dt}\right)^2}\,dt$$

033

좌표평면 위를 움직이는 점 $P(x,\ y)$의 시각 t에서의 위치가
$x=3t+4$, $y=4t+3$일 때, $0\le t\le 5$에서 점 P가 움직인 거리
를 구하시오.

034

좌표평면 위를 움직이는 점 P의 좌표 $(x,\ y)$가 시각 t의 함수
$x=\cos t+1$, $y=1-\sin t$로 주어질 때, $t=0$에서 $t=\pi$까지
점 P가 움직인 거리를 구하시오.

035

좌표평면 위를 움직이는 점 P의 좌표 $(x,\ y)$가 시각 t의 함수
$x=e^t\cos t$, $y=e^t\sin t$로 주어질 때, $t=0$에서 $t=1$까지 점 P
가 움직인 거리는?

① $\sqrt{2}(e-1)$ ② $2(e-1)$ ③ $\sqrt{2}(e^2-1)$
④ $\sqrt{2}(e^2+1)$ ⑤ $2(e^2-1)$

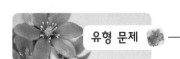

유형 문제

036

좌표평면 위를 움직이는 점 $P(x, y)$의 시각 t $(0 \le t \le 2\pi)$에서의 위치가 $x = 4(\cos t + \sin t)$, $y = \cos 2t$이다. $t = 0$에서 $t = \pi$까지 점 P가 움직인 거리를 $a\pi$라 할 때, 상수 a의 값을 구하시오.

037 중요

좌표평면 위를 움직이는 점 P의 시각 t에서의 위치가 $\left(4t, \dfrac{1}{2}t^2 - 4\ln t\right)$이다. 시각 $t = 1$부터 속력이 최소가 될 때까지 점 P가 움직인 거리를 구하시오.

038

좌표평면 위를 움직이는 점 $P(x, y)$의 시각 t $(0 \le t \le 2\pi)$에서의 위치가

$$x = t + 2\cos t, \ y = \sqrt{3}\sin t$$

일 때, 〈보기〉에서 옳은 것만을 있는 대로 고른 것은?

┌─ 보기 ├─
ㄱ. $t = \dfrac{\pi}{2}$일 때, 점 P의 속도는 $(-1, 0)$이다.

ㄴ. 점 P의 속도의 크기의 최솟값은 1이다.

ㄷ. 점 P가 $t = \pi$에서 $t = 2\pi$까지 움직인 거리는 $2\pi + 2$이다.
└──────

① ㄱ   ② ㄷ   ③ ㄱ, ㄴ

④ ㄴ, ㄷ   ⑤ ㄱ, ㄴ, ㄷ

유형 8 곡선의 길이

(1) $a \le t \le b$에서 곡선 $x = f(t)$, $y = g(t)$의 길이 l은

$$l = \int_a^b \sqrt{\left(\frac{dx}{dt}\right)^2 + \left(\frac{dy}{dt}\right)^2}\, dt$$
$$= \int_a^b \sqrt{\{f'(t)\}^2 + \{g'(t)\}^2}\, dt$$

(2) $a \le x \le b$에서 곡선 $y = f(x)$의 길이 l은

$$l = \int_a^b \sqrt{1 + \left(\frac{dy}{dx}\right)^2}\, dx = \int_a^b \sqrt{1 + \{f'(x)\}^2}\, dx$$

039

곡선 $x = t^2 + 2$, $y = t^2$ $(0 \le t \le 1)$의 길이는?

① 1   ② $\sqrt{2}$ ③ $\sqrt{3}$

④ 2   ⑤ $\sqrt{5}$

040 중요

곡선 $x = \theta - \sin\theta$, $y = 1 - \cos\theta$의 구간 $[0, 2\pi]$에서의 길이를 구하시오.

041

$0 \le x \le a$에서 곡선 $y = \dfrac{1}{3}(x^2 + 2)^{\frac{3}{2}}$의 길이가 12일 때, 양수 a의 값을 구하시오.

042

어떤 그릇에 물을 부었더니, 물의 깊이가 $x\,\mathrm{cm}\left(0\leq x\leq\dfrac{\pi}{2}\right)$일 때의 수면의 넓이가 $x\cos x\,\mathrm{cm^2}$라고 한다. 물의 깊이가 $\dfrac{\pi}{2}\,\mathrm{cm}$일 때, 이 그릇에 담긴 물의 부피를 구하시오.

043

그림과 같이 높이가 $8\,\mathrm{cm}$인 나무 조각품이 있다. 이 조각품을 높이가 $x\,\mathrm{cm}$인 지점에서 밑면과 평행한 평면으로 자를 때 생기는 단면은 한 변의 길이가 $\sqrt{e^x}\,\mathrm{cm}$인 정삼각형이다. 이 조각품의 부피는?

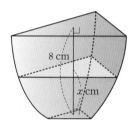

① $\dfrac{\sqrt{3}}{4}(e^4-1)\,\mathrm{cm^3}$ ② $\dfrac{\sqrt{3}}{4}(e^4+1)\,\mathrm{cm^3}$

③ $\dfrac{\sqrt{3}}{4}(e^4+2)\,\mathrm{cm^3}$ ④ $\dfrac{\sqrt{3}}{4}(e^8-1)\,\mathrm{cm^3}$

⑤ $\dfrac{\sqrt{3}}{4}(e^8+1)\,\mathrm{cm^3}$

044

그림과 같이 곡선 $y=\sqrt{x+\dfrac{\pi}{4}\sin\left(\dfrac{\pi}{2}x\right)}$와 x축 및 두 직선 $x=1$, $x=5$로 둘러싸인 부분을 밑면으로 하는 입체도형이 있다. 이 입체도형을 x축에 수직인 평면으로 자른 단면이 모두 정사각형일 때, 이 입체도형의 부피를 구하시오.

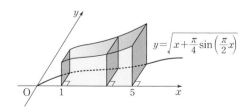

045

곡선 $y=\sqrt{9-x^2}$과 x축으로 둘러싸인 부분을 밑면으로 하는 입체도형이 있다. 이 입체도형을 x축에 수직인 평면으로 자른 단면이 모두 정삼각형일 때, 이 입체도형의 부피를 구하시오.

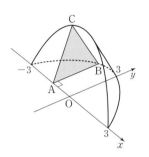

046

밑면이 그림과 같이 직각이등변삼각형인 입체도형을 x축과 수직인 평면으로 자른 단면이 반원일 때, 이 입체도형의 부피를 구하시오.

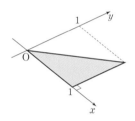

047

반지름의 길이가 $6\,\mathrm{cm}$인 반구형 모양의 그릇에 물이 가득 들어 있다. 그림과 같이 그릇을 30°만큼 기울였을 때 남아 있는 물의 부피를 구하시오.

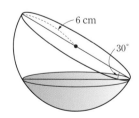

048

밑면의 반지름의 길이가 4 cm이고 높이가 12 cm인 원기둥 모양의 컵에 물을 가득 채우고 그림과 같이 수면이 컵의 밑면을 이등분할 때까지 컵을 기울였다. 컵에 남아 있는 물의 부피를 구하시오.

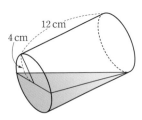

049

수직선 위를 움직이는 점 P의 시각 t에서의 속도가 $v(t)=\cos \pi t$일 때, 출발 후 두 번째로 운동 방향을 바꿀 때까지 점 P가 움직인 거리를 구하시오.

050

좌표평면 위를 움직이는 점 P의 시각 t에서의 속도가 $\left(\dfrac{\cos t}{1+t}, \dfrac{\sin t}{1+t}\right)$일 때, $t=0$에서 $t=2\pi$까지 점 P가 움직인 거리는?

① $\ln(1+\pi)$ ② $\ln(1+2\pi)$ ③ $\pi\ln(1+\pi)$
④ $\pi+\ln(1+2\pi)$ ⑤ $\pi\ln(1+2\pi)$

051

좌표평면 위를 움직이는 점 P의 시각 t에서의 좌표 (x, y)가 $x=2\cos^3 t$, $y=2\sin^3 t$로 나타내어질 때, $t=0$에서 $t=\dfrac{\pi}{2}$까지 점 P가 그리는 곡선의 길이를 구하시오.

1등급 문제

052

양의 실수 전체의 집합에서 이계도함수를 갖는 함수 $f(t)$에 대하여 좌표평면 위를 움직이는 점 P의 시각 $t\,(t\geq 1)$에서의 위치 (x, y)가 $x=2\ln t$, $y=f(t)$이다. 점 P가 점 $(0, f(1))$로부터 움직인 거리가 s가 될 때, 시각 t는 $t=\dfrac{s+\sqrt{s^2+4}}{2}$이고, $t=2$일 때, 점 P의 속도는 $\left(1, -\dfrac{3}{4}\right)$이다. 시각 $t=2$일 때 점 P의 가속도를 $\left(-\dfrac{1}{2}, a\right)$라 할 때, $60a$의 값을 구하시오.

053

그림과 같이 좌표평면 위에 원 $x^2+y^2=1$과 직선 $x=1$이 있다. 두 점 P, Q는 점 $A(1, 0)$을 동시에 출발하여 점 P는 매초 1라디안의 속력으로 원 위를 시계 반대 방향으로 움직이고, 점 Q는 매초 1의 속력으로 직선 $x=1$ 위를 아래 방향으로 움직이고 있다. 선분 PQ의 중점을 M이라 하고 시각 t(초)가 $t=0$에서 $t=\dfrac{\pi}{2}$까지 변할 때, 점 M이 움직인 거리를 구하시오.

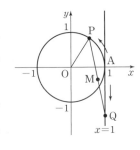

빠른 정답 확인

01 수열의 극한
본문 007~020쪽

001 극한, 극한값	002 수렴, 0	003 발산
004 수렴, 5	005 발산	006 발산
007 발산	008 수렴, 100	009 수렴, 1
010 발산	011 발산	012 1
013 0	014 14	015 -8
016 4	017 -4	018 3
019 2	020 0	021 -3
022 3	023 수렴, 2	024 수렴, 4
025 수렴, 2	026 양의 무한대로 발산	
027 양의 무한대로 발산		028 수렴, 0
029 수렴, 0	030 수렴, 1	031 $a=6$
032 $a=4$	033 $a=0$, $b=9$	034 $a=0$, $b=3$
035 양의 무한대로 발산	036 음의 무한대로 발산	
037 음의 무한대로 발산	038 수렴, 0	
039 수렴, 0	040 수렴, $\frac{1}{2}$	041 수렴, $\frac{3}{8}$
042 수렴, $\frac{3}{2}$	043 양의 무한대로 발산	
044 수렴, -2	045 수렴, $\frac{1}{2}$	046 0
047 2	048 3	
049 ②	050 ⑤	051 ㄱ, ㄷ
052 ①	053 25	054 -6
055 ④	056 ②	057 6
058 4	059 ②	060 -2
061 ②	062 $-\frac{3}{2}$	063 1
064 -6	065 ④	066 6
067 ⑤	068 4	069 5
070 1	071 3	072 ②
073 ㄷ	074 ①	075 ④
076 3	077 9	078 ②
079 25	080 2	081 ①
082 3	083 2	084 ①
085 1	086 $\frac{9}{4}$	087 ②
088 12	089 1	090 12
091 4	092 ③	093 ④
094 24		
095 10	096 $-\frac{1}{2}$	097 ①
098 2	099 1	100 ②
101 $\frac{9}{2}$	102 2	103 ①
104 50		
105 2	106 $\sqrt{2}-1$	

02 등비수열의 극한
본문 023~032쪽

001 발산	002 수렴, 0	003 수렴, 0
004 발산	005 수렴, 0	006 발산
007 발산	008 발산	009 수렴, 0
010 수렴, 0	011 수렴, 0	012 발산
013 수렴, 1	014 수렴, 0	015 수렴, 3
016 수렴, $\frac{1}{4}$	017 수렴, 3	018 수렴, 1
019 발산	020 $-1<x\leq1$	021 $0<x\leq2$
022 $-\frac{1}{2}<x\leq\frac{1}{2}$	023 $-\frac{3}{2}<x\leq1$	024 $-1\leq x<1$
025 $-\frac{1}{3}<x\leq\frac{1}{3}$	026 $-4<x\leq4$	027 ○
028 ×	029 ×	030 ○
031 ○	032 발산	033 수렴, 2
034 발산	035 수렴, 1	
036 2	037 ⑤	038 ③
039 ①	040 6	041 $\frac{1}{3}$
042 ③	043 12	044 9
045 ②	046 $\frac{4}{3}$	047 -7
048 6	049 ②	050 4
051 ①	052 6	053 5
054 ⑤	055 $\frac{1}{2}$	056 $\frac{2}{3}$
057 $\frac{1}{2}$	058 ③	059 $2+\sqrt{2}$
060 ⑤	061 1	062 150
063 $\frac{25}{6}$	064 ③	
065 ②	066 -2	067 ①
068 $\frac{1}{2}$	069 ④	070 9
071 ㄱ, ㄷ	072 ②	073 24
074 2		
075 59	076 3	

03 급수
본문 035~044쪽

001 $B-A$, B	002 2, x	003 $\frac{10}{11}$
004 $\frac{58}{45}$	005 $\frac{7}{15}$	006 $\frac{36}{55}$
007 $1-\sqrt{n+1}$	008 발산	009 수렴, 0
010 발산	011 수렴, 1	012 수렴, $\frac{4}{3}$
013 수렴, 1	014 발산	015 수렴, $\frac{1}{2}$
016 수렴, $\frac{3}{4}$	017 수렴, $\frac{1}{4}$	018 발산
019 수렴, $\frac{3}{4}$	020 수렴, $\frac{5}{12}$	021 수렴, $-\frac{1}{2}$

022 발산　　　023 발산　　　024 풀이 참조
025 풀이 참조　　026 풀이 참조　　027 풀이 참조
028 풀이 참조　　029 16　　　030 1
031 9　　　　　032 22　　　　033 5
034 11　　　　**035** ③　　　036 6
037 ③　　　038 2　　　　039 2
040 1　　　　041 ③　　　042 ⑤
043 ⑤　　　044 $-\log 2$　　045 1
046 ④　　　047 ⑤　　　048 ㄱ, ㄴ
049 ①　　　050 $-\dfrac{1}{2}$　　051 $\dfrac{1}{4}$
052 ①　　　053 ①　　　054 1
055 ⑤　　　056 ㄱ, ㄴ　　057 ㄴ
058 ㄷ　　　059 ㄴ　　　060 ㄱ, ㄷ, ㄹ
061 8　　　　062 2　　　　063 ④
064 ⑤　　　065 ②　　　066 1
067 1　　　　068 2　　　　069 ③
070 6　　　　071 4　　　　072 ②
073 ㄹ
074 23　　　　075 19

059 8　　　　060 $\dfrac{1}{2}$　　061 ②
062 $x=-1$ 또는 $1<x<5$　　063 ②
064 ③　　　065 $\dfrac{8}{3}$　　066 $\dfrac{3}{2}$
067 21
068 16　　　069 ①

05 지수함수와 로그함수의 미분
본문 059~070쪽

001 0　　　　002 0　　　　003 ∞
004 1　　　　005 4　　　　006 1
007 ∞　　　008 $-\infty$　　009 $-\infty$
010 3　　　　011 1　　　　012 ∞
013 2, 2　　　014 $\dfrac{1}{3x}$, 3, 3　　015 2, 2
016 $\dfrac{x}{5}$, 5, 5　　017 e^6　　018 $\dfrac{1}{e}$
019 0　　　　020 $\dfrac{1}{2}$　　021 $-\ln 2-1$
022 $\ln 10$　　023 x, $\dfrac{1}{3}$, $\dfrac{1}{3}$, $\dfrac{1}{3}$　　024 $2x$, 2, 2, 2
025 $\dfrac{1}{2}$, $\dfrac{1}{2}$, $\dfrac{1}{2}$　　026 $3x$, 3, 3, 3　　027 $\dfrac{2}{5}$
028 $\dfrac{1}{4}$　　029 $\dfrac{1}{2}$　　030 $\dfrac{5}{4}$
031 2　　　　032 3　　　　033 $y'=3e^{3x}$
034 $y'=-2e^{-2x}$　　035 $y'=5^x \ln 5$　　036 $y'=3x^2-e^x$
037 $y'=e^x+2^x \ln 2$　　038 $y'=e^x(1+x)$　　039 $y'=\dfrac{2}{x}$
040 $y'=\dfrac{1}{x}$　　041 $y'=\dfrac{1}{x \ln 10}$　　042 $y'=\dfrac{1}{x}+\dfrac{1}{x \ln 3}$
043 $y'=3\ln x+3-\dfrac{2}{x}$　　　　044 $y'=2x \ln x+x$
045 1　　　　046 ②　　　047 0
048 ④　　　049 $e^{\frac{4}{3}}$　　050 e
051 ⑤　　　052 $\dfrac{1}{2}$　　053 12
054 ③　　　055 -4　　　056 2
057 ①　　　058 $\dfrac{4}{3}$　　059 -1
060 -1　　　061 ⑤　　　062 1
063 ⑤　　　064 $\dfrac{1}{\ln 2}$　　065 $\dfrac{1}{2\ln 2}$
066 ④　　　067 $(\ln 2)^2$　　068 $2e$
069 ④　　　070 99　　　071 ②
072 -3　　　073 $8\ln 2+4$　　074 e
075 $\dfrac{5}{2}$　　076 ④　　　077 ④
078 10　　　079 e^3
080 3　　　　081 ③　　　082 $\dfrac{1}{e^2}$
083 2　　　　084 ②　　　085 6
086 1　　　　087 ⑤　　　088 $4+3e^2$
089 23
090 8　　　　091 ⑤

04 등비급수
본문 047~056쪽

001 $\dfrac{a}{1-r}$　　002 8　　　003 18
004 수렴, 3　　005 수렴, $2-\sqrt{2}$　　006 발산
007 16　　　008 6　　　009 $\dfrac{1}{2}$
010 수렴　　011 발산　　012 발산
013 수렴　　014 $-1<x<1$　　015 $-4<x<4$
016 $2<x<3$　　017 $-\dfrac{1}{2}<x<\dfrac{1}{2}$　　018 $-\dfrac{2}{3}<x<\dfrac{2}{3}$
019 $\dfrac{3}{2}$　　020 3　　　021 $\dfrac{8}{3}$
022 $\dfrac{4}{3}$　　023 $\dfrac{1}{6}$　　
024 18　　　025 ⑤　　　026 2
027 ①　　　028 12　　　029 5
030 $\dfrac{1}{4}$　　031 ④　　　032 4
033 $r=\dfrac{1}{3}$ 또는 $r=\dfrac{2}{3}$　　034 ④
035 $a=0$, $b=-48$　　036 ②　　037 $\dfrac{5}{24}$
038 $-\dfrac{1}{2}$　　039 $-\dfrac{1}{3}<x<\dfrac{1}{3}$　　040 $0<x<1$
041 ②　　　042 $\dfrac{1}{3}<x<3$　　043 $-3<x\leq 3$
044 ④　　　045 4　　　046 ④
047 $-\dfrac{3}{20}$　　048 ①　　049 $\dfrac{5}{8}$
050 ㄱ　　　051 $\dfrac{17}{33}$　　052 ④
053 5　　　　054 ④　　　055 9
056 4　　　　057 $\dfrac{\sqrt{3}}{4}$　　058 $\dfrac{9}{4}$

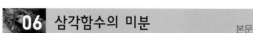

06 삼각함수의 미분

본문 073~086쪽

001 $\dfrac{5}{3}$ **002** $-\dfrac{5}{4}$ **003** $-\dfrac{4}{3}$

004 $\dfrac{5}{4}$ **005** $\dfrac{3}{4}$ **006** $-\dfrac{3}{8}$

007 $\dfrac{\sqrt{7}}{2}$ **008** $\dfrac{\sqrt{6}+\sqrt{2}}{4}$ **009** $\dfrac{\sqrt{6}+\sqrt{2}}{4}$

010 $-2-\sqrt{3}$ **011** $\dfrac{\sqrt{6}-\sqrt{2}}{4}$ **012** $\dfrac{\sqrt{2}-\sqrt{6}}{4}$

013 $2+\sqrt{3}$ **014** 0 **015** $\dfrac{\sqrt{3}}{2}$

016 $-\sqrt{3}$ **017** $\dfrac{\sqrt{3}}{2}$ **018** $\dfrac{3}{5}$

019 $\dfrac{4+3\sqrt{3}}{10}$ **020** $\dfrac{4-3\sqrt{3}}{10}$ **021** $\dfrac{4\sqrt{3}-3}{10}$

022 $\dfrac{4\sqrt{3}+3}{10}$ **023** $2\sin\left(\theta+\dfrac{\pi}{6}\right)$ **024** $\sqrt{2}\sin\left(\theta+\dfrac{\pi}{4}\right)$

025 $\sqrt{2}\sin\left(\theta+\dfrac{5}{4}\pi\right)$ **026** 주기: 2π, 최댓값: 2, 최솟값: -2

027 주기: 2π, 최댓값: 2, 최솟값: -2

028 주기: 2π, 최댓값: $\sqrt{2}$, 최솟값: $-\sqrt{2}$

029 주기: 2π, 최댓값: 1, 최솟값: -1

030 0 **031** $-\dfrac{\sqrt{2}}{2}$ **032** 1

033 3 **034** $\dfrac{1}{2}$ **035** $\dfrac{1}{6}$

036 $\dfrac{5}{4}$ **037** 2 **038** $\dfrac{2}{3}$

039 3 **040** 1 **041** 2

042 0 **043** $y'=4\cos x$ **044** $y'=3-2\cos x$

045 $y'=10x-2\sin x$ **046** $y'=3\cos x-4\sin x$

047 $y'=-\sin x-5\cos x$ **048** $y'=\dfrac{1}{x}+\sin x$

049 $y'=\cos x-x\sin x$

050 $y'=2x\sin x+x^2\cos x$

051 $y'=e^x(\cos x-\sin x)$

052 $y'=\cos^2 x-\sin^2 x$

053 $-\dfrac{13}{15}$ **054** $-\dfrac{25}{12}$ **055** ④

056 ⑤   **057** 4 **058** 3

059 0 **060** $\dfrac{4-3\sqrt{3}}{10}$ **061** ④

062 -4 **063** ①   **064** 3

065 $\dfrac{7}{6}$ **066** $\dfrac{1}{3}$ **067** ③

068 ②   **069** $2\sqrt{2}$ **070** $10\sqrt{5}$

071 ②   **072** 4 **073** 1

074 7 **075** 3 **076** ⑤

077 4 **078** ②   **079** $\dfrac{1}{3}$

080 ①   **081** 2 **082** 3

083 ③   **084** 1 **085** $-\dfrac{1}{2}$

086 ③   **087** 2 **088** 4

089 15 **090** 8 **091** ③

092 5 **093** $\dfrac{2}{3}$ **094** ①

095 -2 **096** -3 **097** $-\dfrac{1}{2}$

098 3 **099** ②

100 -192 **101** ①   **102** $\dfrac{7\sqrt{2}}{10}$

103 16 **104** 2 **105** ②

106 ①   **107** 5 **108** 1

109 $-\sqrt{2}$

110 $\dfrac{3}{2}$ **111** $\dfrac{\pi}{16}$

07 몫의 미분법과 합성함수의 미분법

본문 089~098쪽

001 $y'=-\dfrac{1}{(x+1)^2}$ **002** $y'=-\dfrac{2}{(2x-1)^2}$ **003** $y'=-\dfrac{e^x}{(e^x-2)^2}$

004 $y'=-\dfrac{2}{x^2}$ **005** $y'=\dfrac{-2(x^2+x-1)}{(x^2+1)^2}$

006 $y'=\dfrac{1-\ln x}{x^2}$ **007** $y'=\dfrac{e^x(x-2)}{(x-1)^2}$ **008** $y'=-\dfrac{4}{x^5}$

009 $y'=-\dfrac{6}{x^4}$ **010** $y'=-\dfrac{7}{x^8}$ **011** $y'=1-\dfrac{8}{x^5}$

012 $y'=2x+\dfrac{15}{x^6}$ **013** $y'=\dfrac{x^3-2}{x^3}$ **014** $y'=\dfrac{-12x^2-8}{x^5}$

015 $y'=1+\sec^2 x$ **016** $y'=\sec x(2\sec x+\tan x)$

017 $y'=\csc x(\csc x-\cot x)$

018 $y'=\sec x\tan x-\csc x\cot x$

019 $y'=\tan x+x\sec^2 x$

020 $y'=e^x(\cot x-\csc^2 x)$ **021** $y'=18x+6$

022 $y'=5(3x^2-2)(x^3-2x)^4$

023 $y'=6(x+1)(x^2+2x-5)^2$

024 $y'=\dfrac{10}{(3-5x)^3}$ **025** $y'=2\cos 2x$

026 $y'=-3\sin(3x+5)$ **027** $y'=-3\csc^2 3x$

028 $y'=2e^x(e^x-3)$ **029** $y'=2\times 3^{2x+1}\ln 3$ **030** $y'=\dfrac{4}{4x-7}$

031 $y'=\sqrt{2}x^{\sqrt{2}-1}$ **032** $y'=3\sqrt{3}(3x+2)^{\sqrt{3}-1}$

033 $y'=\dfrac{1}{2\sqrt{x}}+\dfrac{3}{4\sqrt[4]{x}}$ **034** $y'=\dfrac{1}{2\sqrt{x}}$

035 $y'=\dfrac{5\sqrt{x^3}}{2}$ **036** $y'=\dfrac{3x^2-5}{2\sqrt{x^3-5x}}$

037 $y'=-\dfrac{1}{\sqrt{(2x-1)^3}}$ **038** $y'=\dfrac{\cos x}{2\sqrt{\sin x}}$

039 ⑤   **040** $\dfrac{1}{2}$ **041** $\dfrac{2}{e}$

042 ③   **043** -1 **044** 40

045 8 **046** ①   **047** 63

048 4 **049** 6 **050** ①

051 ②   **052** -2 **053** 65

054 ③   **055** 6 **056** 41

057 ④   **058** 4 **059** 13

060 4 **061** -2 **062** ①

063 9 **064** ⑤   **065** 2

066 ④   **067** 3 **068** 2π

069 27 **070** 3 **071** ③

072 ⑤　　　　　**073** 8　　　　　**074** $\dfrac{1}{2}$

075 2　　　　　**076** 2　　　　　**077** ②

078 ③

079 770　　　　**080** 19

08 여러 가지 미분법
본문 101~110쪽

001 $y=\dfrac{1}{2}x+2$　　**002** $y=(x-1)^2$　　**003** $y=e^{x+1}$

004 $x^2+y^2=1$ (단, $y\geq 0$)　　**005** $\dfrac{dy}{dx}=t$

006 $\dfrac{dy}{dx}=\dfrac{4}{3}t$　　**007** $\dfrac{dy}{dx}=-t^2+1$　　**008** $\dfrac{dy}{dx}=2t^2+1$

009 $\dfrac{dy}{dx}=-\dfrac{2}{3}\cot\theta$ (단, $\sin\theta\neq 0$)

010 $\dfrac{dy}{dx}=\dfrac{\sin\theta}{1-\cos\theta}$ (단, $1-\cos\theta\neq 0$)

011 $xy-4=0$ $\left(\text{또는 } y-\dfrac{4}{x}=0\right)$　　**012** $x^2-y+1=0$

013 $3xy-x+y+1=0$ $\left(\text{또는 } y-\dfrac{x-1}{3x+1}=0\right)$

014 $\dfrac{dy}{dx}=-\dfrac{x}{y}$ (단, $y\neq 0$)

015 $\dfrac{dy}{dx}=-\dfrac{y}{x}$ (단, $x\neq 0$)

016 $\dfrac{dy}{dx}=-\dfrac{1}{4y}$ (단, $y\neq 0$)

017 $\dfrac{dy}{dx}=\dfrac{x}{y}$ (단, $y\neq 0$)

018 $\dfrac{dy}{dx}=\dfrac{2x-y}{x+2}$ (단, $x\neq -2$)

019 $\dfrac{dy}{dx}=\dfrac{5y-2x}{3y^2-5x}$ (단, $3y^2-5x\neq 0$)

020 $\dfrac{dy}{dx}=\dfrac{1}{1-\cos y}$ (단, $\cos y\neq 1$)

021 $\dfrac{dy}{dx}=\dfrac{1}{4\sqrt[4]{x^3}}$　　**022** $\dfrac{dy}{dx}=\dfrac{1}{\sqrt[3]{9x^2}}$

023 $\dfrac{dy}{dx}=\dfrac{1}{4\sqrt[4]{(x-5)^3}}$

024 $\dfrac{dy}{dx}=\dfrac{2}{3\sqrt[3]{(2x+4)^2}}$　　**025** $\dfrac{dy}{dx}=\dfrac{1}{2\sqrt{x-3}}$

026 $y''=6x+8$　　**027** $y''=e^x-4$　　**028** $y''=-\dfrac{1}{x^2}+4e^{2x}$

029 $y''=24(2x-1)$　　**030** $y''=-9\sin 3x$　　**031** $y''=2\ln x+3$

032 $y''=-2\sin x-x\cos x$

033 $\dfrac{5}{3}$　　　**034** ③　　　**035** 16

036 $-\dfrac{1}{2}$　　**037** 6　　　**038** ①

039 ②　　　**040** 7　　　**041** $\dfrac{\sqrt{5}}{5}$ m/s

042 ③　　　**043** $\dfrac{1}{5}$　　　**044** -1

045 ③　　　**046** -1　　　**047** 32

048 $\dfrac{1}{4}$　　　**049** -4　　　**050** ②

---

051 ②　　　**052** 2　　　**053** $-\dfrac{9}{4}$

054 $\dfrac{5}{3}$　　　**055** 4　　　**056** ⑤

057 ④　　　**058** 8　　　**059** $\dfrac{1}{2}$

060 5　　　**061** 1　　　**062** ①

063 8　　　**064** 2　　　**065** ⑤

066 $-\dfrac{1}{8}$　　**067** 6　　　**068** ④

069 $\dfrac{1}{2\ln 2}$　　**070** ②　　　**071** $\dfrac{1}{3}$

072 7

073 15　　　　**074** ②

09 접선의 방정식과 극대·극소
본문 113~126쪽

001 $-\dfrac{1}{9}$　　**002** $\dfrac{\sqrt{2}}{2}$　　**003** $\dfrac{1}{e}$

004 0　　　　**005** $6e^2$　　　**006** $y=-\dfrac{1}{3}x+\dfrac{7}{3}$

007 $y=\dfrac{1}{4}x+\dfrac{3}{4}$　　**008** $y=x+3$　　**009** $y=x-4$

010 $y=\dfrac{1}{2}x-\dfrac{\pi}{6}+\dfrac{\sqrt{3}}{2}$　　　　**011** $y=4x-6$

012 $y=-2x+5$　　**013** $y=-2x+2$　　**014** $y=-\dfrac{1}{3}x+\dfrac{7}{3}$

015 $y=-3x+2$　　**016** $y=\dfrac{7}{2}x+3$

017 $y=-\dfrac{\sqrt{3}}{6}x+\dfrac{2\sqrt{3}}{3}$　　　　**018** $y=2x+1$

019 $y=\dfrac{1}{3}x-\dfrac{1}{3}+\ln 3$　　　　**020** $y=x-\dfrac{\pi}{6}+\dfrac{\sqrt{3}}{2}$

021 $y=\dfrac{1}{4}x+1$　　**022** $y=ex$

023 증가: $(-\infty,\,-1]$, $[5,\,\infty)$, 감소: $[-1,\,5]$

024 증가: $(-\infty,\,0]$, 감소: $[0,\,\infty)$

025 증가: $(-\infty,\,-1]$, $[3,\,\infty)$, 감소: $[-1,\,1)$, $(1,\,3]$

026 증가: $[1,\,\infty)$, 감소: $(-\infty,\,1]$　　　**027** 증가: $(0,\,\infty)$

028 증가: $[-1,\,\infty)$, 감소: $(-\infty,\,-1]$

029 극댓값: 4, 극솟값: 0

030 극댓값: $\dfrac{4}{e^2}$, 극솟값: 0　　　　**031** 극솟값: $-\dfrac{1}{e}$

032 극댓값: $\sqrt{2}$　　**033** 극댓값: -2, 극솟값: 2

034 극댓값: -1　　**035** 극솟값: $-\sqrt{2}$

036 최댓값: -1, 최솟값: -8

037 최댓값: $\dfrac{1}{2}$, 최솟값: 0

038 최댓값: e^{-1}, 최솟값: 0

039 최댓값: e^2-2, 최솟값: 1

040 최댓값: $\sqrt{2}$, 최솟값: -1

041 ②　　　**042** 3　　　**043** -4π

044 $\dfrac{1}{7}$　　　**045** 6　　　**046** ①

047 ⑤　　　**048** $\dfrac{e}{2}$　　　**049** 1

050 ②

051 $y=\dfrac{1}{4}x-\dfrac{1}{2}$　　**052** $\sqrt{2}$

053 e **054** $\dfrac{2}{e}$ **055** ②

056 ④ **057** $y=\dfrac{1}{2}x$ **058** $\dfrac{7}{4}$

059 ② **060** 2 **061** 3

062 2 **063** $a>0$ **064** ②

065 0 **066** ① **067** 2

068 ④ **069** -2 **070** 4

071 ① **072** $-e^2$ **073** $\dfrac{5}{2}$

074 ④ **075** 0 **076** 4

077 ① **078** ① **079** $-1<a<1$

080 ① **081** 2 **082** 2

083 ① **084** e^4 **085** $\dfrac{2}{e}$

086 ③ **087** $-\dfrac{1}{2}e^{\frac{\pi}{2}}$ **088** $3\sqrt{3}$

089 4 **090** ① **091** 0

092 ④ **093** 41 **094** $\dfrac{1}{2}$

095 $\pi-\sqrt{3}$ **096** ④ **097** $-\dfrac{3}{e^4}$

098 $2\pi+1$

099 ③ **100** π

10 도함수의 활용
본문 129~140쪽

001 $x<2$일 때 아래로 볼록, $x>2$일 때 위로 볼록

002 $x<0$ 또는 $x>1$일 때 아래로 볼록, $0<x<1$일 때 위로 볼록

003 구간 $(-\infty,\ \infty)$에서 아래로 볼록

004 구간 $(0,\ \infty)$에서 위로 볼록

005 $0<x<\pi$일 때 위로 볼록, $\pi<x<2\pi$일 때 아래로 볼록

006 $(1,\ 1)$ **007** $(0,\ -1),\ (1,\ 0)$ **008** $\left(-2,\ -\dfrac{2}{e^2}\right)$

009 $(-3,\ \ln 18),\ (3,\ \ln 18)$ **010** $\left(\dfrac{\pi}{2},\ \dfrac{\pi}{2}\right)$

011   **012**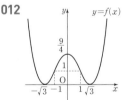

013   **014**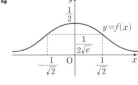

015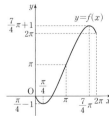

016 2 **017** 0 **018** 1

019 풀이 참조 **020** 풀이 참조

021 속도: -5, 가속도: 2 **022** 속도: 1, 가속도: 6

023 $(2t+2,\ 3t^2)$ **024** $(2,\ 6t)$ **025** $(4,\ 3)$

026 5 **027** $(2,\ 6)$ **028** $2\sqrt{10}$

029 속도: $(2,\ 4)$, 가속도: $(0,\ 2)$

030 속도: $\left(\dfrac{1}{2},\ -\dfrac{\sqrt{3}}{2}\right)$, 가속도: $\left(-\dfrac{\sqrt{3}}{2},\ -\dfrac{1}{2}\right)$

031 ⑤ **032** 3 **033** ①

034 ② **035** 3 **036** $2\sqrt{2}$

037 ① **038** 5 **039** 3

040 $-2<x<2$ **041** ② **042** ㄷ, ㄹ

043 ㄱ, ㄴ, ㄷ **044** ㄱ, ㄷ **045** ㄱ

046 ① **047** 8 **048** 12

049 ④ **050** ⑤ **051** ③

052 $\dfrac{1}{e}$ **053** ②

054 (1) 속도: -1, 가속도: 1 (2) $\dfrac{\pi}{4}$ **055** ⑤

056 $\dfrac{4}{3}\pi$ **057** 1 **058** ⑤

059 $\left(2,\ \dfrac{1}{4}\right)$ **060** ⑤ **061** $\dfrac{\sqrt{3}}{2}$

062 $(0,\ -1)$ **063** 20 m/s **064** ④

065 ① **066** $\ln 2$ **067** $2e$

068 2 **069** ④ **070** ㄱ, ㄴ, ㄷ

071 $0<k<\dfrac{1}{2e}$ **072** $\dfrac{2}{e}$ **073** 3

074 $2\sqrt{5}$

075 ㄴ **076** 26

11 여러 가지 적분법
본문 143~154쪽

001 $-\dfrac{1}{x}+C$ **002** $-\dfrac{3}{2x^2}+C$ **003** $\dfrac{2}{3}x\sqrt{x}+C$

004 $\dfrac{2}{5}x^2\sqrt{x}+C$ **005** $3\ln|x|+C$ **006** $-\dfrac{1}{\sqrt{x}}+C$

007 e^x+C **008** $3e^x+C$ **009** x^2-e^x+C

010 e^x+x+C **011** $\dfrac{2^x}{\ln 2}+C$ **012** $\dfrac{3^x}{\ln 3}+x+C$

013 $-3\cos x+C$ **014** $-\cos x-2\sin x+C$

015 $\tan x+3\cos x+C$ **016** $-\cot x-x+C$

017 $\dfrac{1}{6}(3x+1)^6+C$ **018** $\dfrac{1}{8}(2x-3)^4+C$ **019** $\dfrac{1}{3}(x^2+5)^3+C$

020 $\dfrac{1}{6}(x^2+6x)^3+C$ **021** $\dfrac{2}{3}x\sqrt{2x}+C$ **022** $\dfrac{2}{3}(x^2-1)^{\frac{3}{2}}+C$

023 $\sqrt{x^2+1}+C$ **024** $\dfrac{2}{5}x^2\sqrt{2x}+C$ **025** $-e^{-x}+C$

026 $\dfrac{1}{2}e^{2x}+C$ **027** $\dfrac{1}{2}e^x+C$ **028** $e^{2x+1}+C$

029 $\dfrac{6^{3x}}{3\ln 6}+C$ **030** $\dfrac{1}{2}(\ln x)^2+C$ **031** $\dfrac{1}{3}(\ln x)^3+C$

032 $\ln(3^x+1)+C$ **033** $-\dfrac{1}{2}\cos 2x+C$

034 $\dfrac{1}{2}\sin(2x-3)+C$ **035** $\sin x^2+C$

036 $\frac{1}{3}\sin^3 x+C$ 037 $\ln(x^2+1)+C$

038 $-\ln|x^3-2x|+C$ 039 $\ln(e^x+2)+C$

040 $\ln|\ln x|+C$ 041 $-\ln|\cos x|+C$ 042 xe^x-e^x+C

043 $x\sin x+\cos x+C$ 044 $x\ln x-x+C$

045 $x^2\ln x-\frac{1}{2}x^2+C$ 046 $-\frac{1}{3}xe^{-3x}-\frac{1}{9}e^{-3x}+C$

047 -2 048 $F(x)=\frac{2}{5}x^2\sqrt{x}+\frac{1}{2}x^2+x+\frac{1}{10}$

049 ③   050 ③   051 $\frac{1}{e}$

052 $\frac{7}{8}$ 053 2   054 ④

055 $1-\frac{\pi}{4}$ 056 ③   057 4

058 1   059 ②   060 5

061 $\frac{14}{15}$ 062 $e-1$ 063 14

064 ③   065 $\frac{9}{4}$ 066 $\frac{4}{3}$

067 ①   068 $-\frac{1}{15}$ 069 ②

070 -2 071 ③   072 $\ln 2$

073 $\ln\frac{e+1}{2}$ 074 ①   075 $\frac{1}{2}\ln\frac{1}{5}$

076 $\frac{1}{2}\ln 3$ 077 ⑤   078 0

079 5π 080 $f(x)=-x\ln x+x-1$

081 ③   082 ①

083 ③   084 e^3 085 1

086 512   087 ①   088 18

089 $\frac{5}{2}-\ln 2$ 090 ①   091 1

092 $\frac{2}{e}-1$

093 ①   094 $-\frac{1}{3}$

031 1   032 2   033 $1-\frac{2}{e}$

034 $\frac{1}{4}(e^2+1)$ 035 $\frac{\pi}{2}-1$

036 $2x+k,\ 2t+k,\ t^2+kt,\ -4,\ 2x-4,\ 0$ 037 -1

038 2

039 2   040 79   041 ④

042 ④   043 $\frac{3}{4}\pi$ 044 $\frac{9}{8}$

045 59   046 ①   047 $\frac{\pi}{2}-1$

048 ④   049 $\frac{9}{4}$ 050 $\frac{3}{2}\pi$

051 $2\sqrt{2}-2$ 052 ⑤   053 $\frac{16}{9}$

054 2   055 $\frac{3}{\ln 2}$ 056 ③

057 ①   058 7   059 $e-1$

060 ③   061 $\frac{1}{3}$ 062 $\frac{3}{8}$

063 $\frac{1}{4}$ 064 ④   065 2

066 ③   067 $\frac{\pi}{2}$ 068 -1

069 ③   070 14   071 15

072 1   073 6   074 ③

075 $2e^3$ 076 ④   077 e^2+e-1

078 ②   079 $\frac{3}{\pi}$ 080 0

081 ③   082 4   083 $8e^2$

084 ⑤   085 $\frac{1}{2}$ 086 4

087 8   088 $\ln 2+\frac{1}{2}$ 089 ①

090 20   091 ④   092 $(\ln 2)^2$

093 $\frac{\sqrt{2}}{2}$ 094 ⑤   095 $e-1$

096 2

097 ③   098 6

12 정적분
본문 157~170쪽

001 $\ln\frac{5}{2}$ 002 $\frac{52}{3}$ 003 e^3-1

004 $\frac{8}{\ln 3}$ 005 1   006 e^2-e+3

007 2   008 $-\frac{4}{3}$ 009 1

010 $4e-4$ 011 16   012 $2\left(e-\frac{1}{e}\right)$

013 2   014 $\frac{1}{5}$ 015 0

016 $\frac{15}{4}$ 017 $18-2\sqrt{3}$ 018 $\frac{14}{3}$

019 $\ln\frac{8}{3}$ 020 $\frac{1}{3}$ 021 $\frac{7}{24}$

022 $\ln\frac{e+2}{3}$ 023 2   024 $\ln 2$

025 $\ln 2$ 026 $\frac{\pi}{4}$ 027 π

028 $\frac{\pi}{4}$ 029 3   030 2

13 정적분과 도형의 넓이
본문 173~182쪽

001 $\left(\frac{2}{n}\right)^2,\ \left(\frac{3}{n}\right)^2,\ \frac{1}{n^3},\ 6n^3,\ \frac{1}{6},\ \frac{1}{6},\ \frac{1}{3}$ 002 $\frac{1}{n}$

003 $\frac{2k}{n}$ 004 $\sum_{k=1}^{n}\frac{2k}{n}\times\frac{1}{n}$ 005 1

006 2, 0   007 3, 1   008 2, 1, 0

009 $\frac{4}{3}$ 010 8   011 $\ln 2$

012 $\frac{4\sqrt{2}}{3}$ 013 $e-1$ 014 $\frac{1}{e^2}+e-1$

015 $\frac{4}{3}$ 016 $\frac{37}{12}$ 017 $\frac{1}{6}$

018 $\frac{14}{3}-\ln 4$

019 ③   020 ⑤   021 ④

022 (가) $n(n-1)(2n-1)$, (나) $\frac{1}{3}\pi r^2 h$ 023 ②

024 5   025 1   026 $\ln 2$

027 ②   **028** $\frac{1}{2}e^2$ **029** ③

030 $\frac{16}{\pi}$ **031** 4   **032** e^4

033 π **034** ⑤   **035** $\frac{10}{3}$

036 $(\ln 2)^2 - 2\ln 2 + 1$ **037** ④

038 ④   **039** 12   **040** $\frac{49}{12}$

041 2   **042** $\frac{20}{11}$ **043** ③

044 27   **045** $\frac{e}{2} - \frac{1}{e^2}$ **046** $\frac{e}{2} - 1$

047 $\frac{\pi}{6}$ **048** $\frac{1}{e-1}$ **049** ①

050 4   **051** $3e^3$ **052** ④

053 $\frac{1}{3}$ **054** ①   **055** $2\sqrt{2}$

056 ①   **057** $\frac{4}{3}$

058 $2 + (\pi+1)\ln(\pi+1) - \pi$ **059** ④

060 $\frac{1}{2}e^2 - e$ **061** $\frac{\pi}{2} - \frac{2}{\pi}$ **062** -2

063 ③   **064** $144 + \frac{50}{\ln 2}$

14 정적분의 활용

본문 185~192쪽

001 $\sqrt{\sin t}$ **002** $\sin t$ **003** 2

004 $\frac{10}{3}\sqrt{5} - 2\sqrt{3}$ **005** $\frac{1}{2}e^2 - \frac{1}{2}$ **006** 1

007 14   **008** 4   **009** 2

010 $4\sqrt{10}$ **011** $\frac{\pi}{4}$ **012** $2\sqrt{3} - \frac{2}{3}$

013 ③   **014** $9e^{10} + 1$ **015** 2

016 12   **017** ②   **018** ①

019 $2\sqrt{3}$ **020** 11   **021** $\frac{2}{15}\pi$

022 $\frac{9}{2}$ **023** ③   **024** $\frac{2\sqrt{3}}{3}$

025 18   **026** $6\sqrt{3}$ **027** ④

028 1 cm   **029** 24   **030** 2

031 $-\frac{4}{e^2} + 2$ **032** 1   **033** 25

034 π **035** ①   **036** 4

037 $4\ln 2 + \frac{3}{2}$ **038** ⑤   **039** ②

040 8   **041** 3

042 $\left(\frac{\pi}{2} - 1\right)$ cm^3 **043** ④   **044** 12

045 $9\sqrt{3}$ **046** $\frac{\pi}{24}$ **047** 45π cm^3

048 128 cm^3 **049** $\frac{3}{\pi}$ **050** ②

051 3

052 -15 **053** $2 - \sqrt{2}$

아름다운 샘 BOOK LIST

개념기본서 수학의 기본을 다지는 최고의 수학 개념기본서

❖ 수학의 샘

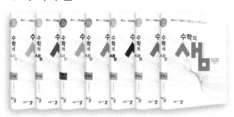

- 수학(상)
- 수학(하)
- 수학 I
- 수학 II
- 확률과 통계
- 미적분
- 기하

Total 내신문제집 한 권으로 끝내는 내신 대비 문제집

❖ Total 짱

- 수학(상)
- 수학(하)
- 수학 I
- 수학 II
- 확률과 통계
- 미적분

문제기본서 (기본, 유형), (유형, 심화)로 구성된 수준별 문제기본서

❖ 아샘 Hi Math

- 수학(상)
- 수학(하)
- 수학 I
- 수학 II
- 확률과 통계
- 미적분
- 기하

❖ 아샘 Hi High

- 수학(상)
- 수학(하)
- 수학 I
- 수학 II
- 확률과 통계
- 미적분

수능 기출유형 문제집 수능 대비하는 수준별·유형별 문제집

❖ 짱 쉬운 유형 / 확장판

- 수학 I
- 수학 II
- 확률과 통계
- 미적분
- 기하

- 수학 I
- 수학 II
- 확률과 통계

❖ 짱 중요한 유형

- 수학 I
- 수학 II
- 확률과 통계
- 미적분
- 기하

❖ 짱 어려운 유형

- 수학 I
- 수학 II
- 확률과 통계
- 미적분

중간·기말고사 교재 학교 시험 대비 실전모의고사

❖ 아샘 내신 FINAL (고1 수학, 고2 수학 I, 고2 수학 II)

- 1학기 중간고사
- 1학기 기말고사
- 2학기 중간고사
- 2학기 기말고사

수능 실전모의고사 수능 대비 파이널 실전모의고사

❖ 짱 Final 실전모의고사

- 수학 영역

예비 고1 교재 고교 수학의 기본을 다지는 참 쉬운 기본서

❖ 그래 할 수 있어

- 수학(상)
- 수학(하)

내신 기출유형 문제집 내신 대비하는 수준별·유형별 문제집

❖ 짱 쉬운 내신

- 수학(상)
- 수학(하)

❖ 짱 중요한 내신

- 수학(상)
- 수학(하)

기본기를 다지는
문제기본서 하이 매쓰
Hi Math
미적분

펴낸이 (주)아름다운샘

펴낸곳 (주)아름다운샘

등록번호 제324-2013-41호

주소 서울시 강동구 상암로 257, 진승빌딩 3F

전화 02-892-7878

팩스 02-892-7874

기본기를 다지는

문제기본서 하이 매쓰

Hi Math

미적분

정답 및 해설

아름다운샘

아름다운 샘과 함께
수학의 자신감과 최고 실력을 완성!!!

Hi Math

미적분

정답 및 해설

정답 및 해설

01 수열의 극한

본책 007~020쪽

001

수열 $\{a_n\}$에서 n이 한없이 커질 때, 일반항 a_n의 값이 어떤 실수 α에 한없이 가까워지면 수열 $\{a_n\}$은 α에 수렴한다고 한다. 이때 α를 수열 $\{a_n\}$의 [극한] 또는 [극한값]이라 하고 기호로 $\lim_{n \to \infty} a_n = \alpha$ 또는 $n \longrightarrow \infty$일 때 $a_n \longrightarrow \alpha$와 같이 나타낸다.

답 극한, 극한값

002 일반항을 a_n이라 하면 $a_n = \dfrac{1}{n}$이므로 n이 한없이 커짐에 따라 변하는 a_n의 값을 좌표평면 위에 나타내면 그림과 같다.

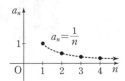

n이 한없이 커질 때, 일반항 $\dfrac{1}{n}$의 값은 0에 한없이 가까워짐을 알 수 있다.

따라서 주어진 수열은 0에 수렴한다.

답 수렴, 0

003 일반항을 a_n이라 하면 $a_n = 2n-1$이므로 n이 한없이 커짐에 따라 변하는 a_n의 값을 좌표평면 위에 나타내면 그림과 같다.

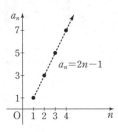

n이 한없이 커질 때, 일반항 $2n-1$의 값은 한없이 커짐을 알 수 있다.

따라서 주어진 수열은 양의 무한대로 발산한다.

답 발산

004 일반항을 a_n이라 하면 $a_n = 5$이므로 n이 한없이 커짐에 따라 변하는 a_n의 값을 좌표평면 위에 나타내면 그림과 같다.

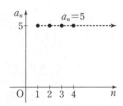

따라서 주어진 수열은 5에 수렴한다.

답 수렴, 5

005 일반항을 a_n이라 하면 $a_n = (-1)^n$이므로 n이 한없이 커짐에 따라 변하는 a_n의 값을 좌표평면 위에 나타내면 그림과 같다.

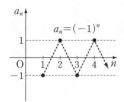

따라서 주어진 수열은 발산(진동)한다.

답 발산

006 $a_n = n+1$에 $n = 1, 2, 3, 4, \cdots$을 순서대로 대입하면

$2, 3, 4, 5, \cdots$

n이 한없이 커짐에 따라 변하는 a_n의 값을 좌표평면 위에 나타내면 그림과 같다.

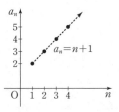

n이 한없이 커질 때, 일반항 $n+1$의 값은 한없이 커짐을 알 수 있다.

따라서 주어진 수열은 양의 무한대로 발산한다.

답 발산

007 $a_n = -2n+7$에 $n = 1, 2, 3, 4, \cdots$을 순서대로 대입하면

$5, 3, 1, -1, \cdots$

n이 한없이 커짐에 따라 변하는 a_n의 값을 좌표평면 위에 나타내면 그림과 같다.

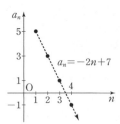

n이 한없이 커질 때, 일반항 $-2n+7$의 값은 한없이 작아짐을 알 수 있다.

따라서 주어진 수열은 음의 무한대로 발산한다.

답 발산

008 $a_n = 100 - \dfrac{1}{n}$에 $n = 1, 2, 3, 4, \cdots$을 순서대로 대입하면

$100-1, \ 100-\dfrac{1}{2}, \ 100-\dfrac{1}{3}, \ 100-\dfrac{1}{4}, \cdots$

n이 한없이 커짐에 따라 변하는 a_n의 값을 좌표평면 위에 나타내면 그림과 같다.

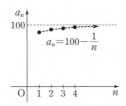

n이 한없이 커질 때, 일반항 $100-\dfrac{1}{n}$의 값은 100에 한없이 가까워짐을 알 수 있다.

따라서 주어진 수열은 100에 수렴한다.　　　　답 수렴, 100

009 $a_n=\dfrac{n}{n+1}$에 $n=1,\,2,\,3,\,4,\,\cdots$을 순서대로 대입하면

$\dfrac{1}{2},\,\dfrac{2}{3},\,\dfrac{3}{4},\,\dfrac{4}{5},\,\cdots$

n이 한없이 커짐에 따라 변하는 a_n의 값을 좌표평면 위에 나타내면 그림과 같다.

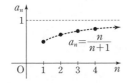

n이 한없이 커질 때, 일반항 $\dfrac{n}{n+1}$의 값은 1에 한없이 가까워짐을 알 수 있다.

따라서 주어진 수열은 1에 수렴한다.　　　　답 수렴, 1

010 $a_n=(-1)^n+1$에 $n=1,\,2,\,3,\,4,\,\cdots$을 순서대로 대입하면

$0,\,2,\,0,\,2,\,\cdots$

n이 한없이 커짐에 따라 변하는 a_n의 값을 좌표평면 위에 나타내면 그림과 같다.

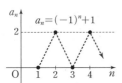

따라서 주어진 수열은 발산(진동)한다.　　　　답 발산

011 $a_n=(-2)^n$에 $n=1,\,2,\,3,\,4,\,\cdots$을 순서대로 대입하면

$-2,\,4,\,-8,\,16,\,\cdots$

n이 한없이 커짐에 따라 변하는 a_n의 값을 좌표평면 위에 나타내면 그림과 같다.

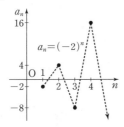

따라서 주어진 수열은 발산(진동)한다.　　　　답 발산

012 $\displaystyle\lim_{n\to\infty}(a_n+b_n)=\lim_{n\to\infty}a_n+\lim_{n\to\infty}b_n$
$\qquad\qquad\qquad\quad=3+(-2)=1$　　　　답 1

013 $\displaystyle\lim_{n\to\infty}(2a_n+3b_n)=2\lim_{n\to\infty}a_n+3\lim_{n\to\infty}b_n$
$\qquad\qquad\qquad\qquad=2\times3+3\times(-2)=0$　　　　답 0

014 $\displaystyle\lim_{n\to\infty}(4a_n-b_n)=4\lim_{n\to\infty}a_n-\lim_{n\to\infty}b_n$
$\qquad\qquad\qquad\qquad=4\times3-(-2)=14$　　　　답 14

015 $\displaystyle\lim_{n\to\infty}2a_nb_n=2\lim_{n\to\infty}a_n\times\lim_{n\to\infty}b_n$
$\qquad\qquad\qquad=2\times(-1)\times4=-8$　　　　답 -8

016 $\displaystyle\lim_{n\to\infty}a_n{}^2b_n=\lim_{n\to\infty}a_n{}^2\times\lim_{n\to\infty}b_n$
$\qquad\qquad\qquad=(-1)^2\times4=4$　　　　답 4

017 $\displaystyle\lim_{n\to\infty}\dfrac{b_n}{a_n}=\dfrac{\displaystyle\lim_{n\to\infty}b_n}{\displaystyle\lim_{n\to\infty}a_n}$
$\qquad\qquad\quad=\dfrac{4}{-1}=-4$　　　　답 -4

018 $\displaystyle\lim_{n\to\infty}(a_n+2)(b_n-1)=\lim_{n\to\infty}(a_n+2)\times\lim_{n\to\infty}(b_n-1)$
$\qquad\qquad\qquad\qquad\qquad=(-1+2)\times(4-1)=3$
　　　　답 3

019 $\displaystyle\lim_{n\to\infty}\Big(2+\dfrac{3}{n}\Big)=\lim_{n\to\infty}2+3\lim_{n\to\infty}\dfrac{1}{n}$
$\qquad\qquad\qquad=2+3\times0=2$　　　　답 2

020 $\displaystyle\lim_{n\to\infty}\dfrac{4n+1}{n^2}=\lim_{n\to\infty}\Big(\dfrac{4}{n}+\dfrac{1}{n^2}\Big)$
$\qquad\qquad\quad=4\lim_{n\to\infty}\dfrac{1}{n}+\lim_{n\to\infty}\dfrac{1}{n^2}$
$\qquad\qquad\quad=4\times0+0=0$　　　　답 0

021 $\displaystyle\lim_{n\to\infty}\Big(\dfrac{5}{n}-1\Big)\Big(3+\dfrac{1}{n}\Big)=\lim_{n\to\infty}\Big(\dfrac{5}{n}-1\Big)\times\lim_{n\to\infty}\Big(3+\dfrac{1}{n}\Big)$
$\qquad\qquad\qquad\qquad\qquad\quad=(-1)\times3=-3$　　　　답 -3

022 $\displaystyle\lim_{n\to\infty}\dfrac{3+\dfrac{1}{n^2}}{1-\dfrac{2}{n}}=\dfrac{\displaystyle\lim_{n\to\infty}\Big(3+\dfrac{1}{n^2}\Big)}{\displaystyle\lim_{n\to\infty}\Big(1-\dfrac{2}{n}\Big)}=\dfrac{3}{1}=3$　　　　답 3

[023-030] 분모의 최고차항으로 분모, 분자를 각각 나누면

023 $\displaystyle\lim_{n\to\infty}\dfrac{2n+3}{n+2}=\lim_{n\to\infty}\dfrac{2+\dfrac{3}{n}}{1+\dfrac{2}{n}}=2$　　　　답 수렴, 2

024 $\displaystyle\lim_{n\to\infty}\dfrac{4n^2+3n+1}{n^2+2n-3}=\lim_{n\to\infty}\dfrac{4+\dfrac{3}{n}+\dfrac{1}{n^2}}{1+\dfrac{2}{n}-\dfrac{3}{n^2}}=4$

답 수렴, 4

025
$$\lim_{n\to\infty}\frac{(n-1)(2n+3)}{n^2}=\lim_{n\to\infty}\frac{2n^2+n-3}{n^2}$$
$$=\lim_{n\to\infty}\frac{2+\dfrac{1}{n}-\dfrac{3}{n^2}}{1}=2$$

답 수렴, 2

026
$$\lim_{n\to\infty}\frac{n^2-n}{2n-1}=\lim_{n\to\infty}\frac{n-1}{2-\dfrac{1}{n}}=\infty \ (발산)$$

답 양의 무한대로 발산

027
$$\lim_{n\to\infty}\frac{(n-1)(3n-1)}{6n+1}=\lim_{n\to\infty}\frac{3n^2-4n+1}{6n+1}$$
$$=\lim_{n\to\infty}\frac{3n-4+\dfrac{1}{n}}{6+\dfrac{1}{n}}=\infty \ (발산)$$

답 양의 무한대로 발산

028
$$\lim_{n\to\infty}\frac{n+2}{n^2+1}=\lim_{n\to\infty}\frac{\dfrac{1}{n}+\dfrac{2}{n^2}}{1+\dfrac{1}{n^2}}=0$$

답 수렴, 0

029
$$\lim_{n\to\infty}\frac{2n^2+1}{n^3-2n}=\lim_{n\to\infty}\frac{\dfrac{2}{n}+\dfrac{1}{n^3}}{1-\dfrac{2}{n^2}}=0$$

답 수렴, 0

030
$$\lim_{n\to\infty}\frac{\sqrt{n+3}}{\sqrt{n}}=\lim_{n\to\infty}\frac{\sqrt{1+\dfrac{3}{n}}}{\sqrt{1}}=1$$

답 수렴, 1

031
$$\lim_{n\to\infty}\frac{an+5}{2n+3}=\lim_{n\to\infty}\frac{a+\dfrac{5}{n}}{2+\dfrac{3}{n}}$$
$$=\frac{a}{2}=3$$
$$\therefore a=6$$

답 $a=6$

032
$$\lim_{n\to\infty}\frac{-2n^2+3n-1}{an^2+1}=\lim_{n\to\infty}\frac{-2+\dfrac{3}{n}-\dfrac{1}{n^2}}{a+\dfrac{1}{n^2}}$$
$$=-\frac{2}{a}=-\frac{1}{2}$$
$$\therefore a=4$$

답 $a=4$

033 $\lim\limits_{n\to\infty}\dfrac{an^2+bn+3}{3n+2}$ 에서 $a\neq0$이면 발산하므로 $a=0$, 즉
$$\lim_{n\to\infty}\frac{bn+3}{3n+2}=\lim_{n\to\infty}\frac{b+\dfrac{3}{n}}{3+\dfrac{2}{n}}$$
$$=\frac{b}{3}=3$$
$$\therefore b=9$$

답 $a=0,\,b=9$

034 $\lim\limits_{n\to\infty}\dfrac{an^2-9n+1}{bn-3}$ 에서 $a\neq0$이면 발산하므로 $a=0$, 즉
$$\lim_{n\to\infty}\frac{-9n+1}{bn-3}=\lim_{n\to\infty}\frac{-9+\dfrac{1}{n}}{b-\dfrac{3}{n}}$$
$$=-\frac{9}{b}=-3$$
$$\therefore b=3$$

답 $a=0,\,b=3$

035 최고차항 n^2으로 묶으면
$$\lim_{n\to\infty}(n^2-3n+1)=\lim_{n\to\infty}n^2\Big(1-\frac{3}{n}+\frac{1}{n^2}\Big)=\infty$$

답 양의 무한대로 발산

036 최고차항 n^2으로 묶으면
$$\lim_{n\to\infty}(2n-n^2)=\lim_{n\to\infty}n^2\Big(\frac{2}{n}-1\Big)=-\infty$$

답 음의 무한대로 발산

037 최고차항 n^3으로 묶으면
$$\lim_{n\to\infty}(2+3n^2-n^3)=\lim_{n\to\infty}n^3\Big(\frac{2}{n^3}+\frac{3}{n}-1\Big)=-\infty$$

답 음의 무한대로 발산

038
$$\lim_{n\to\infty}(\sqrt{n+5}-\sqrt{n})$$
$$=\lim_{n\to\infty}\frac{(\sqrt{n+5}-\sqrt{n})(\sqrt{n+5}+\sqrt{n})}{\sqrt{n+5}+\sqrt{n}}$$
$$=\lim_{n\to\infty}\frac{5}{\sqrt{n+5}+\sqrt{n}}=0$$

답 수렴, 0

039
$$\lim_{n\to\infty}\frac{\sqrt{n+3}-\sqrt{n}}{2}$$
$$=\lim_{n\to\infty}\frac{(\sqrt{n+3}-\sqrt{n})(\sqrt{n+3}+\sqrt{n})}{2(\sqrt{n+3}+\sqrt{n})}$$
$$=\lim_{n\to\infty}\frac{3}{2(\sqrt{n+3}+\sqrt{n})}=0$$

답 수렴, 0

040
$$\lim_{n\to\infty}(\sqrt{n^2+n}-n)$$
$$=\lim_{n\to\infty}\frac{(\sqrt{n^2+n}-n)(\sqrt{n^2+n}+n)}{\sqrt{n^2+n}+n}$$
$$=\lim_{n\to\infty}\frac{n}{\sqrt{n^2+n}+n}$$
$$=\lim_{n\to\infty}\frac{1}{\sqrt{1+\dfrac{1}{n}}+1}=\frac{1}{2}$$

답 수렴, $\dfrac{1}{2}$

041
$$\lim_{n\to\infty}\frac{\sqrt{n^2+3n}-n}{4}$$
$$=\lim_{n\to\infty}\frac{(\sqrt{n^2+3n}-n)(\sqrt{n^2+3n}+n)}{4(\sqrt{n^2+3n}+n)}$$
$$=\lim_{n\to\infty}\frac{3n}{4(\sqrt{n^2+3n}+n)}$$
$$=\lim_{n\to\infty}\frac{3}{4\Big(\sqrt{1+\dfrac{3}{n}}+1\Big)}=\frac{3}{8}$$

답 수렴, $\dfrac{3}{8}$

042
$$\lim_{n \to \infty} (\sqrt{n^2+3n} - \sqrt{n^2+1})$$
$$=\lim_{n \to \infty} \frac{(\sqrt{n^2+3n}-\sqrt{n^2+1})(\sqrt{n^2+3n}+\sqrt{n^2+1})}{\sqrt{n^2+3n}+\sqrt{n^2+1}}$$
$$=\lim_{n \to \infty} \frac{3n-1}{\sqrt{n^2+3n}+\sqrt{n^2+1}}$$
$$=\lim_{n \to \infty} \frac{3-\dfrac{1}{n}}{\sqrt{1+\dfrac{3}{n}}+\sqrt{1+\dfrac{1}{n^2}}}$$
$$=\frac{3}{2}$$
답 수렴, $\dfrac{3}{2}$

043
$$\lim_{n \to \infty} \frac{1}{\sqrt{n+1}-\sqrt{n}}$$
$$=\lim_{n \to \infty} \frac{\sqrt{n+1}+\sqrt{n}}{(\sqrt{n+1}-\sqrt{n})(\sqrt{n+1}+\sqrt{n})}$$
$$=\lim_{n \to \infty} (\sqrt{n+1}+\sqrt{n})=\infty$$
답 양의 무한대로 발산

044
$$\lim_{n \to \infty} \frac{1}{\sqrt{n^2-n}-n}$$
$$=\lim_{n \to \infty} \frac{\sqrt{n^2-n}+n}{(\sqrt{n^2-n}-n)(\sqrt{n^2-n}+n)}$$
$$=\lim_{n \to \infty} \frac{\sqrt{n^2-n}+n}{-n}$$
$$=\lim_{n \to \infty} \frac{\sqrt{1-\dfrac{1}{n}}+1}{-1}=-2$$
답 수렴, -2

045
$$\lim_{n \to \infty} \frac{1}{\sqrt{n^2+4n}-n}$$
$$=\lim_{n \to \infty} \frac{\sqrt{n^2+4n}+n}{(\sqrt{n^2+4n}-n)(\sqrt{n^2+4n}+n)}$$
$$=\lim_{n \to \infty} \frac{\sqrt{n^2+4n}+n}{4n}$$
$$=\lim_{n \to \infty} \frac{\sqrt{1+\dfrac{4}{n}}+1}{4}=\frac{1}{2}$$
답 수렴, $\dfrac{1}{2}$

046
$\lim\limits_{n \to \infty} \dfrac{1}{n}=0$, $\lim\limits_{n \to \infty} \dfrac{2}{n}=0$이므로
$$\lim_{n \to \infty} a_n=0$$
답 0

047
$2n-1 < na_n < 2n+5$에서
$$\frac{2n-1}{n} < a_n < \frac{2n+5}{n}$$
$\lim\limits_{n \to \infty} \dfrac{2n-1}{n}=2$, $\lim\limits_{n \to \infty} \dfrac{2n+5}{n}=2$이므로
$$\lim_{n \to \infty} a_n=2$$
답 2

048
$\dfrac{3n-2}{n^2} < \dfrac{a_n}{n} < \dfrac{3n+2}{n^2}$에서
$$\frac{3n-2}{n} < a_n < \frac{3n+2}{n}$$
$\lim\limits_{n \to \infty} \dfrac{3n-2}{n}=3$, $\lim\limits_{n \to \infty} \dfrac{3n+2}{n}=3$이므로

$$\lim_{n \to \infty} a_n=3$$
답 3

049
① 주어진 수열은 진동하므로 발산한다.

② 수열 $\dfrac{2}{3}, \dfrac{4}{5}, \dfrac{6}{7}, \dfrac{8}{9}, \dfrac{10}{11}, \cdots$에서 일반항 a_n은
$$a_n=\frac{2n}{2n+1}$$
$$\therefore \lim_{n \to \infty} \frac{2n}{2n+1}=1 \text{ (수렴)}$$
③ 주어진 수열은 진동하므로 발산한다.

④ 주어진 수열은 음의 무한대로 발산한다.

⑤ 주어진 수열은 양의 무한대로 발산한다.
답 ②

050
ㄱ. n이 한없이 커짐에 따라 일반항 $2n-3$의 값도 한없이 커지므로 양의 무한대로 발산한다.

ㄴ. n이 한없이 커짐에 따라 일반항 $(-1)^{n+2}$의 값은 $-1, 1, -1, 1, \cdots$이므로 진동, 즉 발산한다.

ㄷ. n이 한없이 커짐에 따라 일반항 $1-n^2$의 값은 한없이 작아지므로 음의 무한대로 발산한다.

따라서 ㄱ, ㄴ, ㄷ 모두 발산한다.
답 ⑤

051
ㄱ. n이 한없이 커짐에 따라 $\left(\dfrac{1}{2}\right)^n$의 값이 0에 한없이 가까워지므로 수열 $\left\{1-\left(\dfrac{1}{2}\right)^n\right\}$은 1에 수렴한다.

ㄴ. n이 한없이 커짐에 따라 $n \times (-1)^n$의 값은 $-1, 2, -3, 4, \cdots$이므로 수열 $\{n \times (-1)^n\}$은 진동, 즉 발산한다.

ㄷ. n이 한없이 커짐에 따라 $\dfrac{1}{\sqrt{n}+1}$의 값은
$$\frac{1}{1+1}, \frac{1}{\sqrt{2}+1}, \frac{1}{\sqrt{3}+1}, \cdots$$이므로 수열 $\left\{\dfrac{1}{\sqrt{n}+1}\right\}$은 0에 수렴한다.

따라서 수렴하는 것은 ㄱ, ㄷ이다.
답 ㄱ, ㄷ

052
$$\lim_{n \to \infty} \left(\frac{1}{n}+\frac{3}{n^2}\right)=\lim_{n \to \infty} \frac{1}{n}+3\lim_{n \to \infty} \frac{1}{n^2}=0$$
답 ①

053
$$\lim_{n \to \infty} (1-2a_n)^2=\lim_{n \to \infty} (1-4a_n+4a_n^2)$$
$$=\lim_{n \to \infty} 1-4\lim_{n \to \infty} a_n+4\lim_{n \to \infty} a_n^2$$
$$=1-4 \times 3+4 \times 3^2$$
$$=25$$
답 25

다른 풀이
$$\lim_{n \to \infty} (1-2a_n)^2=\lim_{n \to \infty} (1-2a_n) \times \lim_{n \to \infty} (1-2a_n)$$
$$=\left(1-2\lim_{n \to \infty} a_n\right) \times \left(1-2\lim_{n \to \infty} a_n\right)$$
$$=(1-2 \times 3)(1-2 \times 3)$$
$$=25$$

054
$$\lim_{n \to \infty} (2a_n-1)(b_n+1)=\lim_{n \to \infty} (2a_n-1) \times \lim_{n \to \infty} (b_n+1)$$
$$=\left(2\lim_{n \to \infty} a_n-1\right)\left(\lim_{n \to \infty} b_n+1\right)$$
$$=(2 \times 2-1)(-3+1)$$
$$=-6$$
답 -6

055
$$\lim_{n\to\infty}\frac{3n^2-1}{2n^2-n+2}=\lim_{n\to\infty}\frac{3-\dfrac{1}{n^2}}{2-\dfrac{1}{n}+\dfrac{2}{n^2}}$$
$$=\frac{3}{2}\qquad\qquad\text{답 ④}$$

056
$$a=\lim_{n\to\infty}\frac{n+1}{3-2n}=\lim_{n\to\infty}\frac{1+\dfrac{1}{n}}{\dfrac{3}{n}-2}=-\frac{1}{2}$$

$$b=\lim_{n\to\infty}\frac{2n^2-4n+1}{3n^2-5n}=\lim_{n\to\infty}\frac{2-\dfrac{4}{n}+\dfrac{1}{n^2}}{3-\dfrac{5}{n}}=\frac{2}{3}$$

$$c=\lim_{n\to\infty}\frac{1+n^2}{3n-n^3}=\lim_{n\to\infty}\frac{\dfrac{1}{n^3}+\dfrac{1}{n}}{\dfrac{3}{n^2}-1}=0$$

$$\therefore a<c<b\qquad\qquad\text{답 ②}$$

057
$$\lim_{n\to\infty}\frac{(3n+1)(4n+1)}{2n^2-1}=\lim_{n\to\infty}\frac{12n^2+7n+1}{2n^2-1}$$
$$=\lim_{n\to\infty}\frac{12+\dfrac{7}{n}+\dfrac{1}{n^2}}{2-\dfrac{1}{n^2}}$$
$$=6\qquad\qquad\text{답 6}$$

058 수열 $\dfrac{2\times3}{3\times5},\ \dfrac{4\times5}{4\times6},\ \dfrac{6\times7}{5\times7},\ \dfrac{8\times9}{6\times8},\ \cdots$에서 일반항 a_n은

$$a_n=\frac{2n(2n+1)}{(n+2)(n+4)}$$

$$\therefore \lim_{n\to\infty}a_n=\lim_{n\to\infty}\frac{2n(2n+1)}{(n+2)(n+4)}$$
$$=\lim_{n\to\infty}\frac{4n^2+2n}{n^2+6n+8}$$
$$=\lim_{n\to\infty}\frac{4+\dfrac{2}{n}}{1+\dfrac{6}{n}+\dfrac{8}{n^2}}=4\qquad\text{답 4}$$

059
$$\lim_{n\to\infty}\frac{2n+3}{\sqrt{9n^2+1}-\sqrt{n}}=\lim_{n\to\infty}\frac{2+\dfrac{3}{n}}{\sqrt{9+\dfrac{1}{n^2}}-\sqrt{\dfrac{1}{n}}}$$
$$=\frac{2}{\sqrt{9}}=\frac{2}{3}\qquad\text{답 ②}$$

060
$$\lim_{n\to\infty}\{\log_2(n^2-2n+3)-\log_2(2n+1)^2\}$$
$$=\lim_{n\to\infty}\log_2\frac{n^2-2n+3}{4n^2+4n+1}$$
$$=\lim_{n\to\infty}\log_2\frac{1-\dfrac{2}{n}+\dfrac{3}{n^2}}{4+\dfrac{4}{n}+\dfrac{1}{n^2}}$$
$$=\log_2\frac{1}{4}=\log_2 2^{-2}$$
$$=-2\qquad\qquad\text{답 }-2$$

061
$$\lim_{n\to\infty}(\sqrt{4n^2+n}-2n)$$
$$=\lim_{n\to\infty}\frac{(\sqrt{4n^2+n}-2n)(\sqrt{4n^2+n}+2n)}{\sqrt{4n^2+n}+2n}$$
$$=\lim_{n\to\infty}\frac{n}{\sqrt{4n^2+n}+2n}$$
$$=\lim_{n\to\infty}\frac{1}{\sqrt{4+\dfrac{1}{n}}+2}=\frac{1}{4}\qquad\text{답 ②}$$

062
$$\lim_{n\to\infty}(\sqrt{n^2-3n}-\sqrt{n^2-1})$$
$$=\lim_{n\to\infty}\frac{(\sqrt{n^2-3n}-\sqrt{n^2-1})(\sqrt{n^2-3n}+\sqrt{n^2-1})}{\sqrt{n^2-3n}+\sqrt{n^2-1}}$$
$$=\lim_{n\to\infty}\frac{-3n+1}{\sqrt{n^2-3n}+\sqrt{n^2-1}}$$
$$=\lim_{n\to\infty}\frac{-3+\dfrac{1}{n}}{\sqrt{1-\dfrac{3}{n}}+\sqrt{1-\dfrac{1}{n^2}}}=-\frac{3}{2}\qquad\text{답 }-\dfrac{3}{2}$$

063
$$\lim_{n\to\infty}\frac{2}{\sqrt{n^2+2n}-\sqrt{n^2-2n}}$$
$$=\lim_{n\to\infty}\frac{2(\sqrt{n^2+2n}+\sqrt{n^2-2n})}{(\sqrt{n^2+2n}-\sqrt{n^2-2n})(\sqrt{n^2+2n}+\sqrt{n^2-2n})}$$
$$=\lim_{n\to\infty}\frac{2(\sqrt{n^2+2n}+\sqrt{n^2-2n})}{4n}$$
$$=\lim_{n\to\infty}\frac{\sqrt{1+\dfrac{2}{n}}+\sqrt{1-\dfrac{2}{n}}}{2}=1\qquad\text{답 1}$$

064
$$\lim_{n\to\infty}\frac{(n-1)(2n+1)}{an^2+3}=\lim_{n\to\infty}\frac{2n^2-n-1}{an^2+3}$$
$$=\lim_{n\to\infty}\frac{2-\dfrac{1}{n}-\dfrac{1}{n^2}}{a+\dfrac{3}{n^2}}$$
$$=\frac{2}{a}=-\frac{1}{3}$$
$$\therefore a=-6\qquad\qquad\text{답 }-6$$

065 $\lim\limits_{n\to\infty}\dfrac{an^2+bn+1}{3n+2}$에서 $a\neq0$이면 발산하므로 $a=0$, 즉

$$\lim_{n\to\infty}\frac{bn+1}{3n+2}=\lim_{n\to\infty}\frac{b+\dfrac{1}{n}}{3+\dfrac{2}{n}}=\frac{b}{3}=2\quad\therefore b=6$$

$$\therefore a+b=0+6=6\qquad\qquad\text{답 ④}$$

066 $b\neq0$이면 $\lim\limits_{n\to\infty}\dfrac{a(n+1)^2}{bn^3+3n^2-1}=0$이므로 $b=0$, 즉

$$\lim_{n\to\infty}\frac{a(n+1)^2}{3n^2-1}=\lim_{n\to\infty}\frac{an^2+2an+a}{3n^2-1}$$
$$=\lim_{n\to\infty}\frac{a+\dfrac{2a}{n}+\dfrac{a}{n^2}}{3-\dfrac{1}{n^2}}$$
$$=\frac{a}{3}=-2$$

$\therefore a=-6$

$\therefore b-a=0-(-6)=6$ 답 6

067 $\lim\limits_{n\to\infty}\dfrac{\sqrt{n^2+1}-an}{n}=\lim\limits_{n\to\infty}\dfrac{\sqrt{1+\dfrac{1}{n^2}}-a}{1}$

$\qquad\qquad\qquad\quad =1-a$

$\qquad\qquad\qquad\quad =-3$

$\therefore a=4$ 답 ⑤

068 $\lim\limits_{n\to\infty}(\sqrt{n}\sqrt{n+a}-n)$

$=\lim\limits_{n\to\infty}(\sqrt{n^2+an}-n)$

$=\lim\limits_{n\to\infty}\dfrac{(\sqrt{n^2+an}-n)(\sqrt{n^2+an}+n)}{\sqrt{n^2+an}+n}$

$=\lim\limits_{n\to\infty}\dfrac{an}{\sqrt{n^2+an}+n}$

$=\lim\limits_{n\to\infty}\dfrac{a}{\sqrt{1+\dfrac{a}{n}}+1}$

$=\dfrac{a}{2}=2$

$\therefore a=4$ 답 4

069 $\lim\limits_{n\to\infty}(\sqrt{n^2+an}-bn)$

$=\lim\limits_{n\to\infty}\dfrac{(\sqrt{n^2+an}-bn)(\sqrt{n^2+an}+bn)}{\sqrt{n^2+an}+bn}$

$=\lim\limits_{n\to\infty}\dfrac{(1-b^2)n^2+an}{\sqrt{n^2+an}+bn}$

$=\lim\limits_{n\to\infty}\dfrac{(1-b^2)n+a}{\sqrt{1+\dfrac{a}{n}}+b}$

위의 식이 1로 수렴하므로

$1-b^2=0$, $\dfrac{a}{1+b}=1$, $b\neq-1$

따라서 $a=2$, $b=1$이므로

$a^2+b^2=4+1=5$ 답 5

070 $n<a_n<n+1$에서

$1<\dfrac{a_n}{n}<\dfrac{n+1}{n}$

$\lim\limits_{n\to\infty}1=1$, $\lim\limits_{n\to\infty}\dfrac{n+1}{n}=1$이므로

$\lim\limits_{n\to\infty}\dfrac{a_n}{n}=1$ 답 1

071 $3n^2-2n+1<n^2a_n<3n^2+2n+3$에서

$\dfrac{3n^2-2n+1}{n^2}<a_n<\dfrac{3n^2+2n+3}{n^2}$

$\lim\limits_{n\to\infty}\dfrac{3n^2-2n+1}{n^2}=3$, $\lim\limits_{n\to\infty}\dfrac{3n^2+2n+3}{n^2}=3$이므로

$\lim\limits_{n\to\infty}a_n=3$ 답 3

072 $3n^2+2n-3<a_n<3n^2+2n+4$에서

$2n-3<a_n-3n^2<2n+4$

$\dfrac{2n-3}{n}<\dfrac{a_n-3n^2}{n}<\dfrac{2n+4}{n}$

$2-\dfrac{3}{n}<\dfrac{a_n-3n^2}{n}<2+\dfrac{4}{n}$

$\lim\limits_{n\to\infty}\left(2-\dfrac{3}{n}\right)=2$, $\lim\limits_{n\to\infty}\left(2+\dfrac{4}{n}\right)=2$이므로

$\lim\limits_{n\to\infty}\dfrac{a_n-3n^2}{n}=2$ 답 ②

073 ㄱ. [반례] $a_n=n$, $b_n=\dfrac{1}{n}$이면

$\lim\limits_{n\to\infty}a_n=\infty$, $\lim\limits_{n\to\infty}b_n=0$이지만 $\lim\limits_{n\to\infty}a_nb_n=1$이다. (거짓)

ㄴ. [반례] $a_n=n^2$, $b_n=n$이면

$\lim\limits_{n\to\infty}a_n=\infty$, $\lim\limits_{n\to\infty}b_n=\infty$이지만 $\lim\limits_{n\to\infty}\dfrac{a_n}{b_n}=\infty$이다. (거짓)

ㄷ. $a_n-b_n=c_n$이라 하면 $b_n=a_n-c_n$이고

$\lim\limits_{n\to\infty}\dfrac{1}{a_n}=0$, $\lim\limits_{n\to\infty}c_n=\alpha$이므로

$\lim\limits_{n\to\infty}\dfrac{b_n}{a_n}=\lim\limits_{n\to\infty}\dfrac{a_n-c_n}{a_n}$

$\qquad\qquad =\lim\limits_{n\to\infty}\left(1-\dfrac{c_n}{a_n}\right)$

$\qquad\qquad =\lim\limits_{n\to\infty}1-\lim\limits_{n\to\infty}c_n\times\lim\limits_{n\to\infty}\dfrac{1}{a_n}$

$\qquad\qquad =1-\alpha\times0=1$ (참)

따라서 옳은 것은 ㄷ뿐이다.   답 ㄷ

074 ㄱ. $\lim\limits_{n\to\infty}a_n=\alpha$ (α는 상수)이면

$\lim\limits_{n\to\infty}a_{2n}=\lim\limits_{n\to\infty}a_{2n-1}=\cdots=\lim\limits_{n\to\infty}a_{n+1}=\alpha$이다. (참)

ㄴ. [반례] $\begin{cases}\{a_n\}: 1, 0, 1, 0, \cdots\\ \{b_n\}: 0, 1, 0, 1, \cdots\end{cases}$ 이라 하면 수열 $\{a_nb_n\}$은 0으로

수렴하지만 두 수열 $\{a_n\}$, $\{b_n\}$은 모두 발산(진동)한다.

(거짓)

ㄷ. [반례] $\begin{cases}\{a_n\}: 1, 2, 1, 2, \cdots\\ \{b_n\}: 2, 2, 2, 2, \cdots\end{cases}$ 이라 하면 수열 $\{a_n\}$이 발산(진동)

하고 수열 $\{b_n\}$이 수렴하지만 수열 $\left\{\dfrac{b_n}{a_n}\right\}$은 발산(진동)한다.

(거짓)

따라서 옳은 것은 ㄱ뿐이다.   답 ①

075 $a_n-1=b_n$으로 놓으면

$a_n=b_n+1$

$\lim\limits_{n\to\infty}b_n=3$이므로

$\lim\limits_{n\to\infty}a_n(a_n-3)=\lim\limits_{n\to\infty}(b_n+1)(b_n-2)$

$\qquad\qquad\qquad =(3+1)(3-2)$

$\qquad\qquad\qquad =4$ 답 ④

076 $\dfrac{6+2a_n}{3a_n-1}=b_n$으로 놓으면

$a_n=\dfrac{b_n+6}{3b_n-2}$

$\lim\limits_{n\to\infty}b_n=\dfrac{3}{2}$이므로

$$\lim_{n \to \infty} a_n = \lim_{n \to \infty} \frac{b_n + 6}{3b_n - 2}$$
$$= \frac{\frac{3}{2} + 6}{3 \times \frac{3}{2} - 2} = 3$$ 답 3

077 수열 $\{a_n\}$이 수렴하므로 $\lim_{n \to \infty} a_n = \alpha$라 하면
$$\lim_{n \to \infty} a_{n+2} = \alpha$$
$$\lim_{n \to \infty} \frac{2a_{n+2} + 3}{a_n - 3} = -4 \text{에서} \frac{2\alpha + 3}{\alpha - 3} = -4$$
$$2\alpha + 3 = -4\alpha + 12, \ 6\alpha = 9 \quad \therefore \alpha = \frac{3}{2}$$
$$\therefore \lim_{n \to \infty} (4a_n + 3) = 4 \times \frac{3}{2} + 3 = 9$$ 답 9

078 $na_n = b_n$으로 놓으면
$$a_n = \frac{b_n}{n}$$
$\lim_{n \to \infty} b_n = 3$이므로
$$\lim_{n \to \infty} \frac{2(n-1)^2}{(n+1)^3 a_n} = \lim_{n \to \infty} \frac{2(n^2 - 2n + 1)}{(n^3 + 3n^2 + 3n + 1) \times \frac{b_n}{n}}$$
$$= \lim_{n \to \infty} \frac{2n^2 - 4n + 2}{n^2 + 3n + 3 + \frac{1}{n}} \times \frac{1}{b_n}$$
$$= 2 \times \frac{1}{3} = \frac{2}{3}$$ 답 ②

079 $(n+4)a_n = b_n$으로 놓으면 $a_n = \frac{b_n}{n+4}$
$\lim_{n \to \infty} b_n = 5$이므로
$$\lim_{n \to \infty} (5n+2)a_n = \lim_{n \to \infty} (5n+2) \times \frac{b_n}{n+4}$$
$$= \lim_{n \to \infty} \frac{5n+2}{n+4} \times \lim_{n \to \infty} b_n$$
$$= 5 \times 5 = 25$$ 답 25

080 $3a_n - 5b_n = c_n$으로 놓으면 $b_n = \frac{3a_n - c_n}{5}$
$\lim_{n \to \infty} c_n = 2$이므로
$$\lim_{n \to \infty} b_n = \lim_{n \to \infty} \frac{3a_n - c_n}{5}$$
$$= \frac{1}{5} \left(3\lim_{n \to \infty} a_n - \lim_{n \to \infty} c_n \right)$$
$$= \frac{1}{5}(3 \times 4 - 2) = 2$$ 답 2

081 $a_n = 1 + (n-1) \times 3 = 3n - 2$
$b_n = 3 + (n-1) \times 2 = 2n + 1$
$$\therefore \lim_{n \to \infty} \frac{b_n}{2a_n} = \lim_{n \to \infty} \frac{2n+1}{6n-4} = \frac{1}{3}$$ 답 ①

082 $1^2 + 2^2 + 3^2 + \cdots + n^2 = \sum_{k=1}^{n} k^2 = \frac{n(n+1)(2n+1)}{6}$

$$\therefore \lim_{n \to \infty} \frac{n^3}{1^2 + 2^2 + 3^2 + \cdots + n^2} = \lim_{n \to \infty} \frac{6n^3}{n(n+1)(2n+1)}$$
$$= \frac{6}{2} = 3$$ 답 3

083 주어진 수열의 일반항 a_n은
$$a_n = \frac{n^2 + 1}{1 + 2 + 3 + \cdots + n} = \frac{n^2 + 1}{\frac{n(n+1)}{2}} = \frac{2n^2 + 2}{n^2 + n}$$
$$\therefore \lim_{n \to \infty} a_n = \lim_{n \to \infty} \frac{2n^2 + 2}{n^2 + n}$$
$$= 2$$ 답 2

084 $\lim_{n \to \infty} \{\sqrt{1+2+3+\cdots+n} - \sqrt{1+2+3+\cdots+(n-1)}\}$
$$= \lim_{n \to \infty} \left\{ \sqrt{\frac{n(n+1)}{2}} - \sqrt{\frac{(n-1)n}{2}} \right\}$$
$$= \frac{1}{\sqrt{2}} \lim_{n \to \infty} (\sqrt{n^2 + n} - \sqrt{n^2 - n})$$
$$= \frac{1}{\sqrt{2}} \lim_{n \to \infty} \frac{(\sqrt{n^2+n} - \sqrt{n^2-n})(\sqrt{n^2+n} + \sqrt{n^2-n})}{\sqrt{n^2+n} + \sqrt{n^2-n}}$$
$$= \frac{1}{\sqrt{2}} \lim_{n \to \infty} \frac{2n}{\sqrt{n^2+n} + \sqrt{n^2-n}}$$
$$= \frac{1}{\sqrt{2}} \lim_{n \to \infty} \frac{2}{\sqrt{1 + \frac{1}{n}} + \sqrt{1 - \frac{1}{n}}}$$
$$= \frac{1}{\sqrt{2}} = \frac{\sqrt{2}}{2}$$ 답 ①

085 $\sum_{k=1}^{2n} k = \frac{2n(2n+1)}{2} = n(2n+1) = 2n^2 + n$
$$\therefore \lim_{n \to \infty} \left(\frac{1}{2n^2 + 1} \sum_{k=1}^{2n} k \right) = \lim_{n \to \infty} \frac{2n^2 + n}{2n^2 + 1} = 1$$ 답 1

086 이차방정식 $x^2 + 3nx + 1 = 0$의 근과 계수의 관계에서
$a_n + b_n = -3n, \ a_n b_n = 1$
$$\therefore a_n^2 + b_n^2 = (a_n + b_n)^2 - 2a_n b_n = 9n^2 - 2$$
한편, $f(n) = n^2 + 3n \times n + 1 = 4n^2 + 1$이므로
$$\lim_{n \to \infty} \frac{a_n^2 + b_n^2}{f(n)} = \lim_{n \to \infty} \frac{9n^2 - 2}{4n^2 + 1}$$
$$= \lim_{n \to \infty} \frac{9 - \frac{2}{n^2}}{4 + \frac{1}{n^2}} = \frac{9}{4}$$ 답 $\frac{9}{4}$

087 $a_n = S_n - S_{n-1}$
$$= n^2 + 2n - \{(n-1)^2 + 2(n-1)\}$$
$$= 2n + 1 \ (단, \ n \geq 2)$$
$a_1 = S_1 = 3$이므로 위의 식에 $n = 1$을 대입한 것과 같다.
$$\therefore a_n = 2n + 1$$
$$\therefore \lim_{n \to \infty} \frac{a_n}{n} = \lim_{n \to \infty} \frac{2n+1}{n} = 2$$ 답 ②

088 $a_n = S_n - S_{n-1}$
$$= 3n^2 + 2 - \{3(n-1)^2 + 2\}$$
$$= 6n - 3 \ (단, \ n \geq 2)$$

$$\therefore \lim_{n \to \infty} \frac{a_n a_{n+1}}{S_n} = \lim_{n \to \infty} \frac{(6n-3)(6n+3)}{3n^2+2}$$
$$= \lim_{n \to \infty} \frac{36n^2-9}{3n^2+2}$$
$$= 12$$

답 12

089
$$a_n = S_n - S_{n-1}$$
$$= n^2 - 3n - \{(n-1)^2 - 3(n-1)\}$$
$$= 2n - 4 \,(단, \, n \geq 2)$$

$a_1 = S_1 = -2$이므로 위의 식에 $n=1$을 대입한 것과 같다.
$$\therefore a_n = 2n-4$$
$$b_n = \frac{a_n + a_{n+1}}{2}$$
$$= \frac{2n-4+2(n+1)-4}{2}$$
$$= \frac{4n-6}{2}$$
$$= 2n-3$$
$$\therefore \lim_{n \to \infty} \frac{b_n}{a_n} = \lim_{n \to \infty} \frac{2n-3}{2n-4} = 1$$

답 1

090
$$f(x) = 2x^2 - 2nx + \frac{1}{2}n^2 + 6n + 1 = 2\left(x - \frac{n}{2}\right)^2 + 6n + 1$$
$$\therefore P\left(\frac{n}{2}, 6n+1\right)$$

따라서 $x_n = \dfrac{n}{2}$, $y_n = 6n+1$이므로
$$\lim_{n \to \infty} \frac{y_n}{x_n} = \lim_{n \to \infty} \frac{6n+1}{\frac{n}{2}} = 12$$

답 12

091 두 점 $P(n, f(n))$과 $Q(n+1, f(n+1))$ 사이의 거리 a_n은
$$a_n = \sqrt{(n+1-n)^2 + \{2(n+1)^2 - 2n^2\}^2}$$
$$= \sqrt{16n^2 + 16n + 5}$$
$$\therefore \lim_{n \to \infty} \frac{a_n}{n} = \lim_{n \to \infty} \frac{\sqrt{16n^2+16n+5}}{n}$$
$$= \lim_{n \to \infty} \frac{\sqrt{16 + \frac{16}{n} + \frac{5}{n^2}}}{1}$$
$$= 4$$

답 4

092 $\overline{OP} = \sqrt{n^2+n}$, $\overline{OQ} = n$
$$\therefore \lim_{n \to \infty} (\overline{OP} - \overline{OQ}) = \lim_{n \to \infty} (\sqrt{n^2+n} - n)$$
$$= \lim_{n \to \infty} \frac{(\sqrt{n^2+n}-n)(\sqrt{n^2+n}+n)}{\sqrt{n^2+n}+n}$$
$$= \lim_{n \to \infty} \frac{n}{\sqrt{n^2+n}+n}$$
$$= \lim_{n \to \infty} \frac{1}{\sqrt{1+\frac{1}{n}}+1} = \frac{1}{2}$$

답 ③

093 함수 $f(x) = \dfrac{2}{3}x + 1$에 대하여 $a_1 = 1$, $a_{n+1} = f(a_n)$이므로 그림과 같이 $a_1, a_2, a_3, \cdots$을 찾아보면 a_n의 값은 두 직선 $f(x) = \dfrac{2}{3}x + 1$과 $y = x$의 교점의 x좌표에 가까워짐을 알 수 있다.

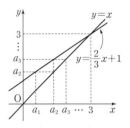

$\dfrac{2}{3}x + 1 = x$에서 $x = 3$
$$\therefore \lim_{n \to \infty} a_n = 3$$

답 ④

094 $\overline{AC_n} - \overline{OC_n} = \sqrt{n^2 + 48^2} - n$

삼각형 AB_nC_n과 삼각형 AB_1D_n은 서로 닮음이므로
$$\overline{AB_n} : \overline{B_nC_n} = \overline{AB_1} : \overline{B_1D_n}$$
$$n : 48 = 1 : \overline{B_1D_n}$$
$$\overline{B_1D_n} = \frac{48}{n}$$
$$\therefore \lim_{n \to \infty} \frac{\overline{AC_n} - \overline{OC_n}}{\overline{B_1D_n}}$$
$$= \lim_{n \to \infty} \frac{\sqrt{n^2+48^2}-n}{\frac{48}{n}}$$
$$= \lim_{n \to \infty} \frac{(\sqrt{n^2+48^2}-n)(\sqrt{n^2+48^2}+n)}{\frac{48}{n}(\sqrt{n^2+48^2}+n)}$$
$$= \lim_{n \to \infty} \frac{48^2}{48\left(\sqrt{1+\frac{48^2}{n^2}}+1\right)}$$
$$= \frac{48}{2} = 24$$

답 24

095
$$\lim_{n \to \infty}(a_n^2 + b_n^2) = \lim_{n \to \infty}\{(a_n+b_n)^2 - 2a_nb_n\}$$
$$= \lim_{n \to \infty}(a_n+b_n)^2 - 2\lim_{n \to \infty}a_nb_n$$
$$= 4^2 - 2 \times 3 = 10$$

답 10

096
$$\lim_{n \to \infty}(\log_3 \sqrt{n} - \log_3 \sqrt{3n+2})$$
$$= \lim_{n \to \infty} \log_3 \frac{\sqrt{n}}{\sqrt{3n+2}}$$
$$= \lim_{n \to \infty} \log_3 \frac{1}{\sqrt{3+\frac{2}{n}}}$$
$$= \log_3 \frac{1}{\sqrt{3}} = \log_3 3^{-\frac{1}{2}} = -\frac{1}{2}$$

답 $-\dfrac{1}{2}$

097
$$\lim_{n \to \infty} \sqrt{n}(\sqrt{2n+1} - \sqrt{2n})$$
$$= \lim_{n \to \infty} \frac{\sqrt{n}(\sqrt{2n+1}-\sqrt{2n})(\sqrt{2n+1}+\sqrt{2n})}{\sqrt{2n+1}+\sqrt{2n}}$$
$$= \lim_{n \to \infty} \frac{\sqrt{n}}{\sqrt{2n+1}+\sqrt{2n}}$$
$$= \lim_{n \to \infty} \frac{1}{\sqrt{2+\frac{1}{n}}+\sqrt{2}}$$
$$= \frac{1}{2\sqrt{2}} = \frac{\sqrt{2}}{4}$$

답 ①

098 $a \neq 0$이면 $\displaystyle\lim_{n\to\infty}\dfrac{1-2n}{an^2+bn-3}=0$이므로 $a=0$, 즉

$$\lim_{n\to\infty}\dfrac{1-2n}{bn-3}=\lim_{n\to\infty}\dfrac{\dfrac{1}{n}-2}{b-\dfrac{3}{n}}$$

$$=-\dfrac{2}{b}=\dfrac{1}{2}$$

$$\therefore b=-4$$

$$\therefore \lim_{n\to\infty}(\sqrt{n^2-bn+a}-n)$$

$$=\lim_{n\to\infty}(\sqrt{n^2+4n}-n)$$

$$=\lim_{n\to\infty}\dfrac{(\sqrt{n^2+4n}-n)(\sqrt{n^2+4n}+n)}{\sqrt{n^2+4n}+n}$$

$$=\lim_{n\to\infty}\dfrac{4n}{\sqrt{n^2+4n}+n}$$

$$=\lim_{n\to\infty}\dfrac{4}{\sqrt{1+\dfrac{4}{n}}+1}$$

$$=\dfrac{4}{1+1}=2 \qquad\qquad \text{답 } 2$$

099 $4n^2+2<(2n-1)a_n<4n^2+3$에서

$$\dfrac{4n^2+2}{4n^2-1}<\dfrac{(2n-1)a_n}{4n^2-1}<\dfrac{4n^2+3}{4n^2-1}$$

$$\dfrac{4n^2+2}{4n^2-1}<\dfrac{a_n}{2n+1}<\dfrac{4n^2+3}{4n^2-1}$$

$$\lim_{n\to\infty}\dfrac{4n^2+2}{4n^2-1}=1,\ \lim_{n\to\infty}\dfrac{4n^2+3}{4n^2-1}=1\text{이므로}$$

$$\lim_{n\to\infty}\dfrac{a_n}{2n+1}=1 \qquad\qquad \text{답 } 1$$

100 ㄱ. [반례] $a_n=n+1$, $b_n=-n$이면 $\displaystyle\lim_{n\to\infty}a_n=\infty$, $\displaystyle\lim_{n\to\infty}b_n=-\infty$

이지만 $\displaystyle\lim_{n\to\infty}(a_n+b_n)=\lim_{n\to\infty}\{(n+1)+(-n)\}=\lim_{n\to\infty}1=1$

(거짓)

ㄴ. 두 수열 $\{a_n\}$, $\{b_n\}$이 모두 수렴하므로 성립한다. (참)

ㄷ. [반례] $a_n=\dfrac{2}{n}$, $b_n=\dfrac{1}{n}$이면 $a_n\neq b_n$이지만

$$\lim_{n\to\infty}a_n=\lim_{n\to\infty}b_n=0 \text{ (거짓)}$$

따라서 옳은 것은 ㄴ뿐이다. $\qquad\qquad$ 답 ②

101 $(2n-1)^2a_n=b_n$으로 놓으면

$$a_n=\dfrac{b_n}{(2n-1)^2}$$

$$\lim_{n\to\infty}b_n=6\text{이므로}$$

$$\lim_{n\to\infty}3n^2a_n=\lim_{n\to\infty}\dfrac{3n^2b_n}{(2n-1)^2}$$

$$=\lim_{n\to\infty}\dfrac{3n^2}{4n^2-4n+1}\times\lim_{n\to\infty}b_n$$

$$=\dfrac{3}{4}\times 6$$

$$=\dfrac{9}{2} \qquad\qquad \text{답 } \dfrac{9}{2}$$

102 $\displaystyle\lim_{n\to\infty}\left(1+\dfrac{1}{n}\right)\left(1+\dfrac{1}{n+1}\right)\left(1+\dfrac{1}{n+2}\right)\left(1+\dfrac{1}{n+3}\right)\times\cdots$

$$\times\left(1+\dfrac{1}{n+n}\right)$$

$$=\lim_{n\to\infty}\dfrac{n+1}{n}\times\dfrac{n+2}{n+1}\times\dfrac{n+3}{n+2}\times\dfrac{n+4}{n+3}\times\cdots\times\dfrac{2n+1}{n+n}$$

$$=\lim_{n\to\infty}\dfrac{2n+1}{n}=2 \qquad\qquad \text{답 } 2$$

103 $x^2+2nx-3n=0$의 해는

$$x=-n\pm\sqrt{n^2+3n}$$

그런데 $a_n<0$이므로 $a_n=-n-\sqrt{n^2+3n}$

$$\therefore \lim_{n\to\infty}\dfrac{n}{a_n}=\lim_{n\to\infty}\dfrac{n}{-n-\sqrt{n^2+3n}}$$

$$=\lim_{n\to\infty}\dfrac{1}{-1-\sqrt{1+\dfrac{3}{n}}}$$

$$=-\dfrac{1}{2} \qquad\qquad \text{답 } ①$$

104 자연수 n에 대하여

$$n^2+2n+1<n^2+3n+1<n^2+4n+4$$

$$(n+1)^2<n^2+3n+1<(n+2)^2$$

$$\therefore n+1<\sqrt{n^2+3n+1}<n+2$$

즉, $\sqrt{n^2+3n+1}$의 정수 부분이 $n+1$이므로 소수 부분 a_n은

$$a_n=\sqrt{n^2+3n+1}-(n+1)$$

$$\therefore \lim_{n\to\infty}100a_n$$

$$=100\lim_{n\to\infty}\{\sqrt{n^2+3n+1}-(n+1)\}$$

$$=100\lim_{n\to\infty}\dfrac{\{\sqrt{n^2+3n+1}-(n+1)\}\{\sqrt{n^2+3n+1}+(n+1)\}}{\sqrt{n^2+3n+1}+(n+1)}$$

$$=100\lim_{n\to\infty}\dfrac{n}{\sqrt{n^2+3n+1}+(n+1)}$$

$$=100\lim_{n\to\infty}\dfrac{1}{\sqrt{1+\dfrac{3}{n}+\dfrac{1}{n^2}}+1+\dfrac{1}{n}}$$

$$=100\times\dfrac{1}{2}=50 \qquad\qquad \text{답 } 50$$

105 $y=\dfrac{1}{2n}x+\dfrac{1}{4n}=\dfrac{1}{2n}\left(x+\dfrac{1}{2}\right)$이므로 직선 $y=\dfrac{1}{2n}x+\dfrac{1}{4n}$은

점 $\left(-\dfrac{1}{2},\ 0\right)$을 지난다.

$-1\leq x\leq 1$에서 $f(x)=x^2$이고, 모든 실수 x에 대하여

$f(x+2)=f(x)$이므로 함수 $y=f(x)$의 그래프와 직선

$y=\dfrac{1}{2n}x+\dfrac{1}{4n}$은 그림과 같다.

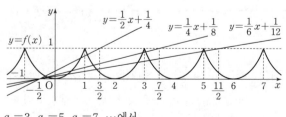

$a_1=3$, $a_2=5$, $a_3=7$, $\cdots$에서

$$a_n=2n+1$$

$$\therefore \lim_{n \to \infty} \frac{a_n}{n} = \lim_{n \to \infty} \frac{2n+1}{n}$$
$$= 2 \qquad \qquad \text{답} \ 2$$

106 그림과 같이 삼각형 OA_nB_n에 내접하는 원의 중심을 $C_n(r_n, r_n)$이라 하고 내접하는 원이 삼각형 OA_nB_n의 세 변과 만나는 점을 각각 D_n, E_n, F_n이라 하자.

삼각형 $B_nF_nC_n$과 삼각형 B_nOP_n은 서로 닮음이므로
$$\overline{B_nF_n} : \overline{B_nO} = \overline{F_nC_n} : \overline{OP_n}$$
$$n+1-r_n : n+1 = r_n : \overline{OP_n}$$
$$\overline{OP_n} = \frac{(n+1)r_n}{n+1-r_n} \qquad \cdots\cdots \ \text{㉠}$$
$$\overline{B_nF_n} = \overline{B_nE_n}, \ \overline{D_nA_n} = \overline{E_nA_n}$$이고
$$\overline{B_nE_n} + \overline{E_nA_n} = \overline{B_nA_n}$$이므로
$$(n+1-r_n) + (n-r_n) = \sqrt{2n^2+2n+1}$$
$$r_n = \frac{1}{2}(2n+1-\sqrt{2n^2+2n+1}) \qquad \cdots\cdots \ \text{㉡}$$

㉡을 ㉠에 대입하여 계산하면
$$\overline{OP_n} = \frac{(n+1)(2n+1-\sqrt{2n^2+2n+1})}{1+\sqrt{2n^2+2n+1}}$$
$$\lim_{n \to \infty} \frac{\overline{OP_n}}{n} = \lim_{n \to \infty} \frac{(n+1)(2n+1-\sqrt{2n^2+2n+1})}{n(1+\sqrt{2n^2+2n+1})}$$
$$= \frac{2-\sqrt{2}}{\sqrt{2}} = \sqrt{2}-1$$

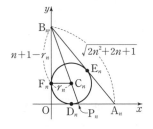

답 $\sqrt{2}-1$

001 주어진 수열의 공비는 2이고, 2>1이므로 발산한다.   답 발산

002 주어진 수열의 공비는 0.7이고,
$-1<0.7<1$이므로 0에 수렴한다.   답 수렴, 0

003 주어진 수열의 공비는 $-\dfrac{2}{3}$이고,
$-1<-\dfrac{2}{3}<1$이므로 0에 수렴한다.   답 수렴, 0

004 주어진 수열의 공비는 -5이고,
$-5<-1$이므로 발산(진동)한다.   답 발산

005 주어진 수열의 공비는 $\dfrac{2}{3}$이고,
$-1<\dfrac{2}{3}<1$이므로 0에 수렴한다.   답 수렴, 0

006 주어진 수열의 공비는 $\log_2 3$이고, $\log_2 2 < \log_2 3$, 즉
$\log_2 3 > 1$이므로 발산한다.   답 발산

007 주어진 수열의 공비는 2이고, 2>1이므로 발산한다.   답 발산

008 주어진 수열의 공비는 -1이므로 발산(진동)한다.   답 발산

009 주어진 수열의 공비는 $\dfrac{1}{5}$이고,
$-1<\dfrac{1}{5}<1$이므로 0에 수렴한다.   답 수렴, 0

010 주어진 수열의 공비는 $-\dfrac{1}{3}$이고,
$-1<-\dfrac{1}{3}<1$이므로 0에 수렴한다.   답 수렴, 0

011 주어진 수열의 공비는 $\dfrac{2}{3}$이고,
$-1<\dfrac{2}{3}<1$이므로 0에 수렴한다.   답 수렴, 0

012 주어진 수열의 공비는 $\sqrt{2}$이고, $\sqrt{2}>1$이므로 발산한다.
   답 발산

013 수열 $\left\{\left(-\dfrac{1}{7}\right)^n\right\}$의 공비는 $-\dfrac{1}{7}$이고,
$-1<-\dfrac{1}{7}<1$이므로 0에 수렴한다.
$$\therefore \lim_{n \to \infty}\left\{1-\left(-\frac{1}{7}\right)^n\right\} = 1 \qquad \text{답 수렴, 1}$$

014 분모, 분자를 3^n으로 각각 나누면

$$\lim_{n \to \infty} \frac{2^n+1}{3^n-1} = \lim_{n \to \infty} \frac{\left(\frac{2}{3}\right)^n + \left(\frac{1}{3}\right)^n}{1 - \left(\frac{1}{3}\right)^n} = 0$$

답 수렴, 0

015 분모, 분자를 3^n으로 각각 나누면

$$\lim_{n \to \infty} \frac{3^{n+1}}{3^n-1} = \lim_{n \to \infty} \frac{3}{1 - \left(\frac{1}{3}\right)^n} = 3$$

답 수렴, 3

016 분모, 분자를 4^n으로 각각 나누면

$$\lim_{n \to \infty} \frac{4^n-3^n}{4^{n+1}} = \lim_{n \to \infty} \frac{1 - \left(\frac{3}{4}\right)^n}{4} = \frac{1}{4}$$

답 수렴, $\frac{1}{4}$

017 분모, 분자를 3^n으로 각각 나누면

$$\lim_{n \to \infty} \frac{2^n+3^{n+1}}{2^n+3^n} = \lim_{n \to \infty} \frac{\left(\frac{2}{3}\right)^n + 3}{\left(\frac{2}{3}\right)^n + 1} = 3$$

답 수렴, 3

018 분모, 분자를 5^n으로 각각 나누면

$$\lim_{n \to \infty} \frac{3^n+5^n}{4^n+5^n} = \lim_{n \to \infty} \frac{\left(\frac{3}{5}\right)^n + 1}{\left(\frac{4}{5}\right)^n + 1} = 1$$

답 수렴, 1

019 3^n으로 묶으면

$$\lim_{n \to \infty} (3^n-2^n) = \lim_{n \to \infty} 3^n \left\{ 1 - \left(\frac{2}{3}\right)^n \right\} = \infty$$

답 발산

020 주어진 등비수열의 공비는 x이므로 수렴 조건에 의하여

$-1 < x \le 1$

답 $-1 < x \le 1$

021 주어진 등비수열의 공비는 $x-1$이므로 수렴 조건에 의하여

$-1 < x-1 \le 1$

$\therefore 0 < x \le 2$

답 $0 < x \le 2$

022 주어진 등비수열의 공비는 $2x$이므로 수렴 조건에 의하여

$-1 < 2x \le 1$

$\therefore -\frac{1}{2} < x \le \frac{1}{2}$

답 $-\frac{1}{2} < x \le \frac{1}{2}$

023 주어진 등비수열의 공비는 $\frac{4x+1}{5}$이므로 수렴 조건에 의하여

$-1 < \frac{4x+1}{5} \le 1$

$-5 < 4x+1 \le 5$

$-6 < 4x \le 4$

$\therefore -\frac{3}{2} < x \le 1$

답 $-\frac{3}{2} < x \le 1$

024 주어진 등비수열의 공비는 $-x$이므로 수렴 조건에 의하여

$-1 < -x \le 1$

$\therefore -1 \le x < 1$

답 $-1 \le x < 1$

025 주어진 등비수열의 공비는 $3x$이므로 수렴 조건에 의하여

$-1 < 3x \le 1$

$\therefore -\frac{1}{3} < x \le \frac{1}{3}$

답 $-\frac{1}{3} < x \le \frac{1}{3}$

026 주어진 등비수열의 공비는 $\frac{x}{4}$이므로 수렴 조건에 의하여

$-1 < \frac{x}{4} \le 1$

$\therefore -4 < x \le 4$

답 $-4 < x \le 4$

027 주어진 수열의 공비는 r^2이고,
$-1 < r \le 1$이므로 $0 \le r^2 \le 1$
따라서 수열 $\{r^{2n}\}$은 항상 수렴한다.

답 ○

028 주어진 수열의 공비는 $2r$이고,
$-1 < r \le 1$이므로 $-2 < 2r \le 2$
따라서 수열 $\{(2r)^n\}$은 항상 수렴한다고 할 수 없다.

답 ✕

029 주어진 수열의 공비는 $r+1$이고,
$-1 < r \le 1$이므로 $0 < r+1 \le 2$
따라서 수열 $\{(r+1)^n\}$은 항상 수렴한다고 할 수 없다.

답 ✕

030 주어진 수열의 공비는 $\frac{r}{2}$이고,
$-1 < r \le 1$이므로 $-\frac{1}{2} < \frac{r}{2} \le \frac{1}{2}$
따라서 수열 $\left\{\left(\frac{r}{2}\right)^n\right\}$은 항상 수렴한다.

답 ○

031 주어진 수열의 공비는 $\frac{2r-1}{3}$이고,
$-1 < r \le 1$이므로 $-2 < 2r \le 2$, $-3 < 2r-1 \le 1$
$\therefore -1 < \frac{2r-1}{3} \le \frac{1}{3}$
따라서 수열 $\left\{\left(\frac{2r-1}{3}\right)^n\right\}$은 항상 수렴한다.

답 ○

032 $-1 < r < 1$일 때, $\lim_{n \to \infty} r^n = 0$이므로

$$\lim_{n \to \infty} \frac{1+r^n}{r^n} = \infty$$

답 발산

033 $r=1$일 때, $\lim_{n \to \infty} r^n = 1$이므로

$$\lim_{n \to \infty} \frac{1+r^n}{r^n} = \frac{1+1}{1} = 2$$

답 수렴, 2

034 $r=-1$일 때, $\lim_{n \to \infty} r^n$은 발산(진동)하므로

$$\lim_{n \to \infty} \frac{1+r^n}{r^n}$$은 발산(진동)한다.

답 발산

035 $r < -1$ 또는 $r > 1$일 때, $\lim_{n \to \infty} |r^n| = \infty$이므로 $\lim_{n \to \infty} \frac{1}{r^n} = 0$

$\therefore \lim_{n \to \infty} \frac{1+r^n}{r^n} = \lim_{n \to \infty} \frac{\left(\frac{1}{r}\right)^n + 1}{1} = \frac{0+1}{1} = 1$

답 수렴, 1

036 수열 $\left\{\left(-\dfrac{1}{5}\right)^n\right\}$의 공비는 $-\dfrac{1}{5}$이고,

$-1<-\dfrac{1}{5}<1$이므로 0에 수렴한다.

$\therefore \lim\limits_{n\to\infty}\left\{2+\left(-\dfrac{1}{5}\right)^n\right\}=2$ 　　　　답 2

037 ① 공비가 $-\dfrac{9}{10}$이고, $-1<-\dfrac{9}{10}<1$이므로 0에 수렴한다.

② 공비가 $\dfrac{3}{\sqrt5}$이고, $\dfrac{3}{\sqrt5}>1$이므로 발산한다.

③ $\lim\limits_{n\to\infty}\dfrac{n^2+1}{n}=\lim\limits_{n\to\infty}\dfrac{n+\dfrac{1}{n}}{1}=\infty$ (발산)

④ $\lim\limits_{n\to\infty}(2n-n^2)=\lim\limits_{n\to\infty}n^2\left(\dfrac{2}{n}-1\right)=-\infty$ (발산)

⑤ 수열 $\{1+(-1)^n\}$은 $0, 2, 0, 2, \cdots$이므로 발산(진동)한다.

답 ⑤

038 ㄱ. 수열 $\left\{\left(-\dfrac{7}{8}\right)^n\right\}$의 공비는 $-\dfrac{7}{8}$이고,

$-1<-\dfrac{7}{8}<1$이므로 수렴한다.

ㄴ. 수열 $\left\{\dfrac{3^n}{4^{n+1}}\right\}$은 $\left\{\dfrac{1}{4}\times\left(\dfrac{3}{4}\right)^n\right\}$이므로 공비는 $\dfrac{3}{4}$이고,

$-1<\dfrac{3}{4}<1$이므로 수렴한다.

ㄷ. 수열 $\{(-1.1)^n\}$의 공비는 -1.1이고,

$-1.1<-1$이므로 발산한다.

따라서 수렴하는 것은 ㄱ, ㄴ이다. 　　답 ③

039 $\lim\limits_{n\to\infty}\dfrac{2^n-5^{n+1}}{3^n+5^n}=\lim\limits_{n\to\infty}\dfrac{\left(\dfrac{2}{5}\right)^n-5}{\left(\dfrac{3}{5}\right)^n+1}=-5$ 　답 ①

040 $\lim\limits_{n\to\infty}\dfrac{6^{n+1}+1}{(2^n+1)(3^n+1)}$

$=\lim\limits_{n\to\infty}\dfrac{6^{n+1}+1}{2^n\times3^n+3^n+2^n+1}$

$=\lim\limits_{n\to\infty}\dfrac{6\times6^n+1}{6^n+3^n+2^n+1}$

$=\lim\limits_{n\to\infty}\dfrac{6+\dfrac{1}{6^n}}{1+\dfrac{3^n}{6^n}+\dfrac{2^n}{6^n}+\dfrac{1}{6^n}}$

$=\lim\limits_{n\to\infty}\dfrac{6+\left(\dfrac{1}{6}\right)^n}{1+\left(\dfrac{1}{2}\right)^n+\left(\dfrac{1}{3}\right)^n+\left(\dfrac{1}{6}\right)^n}$

$=6$ 　　　　　　　　　　　　답 6

041 $\lim\limits_{n\to\infty}\dfrac{4^{n+2}+3^{2n-1}}{9^n-4^{n+1}}=\lim\limits_{n\to\infty}\dfrac{16\times\left(\dfrac{4}{9}\right)^n+\dfrac{1}{3}}{1-4\times\left(\dfrac{4}{9}\right)^n}$

$=\dfrac{1}{3}$ 　　　답 $\dfrac{1}{3}$

042 $\lim\limits_{n\to\infty}\dfrac{a\times3^n+1}{3^{n+1}+2^n}=\lim\limits_{n\to\infty}\dfrac{a\times3^n+1}{3\times3^n+2^n}$

$=\lim\limits_{n\to\infty}\dfrac{a+\left(\dfrac{1}{3}\right)^n}{3+\left(\dfrac{2}{3}\right)^n}$

$=\dfrac{a}{3}$

즉, $\dfrac{a}{3}=2$이므로 $a=6$ 　　　답 ③

043 $a_n=a\times2^{n-1}$, $b_n=a\times3^{n-1}$이므로

$\lim\limits_{n\to\infty}\dfrac{a_n(a_n+b_n)}{6^n}=\lim\limits_{n\to\infty}\dfrac{a_n^2+a_nb_n}{6^n}$

$=\lim\limits_{n\to\infty}\dfrac{(a\times2^{n-1})^2+(a\times2^{n-1})(a\times3^{n-1})}{6^n}$

$=\lim\limits_{n\to\infty}\dfrac{a^2\times4^{n-1}+a^2\times6^{n-1}}{6^n}$

$=\lim\limits_{n\to\infty}\left\{\dfrac{a^2}{4}\times\left(\dfrac{2}{3}\right)^n+a^2\times\dfrac{1}{6}\right\}$

$=\dfrac{1}{6}a^2$

즉, $\dfrac{1}{6}a^2=24$이므로 $a^2=144$

$\therefore a=12 \;(\because a>0)$ 　　답 12

044 $3^{n+1}-2^n<(2^{n+1}+3^{n-1})a_n<2^n+3^{n+1}$에서

$\dfrac{3^{n+1}-2^n}{2^{n+1}+3^{n-1}}<a_n<\dfrac{2^n+3^{n+1}}{2^{n+1}+3^{n-1}}$

$\lim\limits_{n\to\infty}\dfrac{3^{n+1}-2^n}{2^{n+1}+3^{n-1}}=\lim\limits_{n\to\infty}\dfrac{9-2\times\left(\dfrac{2}{3}\right)^{n-1}}{4\times\left(\dfrac{2}{3}\right)^{n-1}+1}=9$

$\lim\limits_{n\to\infty}\dfrac{2^n+3^{n+1}}{2^{n+1}+3^{n-1}}=\lim\limits_{n\to\infty}\dfrac{2\times\left(\dfrac{2}{3}\right)^{n-1}+9}{4\times\left(\dfrac{2}{3}\right)^{n-1}+1}=9$

이므로 수열의 극한값의 대소 관계에 의하여

$\lim\limits_{n\to\infty}a_n=9$ 　　　　　답 9

045 $\lim\limits_{n\to\infty}\dfrac{5^na_n}{a_n+3\times5^n}=\lim\limits_{n\to\infty}\dfrac{a_n}{a_n\times\left(\dfrac{1}{5}\right)^n+3}$

$=\dfrac{6}{3}=2$ 　　　답 ②

046 $\lim\limits_{n\to\infty}a_n=\alpha\;(\alpha$는 상수)라 하면

$\lim\limits_{n\to\infty}\dfrac{4\times3^n-2^{n+1}a_n}{3^na_n+2^n}=\lim\limits_{n\to\infty}\dfrac{4-2a_n\times\left(\dfrac{2}{3}\right)^n}{a_n+\left(\dfrac{2}{3}\right)^n}=\dfrac{4}{\alpha}$

즉, $\dfrac{4}{\alpha}=3$이므로 $\alpha=\dfrac{4}{3}$

$\therefore \lim\limits_{n\to\infty}a_n=\dfrac{4}{3}$ 　　答 $\dfrac{4}{3}$

047 $\dfrac{3a_n-1}{2a_n+3}=b_n$이라 하면 $a_n=\dfrac{3b_n+1}{3-2b_n}$

$\lim\limits_{n\to\infty}b_n=2$이므로

$$\lim_{n \to \infty} a_n = \lim_{n \to \infty} \frac{3b_n+1}{3-2b_n} = \frac{3 \times 2+1}{3-2 \times 2} = -7$$

$$\therefore \lim_{n \to \infty} \frac{a_n \times 3^n}{a_n+3^n} = \lim_{n \to \infty} \frac{a_n}{\dfrac{a_n}{3^n}+1} = \frac{-7}{1} = -7 \qquad \boxed{답} -7$$

048 수열 $\left\{\left(\dfrac{1}{3}x-1\right)^n\right\}$에서 공비는 $\dfrac{1}{3}x-1$이므로 수렴 조건에 의하여

$-1 < \dfrac{1}{3}x-1 \le 1$, $0 < \dfrac{1}{3}x \le 2$

$\therefore 0 < x \le 6$

따라서 정수 x의 개수는 1, 2, 3, 4, 5, 6의 6이다. $\qquad \boxed{답} 6$

049 수열 $\{(2x+3)^{n-1}\}$에서 공비는 $2x+3$이므로 수렴 조건에 의하여

$-1 < 2x+3 \le 1$, $-4 < 2x \le -2$

$\therefore -2 < x \le -1$ $\qquad \boxed{답} ②$

050 수열 $\left\{x^n\left(\dfrac{x-1}{2}\right)^n\right\}$에서 공비는 $\dfrac{x^2-x}{2}$이므로 수렴 조건에 의하여

$-1 < \dfrac{x^2-x}{2} \le 1$, $-2 < x^2-x \le 2$

(i) $-2 < x^2-x$에서 $x^2-x+2 > 0$

$\left(x-\dfrac{1}{2}\right)^2 + \dfrac{7}{4} > 0$

즉, 모든 실수 x에 대하여 성립한다.

(ii) $x^2-x \le 2$에서 $x^2-x-2 \le 0$

$(x+1)(x-2) \le 0$

$\therefore -1 \le x \le 2$

(i), (ii)에서 $-1 \le x \le 2$

따라서 정수 x의 개수는 -1, 0, 1, 2의 4이다. $\qquad \boxed{답} 4$

051 (i) $|r| < 1$일 때, $\lim_{n \to \infty} r^n = 0$

$\therefore \lim_{n \to \infty} \dfrac{2r^n}{1+r^n} = \dfrac{0}{1+0} = 0$

(ii) $r=1$일 때, $\lim_{n \to \infty} r^n = 1$

$\therefore \lim_{n \to \infty} \dfrac{2r^n}{1+r^n} = \dfrac{2}{1+1} = 1$

(iii) $|r| > 1$일 때, $\lim_{n \to \infty} |r^n| = \infty$

$\therefore \lim_{n \to \infty} \dfrac{2r^n}{1+r^n} = \lim_{n \to \infty} \dfrac{2}{\dfrac{1}{r^n}+1} = \dfrac{2}{0+1} = 2$

$\therefore$ (가): 0, (나): 1, (다): 2 $\qquad \boxed{답} ①$

052 $f(-3) = \lim_{n \to \infty} \dfrac{(-3)^n+3}{(-3)^n+1} = \lim_{n \to \infty} \dfrac{1+3 \times \left(-\dfrac{1}{3}\right)^n}{1+\left(-\dfrac{1}{3}\right)^n} = 1$

$f\left(\dfrac{1}{4}\right) = \lim_{n \to \infty} \dfrac{\left(\dfrac{1}{4}\right)^n+3}{\left(\dfrac{1}{4}\right)^n+1} = 3$, $f(1) = \lim_{n \to \infty} \dfrac{1^n+3}{1^n+1} = \dfrac{4}{2} = 2$

$\therefore f(-3)+f\left(\dfrac{1}{4}\right)+f(1) = 1+3+2 = 6 \qquad \boxed{답} 6$

053 (i) $|r| < 1$일 때, $\lim_{n \to \infty} r^n = 0$

$\therefore \lim_{n \to \infty} \dfrac{r^{n+1}-1}{r^n+1} = \dfrac{0-1}{0+1} = -1$

(ii) $r=1$일 때, $\lim_{n \to \infty} r^n = 1$

$\therefore \lim_{n \to \infty} \dfrac{r^{n+1}-1}{r^n+1} = \dfrac{1-1}{1+1} = 0$

(iii) $|r| > 1$일 때, $\lim_{n \to \infty} |r^n| = \infty$

$\therefore \lim_{n \to \infty} \dfrac{r^{n+1}-1}{r^n+1} = \lim_{n \to \infty} \dfrac{r-\dfrac{1}{r^n}}{1+\dfrac{1}{r^n}}$

$= \dfrac{r-0}{1+0} = r$

(i), (ii), (iii)에서 $\lim_{n \to \infty} \dfrac{r^{n+1}-1}{r^n+1}$이 5에 수렴하는 경우는 (iii)이므로

$r=5$ $\qquad \boxed{답} 5$

054 $1+5+5^2+\cdots+5^n = \dfrac{5^{n+1}-1}{5-1} = \dfrac{1}{4}(5^{n+1}-1)$

$\therefore \lim_{n \to \infty} \dfrac{5^n}{1+5+5^2+\cdots+5^n} = \lim_{n \to \infty} \dfrac{5^n}{\dfrac{1}{4}(5^{n+1}-1)}$

$= 4 \lim_{n \to \infty} \dfrac{1}{5-\left(\dfrac{1}{5}\right)^n}$

$= \dfrac{4}{5} \qquad \boxed{답} ⑤$

055 수열 $\{a_n\}$은 첫째항이 2, 공비가 2인 등비수열이므로

$a_n = 2 \times 2^{n-1} = 2^n$

$S_n = \dfrac{2(2^n-1)}{2-1} = 2^{n+1}-2$

$\therefore \lim_{n \to \infty} \dfrac{a_n}{S_n} = \lim_{n \to \infty} \dfrac{2^n}{2^{n+1}-2}$

$= \lim_{n \to \infty} \dfrac{1}{2-\dfrac{1}{2^{n-1}}}$

$= \dfrac{1}{2} \qquad \boxed{답} \dfrac{1}{2}$

056 $n \ge 2$일 때,

$a_n = S_n - S_{n-1}$

$= n \times 3^n - (n-1) \times 3^{n-1}$

$= 3n \times 3^{n-1} - (n-1) \times 3^{n-1}$

$= (2n+1) \times 3^{n-1}$

$\therefore \lim_{n \to \infty} \dfrac{a_n}{S_n} = \lim_{n \to \infty} \dfrac{(2n+1) \times 3^{n-1}}{n \times 3^n}$

$= \dfrac{1}{3} \lim_{n \to \infty} \dfrac{2n+1}{n}$

$= \dfrac{2}{3} \qquad \boxed{답} \dfrac{2}{3}$

057 $a_{n+1} = 2a_n$을 만족시키는 수열 $\{a_n\}$은 공비가 2인 등비수열이므로

$a_n = 5 \times 2^{n-1}$

$S_n = \dfrac{5(2^n-1)}{2-1} = 5 \times 2^n - 5$

$$\therefore \lim_{n \to \infty} \frac{a_n}{S_n} = \lim_{n \to \infty} \frac{5 \times 2^{n-1}}{5 \times 2^n - 5}$$
$$= \lim_{n \to \infty} \frac{5 \times \dfrac{1}{2}}{5 - \dfrac{5}{2^n}} = \frac{1}{2}$$

답 $\dfrac{1}{2}$

058
$$a_n = f(1) = 3^n + 2^n - 1$$
$$b_n = f(2) = 4 \times 3^n + 2 \times 2^n - 1$$
$$\therefore \lim_{n \to \infty} \frac{a_n}{b_n} = \lim_{n \to \infty} \frac{3^n + 2^n - 1}{4 \times 3^n + 2 \times 2^n - 1}$$
$$= \lim_{n \to \infty} \frac{1 + \left(\dfrac{2}{3}\right)^n - \left(\dfrac{1}{3}\right)^n}{4 + 2 \times \left(\dfrac{2}{3}\right)^n - \left(\dfrac{1}{3}\right)^n} = \frac{1}{4}$$

답 ③

059 이차방정식 $x^2 - 4x + 2 = 0$의 두 실근은 $x = 2 \pm \sqrt{2}$

$\alpha = 2 + \sqrt{2}$, $\beta = 2 - \sqrt{2}$ 라 하면 $0 < \dfrac{\beta}{\alpha} < 1$이므로

$$\lim_{n \to \infty} \left(\frac{\beta}{\alpha}\right)^n = 0$$
$$\therefore \lim_{n \to \infty} \frac{\alpha^{n+1} + \beta^{n+1}}{\alpha^n + \beta^n} = \lim_{n \to \infty} \frac{\alpha + \beta \left(\dfrac{\beta}{\alpha}\right)^n}{1 + \left(\dfrac{\beta}{\alpha}\right)^n}$$
$$= \alpha = 2 + \sqrt{2}$$

답 $2 + \sqrt{2}$

060
$$\overline{P_n Q_n} = 5^n - 3^n$$
$$\overline{P_{n+1} Q_{n+1}} = 5^{n+1} - 3^{n+1}$$
$$\therefore \lim_{n \to \infty} \frac{\overline{P_{n+1} Q_{n+1}}}{\overline{P_n Q_n}} = \lim_{n \to \infty} \frac{5^{n+1} - 3^{n+1}}{5^n - 3^n}$$
$$= \lim_{n \to \infty} \frac{5 - 3 \times \left(\dfrac{3}{5}\right)^n}{1 - \left(\dfrac{3}{5}\right)^n} = 5$$

답 ⑤

061 $\overline{A_n B_n} = 3^n - 2^n$이므로 삼각형 $PA_n B_n$의 넓이 S_n은
$$S_n = \frac{1}{2} n (3^n - 2^n)$$
$\overline{PC_n} = 3^n - 1$이므로 삼각형 $PA_n C_n$의 넓이 T_n은
$$T_n = \frac{1}{2} n (3^n - 1)$$
$$\therefore \lim_{n \to \infty} \frac{S_n}{T_n} = \lim_{n \to \infty} \frac{3^n - 2^n}{3^n - 1} = \lim_{n \to \infty} \frac{1 - \left(\dfrac{2}{3}\right)^n}{1 - \left(\dfrac{1}{3}\right)^n} = 1$$

답 1

062 $a_n = 2^n$이므로 두 점 A_n, A_{n+1}의 좌표는
$A_n(2^n, n)$, $A_{n+1}(2^{n+1}, n+1)$
$b_n = 5^{n+1}$이므로 두 점 B_n, B_{n+1}의 좌표는
$B_n(5^{n+1}, n)$, $B_{n+1}(5^{n+2}, n+1)$
사각형 $A_n A_{n+1} B_{n+1} B_n$의 넓이 S_n은
$$S_n = \frac{1}{2} (\overline{A_n B_n} + \overline{A_{n+1} B_{n+1}}) \times 1$$
$$= \frac{1}{2} (5^{n+1} - 2^n + 5^{n+2} - 2^{n+1})$$
$$= \frac{1}{2} (6 \times 5^{n+1} - 3 \times 2^n)$$

$$\therefore \lim_{n \to \infty} \frac{2S_n}{5^{n-1}} = \lim_{n \to \infty} \frac{6 \times 5^{n+1} - 3 \times 2^n}{5^{n-1}}$$
$$= \lim_{n \to \infty} \left\{ 6 \times 5^2 - 3 \times 2 \times \left(\frac{2}{5}\right)^{n-1} \right\}$$
$$= 150$$

답 150

063
$$\lim_{n \to \infty} \frac{2 \times 3^n}{3^{n+1} - 2} = \lim_{n \to \infty} \frac{2}{3 - 2 \times \left(\dfrac{1}{3}\right)^n} = \frac{2}{3}$$

이므로 n이 커짐에 따라 점 P_n은 두 직선 $2x + 3y = 10$과

$y = \dfrac{2}{3}x$의 교점, 즉 점 $\left(\dfrac{5}{2}, \dfrac{5}{3}\right)$에 한없이 가까워진다.

점 A의 좌표는 $(5, 0)$이므로
$$\lim_{n \to \infty} S_n = \frac{1}{2} \times 5 \times \frac{5}{3} = \frac{25}{6}$$

답 $\dfrac{25}{6}$

064 $|x| + |y| = 2^n$의 그래프는
그림과 같으므로
$$S_n = 4 \times \frac{1}{2} \times 2^n \times 2^n$$
$$= 2 \times 2^{2n}$$
$$= 2 \times 4^n$$

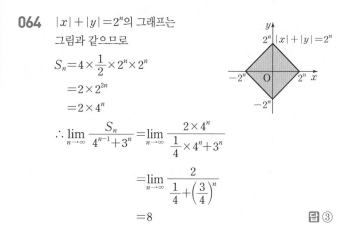

$$\therefore \lim_{n \to \infty} \frac{S_n}{4^{n-1} + 3^n} = \lim_{n \to \infty} \frac{2 \times 4^n}{\dfrac{1}{4} \times 4^n + 3^n}$$
$$= \lim_{n \to \infty} \frac{2}{\dfrac{1}{4} + \left(\dfrac{3}{4}\right)^n}$$
$$= 8$$

답 ③

065
$$\lim_{n \to \infty} (3^n - 2^{n+1}) = \lim_{n \to \infty} 3^n \left\{ 1 - 2 \times \left(\frac{2}{3}\right)^n \right\}$$
$$= \infty$$

답 ②

066
$$\lim_{n \to \infty} \frac{6^{n+1} - 2^{3n+1}}{2^{3n} - 6^n} = \lim_{n \to \infty} \frac{6 \times 6^n - 2 \times 8^n}{8^n - 6^n}$$
$$= \lim_{n \to \infty} \frac{6 \times \left(\dfrac{6}{8}\right)^n - 2}{1 - \left(\dfrac{6}{8}\right)^n}$$
$$= -2$$

답 -2

067 n이 짝수일 때 $(-1)^n = 1$이므로
$$\lim_{n \to \infty} \frac{(-1)^n}{n} = \lim_{n \to \infty} \frac{1}{n} = 0$$
n이 홀수일 때 $(-1)^n = -1$이므로
$$\lim_{n \to \infty} \frac{(-1)^n}{n} = \lim_{n \to \infty} \frac{-1}{n} = 0$$
$$\therefore A = \lim_{n \to \infty} \frac{(-1)^n}{n} = 0$$
$$B = \lim_{n \to \infty} \frac{3n}{\sqrt{n^2 - 5n} + n}$$
$$= \lim_{n \to \infty} \frac{3}{\sqrt{1 - \dfrac{5}{n}} + 1}$$
$$= \frac{3}{2}$$

$$C=\lim_{n\to\infty}\frac{3^n+2^{n-1}}{3^{n-1}-2^{n+1}}=\lim_{n\to\infty}\frac{3+\left(\frac{2}{3}\right)^{n-1}}{1-4\times\left(\frac{2}{3}\right)^{n-1}}$$
$$=3$$
$$\therefore A<B<C \qquad \text{답 ①}$$

068 $\lim_{n\to\infty}a_n=\alpha\,(\alpha\text{는 상수})$라 하면

$$\lim_{n\to\infty}\frac{5^{n+1}-3^n a_n}{3^{n+1}+5^n a_n}=\lim_{n\to\infty}\frac{5-\left(\frac{3}{5}\right)^n a_n}{3\left(\frac{3}{5}\right)^n+a_n}=\frac{5-0\times\alpha}{0+\alpha}=10$$

$$\therefore \alpha=\frac{1}{2}$$

따라서 $\lim_{n\to\infty}a_n=\alpha=\frac{1}{2}$이므로

$$\lim_{n\to\infty}\frac{a_n\times4^n+3^n}{a_n+4^n}=\lim_{n\to\infty}\frac{a_n+\left(\frac{3}{4}\right)^n}{\frac{a_n}{4^n}+1}$$
$$=\frac{1}{2} \qquad \text{답 }\frac{1}{2}$$

069 (i) 수열 $\{x^{2n+1}\}$에서 공비는 x^2이므로 수렴 조건에 의하여
$-1<x^2\le1$
$\therefore -1\le x\le1 \quad\cdots\cdots\text{㉠}$
(ii) 수열 $\{(1+x)^n\}$에서 공비는 $1+x$이므로 수렴 조건에 의하여
$-1<1+x\le1$
$\therefore -2<x\le0 \quad\cdots\cdots\text{㉡}$
(i), (ii)에서 ㉠, ㉡의 공통 범위는 $-1\le x\le0$ 　　　답 ④

070 수열 $\{(\log_2 x-1)^n\}$에서 공비는 $\log_2 x-1$이므로 수렴 조건에 의하여
$-1<\log_2 x-1\le1,\ 0<\log_2 x\le2$
$\log_2 1<\log_2 x\le\log_2 2^2$
$\therefore 1<x\le4$
따라서 자연수 x는 2, 3, 4이므로 그 합은
$2+3+4=9$ 　　　답 9

071 등비수열 $\{r^n\}$이 수렴하므로 $-1<r\le1$
ㄱ. 수열 $\{r^{3n}\}$에서 공비는 r^3이고,
$-1<r\le1$에서 $-1<r^3\le1$이므로 수열 $\{r^{3n}\}$은 항상 수렴한다.
ㄴ. 수열 $\left\{\left(\frac{2}{r}\right)^n\right\}\,(r\ne0)$에서 공비는 $\frac{2}{r}$이고,
$-1<r\le1$에서 $r\ne0$일 때, $\frac{2}{r}\ge2$ 또는 $\frac{2}{r}<-2$이므로
수열 $\left\{\left(\frac{2}{r}\right)^n\right\}$은 수렴하지 않는다.
ㄷ. 수열 $\left\{\left(\frac{r+1}{2}\right)^n\right\}$에서 공비는 $\frac{r+1}{2}$이고,
$-1<r\le1$에서 $0<r+1\le2$, 즉 $0<\frac{r+1}{2}\le1$이므로
수열 $\left\{\left(\frac{r+1}{2}\right)^n\right\}$은 항상 수렴한다.
따라서 항상 수렴하는 것은 ㄱ, ㄷ이다. 　　　답 ㄱ, ㄷ

072 $f(x)=\lim_{n\to\infty}\dfrac{x^{n+1}+1}{x^n+1}$

(i) $|x|<1$일 때, $\lim_{n\to\infty}x^n=0$
$$\therefore f(x)=\frac{0+1}{0+1}=1$$
(ii) $x=1$일 때, $\lim_{n\to\infty}x^n=1$
$$\therefore f(x)=\frac{1+1}{1+1}=1$$
(iii) $x=-1$일 때, $f(x)$는 정의되지 않는다.
(iv) $|x|>1$일 때, $\lim_{n\to\infty}|x^n|=\infty$
$$\therefore f(x)=\lim_{n\to\infty}\frac{x+\frac{1}{x^n}}{1+\frac{1}{x^n}}=\frac{x+0}{1+0}=x$$
(i)~(iv)에서 함수 $y=f(x)$의 그래프는 그림과 같다.

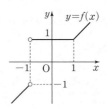

답 ②

073 $1+2^2+2^4+\cdots+2^{2n}=\dfrac{4^{n+1}-1}{4-1}=\dfrac{1}{3}(4^{n+1}-1)$

$$\therefore \lim_{n\to\infty}\frac{2^{2n+5}+3^{n+2}}{1+2^2+2^4+\cdots+2^{2n}}=\lim_{n\to\infty}\frac{2^{2n+5}+3^{n+2}}{\frac{1}{3}(4^{n+1}-1)}$$
$$=3\lim_{n\to\infty}\frac{8+3\left(\frac{3}{4}\right)^{n+1}}{1-\left(\frac{1}{4}\right)^{n+1}}$$
$$=24 \qquad \text{답 }24$$

074 $n\ge2$일 때,
$$a_n=S_n-S_{n-1}$$
$$=2^{n+1}-3^n-(2^n-3^{n-1})$$
$$=2^n-2\times3^{n-1}$$
$$\therefore a_{n+1}=2^{n+1}-2\times3^n$$
$$\therefore \lim_{n\to\infty}\frac{a_{n+1}}{S_n}=\lim_{n\to\infty}\frac{2^{n+1}-2\times3^n}{2^{n+1}-3^n}$$
$$=\lim_{n\to\infty}\frac{2\times\left(\frac{2}{3}\right)^n-2}{2\times\left(\frac{2}{3}\right)^n-1}$$
$$=2 \qquad \text{답 }2$$

075 (i) $1\le x<2$일 때,
$$f(x)=\lim_{n\to\infty}\frac{x^{n+1}+2^{n+2}}{x^n+2^n}$$
$$=\lim_{n\to\infty}\frac{x\times\left(\frac{x}{2}\right)^n+4}{\left(\frac{x}{2}\right)^n+1}$$
$$=4$$
$$\therefore f(1)=4$$

(ii) $x=2$일 때,

$$f(2)=\lim_{n\to\infty}\frac{2^{n+1}+2^{n+2}}{2^n+2^n}$$

$$=\lim_{n\to\infty}\frac{6\times2^n}{2\times2^n}=3$$

(iii) $2<x\leq10$일 때,

$$f(x)=\lim_{n\to\infty}\frac{x^{n+1}+2^{n+2}}{x^n+2^n}$$

$$=\lim_{n\to\infty}\frac{x+4\times\left(\frac{2}{x}\right)^n}{1+\left(\frac{2}{x}\right)^n}$$

$$=x$$

$$\therefore f(3)=3,\ f(4)=4,\ f(5)=5,\ \cdots,\ f(10)=10$$

(i), (ii), (iii)에서

$$\sum_{k=1}^{10}f(k)=4+3+\sum_{k=3}^{10}f(k)$$

$$=7+\sum_{k=1}^{10}k-(1+2)$$

$$=4+\frac{10\times11}{2}=59 \hspace{2cm} \text{답}\ 59$$

076 각 도형에서 검은색과 흰색 삼각형의 개수는 다음 표와 같다.

삼각형	T_1	T_2	T_3	$\cdots$	T_n
검은색	2	2^2	2^3	$\cdots$	2^n
흰색	2	$2(1+2)$	$2(1+2+2^2)$	$\cdots$	$2(1+2+2^2+\cdots+2^{n-1})$

$$\therefore a_n=2^n+2(1+2+2^2+\cdots+2^{n-1})$$

$$=2^n+2\times\frac{2^n-1}{2-1}=3\times2^n-2$$

$$\therefore \lim_{n\to\infty}\frac{a_n}{2^n+2}=\lim_{n\to\infty}\frac{3\times2^n-2}{2^n+2}$$

$$=\lim_{n\to\infty}\frac{3-2\times\left(\frac{1}{2}\right)^n}{1+2\times\left(\frac{1}{2}\right)^n}=3 \hspace{1cm} \text{답}\ 3$$

001 $\dfrac{1}{AB}=\dfrac{1}{\boxed{B-A}}\left(\dfrac{1}{A}-\dfrac{1}{\boxed{B}}\right)$ $\hspace{1cm}$ 답 $B-A,\ B$

002 $\dfrac{1}{x(x+2)}=\dfrac{1}{\boxed{2}}\left(\dfrac{1}{\boxed{x}}-\dfrac{1}{x+2}\right)$ $\hspace{0.5cm}$ 답 $2,\ x$

003 $\displaystyle\sum_{k=1}^{10}\frac{1}{k(k+1)}$

$$=\sum_{k=1}^{10}\left(\frac{1}{k}-\frac{1}{k+1}\right)$$

$$=\left(1-\frac{1}{2}\right)+\left(\frac{1}{2}-\frac{1}{3}\right)+\left(\frac{1}{3}-\frac{1}{4}\right)+\cdots+\left(\frac{1}{10}-\frac{1}{11}\right)$$

$$=1-\frac{1}{11}=\frac{10}{11} \hspace{2cm} \text{답}\ \frac{10}{11}$$

004 $\displaystyle\sum_{k=1}^{8}\left(\frac{1}{k}-\frac{1}{k+2}\right)$

$$=\left(1-\frac{1}{3}\right)+\left(\frac{1}{2}-\frac{1}{4}\right)+\left(\frac{1}{3}-\frac{1}{5}\right)+\cdots$$

$$+\left(\frac{1}{7}-\frac{1}{9}\right)+\left(\frac{1}{8}-\frac{1}{10}\right)$$

$$=1+\frac{1}{2}-\frac{1}{9}-\frac{1}{10}=\frac{58}{45} \hspace{1cm} \text{답}\ \frac{58}{45}$$

005 $\dfrac{1}{1\times3}+\dfrac{1}{3\times5}+\dfrac{1}{5\times7}+\cdots+\dfrac{1}{13\times15}$

$$=\sum_{k=1}^{7}\frac{1}{(2k-1)(2k+1)}$$

$$=\frac{1}{2}\sum_{k=1}^{7}\left(\frac{1}{2k-1}-\frac{1}{2k+1}\right)$$

$$=\frac{1}{2}\left\{\left(1-\frac{1}{3}\right)+\left(\frac{1}{3}-\frac{1}{5}\right)+\left(\frac{1}{5}-\frac{1}{7}\right)+\cdots+\left(\frac{1}{13}-\frac{1}{15}\right)\right\}$$

$$=\frac{1}{2}\left(1-\frac{1}{15}\right)=\frac{7}{15} \hspace{1.5cm} \text{답}\ \frac{7}{15}$$

006 $\displaystyle\sum_{k=2}^{10}\frac{1}{k^2-1}=\sum_{k=2}^{10}\frac{1}{(k-1)(k+1)}$

$$=\sum_{k=2}^{10}\frac{1}{2}\left(\frac{1}{k-1}-\frac{1}{k+1}\right)$$

$$=\frac{1}{2}\left\{\left(1-\frac{1}{3}\right)+\left(\frac{1}{2}-\frac{1}{4}\right)+\left(\frac{1}{3}-\frac{1}{5}\right)+\cdots\right.$$

$$\left.+\left(\frac{1}{8}-\frac{1}{10}\right)+\left(\frac{1}{9}-\frac{1}{11}\right)\right\}$$

$$=\frac{1}{2}\left(1+\frac{1}{2}-\frac{1}{10}-\frac{1}{11}\right)=\frac{36}{55} \hspace{0.5cm} \text{답}\ \frac{36}{55}$$

007 $\displaystyle\sum_{k=1}^{n}(\sqrt{k}-\sqrt{k+1})$

$$=(1-\sqrt{2})+(\sqrt{2}-\sqrt{3})+(\sqrt{3}-\sqrt{4})+\cdots+(\sqrt{n}-\sqrt{n+1})$$

$$=1-\sqrt{n+1} \hspace{2cm} \text{답}\ 1-\sqrt{n+1}$$

008 $\displaystyle\sum_{n=1}^{\infty}a_n=\lim_{n\to\infty}S_n=\lim_{n\to\infty}(2n-1)=\infty$ $\hspace{0.5cm}$ 답 발산

009 $\displaystyle\sum_{n=1}^{\infty} a_n = \lim_{n\to\infty} S_n = \lim_{n\to\infty} \dfrac{1}{n+2} = 0$ 📋 수렴, 0

010 $\displaystyle\sum_{n=1}^{\infty} a_n = \lim_{n\to\infty} S_n = \lim_{n\to\infty} (n^2+n) = \infty$ 📋 발산

011 $\displaystyle\sum_{n=1}^{\infty} a_n = \lim_{n\to\infty} S_n = \lim_{n\to\infty} \dfrac{n-1}{n+1} = 1$ 📋 수렴, 1

012 $\displaystyle\sum_{n=1}^{\infty} a_n = \lim_{n\to\infty} S_n = \lim_{n\to\infty} \dfrac{4n+1}{3n-1} = \dfrac{4}{3}$ 📋 수렴, $\dfrac{4}{3}$

013 $\displaystyle\sum_{n=1}^{\infty} a_n = \lim_{n\to\infty} S_n = \lim_{n\to\infty} \left\{1-\left(\dfrac{1}{3}\right)^n\right\} = 1$ 📋 수렴, 1

014 주어진 급수는 첫째항이 -2, 공차가 3인 등차수열의 합이므로 제n항까지의 부분합을 S_n이라 하면

$$S_n = \frac{n\{2\times(-2)+(n-1)\times 3\}}{2} = \frac{3n^2-7n}{2}$$

$$\therefore \lim_{n\to\infty} S_n = \lim_{n\to\infty} \frac{3n^2-7n}{2} = \infty$$

따라서 주어진 급수는 발산한다.   📋 발산

015 제n항까지의 부분합을 S_n이라 하면

$$\begin{aligned}
S_n &= \sum_{k=1}^{n} \frac{1}{(k+1)(k+2)} \\
&= \sum_{k=1}^{n} \left(\frac{1}{k+1} - \frac{1}{k+2}\right) \\
&= \left(\frac{1}{2}-\frac{1}{3}\right) + \left(\frac{1}{3}-\frac{1}{4}\right) + \left(\frac{1}{4}-\frac{1}{5}\right) + \cdots \\
&\qquad\qquad\qquad + \left(\frac{1}{n+1}-\frac{1}{n+2}\right) \\
&= \frac{1}{2} - \frac{1}{n+2}
\end{aligned}$$

$$\therefore \lim_{n\to\infty} S_n = \lim_{n\to\infty}\left(\frac{1}{2}-\frac{1}{n+2}\right) = \frac{1}{2}$$ 📋 수렴, $\dfrac{1}{2}$

016 제n항까지의 부분합을 S_n이라 하면

$$\begin{aligned}
S_n &= \sum_{k=1}^{n} \frac{1}{(k+1)^2-1} \\
&= \sum_{k=1}^{n} \frac{1}{k(k+2)} \\
&= \sum_{k=1}^{n} \frac{1}{2}\left(\frac{1}{k}-\frac{1}{k+2}\right) \\
&= \frac{1}{2}\left\{\left(1-\frac{1}{3}\right) + \left(\frac{1}{2}-\frac{1}{4}\right) + \left(\frac{1}{3}-\frac{1}{5}\right) + \cdots \right. \\
&\qquad\qquad \left. + \left(\frac{1}{n-1}-\frac{1}{n+1}\right) + \left(\frac{1}{n}-\frac{1}{n+2}\right)\right\} \\
&= \frac{1}{2}\left(1+\frac{1}{2}-\frac{1}{n+1}-\frac{1}{n+2}\right) \\
&= \frac{1}{2}\left(\frac{3}{2}-\frac{1}{n+1}-\frac{1}{n+2}\right)
\end{aligned}$$

$$\begin{aligned}
\therefore \lim_{n\to\infty} S_n &= \lim_{n\to\infty} \frac{1}{2}\left(\frac{3}{2}-\frac{1}{n+1}-\frac{1}{n+2}\right) \\
&= \frac{1}{2}\times\frac{3}{2} = \frac{3}{4}
\end{aligned}$$ 📋 수렴, $\dfrac{3}{4}$

017 제n항까지의 부분합을 S_n이라 하면

$$\begin{aligned}
S_n &= \sum_{k=1}^{n} \frac{1}{2k(2k+2)} = \sum_{k=1}^{n} \frac{1}{2}\left(\frac{1}{2k}-\frac{1}{2k+2}\right) \\
&= \frac{1}{2}\left\{\left(\frac{1}{2}-\frac{1}{4}\right) + \left(\frac{1}{4}-\frac{1}{6}\right) + \left(\frac{1}{6}-\frac{1}{8}\right) + \cdots \right. \\
&\qquad\qquad\qquad\qquad \left. + \left(\frac{1}{2n}-\frac{1}{2n+2}\right)\right\} \\
&= \frac{1}{2}\left(\frac{1}{2}-\frac{1}{2n+2}\right)
\end{aligned}$$

$$\begin{aligned}
\therefore \lim_{n\to\infty} S_n &= \lim_{n\to\infty} \frac{1}{2}\left(\frac{1}{2}-\frac{1}{2n+2}\right) \\
&= \frac{1}{2}\times\frac{1}{2} = \frac{1}{4}
\end{aligned}$$ 📋 수렴, $\dfrac{1}{4}$

018 제n항까지의 부분합을 S_n이라 하면

$$\begin{aligned}
S_n &= \sum_{k=1}^{n} (\sqrt{k+1}-\sqrt{k+2}) \\
&= (\sqrt{2}-\sqrt{3}) + (\sqrt{3}-\sqrt{4}) + (\sqrt{4}-\sqrt{5}) + \cdots \\
&\qquad\qquad\qquad\qquad + (\sqrt{n+1}-\sqrt{n+2}) \\
&= \sqrt{2}-\sqrt{n+2}
\end{aligned}$$

$$\therefore \lim_{n\to\infty} S_n = \lim_{n\to\infty} (\sqrt{2}-\sqrt{n+2}) = -\infty$$

따라서 주어진 급수는 발산한다.   📋 발산

019 제n항까지의 부분합을 S_n이라 하면

$$\begin{aligned}
S_n &= \sum_{k=1}^{n} \frac{1}{k(k+2)} \\
&= \sum_{k=1}^{n} \frac{1}{2}\left(\frac{1}{k}-\frac{1}{k+2}\right) \\
&= \frac{1}{2}\left\{\left(1-\frac{1}{3}\right) + \left(\frac{1}{2}-\frac{1}{4}\right) + \left(\frac{1}{3}-\frac{1}{5}\right) + \cdots \right. \\
&\qquad\qquad \left. + \left(\frac{1}{n-1}-\frac{1}{n+1}\right) + \left(\frac{1}{n}-\frac{1}{n+2}\right)\right\} \\
&= \frac{1}{2}\left(1+\frac{1}{2}-\frac{1}{n+1}-\frac{1}{n+2}\right) \\
&= \frac{1}{2}\left(\frac{3}{2}-\frac{1}{n+1}-\frac{1}{n+2}\right)
\end{aligned}$$

$$\begin{aligned}
\therefore \sum_{n=1}^{\infty} a_n &= \lim_{n\to\infty} S_n = \lim_{n\to\infty} \frac{1}{2}\left(\frac{3}{2}-\frac{1}{n+1}-\frac{1}{n+2}\right) \\
&= \frac{1}{2}\times\frac{3}{2} = \frac{3}{4}
\end{aligned}$$ 📋 수렴, $\dfrac{3}{4}$

020 제n항까지의 부분합을 S_n이라 하면

$$\begin{aligned}
S_n &= \sum_{k=1}^{n} \frac{1}{(k+1)(k+3)} \\
&= \sum_{k=1}^{n} \frac{1}{2}\left(\frac{1}{k+1}-\frac{1}{k+3}\right) \\
&= \frac{1}{2}\left\{\left(\frac{1}{2}-\frac{1}{4}\right) + \left(\frac{1}{3}-\frac{1}{5}\right) + \left(\frac{1}{4}-\frac{1}{6}\right) + \cdots \right. \\
&\qquad\qquad \left. + \left(\frac{1}{n}-\frac{1}{n+2}\right) + \left(\frac{1}{n+1}-\frac{1}{n+3}\right)\right\} \\
&= \frac{1}{2}\left(\frac{1}{2}+\frac{1}{3}-\frac{1}{n+2}-\frac{1}{n+3}\right)
\end{aligned}$$

$$\begin{aligned}
\therefore \sum_{n=1}^{\infty} a_n &= \lim_{n\to\infty} S_n = \lim_{n\to\infty} \frac{1}{2}\left(\frac{1}{2}+\frac{1}{3}-\frac{1}{n+2}-\frac{1}{n+3}\right) \\
&= \frac{1}{2}\left(\frac{1}{2}+\frac{1}{3}\right) = \frac{5}{12}
\end{aligned}$$ 📋 수렴, $\dfrac{5}{12}$

021 제 n항까지의 부분합을 S_n이라 하면

$$S_n = \sum_{k=1}^{n} \frac{1}{(2k-3)(2k-1)}$$

$$= \sum_{k=1}^{n} \frac{1}{2}\left(\frac{1}{2k-3} - \frac{1}{2k-1}\right)$$

$$= \frac{1}{2}\left\{\left(\frac{1}{-1} - \frac{1}{1}\right) + \left(\frac{1}{1} - \frac{1}{3}\right) + \left(\frac{1}{3} - \frac{1}{5}\right) + \cdots \right.$$

$$\left. + \left(\frac{1}{2n-3} - \frac{1}{2n-1}\right)\right\}$$

$$= \frac{1}{2}\left(-1 - \frac{1}{2n-1}\right)$$

$$\therefore \sum_{n=1}^{\infty} a_n = \lim_{n\to\infty} S_n = \lim_{n\to\infty} \frac{1}{2}\left(-1 - \frac{1}{2n-1}\right)$$

$$= \frac{1}{2} \times (-1) = -\frac{1}{2}$$

답 수렴, $-\dfrac{1}{2}$

022 제 n항까지의 부분합을 S_n이라 하면

$$S_n = \sum_{k=1}^{n} (\sqrt{k+2} - \sqrt{k})$$

$$= (\sqrt{3} - 1) + (\sqrt{4} - \sqrt{2}) + (\sqrt{5} - \sqrt{3}) + \cdots$$

$$+ (\sqrt{n+1} - \sqrt{n-1}) + (\sqrt{n+2} - \sqrt{n})$$

$$= -1 - \sqrt{2} + \sqrt{n+1} + \sqrt{n+2}$$

$$\therefore \sum_{n=1}^{\infty} a_n = \lim_{n\to\infty} S_n$$

$$= \lim_{n\to\infty}(-1 - \sqrt{2} + \sqrt{n+1} + \sqrt{n+2}) = \infty$$

답 발산

023

$$a_n = \frac{\sqrt{2n+1} - \sqrt{2n-1}}{(\sqrt{2n+1} + \sqrt{2n-1})(\sqrt{2n+1} - \sqrt{2n-1})}$$

$$= \frac{1}{2}(\sqrt{2n+1} - \sqrt{2n-1})$$

제 n항까지의 부분합을 S_n이라 하면

$$S_n = \sum_{k=1}^{n} \frac{1}{2}(\sqrt{2k+1} - \sqrt{2k-1})$$

$$= \frac{1}{2}\left\{(\sqrt{3} - 1) + (\sqrt{5} - \sqrt{3}) + (\sqrt{7} - \sqrt{5}) + \cdots \right.$$

$$\left. + (\sqrt{2n+1} - \sqrt{2n-1})\right\}$$

$$= \frac{1}{2}(\sqrt{2n+1} - 1)$$

$$\therefore \sum_{n=1}^{\infty} a_n = \lim_{n\to\infty} S_n$$

$$= \lim_{n\to\infty} \frac{1}{2}(\sqrt{2n+1} - 1) = \infty$$

답 발산

024 주어진 급수는 첫째항이 -3이고, 공차가 4인 등차수열의 합이므로 일반항 a_n은

$$a_n = -3 + (n-1) \times 4 = 4n - 7$$

$$\therefore \lim_{n\to\infty} a_n = \lim_{n\to\infty}(4n-7) = \infty \neq 0$$

따라서 주어진 급수는 발산한다. 답 풀이 참조

025 주어진 급수는 첫째항이 2이고, 공비가 1인 등비수열의 합이므로 일반항 a_n은

$$a_n = 2$$

$$\therefore \lim_{n\to\infty} a_n = 2 \neq 0$$

따라서 주어진 급수는 발산한다. 답 풀이 참조

026 일반항 $a_n = \dfrac{n+1}{3n-2}$에서 $\displaystyle\lim_{n\to\infty} \dfrac{n+1}{3n-2} = \dfrac{1}{3} \neq 0$이므로 주어진 급수는 발산한다. 답 풀이 참조

027 일반항 $a_n = 2^n - 1$에서 $\displaystyle\lim_{n\to\infty}(2^n - 1) = \infty \neq 0$이므로 주어진 급수는 발산한다. 답 풀이 참조

028 일반항 $a_n = \dfrac{3^{n+1}+1}{3^n - 1}$에서 $\displaystyle\lim_{n\to\infty} \dfrac{3 \times 3^n + 1}{3^n - 1} = 3 \neq 0$이므로 주어진 급수는 발산한다. 답 풀이 참조

029 $\displaystyle\sum_{n=1}^{\infty} 4a_n = 4\sum_{n=1}^{\infty} a_n = 4 \times 4 = 16$ 답 16

030 $\displaystyle\sum_{n=1}^{\infty} \frac{b_n}{5} = \frac{1}{5}\sum_{n=1}^{\infty} b_n = \frac{1}{5} \times 5 = 1$ 답 1

031 $\displaystyle\sum_{n=1}^{\infty}(a_n + b_n) = \sum_{n=1}^{\infty} a_n + \sum_{n=1}^{\infty} b_n$

$$= 4 + 5 = 9$$

답 9

032 $\displaystyle\sum_{n=1}^{\infty}(3a_n + 2b_n) = 3\sum_{n=1}^{\infty} a_n + 2\sum_{n=1}^{\infty} b_n$

$$= 3 \times 4 + 2 \times 5 = 22$$

답 22

033 $\displaystyle\sum_{n=1}^{\infty}(5a_n - 3b_n) = 5\sum_{n=1}^{\infty} a_n - 3\sum_{n=1}^{\infty} b_n$

$$= 5 \times 4 - 3 \times 5 = 5$$

답 5

034

$$\sum_{k=1}^{n} \frac{1}{5(k+1)(k+2)}$$

$$= \sum_{k=1}^{n} \frac{1}{5}\left(\frac{1}{k+1} - \frac{1}{k+2}\right)$$

$$= \frac{1}{5}\left\{\left(\frac{1}{2} - \frac{1}{3}\right) + \left(\frac{1}{3} - \frac{1}{4}\right) + \left(\frac{1}{4} - \frac{1}{5}\right) + \cdots \right.$$

$$\left. + \left(\frac{1}{n+1} - \frac{1}{n+2}\right)\right\}$$

$$= \frac{1}{5}\left(\frac{1}{2} - \frac{1}{n+2}\right)$$

$$\therefore \sum_{n=1}^{\infty} \frac{1}{5(n+1)(n+2)} = \lim_{n\to\infty} \sum_{k=1}^{n} \frac{1}{5(k+1)(k+2)}$$

$$= \lim_{n\to\infty} \frac{1}{5}\left(\frac{1}{2} - \frac{1}{n+2}\right) = \frac{1}{10}$$

따라서 $a = 10$, $b = 1$이므로

$$a + b = 11$$

답 11

035

$$\sum_{k=1}^{n} \frac{1}{(2k-1)(2k+1)}$$

$$= \sum_{k=1}^{n} \frac{1}{2}\left(\frac{1}{2k-1} - \frac{1}{2k+1}\right)$$

$$= \frac{1}{2}\left\{\left(1 - \frac{1}{3}\right) + \left(\frac{1}{3} - \frac{1}{5}\right) + \left(\frac{1}{5} - \frac{1}{7}\right) + \cdots \right.$$

$$\left. + \left(\frac{1}{2n-1} - \frac{1}{2n+1}\right)\right\}$$

$$= \frac{1}{2}\left(1 - \frac{1}{2n+1}\right)$$

$$\therefore \sum_{n=1}^{\infty}\frac{1}{(2n-1)(2n+1)}=\lim_{n\to\infty}\sum_{k=1}^{n}\frac{1}{(2k-1)(2k+1)}$$
$$=\lim_{n\to\infty}\frac{1}{2}\left(1-\frac{1}{2n+1}\right)$$
$$=\frac{1}{2}$$
답 ③

036
$$\sum_{k=1}^{n}\frac{1}{k(k+2)}$$
$$=\sum_{k=1}^{n}\frac{1}{2}\left(\frac{1}{k}-\frac{1}{k+2}\right)$$
$$=\frac{1}{2}\left\{\left(1-\frac{1}{3}\right)+\left(\frac{1}{2}-\frac{1}{4}\right)+\left(\frac{1}{3}-\frac{1}{5}\right)+\cdots\right.$$
$$\left.+\left(\frac{1}{n-1}-\frac{1}{n+1}\right)+\left(\frac{1}{n}-\frac{1}{n+2}\right)\right\}$$
$$=\frac{1}{2}\left(1+\frac{1}{2}-\frac{1}{n+1}-\frac{1}{n+2}\right)$$
$$\therefore \sum_{n=1}^{\infty}\frac{8}{n(n+2)}=8\lim_{n\to\infty}\sum_{k=1}^{n}\frac{1}{k(k+2)}$$
$$=8\lim_{n\to\infty}\frac{1}{2}\left(1+\frac{1}{2}-\frac{1}{n+1}-\frac{1}{n+2}\right)$$
$$=6$$
답 6

037 $1+2+3+\cdots+n=\dfrac{n(n+1)}{2}$ 이므로
$$\sum_{k=1}^{n}\frac{10}{\frac{k(k+1)}{2}}=\sum_{k=1}^{n}\frac{20}{k(k+1)}=\sum_{k=1}^{n}20\left(\frac{1}{k}-\frac{1}{k+1}\right)$$
$$=20\left\{\left(1-\frac{1}{2}\right)+\left(\frac{1}{2}-\frac{1}{3}\right)+\left(\frac{1}{3}-\frac{1}{4}\right)+\cdots\right.$$
$$\left.+\left(\frac{1}{n}-\frac{1}{n+1}\right)\right\}$$
$$=20\left(1-\frac{1}{n+1}\right)$$
$$\therefore \text{(주어진 식)}=\lim_{n\to\infty}\sum_{k=1}^{n}\frac{10}{\frac{k(k+1)}{2}}$$
$$=\lim_{n\to\infty}20\left(1-\frac{1}{n+1}\right)=20$$
답 ③

038 이차방정식의 근과 계수의 관계에서
$\alpha_n+\beta_n=n^2+n$, $\alpha_n\beta_n=2$이므로
$$\sum_{n=1}^{\infty}\frac{\alpha_n\beta_n}{\alpha_n+\beta_n}=\sum_{n=1}^{\infty}\frac{2}{n^2+n}=\sum_{n=1}^{\infty}\frac{2}{n(n+1)}$$
$$=\lim_{n\to\infty}\sum_{k=1}^{n}\frac{2}{k(k+1)}$$
$$=\lim_{n\to\infty}\sum_{k=1}^{n}2\left(\frac{1}{k}-\frac{1}{k+1}\right)$$
$$=\lim_{n\to\infty}2\left\{\left(1-\frac{1}{2}\right)+\left(\frac{1}{2}-\frac{1}{3}\right)+\left(\frac{1}{3}-\frac{1}{4}\right)+\cdots\right.$$
$$\left.+\left(\frac{1}{n}-\frac{1}{n+1}\right)\right\}$$
$$=\lim_{n\to\infty}2\left(1-\frac{1}{n+1}\right)=2$$
답 2

039 $S_n=\dfrac{n\{2+(n-1)\}}{2}=\dfrac{n(n+1)}{2}$ 이므로

$$\sum_{n=1}^{\infty}\frac{1}{S_n}=\sum_{n=1}^{\infty}\frac{2}{n(n+1)}=\lim_{n\to\infty}\sum_{k=1}^{n}\frac{2}{k(k+1)}$$
$$=\lim_{n\to\infty}\sum_{k=1}^{n}2\left(\frac{1}{k}-\frac{1}{k+1}\right)$$
$$=\lim_{n\to\infty}2\left\{\left(1-\frac{1}{2}\right)+\left(\frac{1}{2}-\frac{1}{3}\right)+\left(\frac{1}{3}-\frac{1}{4}\right)+\cdots\right.$$
$$\left.+\left(\frac{1}{n}-\frac{1}{n+1}\right)\right\}$$
$$=\lim_{n\to\infty}2\left(1-\frac{1}{n+1}\right)=2$$
답 2

040
$$\sum_{n=1}^{\infty}\left(\frac{1}{\sqrt{n}}-\frac{1}{\sqrt{n+1}}\right)$$
$$=\lim_{n\to\infty}\sum_{k=1}^{n}\left(\frac{1}{\sqrt{k}}-\frac{1}{\sqrt{k+1}}\right)$$
$$=\lim_{n\to\infty}\left\{\left(1-\frac{1}{\sqrt{2}}\right)+\left(\frac{1}{\sqrt{2}}-\frac{1}{\sqrt{3}}\right)+\left(\frac{1}{\sqrt{3}}-\frac{1}{\sqrt{4}}\right)+\cdots\right.$$
$$\left.+\left(\frac{1}{\sqrt{n}}-\frac{1}{\sqrt{n+1}}\right)\right\}$$
$$=\lim_{n\to\infty}\left(1-\frac{1}{\sqrt{n+1}}\right)=1$$
답 1

041 제n항까지의 부분합을 S_n이라 하면
$$S_n=\sum_{k=1}^{n}\frac{\sqrt{k+2}-\sqrt{k}}{\sqrt{k}\sqrt{k+2}}$$
$$=\sum_{k=1}^{n}\left(\frac{1}{\sqrt{k}}-\frac{1}{\sqrt{k+2}}\right)$$
$$=\left(1-\frac{1}{\sqrt{3}}\right)+\left(\frac{1}{\sqrt{2}}-\frac{1}{\sqrt{4}}\right)+\left(\frac{1}{\sqrt{3}}-\frac{1}{\sqrt{5}}\right)+\cdots$$
$$+\left(\frac{1}{\sqrt{n-1}}-\frac{1}{\sqrt{n+1}}\right)+\left(\frac{1}{\sqrt{n}}-\frac{1}{\sqrt{n+2}}\right)$$
$$=1+\frac{1}{\sqrt{2}}-\frac{1}{\sqrt{n+1}}-\frac{1}{\sqrt{n+2}}$$
$$\therefore \lim_{n\to\infty}S_n=\lim_{n\to\infty}\left(1+\frac{1}{\sqrt{2}}-\frac{1}{\sqrt{n+1}}-\frac{1}{\sqrt{n+2}}\right)$$
$$=1+\frac{\sqrt{2}}{2}$$
답 ③

042 제n항까지의 부분합을 S_n이라 하면
$$S_n=\sum_{k=1}^{n}\frac{1}{\sqrt{2k+1}+\sqrt{2k+3}}$$
$$=\sum_{k=1}^{n}\frac{\sqrt{2k+1}-\sqrt{2k+3}}{(\sqrt{2k+1}+\sqrt{2k+3})(\sqrt{2k+1}-\sqrt{2k+3})}$$
$$=\sum_{k=1}^{n}\frac{1}{2}(\sqrt{2k+3}-\sqrt{2k+1})$$
$$=\frac{1}{2}\{(\sqrt{5}-\sqrt{3})+(\sqrt{7}-\sqrt{5})+(\sqrt{9}-\sqrt{7})+\cdots$$
$$+(\sqrt{2n+3}-\sqrt{2n+1})\}$$
$$=\frac{1}{2}(\sqrt{2n+3}-\sqrt{3})$$
$$\therefore \lim_{n\to\infty}S_n=\lim_{n\to\infty}\frac{1}{2}(\sqrt{2n+3}-\sqrt{3})=\infty \text{ (발산)}$$
답 ⑤

043 제n항까지의 부분합을 S_n이라 하면
$$S_n=\log_4\frac{3}{2}+\log_4\frac{4}{3}+\log_4\frac{5}{4}+\cdots+\log_4\frac{n+2}{n+1}$$
$$=\log_4\left(\frac{3}{2}\times\frac{4}{3}\times\frac{5}{4}\times\cdots\times\frac{n+2}{n+1}\right)=\log_4\frac{n+2}{2}$$

$$\therefore \lim_{n \to \infty} S_n = \lim_{n \to \infty} \log_4 \frac{n+2}{2} = \infty \text{ (발산)} \qquad \boxed{답} \ ⑤$$

044
$$\log\left(1-\frac{1}{2^2}\right)+\log\left(1-\frac{1}{3^2}\right)+\log\left(1-\frac{1}{4^2}\right)+\cdots$$
$$+\log\left\{1-\frac{1}{(n+1)^2}\right\}+\cdots$$
$$=\lim_{n \to \infty} \sum_{k=1}^{n} \log \frac{k^2+2k}{(k+1)^2}$$
$$=\lim_{n \to \infty} \sum_{k=1}^{n} \log \frac{k(k+2)}{(k+1)^2}$$
$$=\lim_{n \to \infty}\left\{\log \frac{1\times3}{2^2}+\log \frac{2\times4}{3^2}+\log \frac{3\times5}{4^2}+\cdots\right.$$
$$\left.+\log \frac{n(n+2)}{(n+1)^2}\right\}$$
$$=\lim_{n \to \infty} \log\left\{\frac{1\times3}{2^2}\times\frac{2\times4}{3^2}\times\frac{3\times5}{4^2}\times\cdots\times\frac{n(n+2)}{(n+1)^2}\right\}$$
$$=\lim_{n \to \infty} \log \frac{n+2}{2(n+1)}$$
$$=\log \frac{1}{2}=-\log 2 \qquad \boxed{답} \ -\log 2$$

045
$$\sum_{n=2}^{\infty}(\log_n 2-\log_{n+1} 2)$$
$$=\lim_{n \to \infty} \sum_{k=2}^{n}(\log_k 2-\log_{k+1} 2)$$
$$=\lim_{n \to \infty}\{(\log_2 2-\log_3 2)+(\log_3 2-\log_4 2)+\cdots$$
$$+(\log_n 2-\log_{n+1} 2)\}$$
$$=\lim_{n \to \infty}\left\{1-\frac{\log 2}{\log(n+1)}\right\}=1 \qquad \boxed{답} \ 1$$

046 제n항까지의 부분합을 S_n이라 할 때, 자연수 m에 대하여
$$S_{2m}=1+\left(-\frac{1}{2}+\frac{1}{2}\right)+\left(-\frac{1}{3}+\frac{1}{3}\right)+\cdots$$
$$+\left(-\frac{1}{m}+\frac{1}{m}\right)-\frac{1}{m+1}$$
$$=1-\frac{1}{m+1}$$
$$\therefore \lim_{m \to \infty} S_{2m}=1$$
$$S_{2m+1}=1+\left(-\frac{1}{2}+\frac{1}{2}\right)+\left(-\frac{1}{3}+\frac{1}{3}\right)+\cdots$$
$$+\left(-\frac{1}{m+1}+\frac{1}{m+1}\right)$$
$$=1$$
$$\therefore \lim_{m \to \infty} S_{2m+1}=1$$
따라서 $\lim_{m \to \infty} S_{2m}=\lim_{m \to \infty} S_{2m+1}=1$이므로 주어진 급수는 1에 수렴한다. $\qquad \boxed{답} \ ④$

047 제n항까지의 부분합을 S_n이라 할 때, 자연수 m에 대하여
$$S_{2m}=3+\left(-\frac{3}{2}+\frac{3}{2}\right)+\left(-\frac{4}{3}+\frac{4}{3}\right)+\cdots$$
$$+\left(-\frac{m+1}{m}+\frac{m+1}{m}\right)-\frac{m+2}{m+1}$$
$$=3-\frac{m+2}{m+1}$$

$$\therefore \lim_{m \to \infty} S_{2m}=2$$
$$S_{2m+1}=3+\left(-\frac{3}{2}+\frac{3}{2}\right)+\left(-\frac{4}{3}+\frac{4}{3}\right)+\cdots$$
$$+\left(-\frac{m+2}{m+1}+\frac{m+2}{m+1}\right)$$
$$=3$$
$$\therefore \lim_{m \to \infty} S_{2m+1}=3$$
따라서 $\lim_{m \to \infty} S_{2m} \neq \lim_{m \to \infty} S_{2m+1}$이므로 주어진 급수는 발산한다.
$$\boxed{답} \ ⑤$$

048 ㄱ. $(1-1)+(1-1)+(1-1)+\cdots=0+0+0+\cdots=0$
ㄴ. $1-(1-1)-(1-1)-(1-1)-\cdots$
$$=1-0-0-0-\cdots=1$$
ㄷ. 제n항까지의 부분합을 S_n이라 할 때, 자연수 m에 대하여
$$S_{2m}=(1-1)+(1-1)+\cdots+(1-1)=0$$
$$S_{2m+1}=(1-1)+(1-1)+\cdots+1=1$$
즉, $\lim_{m \to \infty} S_{2m} \neq \lim_{m \to \infty} S_{2m+1}$이므로 주어진 급수는 발산한다.
따라서 수렴하는 것은 ㄱ, ㄴ이다. $\qquad \boxed{답} \ ㄱ, ㄴ$

049 급수 $\sum_{n=1}^{\infty} a_n$이 수렴하므로 $\lim_{n \to \infty} a_n=0$
$$\therefore \lim_{n \to \infty} \frac{2a_n-4n-2}{3a_n+2n+1}=-2 \qquad \boxed{답} \ ①$$

050 급수 $\sum_{n=1}^{\infty} a_n$이 수렴하므로 $\lim_{n \to \infty} a_n=0$
$$\therefore \lim_{n \to \infty} \frac{5a_n+2^{2n+1}-1}{a_n-4^{n+1}}=\lim_{n \to \infty} \frac{\dfrac{5a_n}{4^n}+2-\dfrac{1}{4^n}}{\dfrac{a_n}{4^n}-4}$$
$$=-\frac{1}{2} \qquad \boxed{답} \ -\frac{1}{2}$$

051 $\sum_{n=1}^{\infty} a_n=1$이므로 $\lim_{n \to \infty} S_n=1$, $\lim_{n \to \infty} a_n=0$
$$\therefore \lim_{n \to \infty} \frac{a_n+S_n}{3a_n+4S_n}=\frac{0+1}{3\times0+4\times1}=\frac{1}{4} \qquad \boxed{답} \ \frac{1}{4}$$

052 급수 $\sum_{n=1}^{\infty}(a_n-1)$이 수렴하므로 $\lim_{n \to \infty}(a_n-1)=0$
$$\therefore \lim_{n \to \infty} a_n=1 \qquad \boxed{답} \ ①$$

053 급수 $\sum_{n=1}^{\infty}(a_n-5)$가 수렴하므로 $\lim_{n \to \infty}(a_n-5)=0$, 즉
$$\lim_{n \to \infty} a_n=5$$
$$\therefore \lim_{n \to \infty} \frac{a_n+3}{2a_n-1}=\frac{5+3}{2\times5-1}=\frac{8}{9} \qquad \boxed{답} \ ①$$

054 급수 $\sum_{n=1}^{\infty}\left(a_n-\frac{2n^2}{2n^2+1}\right)$이 수렴하므로
$$\lim_{n \to \infty}\left(a_n-\frac{2n^2}{2n^2+1}\right)=0$$
$$\lim_{n \to \infty} \frac{2n^2}{2n^2+1}=1$$이므로
$$\lim_{n \to \infty} a_n=1 \qquad \boxed{답} \ 1$$

055
① $\lim\limits_{n\to\infty} S_n = \infty$이면 $\lim\limits_{n\to\infty} a_n \neq 0$이다. (거짓)

② a_n이 발산하면 $\lim\limits_{n\to\infty} a_n = \lim\limits_{n\to\infty} a_{n-1}$이 성립하지 않는다. (거짓)

③ $\lim\limits_{n\to\infty} S_n$이 발산하면 $\lim\limits_{n\to\infty} S_n = \lim\limits_{n\to\infty} S_{n-1}$이 성립하지 않는다.
(거짓)

④ $\lim\limits_{n\to\infty} a_n = 0$이면 $\lim\limits_{n\to\infty} S_n$은 반드시 수렴하는 것은 아니다. (거짓)

⑤ $\lim\limits_{n\to\infty} S_n$이 수렴하면 $\lim\limits_{n\to\infty} a_n = 0$이다. (참)　　　　답 ⑤

056
ㄱ. $\sum\limits_{n=1}^{\infty} a_n$이 수렴하면 $\lim\limits_{n\to\infty} a_n = 0$이다. (참)

ㄴ. ㄱ의 대우이므로 $\lim\limits_{n\to\infty} a_n \neq 0$이면 $\sum\limits_{n=1}^{\infty} a_n$은 발산한다. (참)

ㄷ. $\lim\limits_{n\to\infty} a_n = 0$이면 $\sum\limits_{n=1}^{\infty} a_n$은 반드시 수렴하는 것은 아니다. (거짓)

따라서 옳은 것은 ㄱ, ㄴ이다.　　　　답 ㄱ, ㄴ

057
ㄱ. $\sum\limits_{n=1}^{\infty} \dfrac{4^n - 2^n}{3^n}$은 $\lim\limits_{n\to\infty} \dfrac{4^n - 2^n}{3^n} = \infty$이므로 발산한다. (거짓)

ㄴ. '$\lim\limits_{n\to\infty} a_n \neq 0$이면 $\lim\limits_{n\to\infty} S_n$은 발산한다.' 의 대우 명제는

'급수 $\sum\limits_{n=1}^{\infty} a_n$이 수렴하면 $\lim\limits_{n\to\infty} a_n = 0$이다.' (참)

ㄷ. 급수 $\sum\limits_{n=1}^{\infty} a_n$이 수렴하면 $\lim\limits_{n\to\infty} a_n = 0$이다. (거짓)

따라서 옳은 것은 ㄴ뿐이다.　　　　답 ㄴ

058
ㄱ. $\lim\limits_{n\to\infty} \dfrac{n}{n+1} = 1 \neq 0$이므로 급수 $\sum\limits_{n=1}^{\infty} \dfrac{n}{n+1}$은 발산한다.

ㄴ. $\lim\limits_{n\to\infty} (2n+1) = \infty \neq 0$이므로 급수 $\sum\limits_{n=1}^{\infty} (2n+1)$은 발산한다.

ㄷ. $\sum\limits_{n=1}^{\infty} \dfrac{2}{n(n+1)}$

$= \lim\limits_{n\to\infty} \sum\limits_{k=1}^{n} \dfrac{2}{k(k+1)}$

$= 2\lim\limits_{n\to\infty} \sum\limits_{k=1}^{n} \left(\dfrac{1}{k} - \dfrac{1}{k+1}\right)$

$= 2\lim\limits_{n\to\infty} \left\{\left(1 - \dfrac{1}{2}\right) + \left(\dfrac{1}{2} - \dfrac{1}{3}\right) + \left(\dfrac{1}{3} - \dfrac{1}{4}\right) + \cdots \right.$

$\left. + \left(\dfrac{1}{n} - \dfrac{1}{n+1}\right)\right\}$

$= 2\lim\limits_{n\to\infty} \left(1 - \dfrac{1}{n+1}\right) = 2$ (수렴)

따라서 수렴하는 것은 ㄷ뿐이다.　　　　답 ㄷ

059
ㄱ. $a_n = \dfrac{n}{2n-1}$이고 $\lim\limits_{n\to\infty} a_n = \dfrac{1}{2} \neq 0$이므로

주어진 급수는 발산한다.

ㄴ. $a_n = \dfrac{1}{1+2+3+\cdots+n} = \dfrac{1}{\frac{n(n+1)}{2}} = \dfrac{2}{n(n+1)}$이고

$S_n = \sum\limits_{k=1}^{n} \dfrac{2}{k(k+1)}$

$= 2\sum\limits_{k=1}^{n} \left(\dfrac{1}{k} - \dfrac{1}{k+1}\right)$

$= 2 - \dfrac{2}{n+1}$

$\lim\limits_{n\to\infty} S_n = 2$이므로 주어진 급수는 2에 수렴한다.

ㄷ. $a_n = \dfrac{1}{\sqrt{n} + \sqrt{n+2}} = \dfrac{\sqrt{n+2} - \sqrt{n}}{2}$이고

$S_n = \sum\limits_{k=1}^{n} \dfrac{\sqrt{k+2} - \sqrt{k}}{2}$

$= \dfrac{1}{2}\left(-1 - \sqrt{2} + \sqrt{n+1} + \sqrt{n+2}\right)$

$\lim\limits_{n\to\infty} S_n = \infty$이므로 주어진 급수는 발산한다.

따라서 수렴하는 것은 ㄴ뿐이다.　　　　답 ㄴ

060
ㄱ. $\lim\limits_{n\to\infty} \dfrac{5n^2}{3n^2 + 2n} = \dfrac{5}{3} \neq 0$이므로 급수 $\sum\limits_{n=1}^{\infty} \dfrac{5n^2}{3n^2 + 2n}$은

발산한다.

ㄴ. $\sum\limits_{n=1}^{\infty} \dfrac{2}{n(n+2)}$

$= \lim\limits_{n\to\infty} \sum\limits_{k=1}^{n} \dfrac{2}{k(k+2)}$

$= \lim\limits_{n\to\infty} \sum\limits_{k=1}^{n} \left(\dfrac{1}{k} - \dfrac{1}{k+2}\right)$

$= \lim\limits_{n\to\infty} \left\{\left(1 - \dfrac{1}{3}\right) + \left(\dfrac{1}{2} - \dfrac{1}{4}\right) + \left(\dfrac{1}{3} - \dfrac{1}{5}\right) + \cdots \right.$

$\left. + \left(\dfrac{1}{n-1} - \dfrac{1}{n+1}\right) + \left(\dfrac{1}{n} - \dfrac{1}{n+2}\right)\right\}$

$= \left(1 + \dfrac{1}{2} - \dfrac{1}{n+1} - \dfrac{1}{n+2}\right) = \dfrac{3}{2}$ (수렴)

ㄷ. $\lim\limits_{n\to\infty} \dfrac{4^{n+1}}{3^n + 4^n} = \lim\limits_{n\to\infty} \dfrac{4}{\left(\frac{3}{4}\right)^n + 1} = 4 \neq 0$이므로

급수 $\sum\limits_{n=1}^{\infty} \dfrac{4^{n+1}}{3^n + 4^n}$은 발산한다.

ㄹ. $\lim\limits_{n\to\infty} \log \dfrac{n}{3n-1} = \log \dfrac{1}{3} = -\log 3 \neq 0$이므로

급수 $\sum\limits_{n=1}^{\infty} \log \dfrac{n}{3n-1}$은 발산한다.

따라서 발산하는 것은 ㄱ, ㄷ, ㄹ이다.　　　　답 ㄱ, ㄷ, ㄹ

061
$\sum\limits_{n=1}^{\infty} a_n = 2$, $\sum\limits_{n=1}^{\infty} b_n = -3$이므로

$\sum\limits_{n=1}^{\infty} (a_n - 2b_n) = \sum\limits_{n=1}^{\infty} a_n - 2\sum\limits_{n=1}^{\infty} b_n$

$= 2 - 2\times(-3) = 8$　　　　답 8

062
$\sum\limits_{n=1}^{\infty} a_n$이 수렴하므로 $\sum\limits_{n=1}^{\infty} a_n = \alpha$ (α는 상수)로 놓으면

$\sum\limits_{n=1}^{\infty} (2a_n - 3b_n) = 2\sum\limits_{n=1}^{\infty} a_n - 3\sum\limits_{n=1}^{\infty} b_n$

$= 2\alpha - 3\times(-3)$

$= 2\alpha + 9$

즉, $2\alpha + 9 = 13$이므로 $\alpha = 2$

$\therefore \sum\limits_{n=1}^{\infty} a_n = 2$　　　　답 2

063
$2a_n + b_n = c_n$, $a_n - b_n = d_n$ 　　　⋯⋯ ㉠

으로 놓으면 $\sum\limits_{n=1}^{\infty} c_n = 6$, $\sum\limits_{n=1}^{\infty} d_n = 9$

㉠의 두 식을 연립하여 a_n, b_n을 c_n, d_n으로 나타내면

$a_n = \dfrac{1}{3}(c_n + d_n)$, $b_n = \dfrac{1}{3}(c_n - 2d_n)$

$a_n + b_n = \dfrac{2}{3}c_n - \dfrac{1}{3}d_n$ 이므로

$$\sum_{n=1}^{\infty} (a_n + b_n) = \sum_{n=1}^{\infty} \left(\dfrac{2}{3}c_n - \dfrac{1}{3}d_n \right)$$
$$= \dfrac{2}{3} \times 6 - \dfrac{1}{3} \times 9 = 4 - 3 = 1 \qquad \text{답 ④}$$

064 $n \ge 2$일 때, $a_n = S_n - S_{n-1}$에서 $S_n - a_n = S_{n-1}$이므로

$S_n - a_n = S_{n-1} = \dfrac{2n-3}{n+2}$ (단, $n \ge 3$)

$S_{n-1} = \dfrac{2n-3}{n+2}$ $(n \ge 3)$이므로 $S_n = \dfrac{2n-1}{n+3}$ $(n \ge 2)$

$\therefore \displaystyle\sum_{n=1}^{\infty} a_n = \lim_{n \to \infty} S_n = 2$ $\qquad$ 답 ⑤

065
$$\sum_{k=2}^{n} \dfrac{2}{k^2 - 1} = \sum_{k=2}^{n} \dfrac{2}{(k-1)(k+1)}$$
$$= \sum_{k=2}^{n} \left(\dfrac{1}{k-1} - \dfrac{1}{k+1} \right)$$
$$= \left(1 - \dfrac{1}{3} \right) + \left(\dfrac{1}{2} - \dfrac{1}{4} \right) + \left(\dfrac{1}{3} - \dfrac{1}{5} \right) + \cdots$$
$$+ \left(\dfrac{1}{n-2} - \dfrac{1}{n} \right) + \left(\dfrac{1}{n-1} - \dfrac{1}{n+1} \right)$$
$$= 1 + \dfrac{1}{2} - \dfrac{1}{n} - \dfrac{1}{n+1}$$

$\therefore \displaystyle\sum_{n=2}^{\infty} \dfrac{2}{n^2-1} = \lim_{n \to \infty} \sum_{k=2}^{n} \dfrac{2}{k^2-1}$

$\qquad = \displaystyle\lim_{n \to \infty} \left(1 + \dfrac{1}{2} - \dfrac{1}{n} - \dfrac{1}{n+1} \right) = \dfrac{3}{2}$ $\qquad$ 답 ②

066 주어진 급수의 제n항을 a_n이라 하면

$$a_n = \dfrac{1}{2+4+6+\cdots+2n} = \dfrac{1}{n(n+1)}$$
$$= \dfrac{1}{n} - \dfrac{1}{n+1}$$

제n항까지의 부분합을 S_n이라 하면

$$S_n = \sum_{k=1}^{n} a_k = \sum_{k=1}^{n} \left(\dfrac{1}{k} - \dfrac{1}{k+1} \right)$$
$$= \left(1 - \dfrac{1}{2} \right) + \left(\dfrac{1}{2} - \dfrac{1}{3} \right) + \left(\dfrac{1}{3} - \dfrac{1}{4} \right) + \cdots + \left(\dfrac{1}{n} - \dfrac{1}{n+1} \right)$$
$$= 1 - \dfrac{1}{n+1}$$

$\therefore \displaystyle\lim_{n \to \infty} S_n = \lim_{n \to \infty} \left(1 - \dfrac{1}{n+1} \right) = 1$ $\qquad$ 답 1

067
$$\sum_{n=1}^{\infty} \dfrac{\sqrt{n+1} - \sqrt{n}}{\sqrt{n^2 + n}}$$
$$= \sum_{n=1}^{\infty} \dfrac{\sqrt{n+1} - \sqrt{n}}{\sqrt{n(n+1)}} = \sum_{n=1}^{\infty} \left(\dfrac{1}{\sqrt{n}} - \dfrac{1}{\sqrt{n+1}} \right)$$
$$= \lim_{n \to \infty} \sum_{k=1}^{n} \left(\dfrac{1}{\sqrt{k}} - \dfrac{1}{\sqrt{k+1}} \right)$$
$$= \lim_{n \to \infty} \left\{ \left(1 - \dfrac{1}{\sqrt{2}} \right) + \left(\dfrac{1}{\sqrt{2}} - \dfrac{1}{\sqrt{3}} \right) + \left(\dfrac{1}{\sqrt{3}} - \dfrac{1}{\sqrt{4}} \right) + \cdots \right.$$
$$\left. + \left(\dfrac{1}{\sqrt{n}} - \dfrac{1}{\sqrt{n+1}} \right) \right\}$$
$$= \lim_{n \to \infty} \left(1 - \dfrac{1}{\sqrt{n+1}} \right) = 1 \qquad \text{답 1}$$

068 급수 $\displaystyle\sum_{n=1}^{\infty} \log_2 a_n$의 제$n$항까지의 부분합을 S_n이라 하면

$$S_n = \log_2 a_1 + \log_2 a_2 + \log_2 a_3 + \cdots + \log_2 a_n$$
$$= \log_2 (a_1 a_2 a_3 \cdots a_n) = \log_2 \dfrac{4n+1}{n+2}$$

$\therefore \displaystyle\sum_{n=1}^{\infty} \log_2 a_n = \lim_{n \to \infty} S_n = \lim_{n \to \infty} \log_2 \dfrac{4n+1}{n+2}$

$\qquad = \log_2 4 = 2$ $\qquad$ 답 2

069 ㄱ. $-7 - 4 - 1 + 2 + 5 + \cdots$은 첫째항이 -7, 공차가 3인 등차
수열의 합이므로 제n항까지의 부분합을 S_n이라 하면

$$S_n = \dfrac{n\{2 \times (-7) + (n-1) \times 3\}}{2} = \dfrac{3n^2 - 17n}{2}$$

$\therefore \displaystyle\lim_{n \to \infty} S_n = \lim_{n \to \infty} \dfrac{3n^2 - 17n}{2} = \infty$

즉, 주어진 급수는 발산한다.

ㄴ. 제n항까지의 부분합을 S_n이라 할 때, 자연수 m에 대하여

$$S_{2m} = \dfrac{2}{3} + \left(-\dfrac{4}{5} + \dfrac{4}{5} \right) + \left(-\dfrac{6}{7} + \dfrac{6}{7} \right) + \cdots$$
$$+ \left(-\dfrac{2m}{2m+1} + \dfrac{2m}{2m+1} \right) - \dfrac{2m+2}{2m+3}$$
$$= \dfrac{2}{3} - \dfrac{2m+2}{2m+3}$$

$\therefore \displaystyle\lim_{m \to \infty} S_{2m} = -\dfrac{1}{3}$

$$S_{2m+1} = \dfrac{2}{3} + \left(-\dfrac{4}{5} + \dfrac{4}{5} \right) + \left(-\dfrac{6}{7} + \dfrac{6}{7} \right) + \cdots$$
$$+ \left(-\dfrac{2m+2}{2m+3} + \dfrac{2m+2}{2m+3} \right)$$
$$= \dfrac{2}{3}$$

$\therefore \displaystyle\lim_{m \to \infty} S_{2m+1} = \dfrac{2}{3}$

즉, $\displaystyle\lim_{m \to \infty} S_{2m} \ne \lim_{m \to \infty} S_{2m+1}$이므로 주어진 급수는 발산한다.

ㄷ. 제n항까지의 부분합을 S_n이라 할 때, 자연수 m에 대하여

$$S_{2m} = 1 + \left(-\dfrac{1}{3} + \dfrac{1}{3} \right) + \left(-\dfrac{1}{5} + \dfrac{1}{5} \right) + \cdots$$
$$+ \left(-\dfrac{1}{2m-1} + \dfrac{1}{2m-1} \right) - \dfrac{1}{2m+1}$$
$$= 1 - \dfrac{1}{2m+1}$$

$\therefore \displaystyle\lim_{m \to \infty} S_{2m} = 1$

$$S_{2m+1} = 1 + \left(-\dfrac{1}{3} + \dfrac{1}{3} \right) + \left(-\dfrac{1}{5} + \dfrac{1}{5} \right) + \cdots$$
$$+ \left(-\dfrac{1}{2m+1} + \dfrac{1}{2m+1} \right)$$
$$= 1$$

$\therefore \displaystyle\lim_{m \to \infty} S_{2m+1} = 1$

즉, $\displaystyle\lim_{m \to \infty} S_{2m} = \lim_{m \to \infty} S_{2m+1}$이므로 주어진 급수는 수렴한다.

따라서 수렴하는 것은 ㄷ뿐이다. $\qquad$ 답 ③

070 $\displaystyle\sum_{n=1}^{\infty} a_n$이 수렴하므로 $\displaystyle\lim_{n \to \infty} a_n = 0$이고 $\displaystyle\lim_{n \to \infty} S_n = 3$이다.

$\therefore \displaystyle\lim_{n \to \infty} \dfrac{2S_n + 5a_n}{S_n - 2} = 6$ $\qquad$ 답 6

071 급수 $\sum\limits_{n=1}^{\infty}\left(\dfrac{a_n}{\sqrt{n}}-3\right)$이 수렴하므로 $\lim\limits_{n\to\infty}\left(\dfrac{a_n}{\sqrt{n}}-3\right)=0$이다.

즉, $\lim\limits_{n\to\infty}\dfrac{a_n}{\sqrt{n}}=3$이므로

$$\lim_{n\to\infty}\frac{a_n+\sqrt{n}}{a_n-\sqrt{4n}}=\lim_{n\to\infty}\frac{\dfrac{a_n}{\sqrt{n}}+1}{\dfrac{a_n}{\sqrt{n}}-2}=4$$
답 4

072 ㄱ. $\sum\limits_{n=1}^{\infty}a_n=\alpha$, $\sum\limits_{n=1}^{\infty}(a_n+b_n)=\beta$ (α, β는 상수)로 놓으면

$$\sum_{n=1}^{\infty}b_n=\sum_{n=1}^{\infty}\{(a_n+b_n)-a_n\}=\sum_{n=1}^{\infty}(a_n+b_n)-\sum_{n=1}^{\infty}a_n$$
$$=\beta-\alpha \text{ (참)}$$

ㄴ. $\sum\limits_{n=1}^{\infty}a_n$이 수렴하므로 $\lim\limits_{n\to\infty}a_n=0$

$\sum\limits_{n=1}^{\infty}b_n$이 수렴하므로 $\lim\limits_{n\to\infty}b_n=0$

$\therefore \lim\limits_{n\to\infty}a_nb_n=\lim\limits_{n\to\infty}a_n\lim\limits_{n\to\infty}b_n=0$ (참)

ㄷ. [반례] $\{a_n\}: 1, 0, 1, 0, 1, \cdots$

$\{b_n\}: 0, 1, 0, 1, 0, \cdots$

이면 $\sum\limits_{n=1}^{\infty}a_nb_n=0$으로 수렴하고 $\lim\limits_{n\to\infty}a_n\neq0$이지만

$\lim\limits_{n\to\infty}b_n\neq0$이다. (거짓)

따라서 옳은 것은 ㄱ, ㄴ이다.
답 ②

073 ㄱ. $\lim\limits_{n\to\infty}\dfrac{2n}{3n+1}=\dfrac{2}{3}\neq0$이므로 급수 $\sum\limits_{n=1}^{\infty}\dfrac{2n}{3n+1}$은 발산한다.

ㄴ. $\sum\limits_{n=1}^{\infty}(\sqrt{n+1}-\sqrt{n})$

$$=\lim_{n\to\infty}\sum_{k=1}^{n}(\sqrt{k+1}-\sqrt{k})$$
$$=\lim_{n\to\infty}\{(\sqrt{2}-1)+(\sqrt{3}-\sqrt{2})+(\sqrt{4}-\sqrt{3})+\cdots$$
$$+(\sqrt{n+1}-\sqrt{n})\}$$
$$=\lim_{n\to\infty}(\sqrt{n+1}-1)=\infty \text{ (발산)}$$

ㄷ. $\lim\limits_{n\to\infty}\dfrac{2n^2}{n(n+1)}=2\neq0$이므로 급수 $\sum\limits_{n=1}^{\infty}\dfrac{2n^2}{n(n+1)}$은 발산한다.

ㄹ. $\sum\limits_{n=1}^{\infty}\left(\dfrac{n}{n+1}-\dfrac{n+1}{n+2}\right)$

$$=\lim_{n\to\infty}\sum_{k=1}^{n}\left(\frac{k}{k+1}-\frac{k+1}{k+2}\right)$$
$$=\lim_{n\to\infty}\left\{\left(\frac{1}{2}-\frac{2}{3}\right)+\left(\frac{2}{3}-\frac{3}{4}\right)+\left(\frac{3}{4}-\frac{4}{5}\right)+\cdots\right.$$
$$\left.+\left(\frac{n}{n+1}-\frac{n+1}{n+2}\right)\right\}$$
$$=\lim_{n\to\infty}\left(\frac{1}{2}-\frac{n+1}{n+2}\right)=-\frac{1}{2} \text{ (수렴)}$$

따라서 수렴하는 것은 ㄹ뿐이다.
답 ㄹ

074 $a_nx^2+a_nx+2$를 $x-n$으로 나눈 나머지가 25이므로

$a_nn^2+a_nn+2=25$

$n(n+1)a_n=23$

$\therefore a_n=\dfrac{23}{n(n+1)}$

$\therefore \sum\limits_{n=1}^{\infty}a_n=\sum\limits_{n=1}^{\infty}\dfrac{23}{n(n+1)}$

$$=23\lim_{n\to\infty}\sum_{k=1}^{n}\frac{1}{k(k+1)}$$
$$=23\lim_{n\to\infty}\sum_{k=1}^{n}\left(\frac{1}{k}-\frac{1}{k+1}\right)$$
$$=23\lim_{n\to\infty}\left\{\left(1-\frac{1}{2}\right)+\left(\frac{1}{2}-\frac{1}{3}\right)+\left(\frac{1}{3}-\frac{1}{4}\right)+\cdots\right.$$
$$\left.+\left(\frac{1}{n}-\frac{1}{n+1}\right)\right\}$$
$$=23\lim_{n\to\infty}\left(1-\frac{1}{n+1}\right)$$
$$=23$$
답 23

075 두 원이 만나는 점을 각각 A_n, B_n이라 하고, 선분 A_nB_n이 x축과 만나는 점을 H_n이라 하자.

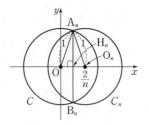

삼각형 A_nOO_n은 이등변삼각형이고,

$\overline{A_nB_n}\perp\overline{OO_n}$이므로 $\overline{OH_n}=\dfrac{1}{n}$

$\dfrac{1}{2}l_n=\overline{A_nH_n}$

$$=\sqrt{1^2-\left(\frac{1}{n}\right)^2}$$
$$=\sqrt{\frac{n^2-1}{n^2}}=\frac{\sqrt{n^2-1}}{n}$$

$nl_n=2\sqrt{n^2-1}$

$\therefore (nl_n)^2=4(n^2-1)=4(n-1)(n+1)$

$\therefore \sum\limits_{n=2}^{\infty}\dfrac{1}{(nl_n)^2}$

$$=\frac{1}{4}\sum_{n=2}^{\infty}\frac{1}{(n-1)(n+1)}$$
$$=\frac{1}{4}\sum_{n=2}^{\infty}\frac{1}{2}\left(\frac{1}{n-1}-\frac{1}{n+1}\right)$$
$$=\frac{1}{8}\lim_{n\to\infty}\left\{\left(1-\frac{1}{3}\right)+\left(\frac{1}{2}-\frac{1}{4}\right)+\left(\frac{1}{3}-\frac{1}{5}\right)+\cdots\right.$$
$$\left.+\left(\frac{1}{n-2}-\frac{1}{n}\right)+\left(\frac{1}{n-1}-\frac{1}{n+1}\right)\right\}$$
$$=\frac{1}{8}\lim_{n\to\infty}\left(1+\frac{1}{2}-\frac{1}{n}-\frac{1}{n+1}\right)$$
$$=\frac{1}{8}\times\frac{3}{2}=\frac{3}{16}$$

따라서 $p=16$, $q=3$이므로

$p+q=19$
답 19

04 등비급수

본책 047~056쪽

001 첫째항이 a, 공비가 r이므로
등비급수의 합 S는
$$S=\frac{a}{1-r}$$
답 $\dfrac{a}{1-r}$

002 첫째항 $a=4$, 공비 $r=\dfrac{1}{2}$이므로
등비급수의 합 S는
$$S=\frac{4}{1-\frac{1}{2}}=8$$
답 8

003 첫째항 $a=6$, 공비 $r=\dfrac{2}{3}$이므로
등비급수의 합 S는
$$S=\frac{6}{1-\frac{2}{3}}=18$$
답 18

004 첫째항 $a=1$, 공비 $r=\dfrac{2}{3}$이고, $-1<\dfrac{2}{3}<1$이므로 주어진
등비급수는 수렴하고 그 합 S는
$$S=\frac{1}{1-\frac{2}{3}}=3$$
답 수렴, 3

005 첫째항 $a=1$, 공비 $r=-\dfrac{1}{\sqrt{2}}$이고, $-1<-\dfrac{1}{\sqrt{2}}<1$이므로
주어진 등비급수는 수렴하고 그 합 S는
$$S=\frac{1}{1+\frac{1}{\sqrt{2}}}=2-\sqrt{2}$$
답 수렴, $2-\sqrt{2}$

006 첫째항 $a=\sqrt{3}$, 공비 $r=\sqrt{3}$이고, $\sqrt{3}>1$이므로 주어진 등비급수는 발산한다.
답 발산

007 첫째항 $a=4$, 공비 $r=\dfrac{3}{4}$이므로 등비급수의 합 S는
$$S=\frac{4}{1-\frac{3}{4}}=16$$
답 16

008 공비 $r=\dfrac{4}{5}$, 등비급수의 합 $S=30$이므로
$$\frac{a}{1-\frac{4}{5}}=30$$에서 $a=6$
답 6

009 첫째항 $a=10$, 등비급수의 합 $S=20$이므로
$$\frac{10}{1-r}=20$$에서 $r=\dfrac{1}{2}$
답 $\dfrac{1}{2}$

010 공비 $r=\dfrac{1}{10}$이고 $-1<\dfrac{1}{10}<1$이므로
주어진 등비급수는 수렴한다.
답 수렴

011 공비 $r=\sqrt{2}$이고 $\sqrt{2}>1$이므로
주어진 등비급수는 발산한다.
답 발산

012 공비 $r=1$이고 $1\geq1$이므로
주어진 등비급수는 발산한다.
답 발산

013 공비 $r=\dfrac{1}{\sqrt{3}}$이고 $-1<\dfrac{1}{\sqrt{3}}<1$이므로
주어진 등비급수는 수렴한다.
답 수렴

014 첫째항이 x, 공비가 x이므로 등비급수가 수렴할 조건은
$-1<x<1$
답 $-1<x<1$

015 첫째항이 $\dfrac{x}{4}$, 공비가 $\dfrac{x}{4}$이므로 등비급수가 수렴할 조건은
$$-1<\frac{x}{4}<1$$
$$\therefore -4<x<4$$
답 $-4<x<4$

016 첫째항이 $-2x+5$, 공비가 $-2x+5$이므로 등비급수가 수렴할 조건은
$-1<-2x+5<1$, $-6<-2x<-4$
$\therefore 2<x<3$
답 $2<x<3$

017 첫째항이 1, 공비가 $2x$이므로 등비급수가 수렴할 조건은
$-1<2x<1$
$$\therefore -\frac{1}{2}<x<\frac{1}{2}$$
답 $-\dfrac{1}{2}<x<\dfrac{1}{2}$

018 첫째항이 1, 공비가 $-\dfrac{3}{2}x$이므로 등비급수가 수렴할 조건은
$$-1<-\frac{3}{2}x<1$$
$$\therefore -\frac{2}{3}<x<\frac{2}{3}$$
답 $-\dfrac{2}{3}<x<\dfrac{2}{3}$

019
$$\sum_{n=1}^{\infty}\left\{\left(\frac{1}{2}\right)^n+\left(\frac{1}{3}\right)^n\right\}=\sum_{n=1}^{\infty}\left(\frac{1}{2}\right)^n+\sum_{n=1}^{\infty}\left(\frac{1}{3}\right)^n$$
$$=\frac{\frac{1}{2}}{1-\frac{1}{2}}+\frac{\frac{1}{3}}{1-\frac{1}{3}}$$
$$=1+\frac{1}{2}$$
$$=\frac{3}{2}$$
답 $\dfrac{3}{2}$

020
$$\sum_{n=1}^{\infty}\left(\frac{1}{2^n}+\frac{2^n}{3^n}\right)=\sum_{n=1}^{\infty}\left\{\left(\frac{1}{2}\right)^n+\left(\frac{2}{3}\right)^n\right\}$$
$$=\sum_{n=1}^{\infty}\left(\frac{1}{2}\right)^n+\sum_{n=1}^{\infty}\left(\frac{2}{3}\right)^n$$
$$=\frac{\frac{1}{2}}{1-\frac{1}{2}}+\frac{\frac{2}{3}}{1-\frac{2}{3}}$$
$$=1+2=3$$
답 3

021
$$\sum_{n=1}^{\infty}\frac{3^n-1}{4^n}=\sum_{n=1}^{\infty}\left\{\left(\frac{3}{4}\right)^n-\left(\frac{1}{4}\right)^n\right\}=\sum_{n=1}^{\infty}\left(\frac{3}{4}\right)^n-\sum_{n=1}^{\infty}\left(\frac{1}{4}\right)^n$$
$$=\frac{\frac{3}{4}}{1-\frac{3}{4}}-\frac{\frac{1}{4}}{1-\frac{1}{4}}$$
$$=3-\frac{1}{3}=\frac{8}{3}$$
답 $\frac{8}{3}$

022
$$\sum_{n=1}^{\infty}\frac{1-(-1)^n}{2^n}=\sum_{n=1}^{\infty}\left\{\left(\frac{1}{2}\right)^n-\left(-\frac{1}{2}\right)^n\right\}$$
$$=\sum_{n=1}^{\infty}\left(\frac{1}{2}\right)^n-\sum_{n=1}^{\infty}\left(-\frac{1}{2}\right)^n$$
$$=\frac{\frac{1}{2}}{1-\frac{1}{2}}-\frac{-\frac{1}{2}}{1-\left(-\frac{1}{2}\right)}$$
$$=1+\frac{1}{3}=\frac{4}{3}$$
답 $\frac{4}{3}$

023
$$\left(\frac{1}{3}-\frac{1}{4}\right)+\left(\frac{1}{3^2}-\frac{1}{4^2}\right)+\left(\frac{1}{3^3}-\frac{1}{4^3}\right)+\cdots$$
$$=\sum_{n=1}^{\infty}\left(\frac{1}{3^n}-\frac{1}{4^n}\right)$$
$$=\sum_{n=1}^{\infty}\left(\frac{1}{3}\right)^n-\sum_{n=1}^{\infty}\left(\frac{1}{4}\right)^n$$
$$=\frac{\frac{1}{3}}{1-\frac{1}{3}}-\frac{\frac{1}{4}}{1-\frac{1}{4}}$$
$$=\frac{1}{2}-\frac{1}{3}=\frac{1}{6}$$
답 $\frac{1}{6}$

024
$$\sum_{n=1}^{\infty}a_n=\sum_{n=1}^{\infty}12\left(\frac{1}{3}\right)^{n-1}$$
$$=\frac{12}{1-\frac{1}{3}}=18$$
답 18

025
$$\sqrt{2}+1+\frac{1}{\sqrt{2}}+\frac{1}{2}+\cdots=\frac{\sqrt{2}}{1-\frac{1}{\sqrt{2}}}$$
$$=2(\sqrt{2}+1)$$
$$=2\sqrt{2}+2$$
답 ⑤

026
$$\log_3 3+\log_3\sqrt{3}+\log_3\sqrt[4]{3}+\log_3\sqrt[8]{3}+\cdots$$
$$=\log_3 3+\frac{1}{2}\log_3 3+\frac{1}{4}\log_3 3+\frac{1}{8}\log_3 3+\cdots$$
$$=1+\frac{1}{2}+\frac{1}{4}+\frac{1}{8}+\cdots$$
$$=\frac{1}{1-\frac{1}{2}}=2$$
답 2

027 등비수열 $\{a_n\}$의 공비를 r라 하면
$$r=\frac{a_2}{a_1}=\frac{1}{3}\text{이므로 }a_n=3\times\left(\frac{1}{3}\right)^{n-1}$$
$$\therefore\sum_{n=1}^{\infty}a_n{}^2=\sum_{n=1}^{\infty}9\left(\frac{1}{9}\right)^{n-1}=\frac{9}{1-\frac{1}{9}}=\frac{81}{8}$$
답 ①

028 $a_{n+1}{}^2=a_na_{n+2}$에서 수열 $\{a_n\}$은 등비수열이고 공비를 r라 하면
$$r=\frac{a_2}{a_1}=\frac{\frac{9}{4}}{3}=\frac{3}{4}$$
이므로
$$a_n=3\times\left(\frac{3}{4}\right)^{n-1}$$
$$\therefore\sum_{n=1}^{\infty}a_n=\sum_{n=1}^{\infty}3\times\left(\frac{3}{4}\right)^{n-1}$$
$$=\frac{3}{1-\frac{3}{4}}=12$$
답 12

029
$$S=\frac{1}{1-\frac{1}{3}}=\frac{3}{2}$$
$$S_n=\frac{1-\left(\frac{1}{3}\right)^n}{1-\frac{1}{3}}=\frac{3}{2}-\frac{1}{2\times 3^{n-1}}$$
즉, $S-S_n=\dfrac{1}{2\times 3^{n-1}}<\dfrac{1}{100}$에서 $3^{n-1}>50$
따라서 자연수 n의 최솟값은 5이다.
답 5

030 첫째항이 6이고, 등비급수의 합이 8이므로 공비를 r라 하면
$$\frac{6}{1-r}=8$$
따라서 공비는 $\dfrac{1}{4}$이다.
답 $\frac{1}{4}$

031 공비를 r라 하면
$$\sum_{n=1}^{\infty}a_n=\frac{2}{1-r}=3$$
$$\therefore r=\frac{1}{3}$$
$$\therefore\sum_{n=1}^{\infty}a_n{}^2=\frac{4}{1-r^2}=\frac{4}{1-\frac{1}{9}}=\frac{9}{2}$$
답 ④

032 주어진 급수는 첫째항이 $\log_8 x$, 공비가 $\log_8 x$이므로 그 합은
$$\sum_{n=1}^{\infty}(\log_8 x)^n=\frac{\log_8 x}{1-\log_8 x}=2$$
즉, $\log_8 x=2(1-\log_8 x)$에서 $\log_8 x=\dfrac{2}{3}$
$$\therefore x=8^{\frac{2}{3}}=(2^3)^{\frac{2}{3}}=4$$
답 4

033
$$a_2=ar=\frac{8}{3}\qquad\qquad\cdots\cdots\text{㉠}$$
$$\frac{a}{1-r}=12\text{에서 }a=12(1-r)\qquad\cdots\cdots\text{㉡}$$
㉡을 ㉠에 대입하면
$$12(1-r)r=\frac{8}{3},\ 9r^2-9r+2=0$$
$$(3r-1)(3r-2)=0$$
$$\therefore r=\frac{1}{3}\text{ 또는 }r=\frac{2}{3}$$
답 $r=\dfrac{1}{3}$ 또는 $r=\dfrac{2}{3}$

034
$$a+ar+ar^2+\cdots=\frac{a}{1-r}=3 \qquad \cdots\cdots \text{㉠}$$
$$a^2+a^2r^2+a^2r^4+\cdots=\frac{a^2}{1-r^2}=18 \qquad \cdots\cdots \text{㉡}$$

㉡에서 $\dfrac{a^2}{1-r^2}=\dfrac{a}{1-r}\times\dfrac{a}{1+r}=18$이므로

$$\frac{a}{1+r}=6 \qquad \cdots\cdots \text{㉢}$$

㉠, ㉢을 연립하여 풀면 $r=-\dfrac{1}{3}$ ($\because |r|<1$) **답 ④**

035
급수 $\displaystyle\sum_{n=1}^{\infty} a_n$이 수렴하므로 $\displaystyle\lim_{n\to\infty} a_n=0$이다.

즉, $\displaystyle\lim_{n\to\infty}\left\{a+b\left(\frac{1}{3}\right)^{n-1}\right\}=a=0$

따라서 $a_n=b\left(\dfrac{1}{3}\right)^{n-1}$이므로

$$\sum_{n=1}^{\infty} a_n=\frac{b}{1-\frac{1}{3}}=\frac{3b}{2}=-72$$

$\therefore b=-48$ **답 $a=0,\ b=-48$**

036
$a_n=S_n-S_{n-1}=n\times 2^n-(n-1)2^{n-1}$
$\quad=(n+1)2^{n-1}$ (단, $n\geq 2$)

$\therefore \displaystyle\lim_{n\to\infty}\frac{1}{a_n}\sum_{k=1}^{n}a_k=\lim_{n\to\infty}\frac{S_n}{a_n}=\lim_{n\to\infty}\frac{n\times 2^n}{(n+1)2^{n-1}}=2$ **답 ②**

037
자연수 n을 2로 나눈 나머지 a_n은
$n=1$일 때, $a_1=1$
$n=2$일 때, $a_2=0$
$n=3$일 때, $a_3=1$
$n=4$일 때, $a_4=0$
$\vdots$
따라서 구하는 값은
$$\sum_{n=1}^{\infty}\frac{a_n}{5^n}=\frac{1}{5}+\frac{1}{5^3}+\frac{1}{5^5}+\cdots$$
$$=\frac{\frac{1}{5}}{1-\frac{1}{25}}=\frac{5}{24}$$ **답 $\dfrac{5}{24}$**

038
$A,\ B$는 $3x^2-11x+6=0$의 두 근이므로
$(3x-2)(x-3)=0$에서
$A=\dfrac{2}{3},\ B=3$ (또는 $A=3,\ B=\dfrac{2}{3}$)
$x^2+ax+b=0$의 두 근을 $\alpha,\ \beta$라 하면
$$\frac{1}{1-\alpha}=\frac{2}{3},\ \frac{1}{1-\beta}=3$$
$\therefore \alpha=-\dfrac{1}{2},\ \beta=\dfrac{2}{3}$
따라서 근과 계수의 관계에서
$a+b=-(\alpha+\beta)+\alpha\beta$
$\quad=-\dfrac{1}{6}-\dfrac{1}{3}=-\dfrac{1}{2}$ **답 $-\dfrac{1}{2}$**

039 공비가 $-3x$이므로 수렴할 조건은 $-1<-3x<1$

$\therefore -\dfrac{1}{3}<x<\dfrac{1}{3}$ **답 $-\dfrac{1}{3}<x<\dfrac{1}{3}$**

040 공비가 $2x-1$이므로 수렴할 조건은 $-1<2x-1<1$
$\therefore 0<x<1$ **답 $0<x<1$**

041 공비가 $\dfrac{1}{2}x^2-1$이므로 수렴할 조건은
$$-1<\frac{1}{2}x^2-1<1$$
$$0<\frac{1}{2}x^2<2$$
$$0<x^2<4$$
$\therefore -2<x<0$ 또는 $0<x<2$
따라서 정수 x의 개수는 $-1,\ 1$의 2이다. **답 ②**

042 공비가 $\log_3 x$이므로 수렴할 조건은 $-1<\log_3 x<1$에서
$\log_3 3^{-1}<\log_3 x<\log_3 3$
$\therefore \dfrac{1}{3}<x<3$ **답 $\dfrac{1}{3}<x<3$**

043 첫째항이 $x-3$, 공비가 $-\dfrac{1}{3}x$이므로 수렴할 조건은
$x-3=0$ 또는 $-1<-\dfrac{1}{3}x<1$
(i) $x-3=0$에서 $x=3$
(ii) $-1<-\dfrac{1}{3}x<1$에서 $-3<x<3$
(i), (ii)에서 구하는 x의 값의 범위는
$-3<x\leq 3$ **답 $-3<x\leq 3$**

044 등비급수 $\displaystyle\sum_{n=1}^{\infty} r^n$이 수렴하므로
$-1<r<1 \qquad \cdots\cdots \text{㉠}$
ㄱ. $\displaystyle\sum_{n=1}^{\infty}\left(-\frac{r}{3}\right)^n$은 공비가 $-\dfrac{r}{3}$인 등비급수이고 ㉠에서
$$-\frac{1}{3}<-\frac{r}{3}<\frac{1}{3}$$
이므로 주어진 등비급수는 수렴한다.
ㄴ. $\displaystyle\sum_{n=1}^{\infty}(r-1)^{2n}$은 공비가 $(r-1)^2$인 등비급수이고 ㉠에서
$-2<r-1<0$, 즉 $0<(r-1)^2<4$
이므로 주어진 등비급수는 항상 수렴한다고 할 수 없다.
ㄷ. $\displaystyle\sum_{n=1}^{\infty}\left(\frac{r}{2}-\frac{1}{2}\right)^n$은 공비가 $\dfrac{r}{2}-\dfrac{1}{2}$인 등비급수이고 ㉠에서
$-\dfrac{1}{2}<\dfrac{r}{2}<\dfrac{1}{2}$, 즉 $-1<\dfrac{r}{2}-\dfrac{1}{2}<0$
이므로 주어진 등비급수는 수렴한다.
따라서 등비급수 중에서 수렴하는 것은 ㄱ, ㄷ이다. **답 ④**

045
$$\sum_{n=1}^{\infty}\frac{2^n+3^n}{4^n}=\sum_{n=1}^{\infty}\left\{\left(\frac{1}{2}\right)^n+\left(\frac{3}{4}\right)^n\right\}$$
$$=\frac{\frac{1}{2}}{1-\frac{1}{2}}+\frac{\frac{3}{4}}{1-\frac{3}{4}}$$
$$=1+3=4$$ **답 4**

046
$$\frac{2+(-3)}{4}+\frac{2^2+(-3)^2}{4^2}+\frac{2^3+(-3)^3}{4^3}+\cdots$$
$$=\sum_{n=1}^{\infty}\frac{2^n+(-3)^n}{4^n}$$
$$=\sum_{n=1}^{\infty}\left\{\left(\frac{1}{2}\right)^n+\left(-\frac{3}{4}\right)^n\right\}$$
$$=\frac{\frac{1}{2}}{1-\frac{1}{2}}+\frac{-\frac{3}{4}}{1-\left(-\frac{3}{4}\right)}$$
$$=1-\frac{3}{7}=\frac{4}{7}$$
답 ④

047
$$\sum_{n=1}^{\infty}(2^n-1)\left(-\frac{1}{3}\right)^n=\sum_{n=1}^{\infty}\left\{\left(-\frac{2}{3}\right)^n-\left(-\frac{1}{3}\right)^n\right\}$$
$$=\frac{-\frac{2}{3}}{1-\left(-\frac{2}{3}\right)}-\frac{-\frac{1}{3}}{1-\left(-\frac{1}{3}\right)}$$
$$=-\frac{2}{5}+\frac{1}{4}=-\frac{3}{20}$$
답 $-\frac{3}{20}$

048
$x^2-x-12=0$에서 $(x-4)(x+3)=0$
$\therefore x=-3$ 또는 $x=4$
즉, $\alpha=4,\ \beta=-3\ (\because \alpha>\beta)$이므로
$$\sum_{n=1}^{\infty}\left(\frac{3}{\alpha^n}+\frac{2}{\beta^n}\right)=\sum_{n=1}^{\infty}\left\{\frac{3}{4^n}+\frac{2}{(-3)^n}\right\}$$
$$=\sum_{n=1}^{\infty}\frac{3}{4}\left(\frac{1}{4}\right)^{n-1}+\sum_{n=1}^{\infty}\left(-\frac{2}{3}\right)\left(-\frac{1}{3}\right)^{n-1}$$
$$=\frac{\frac{3}{4}}{1-\frac{1}{4}}+\frac{-\frac{2}{3}}{1-\left(-\frac{1}{3}\right)}$$
$$=1-\frac{1}{2}=\frac{1}{2}$$
답 ①

049
$$\frac{1}{3}+\frac{2}{3^2}+\frac{1}{3^3}+\frac{2}{3^4}+\frac{1}{3^5}+\frac{2}{3^6}+\cdots$$
$$=\left(\frac{1}{3}+\frac{1}{3^3}+\frac{1}{3^5}+\cdots\right)+\left(\frac{2}{3^2}+\frac{2}{3^4}+\frac{2}{3^6}+\cdots\right)$$
$$=\frac{\frac{1}{3}}{1-\frac{1}{9}}+\frac{\frac{2}{9}}{1-\frac{1}{9}}$$
$$=\frac{3}{8}+\frac{2}{8}=\frac{5}{8}$$
답 $\frac{5}{8}$

050 $\sum_{n=1}^{\infty}a_n=\alpha,\ \sum_{n=1}^{\infty}b_n=\beta$로 두 급수가 각각 수렴하므로
$\lim_{n\to\infty}a_n=0,\ \lim_{n\to\infty}b_n=0$

ㄱ. $\sum_{n=1}^{\infty}(a_n-b_n)=\sum_{n=1}^{\infty}a_n-\sum_{n=1}^{\infty}b_n=\alpha-\beta$ (참)

ㄴ. [반례] $a_n=\left(\frac{1}{2}\right)^{n-1},\ b_n=\left(\frac{1}{2}\right)^{n-1}$일 때,
$$\sum_{n=1}^{\infty}a_n=\frac{1}{1-\frac{1}{2}}=2,\ \sum_{n=1}^{\infty}b_n=\frac{1}{1-\frac{1}{2}}=2$$이므로
$$\alpha=\beta=2$$
한편, $a_nb_n=\left(\frac{1}{2}\right)^{n-1}\times\left(\frac{1}{2}\right)^{n-1}=\left(\frac{1}{4}\right)^{n-1}$이므로

$$\sum_{n=1}^{\infty}a_nb_n=\frac{1}{1-\frac{1}{4}}=\frac{4}{3}$$
$$\therefore \sum_{n=1}^{\infty}a_nb_n\neq\alpha\beta\ (거짓)$$

ㄷ. [반례] $a_n=\left(\frac{1}{2}\right)^{n-1},\ b_n=\left(\frac{1}{2}\right)^{n-1}$이라 하면
$$\alpha=2,\ \beta=2$$
$$\therefore \alpha^2+\beta^2=8$$
한편, $a_n^{\ 2}=\left(\frac{1}{4}\right)^{n-1},\ b_n^{\ 2}=\left(\frac{1}{4}\right)^{n-1}$이므로
$$\sum_{n=1}^{\infty}(a_n^{\ 2}+b_n^{\ 2})=\sum_{n=1}^{\infty}a_n^{\ 2}+\sum_{n=1}^{\infty}b_n^{\ 2}$$
$$=\frac{1}{1-\frac{1}{4}}+\frac{1}{1-\frac{1}{4}}=\frac{8}{3}$$
$$\therefore \sum_{n=1}^{\infty}(a_n^{\ 2}+b_n^{\ 2})\neq\alpha^2+\beta^2\ (거짓)$$
따라서 옳은 것은 ㄱ뿐이다.
답 ㄱ

051 $0.51+0.0051+0.000051+0.00000051+\cdots$
$$=\frac{51}{10^2}+\frac{51}{10^4}+\frac{51}{10^6}+\frac{51}{10^8}+\cdots$$
$$=\frac{\frac{51}{100}}{1-\frac{1}{100}}=\frac{51}{99}=\frac{17}{33}$$
답 $\frac{17}{33}$

052 $0.\dot{4}=\frac{4}{9},\ 0.0\dot{5}=\frac{5}{90}$이므로 공비를 r라 하면
$$\frac{5}{90}=\frac{4}{9}r^3,\ r^3=\frac{1}{8}$$
$$\therefore r=\frac{1}{2}$$
따라서 구하는 등비급수의 합은
$$\frac{\frac{4}{9}}{1-\frac{1}{2}}=\frac{8}{9}$$
답 ④

053 등비수열 $\{a_n\}$의 첫째항이 $0.\dot{\alpha}=\frac{\alpha}{9}$, 공비가 $0.0\dot{\alpha}=\frac{\alpha}{90}$이므로

$$\sum_{n=1}^{\infty}a_n=\frac{\frac{\alpha}{9}}{1-\frac{\alpha}{90}}=\frac{10\alpha}{90-\alpha}$$

즉, $\frac{10\alpha}{90-\alpha}=\frac{10}{17}$이므로
$$17\alpha=90-\alpha,\ 18\alpha=90$$
$$\therefore \alpha=5$$
답 5

054 삼각형 OP_1P_2, 삼각형 OP_2P_3, 삼각형 OP_3P_4, $\cdots$는 모두
직각이등변삼각형이므로
$$\overline{P_1P_2}=\overline{OP_1}\sin 45\degree=\sqrt{2}$$
$$\overline{OP_2}=\overline{P_1P_2}=\sqrt{2}$$이므로
$$\overline{P_2P_3}=\overline{OP_2}\sin 45\degree=1$$
$$\overline{OP_3}=\overline{P_2P_3}=1$$이므로
$$\overline{P_3P_4}=\overline{OP_3}\sin 45\degree=\frac{1}{\sqrt{2}}$$
$$\vdots$$

$$\therefore \overline{P_1P_2}+\overline{P_2P_3}+\overline{P_3P_4}+\cdots=\sqrt{2}+1+\frac{1}{\sqrt{2}}+\cdots$$
$$=\frac{\sqrt{2}}{1-\dfrac{1}{\sqrt{2}}}=\frac{2}{\sqrt{2}-1}$$
$$=2(\sqrt{2}+1)$$
$$=2\sqrt{2}+2 \qquad \boxed{\text{답}}\,④$$

055 $\overline{BC}=\dfrac{\overline{AC}}{\tan 60°}=\dfrac{3}{\sqrt{3}}=\sqrt{3}$

삼각형 BCD에서 $\overline{CD}=\overline{BC}\sin 60°=\sqrt{3}\times\dfrac{\sqrt{3}}{2}=\dfrac{3}{2}$

삼각형 CDE에서 $\overline{DE}=\overline{CD}\sin 60°=\dfrac{3}{2}\times\dfrac{\sqrt{3}}{2}$

삼각형 DEF에서 $\overline{EF}=\overline{DE}\sin 60°=\dfrac{3}{2}\times\left(\dfrac{\sqrt{3}}{2}\right)^2$

$$\vdots$$

$$\therefore \overline{CD}+\overline{DE}+\overline{EF}+\cdots=\dfrac{3}{2}+\dfrac{3}{2}\times\dfrac{\sqrt{3}}{2}+\dfrac{3}{2}\times\left(\dfrac{\sqrt{3}}{2}\right)^2+\cdots$$
$$=\frac{\dfrac{3}{2}}{1-\dfrac{\sqrt{3}}{2}}=\frac{3}{2-\sqrt{3}}$$
$$=3(2+\sqrt{3})=6+3\sqrt{3}$$

$$\therefore a+b=6+3=9 \qquad \boxed{\text{답}}\,9$$

056 정사각형 $A_1B_1C_1D_1$의 대각선의 길이가 2이므로 한 변의 길이는 $\sqrt{2}$ $\quad \therefore S_1=2$

정사각형 $A_2B_2C_2D_2$의 대각선의 길이가 $\sqrt{2}$이므로 한 변의 길이는 1 $\quad \therefore S_2=1$

정사각형 $A_3B_3C_3D_3$의 대각선의 길이가 1이므로 한 변의 길이는 $\dfrac{1}{\sqrt{2}}$ $\quad \therefore S_3=\dfrac{1}{2}$

$$\vdots$$

$$\therefore \sum_{n=1}^{\infty}S_n=2+1+\dfrac{1}{2}+\cdots=\frac{2}{1-\dfrac{1}{2}}=4 \qquad \boxed{\text{답}}\,4$$

057

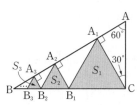

그림에서 $\overline{AC}=\overline{AB}\sin 30°=1$, $\overline{A_1C}=\overline{AC}\sin 60°=\dfrac{\sqrt{3}}{2}$

이므로 $S_1=\dfrac{\sqrt{3}}{4}\times\left(\dfrac{\sqrt{3}}{2}\right)^2=\dfrac{3\sqrt{3}}{16}$

삼각형 A_1B_1C와 삼각형 $A_2B_2B_1$은 닮음이고 닮음비가 $2:1$이므로 넓이의 비는 $4:1$이다.

따라서 구하는 정삼각형의 넓이의 합은

$$\dfrac{3\sqrt{3}}{16}+\dfrac{3\sqrt{3}}{16}\times\dfrac{1}{4}+\dfrac{3\sqrt{3}}{16}\times\left(\dfrac{1}{4}\right)^2+\cdots=\frac{\dfrac{3\sqrt{3}}{16}}{1-\dfrac{1}{4}}=\dfrac{\sqrt{3}}{4}$$

$$\boxed{\text{답}}\,\dfrac{\sqrt{3}}{4}$$

058

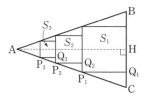

그림에서 $\overline{CH}=1$, $\overline{AH}=3$이고, 정사각형 S_n의 한 변의 길이, 즉 $\overline{P_nQ_n}$의 길이를 X_n이라 하면

삼각형 AHC와 삼각형 P_1Q_1C는 닮음이므로

$$3:1=X_1:1-\dfrac{X_1}{2} \qquad \therefore X_1=\dfrac{6}{5}$$

삼각형 AHC와 삼각형 $P_2Q_2P_1$은 닮음이므로

$$3:1=X_2:\dfrac{3}{5}-\dfrac{X_2}{2} \qquad \therefore X_2=\dfrac{18}{25}=\dfrac{6}{5}\times\dfrac{3}{5}$$

삼각형 AHC와 삼각형 $P_3Q_3P_2$는 닮음이므로

$$3:1=X_3:\dfrac{9}{25}-\dfrac{X_3}{2} \qquad \therefore X_3=\dfrac{54}{125}=\dfrac{6}{5}\times\left(\dfrac{3}{5}\right)^2$$

$$\vdots$$

따라서 구하는 정사각형의 넓이의 합은

$$\dfrac{36}{25}+\dfrac{36}{25}\times\dfrac{9}{25}+\dfrac{36}{25}\times\left(\dfrac{9}{25}\right)^2+\cdots$$
$$=\frac{\dfrac{36}{25}}{1-\dfrac{9}{25}}=\dfrac{9}{4} \qquad \boxed{\text{답}}\,\dfrac{9}{4}$$

059 첫째항을 a, 공비를 r라 하면
$$a_1+a_2=a+ar=a(1+r)=6 \qquad \cdots\cdots ㉠$$
$$a_2+a_3=ar+ar^2=ar(1+r)=-3 \qquad \cdots\cdots ㉡$$

㉡÷㉠을 하면 $r=-\dfrac{1}{2}$

이것을 ㉠에 대입하면 $a=12$

$$\therefore \sum_{n=1}^{\infty}a_n=\frac{a}{1-r}$$
$$=\frac{12}{1-\left(-\dfrac{1}{2}\right)}=8 \qquad \boxed{\text{답}}\,8$$

060 $\log_9 a_1=\log_9\sqrt{3}=\dfrac{\log\sqrt{3}}{\log 9}=\dfrac{\dfrac{1}{2}\log 3}{2\log 3}=\dfrac{1}{4}$

$\log_9 a_2=\log_9\sqrt{a_1}=\dfrac{1}{2}\log_9 a_1=\dfrac{1}{8}$

$\log_9 a_3=\log_9\sqrt{a_2}=\dfrac{1}{2}\log_9 a_2=\dfrac{1}{16}$

$$\vdots$$

$$\therefore \sum_{n=1}^{\infty}\log_9 a_n=\log_9 a_1+\log_9 a_2+\log_9 a_3+\cdots$$
$$=\dfrac{1}{4}+\dfrac{1}{8}+\dfrac{1}{16}+\cdots$$
$$=\frac{\dfrac{1}{4}}{1-\dfrac{1}{2}}=\dfrac{1}{2} \qquad \boxed{\text{답}}\,\dfrac{1}{2}$$

061 첫째항을 a, 공비를 r라 하면
$$\sum_{n=1}^{\infty}a_n=\frac{a}{1-r}=4 \qquad \cdots\cdots ㉠$$

$\sum\limits_{n=1}^{\infty} a_n{}^2 = \dfrac{a^2}{1-r^2} = 48 \qquad \cdots\cdots\ \text{ⓛ}$

ⓛ에서 $\dfrac{a^2}{1-r^2} = \dfrac{a}{1-r} \times \dfrac{a}{1+r} = 48$이므로

$\cdot\ \dfrac{a}{1+r} = 12 \qquad \cdots\cdots\ \text{ⓒ}$

㉠, ⓒ을 연립하여 풀면 공비는 $-\dfrac{1}{2}$이다.   답 ②

062 첫째항이 $x+1$, 공비가 $\dfrac{x-3}{2}$이므로 수렴할 조건은

$x+1=0$ 또는 $-1 < \dfrac{x-3}{2} < 1$

(i) $x+1=0$에서 $x=-1$

(ii) $-1 < \dfrac{x-3}{2} < 1$에서 $-2 < x-3 < 2$

  $\therefore\ 1 < x < 5$

(i), (ii)에서 구하는 x의 값의 범위는

$x=-1$ 또는 $1 < x < 5$ 답 $x=-1$ 또는 $1 < x < 5$

063 급수 $\sum\limits_{n=1}^{\infty}(1+x)^n$은 첫째항이 $1+x$, 공비가 $1+x$이므로

수렴할 조건은 $1+x=0$ 또는 $-1 < 1+x < 1$

(i) $1+x=0$에서 $x=-1$

(ii) $-1 < 1+x < 1$에서 $-2 < x < 0$

(i), (ii)에서 $-2 < x < 0$ $\cdots\cdots\ \text{㉠}$

$\sum\limits_{n=1}^{\infty}\dfrac{1}{x^n}$이 수렴하려면 공비 $\dfrac{1}{x}$이 $-1 < \dfrac{1}{x} < 1$이어야 한다.

$\therefore\ x < -1$ 또는 $x > 1$ $\cdots\cdots\ \text{ⓛ}$

㉠, ⓛ에서 $-2 < x < -1$ 답 ②

064 등비급수 $\sum\limits_{n=1}^{\infty} r^n$이 수렴하므로

$-1 < r < 1 \qquad \cdots\cdots\ \text{㉠}$

ㄱ. $\sum\limits_{n=1}^{\infty}\left(\dfrac{r-1}{2}\right)^n$은 공비가 $\dfrac{r-1}{2}$인 등비급수이고 ㉠에서

  $-1 < \dfrac{r-1}{2} < 0$

 이므로 주어진 등비급수는 수렴한다.

ㄴ. $\sum\limits_{n=1}^{\infty}\left(\dfrac{1}{1+r}\right)^n$은 공비가 $\dfrac{1}{1+r}$인 등비급수이고 ㉠에서

  $0 < 1+r < 2$

  (i) $0 < 1+r \leq 1$일 때, $\dfrac{1}{1+r} \geq 1$이므로 주어진 등비급수

   는 발산한다.

  (ii) $1 < 1+r < 2$일 때, $\dfrac{1}{2} < \dfrac{1}{1+r} < 1$이므로 주어진 등비

   급수는 수렴한다.

  (i), (ii)에서 주어진 등비급수는 항상 수렴한다고 할 수 없다.

ㄷ. $\sum\limits_{n=1}^{\infty}\dfrac{r^{2n}}{5^n}$은 공비가 $\dfrac{r^2}{5}$인 등비급수이고 ㉠에서

  $0 \leq r^2 < 1,\ 0 \leq \dfrac{r^2}{5} < \dfrac{1}{5}$

 이므로 주어진 등비급수는 수렴한다.

따라서 등비급수 중에서 수렴하는 것은 ㄱ, ㄷ이다.

   답 ③

065 $\sum\limits_{n=1}^{\infty}\dfrac{1+3+3^2+\cdots+3^{n-1}}{2^{2n-1}} = \sum\limits_{n=1}^{\infty}\dfrac{\dfrac{3^n-1}{3-1}}{2^{2n-1}}$

$= \sum\limits_{n=1}^{\infty}\left\{\left(\dfrac{3}{4}\right)^n - \left(\dfrac{1}{4}\right)^n\right\}$

$= \dfrac{\dfrac{3}{4}}{1-\dfrac{3}{4}} - \dfrac{\dfrac{1}{4}}{1-\dfrac{1}{4}}$

$= 3 - \dfrac{1}{3} = \dfrac{8}{3}$ 답 $\dfrac{8}{3}$

066 $6^n x^2 - (2^n - 3^n)x - 1 = 0$에서 $(2^n x + 1)(3^n x - 1) = 0$

$\therefore\ x = -\dfrac{1}{2^n}$ 또는 $x = \dfrac{1}{3^n}$

$\therefore\ \sum\limits_{n=1}^{\infty} l_n = \sum\limits_{n=1}^{\infty}\left(\dfrac{1}{3^n} + \dfrac{1}{2^n}\right)$

$= \sum\limits_{n=1}^{\infty}\dfrac{1}{3^n} + \sum\limits_{n=1}^{\infty}\dfrac{1}{2^n}$

$= \dfrac{\dfrac{1}{3}}{1-\dfrac{1}{3}} + \dfrac{\dfrac{1}{2}}{1-\dfrac{1}{2}}$

$= \dfrac{1}{2} + 1 = \dfrac{3}{2}$ 답 $\dfrac{3}{2}$

067 $\dfrac{3}{11} = \dfrac{27}{99} = 0.\dot{2}\dot{7}$이므로

$a_1 = 2,\ a_2 = 7,\ a_3 = 2,\ a_4 = 7,\ a_5 = 2,\ a_6 = 7,\ \cdots$

$\therefore\ \dfrac{a_1}{3} + \dfrac{a_2}{3^2} + \dfrac{a_3}{3^3} + \dfrac{a_4}{3^4} + \dfrac{a_5}{3^5} + \dfrac{a_6}{3^6} + \cdots$

$= \dfrac{2}{3} + \dfrac{7}{3^2} + \dfrac{2}{3^3} + \dfrac{7}{3^4} + \dfrac{2}{3^5} + \dfrac{7}{3^6} + \cdots$

$= \left(\dfrac{2}{3} + \dfrac{2}{3^3} + \dfrac{2}{3^5} + \cdots\right) + \left(\dfrac{7}{3^2} + \dfrac{7}{3^4} + \dfrac{7}{3^6} + \cdots\right)$

$= \dfrac{\dfrac{2}{3}}{1-\dfrac{1}{9}} + \dfrac{\dfrac{7}{9}}{1-\dfrac{1}{9}}$

$= \dfrac{3}{4} + \dfrac{7}{8} = \dfrac{13}{8}$

$\therefore\ p+q = 8+13 = 21$ 답 21

068 $1 + x + x^2 + x^3 + \cdots = \dfrac{1}{1-x} = 4$

$\therefore\ x = \dfrac{3}{4}$

$S = 1 + 2x + 3x^2 + 4x^3 + \cdots \qquad \cdots\cdots\ \text{㉠}$

으로 놓고 양변에 x를 곱하면

$xS = x + 2x^2 + 3x^3 + 4x^4 + \cdots \qquad \cdots\cdots\ \text{ⓛ}$

㉠ - ⓛ을 하면

$(1-x)S = 1 + x + x^2 + x^3 + \cdots = 4$

$\dfrac{1}{4}S = 4$

$\therefore\ S = 16$ 답 16

069 합동인 두 삼각형 $A_1B_1M_1$과 $M_1C_1D_1$에 내접하는 원의 반지름의 길이를 r라 하자.

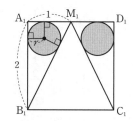

삼각형 $A_1B_1M_1$에 내접하는 원의 중심에서 모든 변에 이르는 거리는 r이므로 삼각형 $A_1B_1M_1$의 넓이는

$\dfrac{1}{2}(\overline{A_1B_1}+\overline{B_1M_1}+\overline{M_1A_1})r$로 나타낼 수 있다.

$\overline{B_1M_1}=\sqrt{1^2+2^2}=\sqrt{5}$이고 넓이는 $\dfrac{1}{2}\times2\times1=1$이므로

$\dfrac{1}{2}(2+\sqrt{5}+1)r=1$에서 $r=\dfrac{2}{3+\sqrt{5}}=\dfrac{3-\sqrt{5}}{2}$

$\therefore S_1=2\times\pi\left(\dfrac{3-\sqrt{5}}{2}\right)^2=(7-3\sqrt{5})\pi$

$\overline{A_2M_2}=a$라 하면 삼각형 $M_1A_2M_2$와 삼각형 $B_1M_1A_1$은 닮음이므로 $\overline{M_1M_2}=2a$이다.

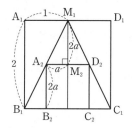

$2a+2a=2$에서 $a=\dfrac{1}{2}$이다.

따라서 S_n은 첫째항이 $(7-3\sqrt{5})\pi$이고 공비가 $\dfrac{1}{4}$인 등비수열의 첫째항부터 제n항까지의 합이다.

$\therefore \lim\limits_{n\to\infty}S_n=\sum\limits_{n=1}^{\infty}(7-3\sqrt{5})\pi\times\left(\dfrac{1}{4}\right)^{n-1}$

$=\dfrac{(7-3\sqrt{5})\pi}{1-\dfrac{1}{4}}$

$=\dfrac{4(7-3\sqrt{5})}{3}\pi$ 　　　답 ①

001 $0<\dfrac{1}{5}<1$이므로 $\lim\limits_{x\to\infty}\left(\dfrac{1}{5}\right)^x=0$ 　답 0

002 $x=-t$로 놓으면 $x\to-\infty$일 때, $t\to\infty$이므로

$\lim\limits_{x\to-\infty}\left(\dfrac{5}{3}\right)^x=\lim\limits_{t\to\infty}\left(\dfrac{5}{3}\right)^{-t}=\lim\limits_{t\to\infty}\left(\dfrac{3}{5}\right)^t$

$0<\dfrac{3}{5}<1$이므로 $\lim\limits_{t\to\infty}\left(\dfrac{3}{5}\right)^t=0$ 　답 0

003 $x=-t$로 놓으면 $x\to-\infty$일 때, $t\to\infty$이므로

$\lim\limits_{x\to-\infty}\dfrac{3^x}{4^x}=\lim\limits_{t\to\infty}\dfrac{3^{-t}}{4^{-t}}=\lim\limits_{t\to\infty}\left(\dfrac{4}{3}\right)^t$

$\dfrac{4}{3}>1$이므로 $\lim\limits_{t\to\infty}\left(\dfrac{4}{3}\right)^t=\infty$ 　답 ∞

004 $\lim\limits_{x\to0}\left(\dfrac{1}{10}\right)^x=\left(\dfrac{1}{10}\right)^0=1$ 　답 1

005 $\lim\limits_{x\to1}\dfrac{4^x}{4^x-3^x}=\dfrac{4}{4-3}=4$ 　답 4

006 $\lim\limits_{x\to\infty}\dfrac{3^x-2^x}{3^x+2^x}=\lim\limits_{x\to\infty}\dfrac{1-\left(\dfrac{2}{3}\right)^x}{1+\left(\dfrac{2}{3}\right)^x}=1$ 　답 1

007 $3>1$이므로 $\lim\limits_{x\to\infty}\log_3 x=\infty$ 　답 ∞

008 $\lim\limits_{x\to0+}\log_2 2x=\lim\limits_{x\to0+}(1+\log_2 x)$

$=1+(-\infty)=-\infty$ 　답 $-\infty$

009 $0<\dfrac{1}{4}<1$이므로

$\lim\limits_{x\to\infty}\log_{\frac{1}{4}}x^2=2\lim\limits_{x\to\infty}\log_{\frac{1}{4}}x$

$=2\times(-\infty)=-\infty$ 　답 $-\infty$

010 $\lim\limits_{x\to4}\log_2(x+4)=\log_2(4+4)=\log_2 2^3=3$ 　답 3

011 $\lim\limits_{x\to2}\log_7(x^2+x+1)=\log_7(4+2+1)$

$=\log_7 7=1$ 　답 1

012 $\lim\limits_{x\to\infty}\log_2\dfrac{x^2-1}{x-1}=\lim\limits_{x\to\infty}\log_2(x+1)$

$2>1$이므로 $\lim\limits_{x\to\infty}\log_2(x+1)=\infty$ 　답 ∞

013 $\lim\limits_{x\to0}(1+x)^{\frac{2}{x}}=\lim\limits_{x\to0}\{(1+x)^{\frac{1}{x}}\}^{\boxed{2}}=e^{\boxed{2}}$ 　답 2, 2

014 $\lim\limits_{x\to0}(1+3x)^{\frac{1}{x}}=\lim\limits_{x\to0}\{(1+3x)^{\boxed{\frac{1}{3x}}}\}^{\boxed{3}}=e^{\boxed{3}}$ 　답 $\dfrac{1}{3x}$, 3, 3

015 $\lim\limits_{x\to\infty}\left(1+\dfrac{1}{x}\right)^{2x}=\lim\limits_{x\to\infty}\left\{\left(1+\dfrac{1}{x}\right)^x\right\}^{\boxed{2}}=e^{\boxed{2}}$ 　답 2, 2

016 $\displaystyle\lim_{x\to\infty}\left(1+\frac{5}{x}\right)^x=\lim_{x\to\infty}\left\{\left(1+\frac{5}{x}\right)^{\boxed{\frac{x}{5}}}\right\}^{\boxed{5}}=e^{\boxed{5}}$ 　　答 $\dfrac{x}{5},\ 5,\ 5$

017 $\displaystyle\lim_{x\to 0}(1+3x)^{\frac{2}{x}}=\lim_{x\to 0}\{(1+3x)^{\frac{1}{3x}}\}^6=e^6$ 　　答 e^6

018 $\displaystyle\lim_{x\to\infty}\left(1-\frac{1}{x}\right)^x=\lim_{x\to\infty}\left\{\left(1-\frac{1}{x}\right)^{-x}\right\}^{-1}=e^{-1}=\frac{1}{e}$ 　　答 $\dfrac{1}{e}$

019 $\ln 1=\log_e 1=0$ 　　答 0

020 $\ln\sqrt{e}=\ln e^{\frac{1}{2}}=\dfrac{1}{2}\ln e=\dfrac{1}{2}\log_e e=\dfrac{1}{2}$ 　　答 $\dfrac{1}{2}$

021 $\ln\dfrac{1}{2e}=\ln(2e)^{-1}=-(\ln 2+\ln e)=-\ln 2-1$

答 $-\ln 2-1$

022 $\dfrac{1}{\log_5 e}+\dfrac{1}{\log_2 e}=\log_e 5+\log_e 2=\ln 5+\ln 2=\ln 10$

答 $\ln 10$

023 $\displaystyle\lim_{x\to 0}\frac{\ln(1+x)}{3x}=\lim_{x\to 0}\frac{\ln(1+x)}{\boxed{x}}\times\boxed{\frac{1}{3}}=1\times\boxed{\frac{1}{3}}=\boxed{\frac{1}{3}}$

答 $x,\ \dfrac{1}{3},\ \dfrac{1}{3},\ \dfrac{1}{3}$

024 $\displaystyle\lim_{x\to 0}\frac{\ln(1+2x)}{x}=\lim_{x\to 0}\frac{\ln(1+2x)}{\boxed{2x}}\times\boxed{2}=1\times\boxed{2}=\boxed{2}$

答 $2x,\ 2,\ 2,\ 2$

025 $\displaystyle\lim_{x\to 0}\frac{e^x-1}{2x}=\lim_{x\to 0}\frac{e^x-1}{x}\times\boxed{\frac{1}{2}}=1\times\boxed{\frac{1}{2}}=\boxed{\frac{1}{2}}$

答 $\dfrac{1}{2},\ \dfrac{1}{2},\ \dfrac{1}{2}$

026 $\displaystyle\lim_{x\to 0}\frac{e^{3x}-1}{x}=\lim_{x\to 0}\frac{e^{3x}-1}{\boxed{3x}}\times\boxed{3}=1\times\boxed{3}=\boxed{3}$

答 $3x,\ 3,\ 3,\ 3$

027 $\displaystyle\lim_{x\to 0}\frac{\ln(1+2x)}{5x}=\lim_{x\to 0}\frac{\ln(1+2x)}{2x}\times\frac{2}{5}$

$=1\times\dfrac{2}{5}=\dfrac{2}{5}$ 　　答 $\dfrac{2}{5}$

028 $\displaystyle\lim_{x\to 0}\frac{\ln\left(1+\frac{x}{4}\right)}{x}=\lim_{x\to 0}\frac{\ln\left(1+\frac{x}{4}\right)}{\frac{x}{4}}\times\frac{1}{4}$

$=1\times\dfrac{1}{4}$

$=\dfrac{1}{4}$ 　　答 $\dfrac{1}{4}$

029 $\displaystyle\lim_{x\to 0}\frac{x}{\ln(1+2x)}=\lim_{x\to 0}\frac{1}{\frac{\ln(1+2x)}{x}}$

$=\displaystyle\lim_{x\to 0}\frac{\frac{1}{2}}{\frac{\ln(1+2x)}{2x}}=\frac{\frac{1}{2}}{1}=\frac{1}{2}$ 　　答 $\dfrac{1}{2}$

030 $\displaystyle\lim_{x\to 0}\frac{e^{5x}-1}{4x}=\lim_{x\to 0}\frac{e^{5x}-1}{5x}\times\frac{5}{4}=1\times\frac{5}{4}=\frac{5}{4}$ 　　答 $\dfrac{5}{4}$

031 $\displaystyle\lim_{x\to 0}\frac{e^x-1}{\frac{x}{2}}=\lim_{x\to 0}\frac{e^x-1}{x}\times 2=1\times 2=2$ 　　答 2

032 $\displaystyle\lim_{x\to 0}\frac{3x}{e^x-1}=\lim_{x\to 0}\frac{3}{\frac{e^x-1}{x}}=\frac{3}{1}=3$ 　　答 3

033 $y'=e^{3x}\times(3x)'=3e^{3x}$ 　　答 $y'=3e^{3x}$

034 $y'=e^{-2x}\times(-2x)'=-2e^{-2x}$ 　　答 $y'=-2e^{-2x}$

035 $y'=5^x\ln 5$ 　　答 $y'=5^x\ln 5$

036 $y'=(x^3)'-(e^x)'=3x^2-e^x$ 　　答 $y'=3x^2-e^x$

037 $y'=(e^x)'+(2^x)'=e^x+2^x\ln 2$ 　　答 $y'=e^x+2^x\ln 2$

038 $y'=(x)'\times e^x+x\times(e^x)'$
$=e^x+xe^x$
$=e^x(1+x)$ 　　答 $y'=e^x(1+x)$

039 $y'=\dfrac{(x^2)'}{x^2}=\dfrac{2x}{x^2}=\dfrac{2}{x}$ 　　答 $y'=\dfrac{2}{x}$

040 $y'=\dfrac{(3x)'}{3x}=\dfrac{3}{3x}=\dfrac{1}{x}$ 　　答 $y'=\dfrac{1}{x}$

041 $y'=\dfrac{(5x)'}{5x\ln 10}=\dfrac{1}{x\ln 10}$ 　　答 $y'=\dfrac{1}{x\ln 10}$

042 $y'=(\ln x)'+(\log_3 x)'$
$=\dfrac{1}{x}+\dfrac{1}{x\ln 3}$ 　　答 $y'=\dfrac{1}{x}+\dfrac{1}{x\ln 3}$

043 $y'=(3x-2)'\times\ln x+(3x-2)\times(\ln x)'$
$=3\ln x+(3x-2)\times\dfrac{1}{x}$
$=3\ln x+3-\dfrac{2}{x}$ 　　答 $y'=3\ln x+3-\dfrac{2}{x}$

044 $y'=(x^2)'\ln x+x^2(\ln x)'$
$=2x\ln x+x^2\times\dfrac{1}{x}=2x\ln x+x$ 　　答 $y'=2x\ln x+x$

045 $\displaystyle\lim_{x\to\infty}\frac{5^x}{5^x+2^x}+\lim_{x\to\infty}\frac{2^x}{5^x-1}$

$\displaystyle=\lim_{x\to\infty}\frac{1}{1+\left(\frac{2}{5}\right)^x}+\lim_{x\to\infty}\frac{\left(\frac{2}{5}\right)^x}{1-\frac{1}{5^x}}$

$=1+0=1$ 目 1

046 $\displaystyle\lim_{x\to2}\{\log_3(x^3-8)-\log_3(x-2)\}$

$\displaystyle=\lim_{x\to2}\log_3\frac{x^3-8}{x-2}$

$\displaystyle=\lim_{x\to2}\log_3\frac{(x-2)(x^2+2x+4)}{x-2}$

$\displaystyle=\lim_{x\to2}\log_3(x^2+2x+4)$

$=\log_3 12$

$=1+2\log_3 2$ 目 ②

047 $\displaystyle\lim_{x\to\infty}\frac{2^x+3^{x+a}}{2^x-3^x}=\lim_{x\to\infty}\frac{\left(\frac{2}{3}\right)^x+3^a}{\left(\frac{2}{3}\right)^x-1}=-3^a$

즉, $-3^a=-\frac{1}{9}=-3^{-2}$이므로

$a=-2$

$\therefore\displaystyle\lim_{x\to\infty}\log_2(x-\sqrt{x^2-2x})$

$\displaystyle=\lim_{x\to\infty}\log_2\frac{(x-\sqrt{x^2-2x})(x+\sqrt{x^2-2x})}{x+\sqrt{x^2-2x}}$

$\displaystyle=\lim_{x\to\infty}\log_2\frac{2x}{x+\sqrt{x^2-2x}}$

$\displaystyle=\lim_{x\to\infty}\log_2\frac{2}{1+\sqrt{1-\frac{2}{x}}}$

$=\log_2 1=0$ 目 0

048 $\displaystyle\lim_{x\to0}\left(1+\frac{3}{2}x\right)^{\frac{3}{x}}=\lim_{x\to0}\left\{\left(1+\frac{3}{2}x\right)^{\frac{2}{3x}}\right\}^{\frac{9}{2}}=e^{\frac{9}{2}}$ 目 ④

049 $\displaystyle\lim_{x\to\infty}\left\{\left(1+\frac{1}{x}\right)\left(1+\frac{1}{3x}\right)\right\}^x$

$\displaystyle=\lim_{x\to\infty}\left(1+\frac{1}{x}\right)^x\times\left(1+\frac{1}{3x}\right)^x$

$\displaystyle=\lim_{x\to\infty}\left(1+\frac{1}{x}\right)^x\times\left\{\left(1+\frac{1}{3x}\right)^{3x}\right\}^{\frac{1}{3}}$

$=e\times e^{\frac{1}{3}}=e^{\frac{4}{3}}$ 目 $e^{\frac{4}{3}}$

050 $\displaystyle\lim_{x\to0}(1+x+x^2)^{\frac{1}{x}}=\lim_{x\to0}(1+x+x^2)^{\frac{1}{x+x^2}\times\frac{x+x^2}{x}}$

$\displaystyle=\lim_{x\to0}\{(1+x+x^2)^{\frac{1}{x+x^2}}\}^{1+x}$

$=e$ 目 e

051 $\displaystyle\lim_{x\to0}\frac{\ln(2x+1)}{2x^2+x}=\lim_{x\to0}\frac{\ln(2x+1)}{2x}\times\frac{2x}{2x^2+x}$

$\displaystyle=\lim_{x\to0}\frac{\ln(2x+1)}{2x}\times\frac{2}{2x+1}$

$=1\times2=2$ 目 ⑤

052 $\displaystyle\lim_{x\to0}\frac{\ln\sqrt{1+x}}{x}=\lim_{x\to0}\frac{1}{x}\ln(1+x)^{\frac{1}{2}}$

$\displaystyle=\frac{1}{2}\lim_{x\to0}\frac{\ln(1+x)}{x}$

$=\frac{1}{2}\times1=\frac{1}{2}$ 目 $\frac{1}{2}$

053 $\displaystyle\lim_{x\to0}\frac{ax}{\ln(1+3x)}=\lim_{x\to0}\frac{3x}{\ln(1+3x)}\times\frac{a}{3}$

$\displaystyle=\lim_{x\to0}\frac{1}{\frac{\ln(1+3x)}{3x}}\times\frac{a}{3}$

$=1\times\frac{a}{3}=4$

$\therefore a=12$ 目 12

054 $x-1=t$로 놓으면 $x\to1$일 때, $t\to0$이므로

$\displaystyle\lim_{x\to1}\frac{\ln x}{x-1}=\lim_{t\to0}\frac{\ln(t+1)}{t}=1$ 目 ③

055 $\displaystyle\lim_{x\to0}\frac{f(x)}{\ln(1-x)}=\lim_{x\to0}\frac{\frac{f(x)}{x}}{\frac{\ln(1-x)}{x}}=4$ $\cdots\cdots$ ㉠

$\displaystyle\lim_{x\to0}\frac{\ln(1-x)}{x}=\lim_{x\to0}\frac{\ln(1-x)}{-x}\times(-1)=-1$

이므로 ㉠에서

$\displaystyle\lim_{x\to0}\frac{f(x)}{x}=-4$ 目 -4

056 함수 $f(x)$가 $x=0$에서 연속이므로 $\displaystyle\lim_{x\to0}f(x)=f(0)$

$\therefore a=\displaystyle\lim_{x\to0}\frac{2x}{\ln(1+x)}=\lim_{x\to0}\frac{2}{\frac{\ln(1+x)}{x}}=2$ 目 2

057 $\displaystyle\lim_{x\to0}\frac{e^{2x}-1}{x^2-x}=\lim_{x\to0}\frac{e^{2x}-1}{2x}\times\frac{2x}{x^2-x}$

$\displaystyle=\lim_{x\to0}\frac{e^{2x}-1}{2x}\times\frac{2}{x-1}$

$=1\times(-2)=-2$ 目 ④

058 $\displaystyle\lim_{x\to0}\frac{\ln(1+4x)}{e^{3x}-1}=\lim_{x\to0}\frac{\ln(1+4x)}{4x}\times\frac{3x}{e^{3x}-1}\times\frac{4}{3}$

$\displaystyle=1\times1\times\frac{4}{3}$

$=\frac{4}{3}$ 目 $\frac{4}{3}$

059 $\displaystyle\lim_{x\to0}\frac{e^x+a}{x}=b$에서 $x\to0$일 때, (분모)$\to0$이고 극한값이 존재

하므로 (분자)$\to0$이어야 한다.

즉, $\displaystyle\lim_{x\to0}(e^x+a)=0$에서 $1+a=0$

$\therefore a=-1$

$\displaystyle\lim_{x\to0}\frac{e^x-1}{x}=1=b$

$\therefore ab=(-1)\times1=-1$ 目 -1

060 $x-2=t$로 놓으면 $x \to 2$일 때, $t \to 0$이므로

$$\lim_{x \to 2} \frac{e^{x-2}-(x-1)^2}{x-2} = \lim_{t \to 0} \frac{e^t-(t+1)^2}{t}$$
$$= \lim_{t \to 0} \frac{e^t-(t^2+2t+1)}{t}$$
$$= \lim_{t \to 0} \left(\frac{e^t-1}{t}-t-2 \right)$$
$$= 1-2 = -1 \qquad \text{답} \; -1$$

061 $\lim_{x \to 0} \frac{f(x)}{e^{2x}-1} = \lim_{x \to 0} \frac{2x}{e^{2x}-1} \times \frac{f(x)}{x} \times \frac{1}{2}$
$$= \frac{1}{2} \lim_{x \to 0} \frac{f(x)}{x} = 100$$
$$\therefore \lim_{x \to 0} \frac{f(x)}{x} = 200 \qquad \text{답} \; \text{⑤}$$

062 함수 $f(x)$가 $x=0$에서 연속이므로 $\lim_{x \to 0} f(x) = f(0)$

즉, $\lim_{x \to 0} \frac{e^{2x}+a}{x} = b$에서 $x \to 0$일 때, (분모)$\to 0$이고

극한값이 존재하므로 (분자)$\to 0$이어야 한다.

$\lim_{x \to 0} (e^{2x}+a) = 0$에서 $a = -1$

$\therefore b = \lim_{x \to 0} \frac{e^{2x}-1}{x} = \lim_{x \to 0} \frac{e^{2x}-1}{2x} \times 2 = 2$

$\therefore a+b = (-1)+2 = 1 \qquad \text{답} \; 1$

063 $\lim_{x \to 0} \frac{\log_3(1+3x)}{x} = \lim_{x \to 0} \frac{\log_3(1+3x)}{3x} \times 3$
$$= \frac{1}{\ln 3} \times 3 = \frac{3}{\ln 3} \qquad \text{답} \; \text{⑤}$$

064 $x-1=t$로 놓으면 $x \to 1$일 때, $t \to 0$이므로

$$\lim_{x \to 1} \frac{\log_2 x}{x-1} = \lim_{t \to 0} \frac{\log_2(1+t)}{t} = \frac{1}{\ln 2} \qquad \text{답} \; \frac{1}{\ln 2}$$

065 $\frac{1}{x} = t$로 놓으면 $x \to \infty$일 때, $t \to 0$이므로

$$\lim_{x \to \infty} x \left\{ \log_2\left(2+\frac{1}{x}\right)-1 \right\} = \lim_{t \to 0} \frac{1}{t} \{\log_2(2+t)-1\}$$
$$= \lim_{t \to 0} \frac{1}{t} \{\log_2(2+t)-\log_2 2\}$$
$$= \lim_{t \to 0} \frac{\log_2 \frac{2+t}{2}}{t}$$
$$= \lim_{t \to 0} \frac{\log_2\left(1+\frac{t}{2}\right)}{\frac{t}{2}} \times \frac{1}{2}$$
$$= \frac{1}{\ln 2} \times \frac{1}{2} = \frac{1}{2\ln 2} \qquad \text{답} \; \frac{1}{2\ln 2}$$

066 $\lim_{x \to 0} \frac{6x}{3^{2x}-1} = \lim_{x \to 0} \frac{6}{\frac{9^x-1}{x}}$
$$= \frac{6}{\ln 9}$$
$$= \frac{3}{\ln 3} \qquad \text{답} \; \text{④}$$

067 $\lim_{x \to 0} \frac{2^x-1}{\log_2(1+x)} = \lim_{x \to 0} \frac{2^x-1}{x} \times \frac{1}{\frac{\log_2(1+x)}{x}}$
$$= \ln 2 \times \frac{1}{\frac{1}{\ln 2}} = (\ln 2)^2 \qquad \text{답} \; (\ln 2)^2$$

068 $\lim_{x \to 0} \frac{e^x-2^{-x}}{x} = \lim_{x \to 0} \frac{e^x-1-(2^{-x}-1)}{x}$
$$= \lim_{x \to 0} \left(\frac{e^x-1}{x} - \frac{2^{-x}-1}{x} \right)$$
$$= \lim_{x \to 0} \left(\frac{e^x-1}{x} + \frac{2^{-x}-1}{-x} \right)$$
$$= 1+\ln 2 = \ln 2e$$

따라서 $A = \ln 2e$이므로

$e^A = e^{\ln 2e} = 2e \qquad \text{답} \; 2e$

069 $\overline{AP} = t$, $\overline{OA} = 2^t-1$이므로

$$\lim_{t \to 0+} \frac{\overline{AP}}{\overline{OA}} = \lim_{t \to 0+} \frac{t}{2^t-1}$$
$$= \lim_{t \to 0+} \frac{1}{\frac{2^t-1}{t}} = \frac{1}{\ln 2} \qquad \text{답} \; \text{④}$$

070 두 점 C, D의 좌표는 각각

C$(t, \ln(t+1))$, D$(10t, \ln(10t+1))$이므로

$$S(t) = \frac{1}{2} \times t \times \ln(t+1) = \frac{t}{2} \ln(t+1)$$

$$T(t) = \frac{1}{2} \{\ln(t+1)+\ln(10t+1)\} \times 9t$$
$$= \frac{9t}{2} \{\ln(t+1)+\ln(10t+1)\}$$

$$\therefore \lim_{t \to 0+} \frac{T(t)}{S(t)} = \lim_{t \to 0+} 9 \left\{ \frac{\ln(t+1)+\ln(10t+1)}{\ln(t+1)} \right\}$$
$$= \lim_{t \to 0+} 9 \left\{ 1+\frac{\ln(10t+1)}{\ln(t+1)} \right\}$$
$$= 9 \left\{ 1+\lim_{t \to 0+} \frac{\ln(10t+1)}{10t} \times \frac{t}{\ln(t+1)} \times 10 \right\}$$
$$= 9(1+1 \times 1 \times 10) = 99 \qquad \text{답} \; 99$$

071 $f(x) = xe^x-5x$에서

$f'(x) = e^x+xe^x-5 = (x+1)e^x-5$

$\therefore f'(3) = 4e^3-5 \qquad \text{답} \; \text{②}$

072 $f(x) = (x^2-2)e^{x+1}$에서

$f'(x) = 2xe^{x+1}+(x^2-2)e^{x+1} = (x^2+2x-2)e^{x+1}$

$\therefore f'(-1) = (1-2-2)e^0 = -3 \qquad \text{답} \; -3$

073 $\lim_{h \to 0} \frac{f(2+h)-f(2-h)}{h}$
$$= \lim_{h \to 0} \frac{f(2+h)-f(2)-f(2-h)+f(2)}{h}$$
$$= \lim_{h \to 0} \left\{ \frac{f(2+h)-f(2)}{h} + \frac{f(2-h)-f(2)}{-h} \right\}$$
$$= f'(2)+f'(2) = 2f'(2)$$

$f(x) = 2^x+2x$에서

$f'(x) = 2^x \ln 2 + 2$

$\therefore 2f'(2) = 2(2^2 \ln 2 + 2) = 8 \ln 2 + 4$ 답 $8 \ln 2 + 4$

074 $f(x) = e^x \ln x + 5$에서 $f'(x) = e^x \ln x + \dfrac{e^x}{x}$

$\therefore f'(1) = e \ln 1 + e = e$ 답 e

075 $f(x) = 3x \ln x + x^2$에서 $f'(x) = 3 \ln x + 3 + 2x$

$f(1) = 3 \ln 1 + 1 = 1$이므로

$\displaystyle\lim_{x \to 1} \dfrac{f(x) - 1}{x^2 - 1} = \lim_{x \to 1} \dfrac{f(x) - f(1)}{x - 1} \times \dfrac{1}{x+1}$

$\qquad\qquad = \dfrac{1}{2} f'(1)$

$\qquad\qquad = \dfrac{1}{2}(3 \ln 1 + 3 + 2) = \dfrac{5}{2}$ 답 $\dfrac{5}{2}$

076 $\displaystyle\lim_{h \to 0} \dfrac{f(1+2h) - f(1-h)}{h}$

$= \displaystyle\lim_{h \to 0} \dfrac{f(1+2h) - f(1) - f(1-h) + f(1)}{h}$

$= \displaystyle\lim_{h \to 0} \left\{ \dfrac{f(1+2h) - f(1)}{2h} \times 2 + \dfrac{f(1-h) - f(1)}{-h} \right\}$

$= 2f'(1) + f'(1) = 3f'(1)$

$f(x) = x^2 + x \log_2 x$에서

$f'(x) = 2x + \log_2 x + x \times \dfrac{1}{x \ln 2}$

$\qquad = 2x + \log_2 x + \dfrac{1}{\ln 2}$

$\therefore \displaystyle\lim_{h \to 0} \dfrac{f(1+2h) - f(1-h)}{h}$

$\qquad = 3f'(1) = 3\left(2 + \log_2 1 + \dfrac{1}{\ln 2}\right) = 6 + \dfrac{3}{\ln 2}$ 답 ④

077 함수 $f(x)$가 모든 실수 x에 대하여 미분가능하므로 $x=1$에서 연속이고 미분가능하다.

$x=1$에서 연속이므로

$\displaystyle\lim_{x \to 1-} (ax + b) = \lim_{x \to 1+} \ln x = f(1)$에서

$a + b = 0$ ······㉠

$f'(x) = \begin{cases} a & (x < 1) \\ \dfrac{1}{x} & (x > 1) \end{cases}$에서 미분계수 $f'(1)$이 존재하므로

$\displaystyle\lim_{x \to 1-} a = \lim_{x \to 1+} \dfrac{1}{x}$에서 $a = 1$

$a = 1$을 ㉠에 대입하면 $b = -1$

$\therefore a - b = 1 - (-1) = 2$ 답 ④

078 함수 $f(x)$가 $x=0$에서 미분가능하므로 $x=0$에서 연속이다.

즉, $\displaystyle\lim_{x \to 0-} (ae^x + b) = \lim_{x \to 0+} (3x + 4) = f(0)$에서

$a + b = 4$ ······㉠

$f'(x) = \begin{cases} ae^x & (x < 0) \\ 3 & (x > 0) \end{cases}$에서 미분계수 $f'(0)$이 존재하므로

$\displaystyle\lim_{x \to 0-} ae^x = \lim_{x \to 0+} 3$에서 $a = 3$

$a = 3$을 ㉠에 대입하면 $b = 1$

$\therefore a^2 + b^2 = 9 + 1 = 10$ 답 10

079 함수 $f(x)$가 모든 양수 x에 대하여 미분가능하므로 $x=1$에서 연속이고 미분가능하다.

$x=1$에서 연속이므로

$\displaystyle\lim_{x \to 1-} \ln ax = \lim_{x \to 1+} (be^{x-1} + 2) = f(1)$에서

$\ln a = b + 2$ ······㉠

$f'(x) = \begin{cases} \dfrac{1}{x} & (x < 1) \\ be^{x-1} & (x > 1) \end{cases}$에서 미분계수 $f'(1)$이 존재하므로

$\displaystyle\lim_{x \to 1-} \dfrac{1}{x} = \lim_{x \to 1+} be^{x-1}$에서 $b = 1$

$b = 1$을 ㉠에 대입하면

$\ln a = 1 + 2 = 3$ $\therefore a = e^3$

$\therefore ab = e^3$ 답 e^3

080 $\displaystyle\lim_{x \to \infty} (3^x - 2^x)^{\frac{1}{x}} = \lim_{x \to \infty} \left\{ 3^x \left(1 - \dfrac{2^x}{3^x}\right) \right\}^{\frac{1}{x}}$

$\qquad = 3 \lim_{x \to \infty} \left\{ 1 - \left(\dfrac{2}{3}\right)^x \right\}^{\frac{1}{x}} = 3$ 답 3

081 ㄱ. $\displaystyle\lim_{x \to 0} (1-x)^{\frac{1}{x}} = \lim_{x \to 0} \left\{ (1-x)^{-\frac{1}{x}} \right\}^{-1} = e^{-1} = \dfrac{1}{e}$

ㄴ. $x - 1 = t$로 놓으면 $x \to 1$일 때, $t \to 0$이므로

$\displaystyle\lim_{x \to 1} x^{\frac{1}{x-1}} = \lim_{t \to 0} (1+t)^{\frac{1}{t}} = e$

ㄷ. $\displaystyle\lim_{x \to \infty} \left(1 - \dfrac{1}{2x}\right)^{2x} = \lim_{x \to \infty} \left\{ \left(1 - \dfrac{1}{2x}\right)^{-2x} \right\}^{-1}$

$\qquad\qquad = e^{-1} = \dfrac{1}{e}$

ㄹ. $3x = -t$로 놓으면 $x \to -\infty$일 때, $t \to \infty$이므로

$\displaystyle\lim_{x \to -\infty} \left(1 - \dfrac{1}{3x}\right)^{-3x} = \lim_{t \to \infty} \left(1 + \dfrac{1}{t}\right)^t = e$

따라서 극한값이 e인 것은 ㄴ, ㄹ의 2개이다. 답 ③

082 $x = -t$로 놓으면 $x \to -\infty$일 때, $t \to \infty$이므로

$\displaystyle\lim_{x \to -\infty} \left(\dfrac{x-1}{x}\right)^{2x} = \lim_{x \to -\infty} \left(1 - \dfrac{1}{x}\right)^{2x}$

$\qquad = \displaystyle\lim_{t \to \infty} \left(1 + \dfrac{1}{t}\right)^{-2t}$

$\qquad = \displaystyle\lim_{t \to \infty} \left\{ \left(1 + \dfrac{1}{t}\right)^t \right\}^{-2}$

$\qquad = e^{-2}$

$\qquad = \dfrac{1}{e^2}$ 답 $\dfrac{1}{e^2}$

083 $\displaystyle\lim_{x \to \infty} x\{\ln(x+2) - \ln x\} = \lim_{x \to \infty} x \ln \dfrac{x+2}{x}$

$\qquad\qquad = \displaystyle\lim_{x \to \infty} x \ln\left(1 + \dfrac{2}{x}\right)$

$\dfrac{2}{x} = t$로 놓으면 $x \to \infty$일 때, $t \to 0$이므로

$\displaystyle\lim_{x \to \infty} x \ln\left(1 + \dfrac{2}{x}\right) = \lim_{t \to 0} \dfrac{2}{t} \ln(1+t)$

$\qquad\qquad = 2 \displaystyle\lim_{t \to 0} \dfrac{\ln(1+t)}{t}$

$\qquad\qquad = 2 \times 1 = 2$ 답 2

084
$$\lim_{x \to 0} \frac{\ln(1+x)(1+3x)}{e^{4x}-1}$$

$$=\lim_{x \to 0} \frac{\dfrac{\ln(1+x)+\ln(1+3x)}{4x}}{\dfrac{e^{4x}-1}{4x}}$$

$$=\lim_{x \to 0} \frac{\dfrac{\ln(1+x)}{x} \times \dfrac{1}{4} + \dfrac{\ln(1+3x)}{3x} \times \dfrac{3}{4}}{\dfrac{e^{4x}-1}{4x}}$$

$$=\frac{1}{4}+\frac{3}{4}=1 \qquad \qquad \text{답 ②}$$

085 $\lim_{x \to 0} \dfrac{\ln(1+x)}{e^{ax}-b}=\dfrac{1}{7}$ 에서 $x \to 0$일 때, (분자)$\to 0$이고 0이 아닌
극한값이 존재하므로 (분모)$\to 0$이어야 한다.
즉, $\lim_{x \to 0}(e^{ax}-b)=0$에서 $1-b=0$
$\therefore b=1$
$$\lim_{x \to 0}\frac{\ln(1+x)}{e^{ax}-1}=\lim_{x \to 0}\frac{ax}{e^{ax}-1} \times \frac{\ln(1+x)}{x} \times \frac{1}{a}$$
$$=1 \times 1 \times \frac{1}{a}=\frac{1}{a}=\frac{1}{7}$$
따라서 $a=7$이므로
$a-b=7-1=6$ $\qquad \qquad$ 답 6

086 점 P의 x좌표를 a라 하면 $\ln a=-a+t$, $\ln a+a=t$
$\ln ae^a=t$ $\quad \therefore ae^a=e^t$
점 P의 x좌표와 점 H의 x좌표는 같으므로
$$S(t)=\frac{1}{2} \times \overline{OH} \times \overline{HQ}=\frac{1}{2}ae^a=\frac{1}{2}e^t$$
$$\therefore \lim_{t \to 0+}\frac{2S(t)-1}{t}=\lim_{t \to 0+}\frac{2 \times \frac{1}{2}e^t-1}{t}=1 \qquad \text{답 1}$$

087 $f(x)=x^2e^x+3^x$으로 놓으면
$$f'(x)=2xe^x+x^2e^x+3^x \ln 3$$
$$=(x^2+2x)e^x+3^x \ln 3$$
따라서 $x=1$에서의 접선의 기울기는
$f'(1)=3e+3\ln 3$ $\qquad \qquad$ 답 ⑤

088 $f(x)=a+x\ln bx$에서 $f(1)=5$이므로
$a+\ln b=5$ $\quad \cdots\cdots$ ㉠
$f'(x)=\ln bx+1$에서 $f'(1)=2$이므로
$\ln b+1=2$, $\ln b=1$
$\therefore b=e$
$b=e$를 ㉠에 대입하면 $a=4$
따라서 $f(x)=4+x\ln ex$이므로
$f(e^2)=4+e^2\ln e^3=4+3e^2$ $\qquad$ 답 $4+3e^2$
참고
$(\ln kx)'=(\ln k+\ln x)'=\dfrac{1}{x}$ (단, k는 상수이다.)

089 함수 $f(x)$가 모든 실수 x에 대하여 미분가능하려면 $x=1$에서
연속이고 미분가능해야 한다.
$x=1$에서 연속이어야 하므로

$\lim_{x \to 1-}(ax^2+5)=\lim_{x \to 1+}\ln bx=f(1)$에서
$a+5=\ln b$ $\quad \cdots\cdots$ ㉠
$f'(x)=\begin{cases} 2ax & (x<1) \\ \dfrac{1}{x} & (x>1) \end{cases}$ 에서 미분계수 $f'(1)$이 존재해야 하므로
$\lim_{x \to 1-}2ax=\lim_{x \to 1+}\dfrac{1}{x}$에서
$2a=1$ $\quad \therefore a=\dfrac{1}{2}$
$a=\dfrac{1}{2}$을 ㉠에 대입하면 $\ln b=\dfrac{11}{2}$
$\therefore b=e^{\frac{11}{2}}$
따라서 $\alpha=\dfrac{1}{2}$, $\beta=\dfrac{11}{2}$이므로
$2\alpha+4\beta=1+22=23$ $\qquad \qquad$ 답 23

090
$$\lim_{x \to 0} \frac{3\ln\{(1+x)(1+3x)(1+5x)(1+7x)\}}{e^{4x}+e^{2x}-2}$$

$$=3\lim_{x \to 0} \frac{\dfrac{\ln(1+x)+\ln(1+3x)+\ln(1+5x)+\ln(1+7x)}{4x}}{\dfrac{e^{4x}-1+e^{2x}-1}{4x}}$$

$$=3\lim_{x \to 0} \frac{\dfrac{\ln(1+x)}{4x}+\dfrac{\ln(1+3x)}{4x}+\dfrac{\ln(1+5x)}{4x}+\dfrac{\ln(1+7x)}{4x}}{\dfrac{e^{4x}-1}{4x}+\dfrac{1}{2} \times \dfrac{e^{2x}-1}{2x}}$$

$$=3 \times \frac{\dfrac{1}{4}+\dfrac{3}{4}+\dfrac{5}{4}+\dfrac{7}{4}}{1+\dfrac{1}{2}}$$

$$=3 \times \frac{8}{3}=8 \qquad \qquad \text{답 8}$$

참고
$$\lim_{x \to 0}\frac{\ln(1+ax)}{bx}=\lim_{x \to 0}\frac{\ln(1+ax)}{ax} \times \frac{a}{b}=\frac{a}{b}$$

091 함수 $f(x)$가 실수 전체의 집합에서 연속이려면 $x=1$에서 연속
이어야 하므로
$$\lim_{x \to 1}f(x)=f(1)$$
$$\therefore \lim_{x \to 1}\frac{e^{x-1}-ax^2}{1-x}=b \quad \cdots\cdots \text{㉠}$$
$x \to 1$일 때, (분모)$\to 0$이고 극한값이 존재하므로 (분자)$\to 0$
이어야 한다.
즉, $\lim_{x \to 1}(e^{x-1}-ax^2)=e^0-a=0$이므로 $a=1$
$a=1$을 ㉠에 대입하면
$$\lim_{x \to 1}\frac{e^{x-1}-x^2}{1-x}=b$$
$x-1=t$로 놓으면 $x \to 1$일 때, $t \to 0$이므로
$$\lim_{x \to 1}\frac{e^{x-1}-x^2}{1-x}=\lim_{t \to 0}\frac{e^t-(t+1)^2}{-t}$$
$$=\lim_{t \to 0}\frac{e^t-(t^2+2t+1)}{-t}$$
$$=\lim_{t \to 0}\left(-\frac{e^t-1}{t}+t+2\right)$$
$$=-1+2=1=b$$
$\therefore a+b=2$ $\qquad \qquad$ 답 ⑤

06 삼각함수의 미분

본책 073~086쪽

[001-003] $\overline{\text{OP}}=\sqrt{(-4)^2+3^2}=5$이므로 원의 반지름의 길이는 5이다.

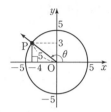

001 $\csc\theta=\dfrac{5}{3}$ 답 $\dfrac{5}{3}$

002 $\sec\theta=-\dfrac{5}{4}$ 답 $-\dfrac{5}{4}$

003 $\cot\theta=-\dfrac{4}{3}$ 답 $-\dfrac{4}{3}$

004 $1+\tan^2\theta=\sec^2\theta$이므로

$\sec^2\theta=1+\left(-\dfrac{3}{4}\right)^2=1+\dfrac{9}{16}=\dfrac{25}{16}$

$\therefore \sec\theta=\pm\dfrac{5}{4}$

그런데 θ가 제4사분면의 각이므로 $\sec\theta>0$

$\therefore \sec\theta=\dfrac{5}{4}$ 답 $\dfrac{5}{4}$

005 $1+\cot^2\theta=\csc^2\theta$에서 $\cot^2\theta=\csc^2\theta-1$이므로

$\cot^2\theta=\left(-\dfrac{5}{4}\right)^2-1=\dfrac{25}{16}-1=\dfrac{9}{16}$

$\therefore \cot\theta=\pm\dfrac{3}{4}$

그런데 θ가 제3사분면의 각이므로 $\cot\theta>0$

$\therefore \cot\theta=\dfrac{3}{4}$ 답 $\dfrac{3}{4}$

006 $(\sin\theta+\cos\theta)^2=\sin^2\theta+2\sin\theta\cos\theta+\cos^2\theta$

$=1+2\sin\theta\cos\theta=\dfrac{1}{4}$

$2\sin\theta\cos\theta=-\dfrac{3}{4}$

$\therefore \sin\theta\cos\theta=-\dfrac{3}{8}$ 답 $-\dfrac{3}{8}$

007 $(\sin\theta-\cos\theta)^2=\sin^2\theta-2\sin\theta\cos\theta+\cos^2\theta$

$=1-2\sin\theta\cos\theta$

$=1-2\times\left(-\dfrac{3}{8}\right)=\dfrac{7}{4}$

$\therefore \sin\theta-\cos\theta=\pm\dfrac{\sqrt{7}}{2}$

그런데 θ가 제2사분면의 각이므로

$\sin\theta>0$, $\cos\theta<0$에서 $\sin\theta-\cos\theta>0$

$\therefore \sin\theta-\cos\theta=\dfrac{\sqrt{7}}{2}$ 답 $\dfrac{\sqrt{7}}{2}$

008 $\sin75°=\sin(45°+30°)$

$=\sin45°\cos30°+\cos45°\sin30°$

$=\dfrac{\sqrt{2}}{2}\times\dfrac{\sqrt{3}}{2}+\dfrac{\sqrt{2}}{2}\times\dfrac{1}{2}$

$=\dfrac{\sqrt{6}+\sqrt{2}}{4}$ 답 $\dfrac{\sqrt{6}+\sqrt{2}}{4}$

009 $\cos15°=\cos(45°-30°)$

$=\cos45°\cos30°+\sin45°\sin30°$

$=\dfrac{\sqrt{2}}{2}\times\dfrac{\sqrt{3}}{2}+\dfrac{\sqrt{2}}{2}\times\dfrac{1}{2}$

$=\dfrac{\sqrt{6}+\sqrt{2}}{4}$ 답 $\dfrac{\sqrt{6}+\sqrt{2}}{4}$

010 $\tan105°=\tan(60°+45°)$

$=\dfrac{\tan60°+\tan45°}{1-\tan60°\tan45°}$

$=\dfrac{\sqrt{3}+1}{1-\sqrt{3}\times1}$

$=-2-\sqrt{3}$ 답 $-2-\sqrt{3}$

011 $\dfrac{\pi}{12}=15°$이므로

$\sin15°=\sin(60°-45°)$

$=\sin60°\cos45°-\cos60°\sin45°$

$=\dfrac{\sqrt{3}}{2}\times\dfrac{\sqrt{2}}{2}-\dfrac{1}{2}\times\dfrac{\sqrt{2}}{2}$

$=\dfrac{\sqrt{6}-\sqrt{2}}{4}$ 답 $\dfrac{\sqrt{6}-\sqrt{2}}{4}$

012 $\dfrac{7}{12}\pi=105°$이므로

$\cos105°=\cos(60°+45°)$

$=\cos60°\cos45°-\sin60°\sin45°$

$=\dfrac{1}{2}\times\dfrac{\sqrt{2}}{2}-\dfrac{\sqrt{3}}{2}\times\dfrac{\sqrt{2}}{2}$

$=\dfrac{\sqrt{2}-\sqrt{6}}{4}$ 답 $\dfrac{\sqrt{2}-\sqrt{6}}{4}$

013 $\dfrac{5}{12}\pi=75°$이므로

$\tan75°=\tan(45°+30°)$

$=\dfrac{\tan45°+\tan30°}{1-\tan45°\tan30°}$

$=\dfrac{1+\dfrac{1}{\sqrt{3}}}{1-1\times\dfrac{1}{\sqrt{3}}}$

$=\dfrac{\sqrt{3}+1}{\sqrt{3}-1}$

$=2+\sqrt{3}$ 답 $2+\sqrt{3}$

014 $\sin100°\cos80°+\cos100°\sin80°$

$=\sin(100°+80°)$

$=\sin180°$

$=0$ 답 0

015
$\cos 20° \cos 10° - \sin 20° \sin 10°$
$= \cos(20° + 10°)$
$= \cos 30°$
$= \dfrac{\sqrt{3}}{2}$ $\qquad$ 답 $\dfrac{\sqrt{3}}{2}$

016
$\dfrac{\tan 70° + \tan 50°}{1 - \tan 70° \tan 50°} = \tan(70° + 50°)$
$= \tan 120°$
$= -\sqrt{3}$ $\qquad$ 답 $-\sqrt{3}$

017
α는 제1사분면의 각이므로 $\cos \alpha > 0$
또 $\cos \alpha = \sqrt{1 - \sin^2 \alpha}$이므로
$\cos \alpha = \sqrt{1 - \left(\dfrac{1}{2}\right)^2}$
$= \dfrac{\sqrt{3}}{2}$ $\qquad$ 답 $\dfrac{\sqrt{3}}{2}$

018
β는 제1사분면의 각이므로 $\sin \beta > 0$
또 $\sin \beta = \sqrt{1 - \cos^2 \beta}$이므로
$\sin \beta = \sqrt{1 - \left(\dfrac{4}{5}\right)^2}$
$= \dfrac{3}{5}$ $\qquad$ 답 $\dfrac{3}{5}$

019
$\sin(\alpha + \beta) = \sin \alpha \cos \beta + \cos \alpha \sin \beta$
$= \dfrac{1}{2} \times \dfrac{4}{5} + \dfrac{\sqrt{3}}{2} \times \dfrac{3}{5}$
$= \dfrac{4 + 3\sqrt{3}}{10}$ $\qquad$ 답 $\dfrac{4 + 3\sqrt{3}}{10}$

020
$\sin(\alpha - \beta) = \sin \alpha \cos \beta - \cos \alpha \sin \beta$
$= \dfrac{1}{2} \times \dfrac{4}{5} - \dfrac{\sqrt{3}}{2} \times \dfrac{3}{5}$
$= \dfrac{4 - 3\sqrt{3}}{10}$ $\qquad$ 답 $\dfrac{4 - 3\sqrt{3}}{10}$

021
$\cos(\alpha + \beta) = \cos \alpha \cos \beta - \sin \alpha \sin \beta$
$= \dfrac{\sqrt{3}}{2} \times \dfrac{4}{5} - \dfrac{1}{2} \times \dfrac{3}{5}$
$= \dfrac{4\sqrt{3} - 3}{10}$ $\qquad$ 답 $\dfrac{4\sqrt{3} - 3}{10}$

022
$\cos(\alpha - \beta) = \cos \alpha \cos \beta + \sin \alpha \sin \beta$
$= \dfrac{\sqrt{3}}{2} \times \dfrac{4}{5} + \dfrac{1}{2} \times \dfrac{3}{5}$
$= \dfrac{4\sqrt{3} + 3}{10}$ $\qquad$ 답 $\dfrac{4\sqrt{3} + 3}{10}$

023
$\sqrt{(\sqrt{3})^2 + 1^2} = 2$이므로
$\sqrt{3} \sin \theta + \cos \theta = 2\left(\dfrac{\sqrt{3}}{2} \sin \theta + \dfrac{1}{2} \cos \theta\right)$
$= 2\left(\cos \dfrac{\pi}{6} \sin \theta + \sin \dfrac{\pi}{6} \cos \theta\right)$
$= 2 \sin\left(\theta + \dfrac{\pi}{6}\right)$ $\qquad$ 답 $2\sin\left(\theta + \dfrac{\pi}{6}\right)$

024
$\sqrt{1^2 + 1^2} = \sqrt{2}$이므로
$\sin \theta + \cos \theta = \sqrt{2}\left(\dfrac{1}{\sqrt{2}} \sin \theta + \dfrac{1}{\sqrt{2}} \cos \theta\right)$
$= \sqrt{2}\left(\cos \dfrac{\pi}{4} \sin \theta + \sin \dfrac{\pi}{4} \cos \theta\right)$
$= \sqrt{2} \sin\left(\theta + \dfrac{\pi}{4}\right)$ $\qquad$ 답 $\sqrt{2}\sin\left(\theta + \dfrac{\pi}{4}\right)$

025
$\sqrt{(-1)^2 + (-1)^2} = \sqrt{2}$이므로
$-\sin \theta - \cos \theta = \sqrt{2}\left(-\dfrac{1}{\sqrt{2}} \sin \theta - \dfrac{1}{\sqrt{2}} \cos \theta\right)$
$= \sqrt{2}\left(\cos \dfrac{5}{4}\pi \sin \theta + \sin \dfrac{5}{4}\pi \cos \theta\right)$
$= \sqrt{2} \sin\left(\theta + \dfrac{5}{4}\pi\right)$ $\qquad$ 답 $\sqrt{2}\sin\left(\theta + \dfrac{5}{4}\pi\right)$

026
$\sqrt{(\sqrt{2})^2 + (\sqrt{2})^2} = 2$이므로
$y = \sqrt{2} \sin \theta + \sqrt{2} \cos \theta$
$= 2\left(\dfrac{\sqrt{2}}{2} \sin \theta + \dfrac{\sqrt{2}}{2} \cos \theta\right)$
$= 2\left(\cos \dfrac{\pi}{4} \sin \theta + \sin \dfrac{\pi}{4} \cos \theta\right)$
$= 2 \sin\left(\theta + \dfrac{\pi}{4}\right)$
$-1 \leq \sin\left(\theta + \dfrac{\pi}{4}\right) \leq 1$이므로
$-2 \leq 2 \sin\left(\theta + \dfrac{\pi}{4}\right) \leq 2$
따라서 주기는 2π이고 최댓값은 2, 최솟값은 -2이다.
답 주기: 2π, 최댓값: 2, 최솟값: -2

027
$\sqrt{(\sqrt{3})^2 + (-1)^2} = 2$이므로
$y = \sqrt{3} \sin \theta - \cos \theta$
$= 2\left(\dfrac{\sqrt{3}}{2} \sin \theta - \dfrac{1}{2} \cos \theta\right)$
$= 2\left(\cos \dfrac{11}{6}\pi \sin \theta + \sin \dfrac{11}{6}\pi \cos \theta\right)$
$= 2 \sin\left(\theta + \dfrac{11}{6}\pi\right)$
$-1 \leq \sin\left(\theta + \dfrac{11}{6}\pi\right) \leq 1$이므로
$-2 \leq 2 \sin\left(\theta + \dfrac{11}{6}\pi\right) \leq 2$
따라서 주기는 2π이고 최댓값은 2, 최솟값은 -2이다.
답 주기: 2π, 최댓값: 2, 최솟값: -2

028
$\sqrt{1^2 + (-1)^2} = \sqrt{2}$이므로
$y = \sin \theta - \cos \theta$
$= \sqrt{2}\left(\dfrac{1}{\sqrt{2}} \sin \theta - \dfrac{1}{\sqrt{2}} \cos \theta\right)$
$= \sqrt{2}\left(\cos \dfrac{7}{4}\pi \sin \theta + \sin \dfrac{7}{4}\pi \cos \theta\right)$
$= \sqrt{2} \sin\left(\theta + \dfrac{7}{4}\pi\right)$
$-1 \leq \sin\left(\theta + \dfrac{7}{4}\pi\right) \leq 1$이므로
$-\sqrt{2} \leq \sqrt{2} \sin\left(\theta + \dfrac{7}{4}\pi\right) \leq \sqrt{2}$

따라서 주기는 2π이고 최댓값은 $\sqrt{2}$, 최솟값은 $-\sqrt{2}$이다.

📋 주기: 2π, 최댓값: $\sqrt{2}$, 최솟값: $-\sqrt{2}$

029

$\sqrt{\left(\dfrac{\sqrt{3}}{2}\right)^2+\left(\dfrac{1}{2}\right)^2}=1$이므로

$$y=\dfrac{\sqrt{3}}{2}\sin\theta+\dfrac{1}{2}\cos\theta$$

$$=\cos\dfrac{\pi}{6}\sin\theta+\sin\dfrac{\pi}{6}\cos\theta$$

$$=\sin\left(\theta+\dfrac{\pi}{6}\right)$$

따라서 $-1\le\sin\left(\theta+\dfrac{\pi}{6}\right)\le1$이므로 주기는 2π이고

최댓값은 1, 최솟값은 -1이다.

📋 주기: 2π, 최댓값: 1, 최솟값: -1

030 $\displaystyle\lim_{x\to 0}\sin x=\sin 0=0$ 📋 0

031

$$\lim_{x\to\frac{\pi}{4}}\cos 3x=\cos\dfrac{3}{4}\pi$$

$$=-\dfrac{\sqrt{2}}{2}$$ 📋 $-\dfrac{\sqrt{2}}{2}$

032

$$\lim_{x\to\frac{\pi}{3}}\dfrac{2\sin x}{\tan x}=\dfrac{2\sin\dfrac{\pi}{3}}{\tan\dfrac{\pi}{3}}$$

$$=\dfrac{2\times\dfrac{\sqrt{3}}{2}}{\sqrt{3}}=1$$ 📋 1

033

$$\lim_{x\to 0}\dfrac{\sin 3x}{x}=\lim_{x\to 0}3\times\dfrac{\sin 3x}{3x}$$

$$=3\times 1=3$$ 📋 3

034

$$\lim_{x\to 0}\dfrac{\sin x}{2x}=\lim_{x\to 0}\dfrac{1}{2}\times\dfrac{\sin x}{x}$$

$$=\dfrac{1}{2}\times 1=\dfrac{1}{2}$$ 📋 $\dfrac{1}{2}$

035

$$\lim_{x\to 0}\dfrac{x}{\sin 6x}=\lim_{x\to 0}\dfrac{1}{6}\times\dfrac{6x}{\sin 6x}$$

$$=\dfrac{1}{6}\times 1=\dfrac{1}{6}$$ 📋 $\dfrac{1}{6}$

036

$$\lim_{x\to 0}\dfrac{\sin 5x}{\sin 4x}=\lim_{x\to 0}\dfrac{\sin 5x}{5x}\times\dfrac{4x}{\sin 4x}\times\dfrac{5}{4}$$

$$=1\times 1\times\dfrac{5}{4}$$

$$=\dfrac{5}{4}$$ 📋 $\dfrac{5}{4}$

037

$$\lim_{x\to 0}\dfrac{\tan 2x}{x}=\lim_{x\to 0}2\times\dfrac{\tan 2x}{2x}$$

$$=2\times 1=2$$ 📋 2

038

$$\lim_{x\to 0}\dfrac{2x}{\tan 3x}=\lim_{x\to 0}\dfrac{2}{3}\times\dfrac{3x}{\tan 3x}$$

$$=\dfrac{2}{3}\times 1$$

$$=\dfrac{2}{3}$$ 📋 $\dfrac{2}{3}$

039

$$\lim_{x\to 0}\dfrac{\sin 2x+\tan x}{x}=\lim_{x\to 0}2\times\dfrac{\sin 2x}{2x}+\lim_{x\to 0}\dfrac{\tan x}{x}$$

$$=2\times 1+1=3$$ 📋 3

040

$$\lim_{x\to 0}\dfrac{\sin x}{\tan x}=\lim_{x\to 0}\dfrac{\sin x}{x}\times\dfrac{x}{\tan x}$$

$$=1\times 1=1$$ 📋 1

041

$$\lim_{x\to 0}\dfrac{\tan 8x}{\sin 4x}=\lim_{x\to 0}\dfrac{\tan 8x}{8x}\times\dfrac{4x}{\sin 4x}\times\dfrac{8}{4}$$

$$=1\times 1\times 2=2$$ 📋 2

042 분자와 분모에 각각 $1+\cos x$를 곱하면

$$\lim_{x\to 0}\dfrac{1-\cos x}{x}=\lim_{x\to 0}\dfrac{(1-\cos x)(1+\cos x)}{x(1+\cos x)}$$

$$=\lim_{x\to 0}\dfrac{1-\cos^2 x}{x(1+\cos x)}$$

$$=\lim_{x\to 0}\dfrac{\sin^2 x}{x(1+\cos x)}$$

$$=\lim_{x\to 0}\dfrac{\sin x}{x}\times\dfrac{\sin x}{1+\cos x}$$

$$=1\times\dfrac{0}{2}=0$$ 📋 0

043 $y'=(4\sin x)'=4\cos x$ 📋 $y'=4\cos x$

044

$$y'=(3x)'-(2\sin x)'$$

$$=3-2\cos x$$ 📋 $y'=3-2\cos x$

045 $y'=(5x^2)'+(2\cos x)'=10x-2\sin x$

📋 $y'=10x-2\sin x$

046 $y'=(3\sin x)'+(4\cos x)'=3\cos x-4\sin x$

📋 $y'=3\cos x-4\sin x$

047 $y'=(\cos x)'-(5\sin x)'=-\sin x-5\cos x$

📋 $y'=-\sin x-5\cos x$

048

$$y'=(\ln x)'-(\cos x)'$$

$$=\dfrac{1}{x}+\sin x$$ 📋 $y'=\dfrac{1}{x}+\sin x$

049

$$y'=(x)'\cos x+x(\cos x)'$$

$$=\cos x-x\sin x$$ 📋 $y'=\cos x-x\sin x$

050

$$y'=(x^2)'\sin x+x^2(\sin x)'$$

$$=2x\sin x+x^2\cos x$$ 📋 $y'=2x\sin x+x^2\cos x$

051
$$y' = (e^x)'\cos x + e^x(\cos x)'$$
$$= e^x\cos x - e^x\sin x$$
$$= e^x(\cos x - \sin x)$$
답 $y' = e^x(\cos x - \sin x)$

052
$$y' = (\sin x)'\cos x + \sin x(\cos x)'$$
$$= \cos x\cos x - \sin x\sin x$$
$$= \cos^2 x - \sin^2 x$$
답 $y' = \cos^2 x - \sin^2 x$

053 원점 O와 점 $\mathrm{P}(4, -3)$에 대하여
$x=4, y=-3, r=\sqrt{16+9}=5$이므로

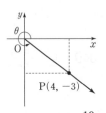

$$\cos\theta = \frac{x}{r} = \frac{4}{5}$$
$$\csc\theta = \frac{r}{y} = \frac{5}{-3}$$
$$\therefore \cos\theta + \csc\theta = \frac{4}{5} + \left(-\frac{5}{3}\right) = -\frac{13}{15}$$
답 $-\dfrac{13}{15}$

054 점 $\mathrm{P}(a, b)$는 직선 $y = -\dfrac{4}{3}x$ 위의 점이므로
$$b = -\frac{4}{3}a$$
$b > 0$이므로 $a < 0$
$$\therefore \overline{\mathrm{OP}} = \sqrt{a^2 + \frac{16}{9}a^2} = \sqrt{\frac{25}{9}a^2}$$
$$= \frac{5}{3}|a| = -\frac{5}{3}a$$
따라서
$$\csc\theta = \frac{-\frac{5}{3}a}{b} = \frac{-\frac{5}{3}a}{-\frac{4}{3}a} = \frac{5}{4},$$
$$\sec\theta = \frac{-\frac{5}{3}a}{a} = -\frac{5}{3}$$
이므로
$$\csc\theta\sec\theta = \frac{5}{4} \times \left(-\frac{5}{3}\right)$$
$$= -\frac{25}{12}$$
답 $-\dfrac{25}{12}$

055 x가 제4사분면의 각이므로
$\cos x > 0, \cot x < 0$
$$\therefore \cos x + \cot x + |\cos x| + \sqrt{\cot^2 x}$$
$$= \cos x + \cot x + |\cos x| + |\cot x|$$
$$= \cos x + \cot x + \cos x - \cot x$$
$$= 2\cos x$$
답 ④

056
$$\frac{\cos\theta}{1-\tan\theta} + \frac{\sin\theta}{1-\cot\theta} = \frac{\cos\theta}{\frac{\cos\theta-\sin\theta}{\cos\theta}} + \frac{\sin\theta}{\frac{\sin\theta-\cos\theta}{\sin\theta}}$$
$$= \frac{\cos^2\theta}{\cos\theta-\sin\theta} + \frac{\sin^2\theta}{\sin\theta-\cos\theta}$$
$$= \frac{\sin^2\theta-\cos^2\theta}{\sin\theta-\cos\theta}$$
$$= \frac{(\sin\theta+\cos\theta)(\sin\theta-\cos\theta)}{\sin\theta-\cos\theta}$$
$$= \sin\theta + \cos\theta$$
답 ⑤

057 $\tan\theta + \cot\theta = 2$에서 $\dfrac{\sin\theta}{\cos\theta} + \dfrac{\cos\theta}{\sin\theta} = 2$
$$\frac{\sin^2\theta + \cos^2\theta}{\cos\theta\sin\theta} = 2 \quad \therefore \sin\theta\cos\theta = \frac{1}{2}$$
$$\therefore \csc^2\theta + \sec^2\theta = \frac{1}{\sin^2\theta} + \frac{1}{\cos^2\theta}$$
$$= \frac{\cos^2\theta + \sin^2\theta}{\sin^2\theta\cos^2\theta}$$
$$= \frac{1}{(\sin\theta\cos\theta)^2} = 4$$
답 4

058 이차방정식 $x^2 + kx - 3 = 0$의 두 근이 $\csc\theta, \sec\theta$이므로
근과 계수의 관계에서
$$\csc\theta + \sec\theta = \frac{1}{\sin\theta} + \frac{1}{\cos\theta} = -k \quad\cdots\cdots\ \text{㉠}$$
$$\csc\theta\sec\theta = \frac{1}{\sin\theta} \times \frac{1}{\cos\theta} = -3$$
$$\therefore \sin\theta\cos\theta = -\frac{1}{3} \quad\cdots\cdots\ \text{㉡}$$
㉠에서
$$\frac{1}{\sin\theta} + \frac{1}{\cos\theta} = \frac{\sin\theta + \cos\theta}{\sin\theta\cos\theta}$$
$$= -3(\sin\theta + \cos\theta) = -k \ (\because \text{㉡})$$
$$\therefore k^2 = 9 \times (1 + 2\sin\theta\cos\theta) = 9 \times \frac{1}{3} = 3$$
답 3

059
$$\sin 125° \cos 55° + \cos 125° \sin 55°$$
$$= \sin(125° + 55°) = \sin 180° = 0$$
답 0

060 $\sin\alpha = \dfrac{3}{5}$이므로
$$\cos\alpha = \sqrt{1-\sin^2\alpha} = \sqrt{1-\left(\frac{3}{5}\right)^2} = \frac{4}{5}\left(\because 0 < \alpha < \frac{\pi}{2}\right)$$
$$\therefore \cos\left(\frac{\pi}{3} + \alpha\right) = \cos\frac{\pi}{3}\cos\alpha - \sin\frac{\pi}{3}\sin\alpha$$
$$= \frac{1}{2} \times \frac{4}{5} - \frac{\sqrt{3}}{2} \times \frac{3}{5}$$
$$= \frac{4-3\sqrt{3}}{10}$$
답 $\dfrac{4-3\sqrt{3}}{10}$

061 $0 < \alpha < \dfrac{\pi}{2}, 0 < \beta < \dfrac{\pi}{2}$이므로 $\cos\alpha > 0, \sin\beta > 0$
$$\cos\alpha = \sqrt{1-\sin^2\alpha} = \sqrt{1-\left(\frac{1}{2}\right)^2} = \frac{\sqrt{3}}{2}$$
$$\sin\beta = \sqrt{1-\cos^2\beta} = \sqrt{1-\left(\frac{\sqrt{2}}{2}\right)^2} = \frac{\sqrt{2}}{2}$$
$$\therefore \cos(\alpha+\beta) = \cos\alpha\cos\beta - \sin\alpha\sin\beta$$
$$= \frac{\sqrt{3}}{2} \times \frac{\sqrt{2}}{2} - \frac{1}{2} \times \frac{\sqrt{2}}{2}$$
$$= \frac{\sqrt{6}-\sqrt{2}}{4}$$
답 ④

062 이차방정식 $x^2 - 4x + 2 = 0$의 두 근이 $\tan\alpha, \tan\beta$이므로 근과
계수의 관계에서
$\tan\alpha + \tan\beta = 4, \tan\alpha\tan\beta = 2$
$$\therefore \tan(\alpha+\beta) = \frac{\tan\alpha + \tan\beta}{1 - \tan\alpha\tan\beta}$$
$$= \frac{4}{1-2} = -4$$
답 -4

063 $\overline{BD}=4\sqrt{3}$, $\overline{CD}=3$이므로

$\cos\alpha=\dfrac{4\sqrt{3}}{8}=\dfrac{\sqrt{3}}{2}$, $\cos\beta=\dfrac{3}{5}$

$\sin\alpha=\dfrac{4}{8}=\dfrac{1}{2}$, $\sin\beta=\dfrac{4}{5}$

$\therefore\cos(\alpha+\beta)=\cos\alpha\cos\beta-\sin\alpha\sin\beta$

$\qquad=\dfrac{\sqrt{3}}{2}\times\dfrac{3}{5}-\dfrac{1}{2}\times\dfrac{4}{5}$

$\qquad=\dfrac{3\sqrt{3}-4}{10}$ 　　　　답 ①

064

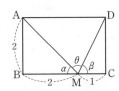

$\angle BMA=\alpha$, $\angle CMD=\beta$라 하면 $\theta=\pi-(\alpha+\beta)$이고
$\tan\alpha=1$, $\tan\beta=2$

$\therefore\tan\theta=\tan\{\pi-(\alpha+\beta)\}$

$\qquad=-\tan(\alpha+\beta)$

$\qquad=-\dfrac{\tan\alpha+\tan\beta}{1-\tan\alpha\tan\beta}$

$\qquad=-\dfrac{1+2}{1-1\times2}=3$ 　　　　답 3

065 두 직선 $y=\dfrac{1}{2}x$, $y=4x$가 x축의 양의 방향과 이루는 각의 크기를 각각 α, β라 하면

$\tan\alpha=\dfrac{1}{2}$, $\tan\beta=4$

두 직선이 이루는 예각의 크기는 $\beta-\alpha$이므로

$\tan\theta=\tan(\beta-\alpha)$

$\qquad=\dfrac{\tan\beta-\tan\alpha}{1+\tan\beta\tan\alpha}$

$\qquad=\dfrac{4-\dfrac{1}{2}}{1+4\times\dfrac{1}{2}}$

$\qquad=\dfrac{7}{6}$ 　　　　답 $\dfrac{7}{6}$

066 두 직선 $y=2x-1$, $y=ax+1$이 x축의 양의 방향과 이루는 각의 크기를 각각 α, β라 하면
$\tan\alpha=2$, $\tan\beta=a$
$\alpha-\beta=45°$ $(\because 0<a<2)$이므로

$\tan(\alpha-\beta)=\dfrac{\tan\alpha-\tan\beta}{1+\tan\alpha\tan\beta}$

$\qquad=\dfrac{2-a}{1+2a}=\tan45°$

즉, $\dfrac{2-a}{1+2a}=1$이므로

$2-a=1+2a$

$\therefore a=\dfrac{1}{3}$ 　　　　답 $\dfrac{1}{3}$

067 두 직선 $y=\dfrac{1}{2}x$, $y=3x$가 x축의 양의 방향과 이루는 각의 크기를 각각 α, β라 하면

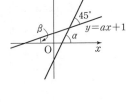

$\tan\alpha=\dfrac{1}{2}$, $\tan\beta=3$

$\angle AOB=\theta$라 하면

$\theta=\beta-\alpha$이므로

$\tan\theta=\tan(\beta-\alpha)$

$\qquad=\dfrac{\tan\beta-\tan\alpha}{1+\tan\beta\tan\alpha}$

$\qquad=\dfrac{3-\dfrac{1}{2}}{1+3\times\dfrac{1}{2}}=1$

따라서 $\theta=\dfrac{\pi}{4}$이므로

$\overline{AB}=\overline{OA}\sin\dfrac{\pi}{4}=2\times\dfrac{\sqrt{2}}{2}=\sqrt{2}$ 　　　　답 ③

068 $f(x)=5+4\sin x-3\cos x$

$\qquad=5+5\left(\dfrac{4}{5}\sin x-\dfrac{3}{5}\cos x\right)$

$\qquad=5+5(\cos\alpha\sin x+\sin\alpha\cos x)$

$\qquad=5+5\sin(x+\alpha)$ $\left(단, \cos\alpha=\dfrac{4}{5}, \sin\alpha=-\dfrac{3}{5}\right)$

즉, 함수 $f(x)$의 주기는 2π이고,
$-1\le\sin(x+\alpha)\le1$에서 $0\le5+5\sin(x+\alpha)\le10$이므로
최댓값은 10, 최솟값은 0이다.
따라서 옳은 것은 ㄱ, ㄴ이다. 　　　　답 ②

069 $f(x)=a\sin x+\cos x$

$\qquad=\sqrt{a^2+1}\left(\dfrac{a}{\sqrt{a^2+1}}\sin x+\dfrac{1}{\sqrt{a^2+1}}\cos x\right)$

$\qquad=\sqrt{a^2+1}(\cos\theta\sin x+\sin\theta\cos x)$

$\qquad=\sqrt{a^2+1}\sin(x+\theta)$

$\qquad\left(단, \cos\theta=\dfrac{a}{\sqrt{a^2+1}}, \sin\theta=\dfrac{1}{\sqrt{a^2+1}}\right)$

즉, $\sin(x+\theta)=1$일 때, $f(x)$의 최댓값은 $\sqrt{a^2+1}$이므로
$\sqrt{a^2+1}=3$
$\therefore a=2\sqrt{2}$ $(\because a>0)$ 　　　　답 $2\sqrt{2}$

070 $2\overline{AB}=20\cos\theta$, $\overline{BC}=10\sin\theta$

$\therefore 2\overline{AB}+\overline{BC}=20\cos\theta+10\sin\theta$

$\qquad=10\sqrt{5}\left(\dfrac{2}{\sqrt{5}}\cos\theta+\dfrac{1}{\sqrt{5}}\sin\theta\right)$

$\qquad=10\sqrt{5}(\sin\alpha\cos\theta+\cos\alpha\sin\theta)$

$\qquad=10\sqrt{5}\sin(\theta+\alpha)$

$\qquad\left(단, \sin\alpha=\dfrac{2}{\sqrt{5}}, \cos\alpha=\dfrac{1}{\sqrt{5}}\right)$

따라서 $2\overline{AB}+\overline{BC}$의 최댓값은 $10\sqrt{5}$이다. 　　　　답 $10\sqrt{5}$

071 $\displaystyle\lim_{x\to0}\dfrac{\sin6x}{ax}=\lim_{x\to0}\dfrac{\sin6x}{6x}\times\dfrac{6}{a}$

$\qquad=\dfrac{6}{a}=3$

$\therefore a=2$ 　　　　답 ②

072 $\displaystyle\lim_{x\to 0}\frac{\sin(3x^3+5x^2+4x)}{2x^3+2x^2+x}$

$\displaystyle=\lim_{x\to 0}\frac{\sin(3x^3+5x^2+4x)}{3x^3+5x^2+4x}\times\frac{3x^3+5x^2+4x}{2x^3+2x^2+x}$

$\displaystyle=\lim_{x\to 0}\frac{\sin(3x^3+5x^2+4x)}{3x^3+5x^2+4x}\times\frac{3x^2+5x+4}{2x^2+2x+1}$

$=1\times 4=4$ 답 4

073 $f(g(x))=f(\sin x)=5\sin x$

$g(f(x))=g(5x)=\sin 5x$

$\displaystyle\therefore \lim_{x\to 0}\frac{f(g(x))}{g(f(x))}=\lim_{x\to 0}\frac{5\sin x}{\sin 5x}$

$\displaystyle\qquad\qquad\qquad=\lim_{x\to 0}\frac{\sin x}{x}\times\frac{5x}{\sin 5x}$

$\displaystyle\qquad\qquad\qquad=1\times 1=1$ 답 1

074 $x\to 0$일 때, (분자)$\to 0$이고 0이 아닌 극한값이 존재하므로
(분모)$\to 0$이어야 한다.

즉, $\displaystyle\lim_{x\to 0}(\sqrt{ax+b}-2)=0$에서 $\sqrt{b}-2=0$

$\therefore b=4$

$\displaystyle\lim_{x\to 0}\frac{\sin 3x}{\sqrt{ax+b}-2}=\lim_{x\to 0}\frac{\sin 3x}{\sqrt{ax+4}-2}$

$\displaystyle\qquad\qquad\qquad=\lim_{x\to 0}\frac{\sin 3x(\sqrt{ax+4}+2)}{(ax+4)-4}$

$\displaystyle\qquad\qquad\qquad=\lim_{x\to 0}\frac{\sin 3x}{3x}\times\frac{3}{a}(\sqrt{ax+4}+2)$

$\displaystyle\qquad\qquad\qquad=1\times\frac{3}{a}\times 4=4$

$\therefore a=3$

$\therefore a+b=3+4=7$ 답 7

075 $\dfrac{1}{x}=t$로 놓으면 $x\to\infty$일 때, $t\to 0$이므로

$\displaystyle\lim_{x\to\infty}x\sin\frac{3}{x}=\lim_{t\to 0}\frac{1}{t}\sin 3t$

$\displaystyle\qquad\qquad\quad=\lim_{t\to 0}\frac{\sin 3t}{3t}\times 3$

$\displaystyle\qquad\qquad\quad=1\times 3=3$ 답 3

076 $\dfrac{3k}{x+k}=t$로 놓으면 $x\to\infty$일 때, $t\to 0$이므로

$\displaystyle\lim_{x\to\infty}x\sin\frac{3k}{x+k}=\lim_{t\to 0}\frac{k(3-t)}{t}\times\sin t$

$\displaystyle\qquad\qquad\qquad=\lim_{t\to 0}\frac{\sin t}{t}\times k(3-t)$

$\displaystyle\qquad\qquad\qquad=1\times 3k=3k$ 답 ⑤

077 $\displaystyle\lim_{x\to 0}\frac{\tan 3x+\tan 5x}{2x}$

$\displaystyle=\lim_{x\to 0}\left(\frac{\tan 3x}{2x}+\frac{\tan 5x}{2x}\right)$

$\displaystyle=\lim_{x\to 0}\left(\frac{\tan 3x}{3x}\times\frac{3}{2}+\frac{\tan 5x}{5x}\times\frac{5}{2}\right)$

$=1\times\dfrac{3}{2}+1\times\dfrac{5}{2}=4$ 답 4

078 $\displaystyle\lim_{x\to 0}\frac{\tan(2x^2+x)}{\sin(x^2+2x)}$

$\displaystyle=\lim_{x\to 0}\frac{\tan(2x^2+x)}{2x^2+x}\times\frac{x^2+2x}{\sin(x^2+2x)}\times\frac{2x^2+x}{x^2+2x}$

$\displaystyle=\lim_{x\to 0}\frac{\tan(2x^2+x)}{2x^2+x}\times\frac{x^2+2x}{\sin(x^2+2x)}\times\frac{2x+1}{x+2}$

$=1\times 1\times\dfrac{1}{2}$

$=\dfrac{1}{2}$ 답 ②

079 $\displaystyle\lim_{x\to 0}\frac{\sin x}{2x+\tan x}=\lim_{x\to 0}\frac{\dfrac{\sin x}{x}}{2+\dfrac{\tan x}{x}}$

$\displaystyle\qquad\qquad\qquad=\frac{1}{2+1}$

$\displaystyle\qquad\qquad\qquad=\frac{1}{3}$ 답 $\dfrac{1}{3}$

080 $\displaystyle\lim_{x\to 0}\frac{\tan\left(\sin\dfrac{\pi}{2}x\right)}{x}$

$\displaystyle=\lim_{x\to 0}\frac{\tan\left(\sin\dfrac{\pi}{2}x\right)}{\sin\dfrac{\pi}{2}x}\times\frac{\sin\dfrac{\pi}{2}x}{x}$

$\displaystyle=\lim_{x\to 0}\frac{\tan\left(\sin\dfrac{\pi}{2}x\right)}{\sin\dfrac{\pi}{2}x}\times\frac{\sin\dfrac{\pi}{2}x}{\dfrac{\pi}{2}x}\times\frac{\pi}{2}$

$=1\times 1\times\dfrac{\pi}{2}$

$=\dfrac{\pi}{2}$ 답 ①

081 $\dfrac{1}{x}=t$로 놓으면 $x\to\infty$일 때, $t\to 0$이므로

$\displaystyle\lim_{x\to\infty}x\tan\frac{2}{x}=\lim_{t\to 0}\frac{1}{t}\tan 2t$

$\displaystyle\qquad\qquad\quad=\lim_{t\to 0}\frac{\tan 2t}{2t}\times 2$

$\displaystyle\qquad\qquad\quad=1\times 2=2$ 답 2

082 $x\to 0$일 때, (분자)$\to 0$이고 0이 아닌 극한값이 존재하므로
(분모)$\to 0$이어야 한다.

즉, $\displaystyle\lim_{x\to 0}\tan(ax+b)=0$에서 $\tan b=0$

$0\le b<\pi$이므로 $b=0$

$\displaystyle\lim_{x\to 0}\frac{\sin x}{\tan(ax+b)}=\lim_{x\to 0}\frac{\sin x}{\tan ax}$

$\displaystyle\qquad\qquad\qquad=\lim_{x\to 0}\frac{\sin x}{x}\times\frac{ax}{\tan ax}\times\frac{1}{a}$

$\displaystyle\qquad\qquad\qquad=1\times 1\times\frac{1}{a}$

$\displaystyle\qquad\qquad\qquad=\frac{1}{3}$

$\therefore a=3$

$\therefore a-b=3-0=3$ 답 3

083

$$\lim_{x \to 0} \frac{1-\cos x}{x \sin x} = \lim_{x \to 0} \frac{(1-\cos x)(1+\cos x)}{x \sin x (1+\cos x)}$$

$$= \lim_{x \to 0} \frac{1-\cos^2 x}{x \sin x (1+\cos x)}$$

$$= \lim_{x \to 0} \frac{\sin^2 x}{x \sin x (1+\cos x)}$$

$$= \lim_{x \to 0} \frac{\sin x}{x (1+\cos x)}$$

$$= \lim_{x \to 0} \frac{\sin x}{x} \times \frac{1}{1+\cos x}$$

$$= 1 \times \frac{1}{2} = \frac{1}{2} \qquad \boxed{\text{답}} \ ③$$

084

$$\lim_{x \to 0} \frac{\sin(1-\cos 2x)}{2x^2}$$

$$= \lim_{x \to 0} \frac{\sin(1-\cos 2x)}{1-\cos 2x} \times \frac{1-\cos 2x}{2x^2}$$

$$= \lim_{x \to 0} \frac{\sin(1-\cos 2x)}{1-\cos 2x} \times \frac{(1-\cos 2x)(1+\cos 2x)}{2x^2(1+\cos 2x)}$$

$$= \lim_{x \to 0} \frac{\sin(1-\cos 2x)}{1-\cos 2x} \times \frac{1-\cos^2 2x}{2x^2(1+\cos 2x)}$$

$$= \lim_{x \to 0} \frac{\sin(1-\cos 2x)}{1-\cos 2x} \times \frac{\sin^2 2x}{2x^2(1+\cos 2x)}$$

$$= \lim_{x \to 0} \frac{\sin(1-\cos 2x)}{1-\cos 2x} \times \left(\frac{\sin 2x}{2x}\right)^2 \times \frac{2}{1+\cos 2x}$$

$$= 1 \times 1^2 \times \frac{2}{2} = 1 \qquad \boxed{\text{답}} \ 1$$

085

$$\lim_{x \to \frac{\pi}{2}} \frac{\sec x - \tan x}{x - \frac{\pi}{2}} = \lim_{x \to \frac{\pi}{2}} \frac{\frac{1}{\cos x} - \frac{\sin x}{\cos x}}{x - \frac{\pi}{2}}$$

$$= \lim_{x \to \frac{\pi}{2}} \frac{1-\sin x}{\left(x - \frac{\pi}{2}\right)\cos x}$$

$x - \dfrac{\pi}{2} = t$로 놓으면 $x \to \dfrac{\pi}{2}$일 때, $t \to 0$이므로

$$\lim_{x \to \frac{\pi}{2}} \frac{1-\sin x}{\left(x - \frac{\pi}{2}\right)\cos x} = \lim_{t \to 0} \frac{1-\sin\left(\frac{\pi}{2}+t\right)}{t\cos\left(\frac{\pi}{2}+t\right)}$$

$$= \lim_{t \to 0} \frac{1-\cos t}{-t \sin t}$$

$$= \lim_{t \to 0} \frac{1-\cos^2 t}{-t \sin t (1+\cos t)}$$

$$= \lim_{t \to 0} \frac{\sin^2 t}{-t \sin t (1+\cos t)}$$

$$= \lim_{t \to 0} \frac{\sin t}{t} \times \frac{-1}{1+\cos t}$$

$$= 1 \times \left(-\frac{1}{2}\right) = -\frac{1}{2} \qquad \boxed{\text{답}} \ -\frac{1}{2}$$

086 삼각형 ABC에서 $\overline{CA} = 6\tan\theta$

$\triangle ABC \infty \triangle HAC$이므로 $\angle CAH = \theta$

따라서 삼각형 HAC에서 $\overline{CH} = \overline{CA}\sin\theta = 6\tan\theta\sin\theta$

$$\therefore \lim_{\theta \to 0} \frac{\overline{CH}}{\theta^2} = \lim_{\theta \to 0} \frac{6\tan\theta\sin\theta}{\theta^2}$$

$$= \lim_{\theta \to 0} 6 \times \frac{\tan\theta}{\theta} \times \frac{\sin\theta}{\theta} = 6 \qquad \boxed{\text{답}} \ ③$$

087 $\angle BOP = \theta$이므로

$$\triangle BOP = \frac{1}{2} \times 1 \times 1 \times \sin\theta = \frac{1}{2}\sin\theta$$

$$\overparen{PB} = 1 \times \theta = \theta$$

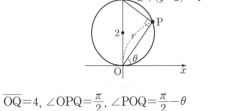

점 P가 호 AB를 따라 점 B에 한없이
가까워질 때, $\theta \to 0$이므로

$$\lim_{\theta \to 0} \frac{l(\theta)}{S(\theta)} = \lim_{\theta \to 0} \frac{\overparen{PB}}{\triangle BOP} = \lim_{\theta \to 0} \frac{\theta}{\frac{1}{2}\sin\theta}$$

$$= \lim_{\theta \to 0} 2 \times \frac{\theta}{\sin\theta} = 2 \qquad \boxed{\text{답}} \ 2$$

088 점 $(0, 4)$를 Q라 하면

$\overline{OQ} = 4$, $\angle OPQ = \dfrac{\pi}{2}$, $\angle POQ = \dfrac{\pi}{2} - \theta$

이므로 직각삼각형 OPQ에서 $r = \overline{OQ}\cos\left(\dfrac{\pi}{2} - \theta\right) = 4\sin\theta$

$$\therefore \lim_{\theta \to 0} \frac{r}{\theta} = \lim_{\theta \to 0} \frac{4\sin\theta}{\theta} = 4 \qquad \boxed{\text{답}} \ 4$$

089 삼각형 OPQ에서 $\overline{OP} = 30\cos\theta$, $\overline{OQ} = 30\sin\theta$이므로
삼각형 OPQ의 넓이는

$$\frac{1}{2} \times 30\sin\theta \times 30\cos\theta$$

$$= \frac{1}{2} \times (30 + 30\sin\theta + 30\cos\theta) \times r(\theta)$$

$$\therefore r(\theta) = \frac{30\sin\theta \times 30\cos\theta}{30 + 30\sin\theta + 30\cos\theta}$$

$$= \frac{30\sin\theta\cos\theta}{\sin\theta + \cos\theta + 1}$$

$$\therefore \lim_{\theta \to 0+} \frac{r(\theta)}{\theta} = \lim_{\theta \to 0+} \frac{30\cos\theta}{\sin\theta + \cos\theta + 1} \times \frac{\sin\theta}{\theta}$$

$$= \frac{30}{2} \times 1 = 15 \qquad \boxed{\text{답}} \ 15$$

090 두 선분 OA와 PQ의 교점을 M이라 하면 $\overline{PM} = 4\sin\theta$

$\overline{AM} = \overline{OA} - \overline{OM} = 4 - 4\cos\theta$

$$\therefore f(\theta) = \frac{1}{2} \times 2\overline{PM} \times \overline{AM}$$

$$= 4\sin\theta(4 - 4\cos\theta)$$

$$= 16\sin\theta(1 - \cos\theta)$$

$$\therefore \lim_{\theta \to 0+} \frac{f(\theta)}{\theta^3} = \lim_{\theta \to 0+} \frac{16\sin\theta(1 - \cos\theta)}{\theta^3}$$

$$= \lim_{\theta \to 0+} \frac{16\sin\theta(1 - \cos^2\theta)}{\theta^3(1 + \cos\theta)}$$

$$= \lim_{\theta \to 0+} \frac{16\sin^3\theta}{\theta^3(1 + \cos\theta)}$$

$$= \lim_{\theta \to 0+} \left(\frac{\sin\theta}{\theta}\right)^3 \times \frac{16}{1 + \cos\theta}$$

$$= 1^3 \times \frac{16}{2} = 8 \qquad \boxed{\text{답}} \ 8$$

091 함수 $f(x)$가 $x=2$에서 연속이므로

$\lim\limits_{x \to 2} f(x) = f(2)$에서 $\lim\limits_{x \to 2} \dfrac{\sin 3(x-2)}{x-2} = a$

$x-2=t$로 놓으면 $x \to 2$일 때, $t \to 0$이므로

$$\lim_{x \to 2} \frac{\sin 3(x-2)}{x-2} = \lim_{t \to 0} \frac{\sin 3t}{t}$$
$$= \lim_{t \to 0} \frac{\sin 3t}{3t} \times 3 = 3$$

$\therefore a = 3$　　　　　　　　　　　　　　　답 ③

092 함수 $f(x)$가 $x=1$에서 연속이어야 하므로

$\lim\limits_{x \to 1} f(x) = f(1)$에서 $\lim\limits_{x \to 1} \dfrac{x^3 + ax^2 - x - 2}{\tan(x^2-1)} = b$

$x \to 1$일 때, (분모)$\to 0$이고 극한값이 존재하므로 (분자)$\to 0$
이어야 한다.

즉, $\lim\limits_{x \to 1} (x^3 + ax^2 - x - 2) = 0$에서

$1 + a - 1 - 2 = 0$

$\therefore a = 2$

$x-1=t$로 놓으면 $x \to 1$일 때, $t \to 0$이므로

$$\lim_{x \to 1} \frac{x^3 + 2x^2 - x - 2}{\tan(x^2-1)}$$
$$= \lim_{x \to 1} \frac{(x-1)(x+1)(x+2)}{\tan(x-1)(x+1)}$$
$$= \lim_{t \to 0} \frac{t(t+2)(t+3)}{\tan t(t+2)}$$
$$= \lim_{t \to 0} \frac{t(t+2)}{\tan t(t+2)} \times (t+3)$$
$$= 3 = b$$

$\therefore a + b = 2 + 3 = 5$　　　　　　　　　　답 5

093 함수 $f(x)$가 $x=0$에서 연속이므로

$\lim\limits_{x \to 0} f(x) = f(0)$에서

$\lim\limits_{x \to 0} \dfrac{e^x - \sin 2x - a}{3x} = b$

$x \to 0$일 때, (분모)$\to 0$이고 극한값이 존재하므로 (분자)$\to 0$
이어야 한다.

즉, $\lim\limits_{x \to 0}(e^x - \sin 2x - a) = 0$에서 $1 - a = 0$

$\therefore a = 1$

$$\lim_{x \to 0} \frac{e^x - \sin 2x - 1}{3x} = \lim_{x \to 0} \frac{1}{3}\left(\frac{e^x - 1}{x} - 2 \times \frac{\sin 2x}{2x}\right)$$
$$= \frac{1}{3}(1-2)$$
$$= -\frac{1}{3} = b$$

$\therefore a + b = 1 + \left(-\dfrac{1}{3}\right) = \dfrac{2}{3}$　　　　　답 $\dfrac{2}{3}$

094 $f(x) = \cos x$로 놓으면 $f'(x) = -\sin x$

따라서 점 $\left(\dfrac{\pi}{3}, \dfrac{1}{2}\right)$에서의 접선의 기울기는

$$f'\left(\frac{\pi}{3}\right) = -\sin\frac{\pi}{3}$$
$$= -\frac{\sqrt{3}}{2}$$　　　　　　　　　　답 ①

095 $f(x) = e^x(3\cos x - 5)$에서

$$f'(x) = e^x(3\cos x - 5) + e^x(-3\sin x)$$
$$= e^x(3\cos x - 3\sin x - 5)$$

$\therefore f'(0) = -2$　　　　　　　　　　　답 -2

096 $f(x) = x\cos x$에서 $f'(x) = \cos x - x\sin x$

$$\therefore \lim_{h \to 0} \frac{f(\pi + 3h) - f(\pi)}{h}$$
$$= \lim_{h \to 0} \frac{f(\pi + 3h) - f(\pi)}{3h} \times 3$$
$$= 3f'(\pi)$$
$$= 3(\cos \pi - \pi\sin \pi)$$
$$= -3$　　　　　　　　　　　　　답 -3

097 $f(x) = \lim\limits_{h \to 0} \dfrac{x\sin(x+h) - x\sin x}{2h}$

$$= \frac{x}{2}\lim_{h \to 0} \frac{\sin(x+h) - \sin x}{h}$$
$$= \frac{x}{2}(\sin x)'$$
$$= \frac{x}{2}\cos x$$

이므로

$f'(x) = \dfrac{1}{2}\cos x - \dfrac{x}{2}\sin x$

$\therefore f'(\pi) = \dfrac{1}{2}\cos \pi - \dfrac{\pi}{2}\sin \pi = -\dfrac{1}{2}$　　답 $-\dfrac{1}{2}$

098 $f'(0) = \lim\limits_{h \to 0} \dfrac{f(h) - f(0)}{h}$

$$= \lim_{h \to 0} \frac{3\sin h + h^2\cos\dfrac{1}{h} - 0}{h}$$
$$= 3\lim_{h \to 0} \frac{\sin h}{h} + \lim_{h \to 0} h\cos\frac{1}{h}$$

$-|h| \leq h\cos\dfrac{1}{h} \leq |h|$이고, $\lim\limits_{h \to 0}|h| = 0$이므로

$\lim\limits_{h \to 0} h\cos\dfrac{1}{h} = 0$

$\therefore f'(0) = 3 \times 1 + 0 = 3$　　　　　　答 3

099 $f(x) = \begin{cases} ax+1 & (x<0) \\ \sin x + b & (x \geq 0) \end{cases}$에서

$f'(x) = \begin{cases} a & (x<0) \\ \cos x & (x>0) \end{cases}$

함수 $f(x)$가 $x=0$에서 미분가능하므로 $x=0$에서 연속이고,
$f'(0)$이 존재한다.

(i) $x=0$에서 연속이므로

　　$\lim\limits_{x \to 0-}(ax+1) = \lim\limits_{x \to 0+}(\sin x + b) = f(0)$

　　$\therefore b = 1$

(ii) $f'(0)$이 존재하므로

　　$\lim\limits_{x \to 0-} a = \lim\limits_{x \to 0+}\cos x$

　　$\therefore a = 1$

(i), (ii)에서 $a + b = 1 + 1 = 2$　　　　　　답 ②

100 이차방정식 $3x^2 - x + k = 0$의 두 근이 $\sin\theta$, $\cos\theta$이므로 근과 계수의 관계에서

$\sin\theta + \cos\theta = \dfrac{1}{3}$ ······㉠

$\sin\theta\cos\theta = \dfrac{k}{3}$

㉠의 양변을 제곱하면

$1 + 2\sin\theta\cos\theta = \dfrac{1}{9}$

$\therefore \sin\theta\cos\theta = -\dfrac{4}{9}$ ······㉡

즉, $\dfrac{k}{3} = -\dfrac{4}{9}$이므로

$k = -\dfrac{4}{3}$

한편, 이차방정식 $ax^2 + bx + 8 = 0$의 두 근이 $\tan\theta$, $\cot\theta$이므로 근과 계수의 관계에서

$\tan\theta + \cot\theta = -\dfrac{b}{a}$ ······㉢

$\tan\theta\cot\theta = \dfrac{8}{a}$

$1 = \dfrac{8}{a}$ $\therefore a = 8$

㉢에서

$\tan\theta + \cot\theta = \dfrac{\sin\theta}{\cos\theta} + \dfrac{\cos\theta}{\sin\theta}$

$= \dfrac{\sin^2\theta + \cos^2\theta}{\sin\theta\cos\theta}$

$= -\dfrac{9}{4} \,(\because ㉡)$

즉, $-\dfrac{b}{a} = -\dfrac{9}{4}$이므로

$b = \dfrac{9}{4}a = \dfrac{9}{4} \times 8 = 18$

$\therefore abk = 8 \times 18 \times \left(-\dfrac{4}{3}\right) = -192$ 　　답 -192

101 $\sin\alpha + \cos\beta = \dfrac{1}{2}$의 양변을 제곱하면

$\sin^2\alpha + 2\sin\alpha\cos\beta + \cos^2\beta = \dfrac{1}{4}$ ······㉠

$\sin\beta + \cos\alpha = \dfrac{\sqrt{2}}{2}$의 양변을 제곱하면

$\sin^2\beta + 2\sin\beta\cos\alpha + \cos^2\alpha = \dfrac{1}{2}$ ······㉡

$\cos^2\alpha + \sin^2\alpha = 1$, $\cos^2\beta + \sin^2\beta = 1$이므로

㉠+㉡을 하면

$2 + 2(\sin\alpha\cos\beta + \cos\alpha\sin\beta) = \dfrac{3}{4}$

$\sin\alpha\cos\beta + \cos\alpha\sin\beta = -\dfrac{5}{8}$

$\therefore \sin(\alpha + \beta) = \sin\alpha\cos\beta + \cos\alpha\sin\beta$

$= -\dfrac{5}{8}$ 　　답 ①

102 삼각형 ABC에서

$\overline{AC} = \sqrt{10^2 - 6^2} = 8$

$\therefore \sin\alpha = \dfrac{4}{5}$, $\cos\alpha = \dfrac{3}{5}$

삼각형 DBC는 직각이등변삼각형이므로

$\sin\beta = \dfrac{\sqrt{2}}{2}$, $\cos\beta = \dfrac{\sqrt{2}}{2}$

$\therefore \sin(\alpha + \beta) = \sin\alpha\cos\beta + \cos\alpha\sin\beta$

$= \dfrac{4}{5} \times \dfrac{\sqrt{2}}{2} + \dfrac{3}{5} \times \dfrac{\sqrt{2}}{2}$

$= \dfrac{7\sqrt{2}}{10}$ 　　답 $\dfrac{7\sqrt{2}}{10}$

103 $f(x) = 2\sin x - 2\sin\left(x + \dfrac{4}{3}\pi\right)$

$= 2\sin x - 2\left(\sin x\cos\dfrac{4}{3}\pi + \cos x\sin\dfrac{4}{3}\pi\right)$

$= 2\sin x - 2\left\{\sin x \times \left(-\dfrac{1}{2}\right) + \cos x \times \left(-\dfrac{\sqrt{3}}{2}\right)\right\}$

$= 2\sin x + \sin x + \sqrt{3}\cos x$

$= 3\sin x + \sqrt{3}\cos x$

$= 2\sqrt{3}\left(\dfrac{\sqrt{3}}{2}\sin x + \dfrac{1}{2}\cos x\right)$

$= 2\sqrt{3}\left(\cos\dfrac{\pi}{6}\sin x + \sin\dfrac{\pi}{6}\cos x\right)$

$= 2\sqrt{3}\sin\left(x + \dfrac{\pi}{6}\right)$

즉, 함수 $f(x)$의 주기는 2π이고,

$-1 \leq \sin\left(x + \dfrac{\pi}{6}\right) \leq 1$에서

$-2\sqrt{3} \leq 2\sqrt{3}\sin\left(x + \dfrac{\pi}{6}\right) \leq 2\sqrt{3}$

이므로 최댓값은 $2\sqrt{3}$이다.

따라서 $a = 2$, $b = 2\sqrt{3}$이므로

$a^2 + b^2 = 16$ 　　답 16

104 $\displaystyle\lim_{x\to 0}\dfrac{x}{\sin x + \sin 2x + \cdots + \sin nx}$

$= \displaystyle\lim_{x\to 0}\dfrac{1}{\dfrac{\sin x + \sin 2x + \cdots + \sin nx}{x}}$

$= \displaystyle\lim_{x\to 0}\dfrac{1}{\dfrac{\sin x}{x} + \dfrac{\sin 2x}{2x} \times 2 + \cdots + \dfrac{\sin nx}{nx} \times n}$

$= \dfrac{1}{1 + 2 + \cdots + n} = \dfrac{2}{n(n+1)}$

$\therefore \displaystyle\sum_{n=1}^{\infty}\lim_{x\to 0}\dfrac{x}{\sin x + \sin 2x + \cdots + \sin nx}$

$= \displaystyle\sum_{n=1}^{\infty}\dfrac{2}{n(n+1)} = \lim_{n\to\infty}\sum_{k=1}^{n}\dfrac{2}{k(k+1)}$

$= 2\displaystyle\lim_{n\to\infty}\sum_{k=1}^{n}\left(\dfrac{1}{k} - \dfrac{1}{k+1}\right)$

$= 2\displaystyle\lim_{n\to\infty}\left\{\left(1 - \dfrac{1}{2}\right) + \left(\dfrac{1}{2} - \dfrac{1}{3}\right) + \left(\dfrac{1}{3} - \dfrac{1}{4}\right) + \cdots\right.$

$\left. + \left(\dfrac{1}{n} - \dfrac{1}{n+1}\right)\right\}$

$= 2\displaystyle\lim_{n\to\infty}\left(1 - \dfrac{1}{n+1}\right) = 2$ 　　답 2

105 $x \to \dfrac{\pi}{2}$일 때, (분모) → 0이고 극한값이 존재하므로 (분자) → 0 이어야 한다.

즉, $\lim\limits_{x \to \frac{\pi}{2}^-}(ax+b)=0$에서 $\dfrac{\pi}{2}a+b=0$

$\therefore b=-\dfrac{\pi}{2}a \quad \cdots\cdots \ \bigcirc$

$x-\dfrac{\pi}{2}=t$로 놓으면 $x \to \dfrac{\pi}{2}$일 때, $t \to 0$이므로

$$\lim_{x \to \frac{\pi}{2}} \frac{ax+b}{\cos x} = \lim_{x \to \frac{\pi}{2}} \frac{ax-\frac{\pi}{2}a}{\cos x} = \lim_{x \to \frac{\pi}{2}} \frac{a\left(x-\frac{\pi}{2}\right)}{\cos x}$$

$$= \lim_{t \to 0} \frac{at}{\cos\left(\frac{\pi}{2}+t\right)}$$

$$= \lim_{t \to 0} \frac{at}{-\sin t}$$

$$= \lim_{t \to 0} (-a) \times \frac{t}{\sin t}$$

$$= -a \times 1 = -2$$

$\therefore a=2$

$a=2$를 $\bigcirc$에 대입하면 $b=-\pi$

$\therefore ab=-2\pi$ ⟩답 ②

106 $\lim\limits_{x \to 0} \dfrac{\tan^2 x + \tan x}{\tan^2 x + x\tan x + x + \tan x}$

$=\lim\limits_{x \to 0} \dfrac{\tan x(\tan x+1)}{\tan^2 x + (x+1)\tan x + x}$

$=\lim\limits_{x \to 0} \dfrac{\tan x(\tan x+1)}{(\tan x+1)(\tan x+x)}$

$=\lim\limits_{x \to 0} \dfrac{\tan x}{\tan x + x} = \lim\limits_{x \to 0} \dfrac{\frac{\tan x}{x}}{\frac{\tan x}{x}+1}$

$=\dfrac{1}{1+1}=\dfrac{1}{2}$ ⟩답 ①

107 $x \to 0$일 때, (분자) $\to 0$이고 0이 아닌 극한값이 존재하므로 (분모) $\to 0$이어야 한다.

즉, $\lim\limits_{x \to 0}(ax^2+b)=0$에서 $b=0$

$$\lim_{x \to 0} \frac{1-\cos x}{ax^2+b} = \lim_{x \to 0} \frac{1-\cos x}{ax^2}$$

$$= \lim_{x \to 0} \frac{(1-\cos x)(1+\cos x)}{ax^2(1+\cos x)}$$

$$= \lim_{x \to 0} \frac{1-\cos^2 x}{ax^2(1+\cos x)}$$

$$= \lim_{x \to 0} \frac{\sin^2 x}{ax^2(1+\cos x)}$$

$$= \lim_{x \to 0} \frac{1}{a} \times \left(\frac{\sin x}{x}\right)^2 \times \frac{1}{1+\cos x}$$

$$= \frac{1}{a} \times 1^2 \times \frac{1}{2} = \frac{1}{10}$$

$\therefore a=5$

$\therefore a+b=5$ ⟩답 5

108 함수 $f(x)$가 $x=\dfrac{\pi}{2}$에서 연속이므로

$\lim\limits_{x \to \frac{\pi}{2}} f(x)=f\left(\dfrac{\pi}{2}\right)$에서 $\lim\limits_{x \to \frac{\pi}{2}} \dfrac{\sin x-a}{x-\frac{\pi}{2}}=b$

$x \to \dfrac{\pi}{2}$일 때, (분모) $\to 0$이고 극한값이 존재하므로 (분자) $\to 0$이어야 한다.

즉, $\lim\limits_{x \to \frac{\pi}{2}}(\sin x-a)=0$에서 $a=1$

$x-\dfrac{\pi}{2}=t$로 놓으면 $x \to \dfrac{\pi}{2}$일 때, $t \to 0$이므로

$$\lim_{x \to \frac{\pi}{2}} \frac{\sin x-a}{x-\frac{\pi}{2}} = \lim_{x \to \frac{\pi}{2}} \frac{\sin x-1}{x-\frac{\pi}{2}}$$

$$= \lim_{t \to 0} \frac{-(1-\cos t)(1+\cos t)}{t(1+\cos t)}$$

$$= \lim_{t \to 0} \frac{-\sin^2 t}{t(1+\cos t)}$$

$$= \lim_{t \to 0} \frac{\sin t}{t} \times \frac{-\sin t}{1+\cos t}$$

$$= 1 \times \frac{0}{2} = 0$$

$\therefore b=0$

$\therefore a+b=1$ ⟩답 1

109 $f(x)=\sin x + a\cos x$에서

$f\left(\dfrac{\pi}{2}\right)=\sin\dfrac{\pi}{2}+a\cos\dfrac{\pi}{2}=1$이므로

$$\lim_{x \to \frac{\pi}{2}} \frac{f(x)-1}{x-\frac{\pi}{2}} = \lim_{x \to \frac{\pi}{2}} \frac{f(x)-f\left(\frac{\pi}{2}\right)}{x-\frac{\pi}{2}} = f'\left(\frac{\pi}{2}\right)=3$$

$f'(x)=\cos x - a\sin x$에서

$f'\left(\dfrac{\pi}{2}\right)=\cos\dfrac{\pi}{2}-a\sin\dfrac{\pi}{2}=-a=3$

따라서 $a=-3$이므로 $f(x)=\sin x - 3\cos x$

$\therefore f\left(\dfrac{\pi}{4}\right)=\sin\dfrac{\pi}{4}-3\cos\dfrac{\pi}{4}$

$\quad\quad = \dfrac{\sqrt{2}}{2}-3\times\dfrac{\sqrt{2}}{2}=-\sqrt{2}$ ⟩답 $-\sqrt{2}$

110

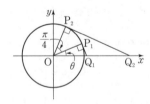

직각삼각형 $\mathrm{P_1OQ_1}$의 넓이가 $\dfrac{1}{4}$이므로

$\dfrac{1}{2}\times\overline{\mathrm{OP_1}}\times\overline{\mathrm{P_1Q_1}}=\dfrac{1}{2}\times 1\times\overline{\mathrm{P_1Q_1}}=\dfrac{1}{4}$

$\therefore \overline{\mathrm{P_1Q_1}}=\dfrac{1}{2}$

$\angle\mathrm{P_1OQ_1}=\theta$라 하면 $\tan\theta=\dfrac{1}{2}$이므로

$\tan(\angle\mathrm{P_2OQ_2})=\tan\left(\dfrac{\pi}{4}+\theta\right)=\dfrac{\tan\dfrac{\pi}{4}+\tan\theta}{1-\tan\dfrac{\pi}{4}\tan\theta}$

$\quad\quad = \dfrac{1+\dfrac{1}{2}}{1-1\times\dfrac{1}{2}}=3$

직각삼각형 $\mathrm{P_2OQ_2}$에서

$$\overline{P_2Q_2}=\overline{OP_2}\times\tan\left(\frac{\pi}{4}+\theta\right)=1\times3=3$$

따라서 삼각형 P_2OQ_2의 넓이는

$$\frac{1}{2}\times\overline{OP_2}\times\overline{P_2Q_2}=\frac{1}{2}\times1\times3=\frac{3}{2}$$

目 $\frac{3}{2}$

111 삼각형 PAO에 내접하는 원의 중심을 Q, 반지름의 길이를 r라 하자.

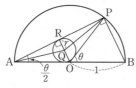

그림에서 $\triangle PAO=\triangle AOQ+\triangle OPQ+\triangle PAQ$이므로

$$\frac{1}{2}\times\overline{AO}\times\overline{OP}\times\sin(\pi-\theta)$$

$$=\frac{r}{2}\times\overline{AO}+\frac{r}{2}\times\overline{OP}+\frac{r}{2}\times\overline{PA}$$

$$\therefore \sin\theta=r(2+\overline{PA}) \qquad \cdots\cdots \text{㉠}$$

한편, 직각삼각형 ABP에서

$$\overline{PA}=\overline{AB}\cos\frac{\theta}{2}=2\cos\frac{\theta}{2} \qquad \cdots\cdots \text{㉡}$$

㉡을 ㉠에 대입하여 정리하면

$$r=\frac{\sin\theta}{2+2\cos\dfrac{\theta}{2}}$$

$$\therefore f(\theta)=\pi r^2=\frac{\pi\sin^2\theta}{\left(2+2\cos\dfrac{\theta}{2}\right)^2}$$

$$\therefore \lim_{\theta\to0+}\frac{f(\theta)}{\theta^2}=\lim_{\theta\to0+}\left\{\left(\frac{\sin\theta}{\theta}\right)^2\times\frac{\pi}{\left(2+2\cos\dfrac{\theta}{2}\right)^2}\right\}$$

$$=1^2\times\frac{\pi}{16}=\frac{\pi}{16}$$

目 $\frac{\pi}{16}$

001 $y=\dfrac{1}{x+1}$ 에서

$$y'=-\frac{(x+1)'}{(x+1)^2}=-\frac{1}{(x+1)^2}$$

目 $y'=-\dfrac{1}{(x+1)^2}$

002 $y=\dfrac{1}{2x-1}$ 에서

$$y'=-\frac{(2x-1)'}{(2x-1)^2}=-\frac{2}{(2x-1)^2}$$

目 $y'=-\dfrac{2}{(2x-1)^2}$

003 $y=\dfrac{1}{e^x-2}$ 에서

$$y'=-\frac{(e^x-2)'}{(e^x-2)^2}=-\frac{e^x}{(e^x-2)^2}$$

目 $y'=-\dfrac{e^x}{(e^x-2)^2}$

004 $y=\dfrac{3x+4}{2x}$ 에서

$$y'=\frac{(3x+4)'\times2x-(3x+4)(2x)'}{(2x)^2}$$

$$=\frac{3\times2x-2(3x+4)}{4x^2}$$

$$=-\frac{8}{4x^2}$$

$$=-\frac{2}{x^2}$$

目 $y'=-\dfrac{2}{x^2}$

005 $y=\dfrac{2x+1}{x^2+1}$ 에서

$$y'=\frac{(2x+1)'(x^2+1)-(2x+1)(x^2+1)'}{(x^2+1)^2}$$

$$=\frac{2(x^2+1)-2x(2x+1)}{(x^2+1)^2}$$

$$=\frac{-2x^2-2x+2}{(x^2+1)^2}$$

$$=\frac{-2(x^2+x-1)}{(x^2+1)^2}$$

目 $y'=\dfrac{-2(x^2+x-1)}{(x^2+1)^2}$

006 $y=\dfrac{\ln x}{x}$ 에서

$$y'=\frac{(\ln x)'\times x-\ln x\times(x)'}{x^2}$$

$$=\frac{\dfrac{1}{x}\times x-\ln x}{x^2}$$

$$=\frac{1-\ln x}{x^2}$$

目 $y'=\dfrac{1-\ln x}{x^2}$

007 $y=\dfrac{e^x}{x-1}$ 에서

$$y'=\frac{(e^x)'(x-1)-e^x(x-1)'}{(x-1)^2}$$

$$=\frac{e^x(x-1)-e^x}{(x-1)^2}$$

$$=\frac{e^x(x-2)}{(x-1)^2}$$

目 $y'=\dfrac{e^x(x-2)}{(x-1)^2}$

008 $y=x^{-4}$에서

$y'=(x^{-4})'=(-4)\times x^{-4-1}$

$\quad =-4x^{-5}=-\dfrac{4}{x^5}$ 　　　　　$\boxdot\, y'=-\dfrac{4}{x^5}$

009 $y=2x^{-3}$에서

$y'=2(x^{-3})'=2\times(-3)\times x^{-3-1}$

$\quad =-6x^{-4}=-\dfrac{6}{x^4}$ 　　　　　$\boxdot\, y'=-\dfrac{6}{x^4}$

010 $y=\dfrac{1}{x^7}=x^{-7}$에서

$y'=(x^{-7})'=(-7)\times x^{-7-1}$

$\quad =-7x^{-8}=-\dfrac{7}{x^8}$ 　　　　　$\boxdot\, y'=-\dfrac{7}{x^8}$

011 $y=x+\dfrac{2}{x^4}=x+2x^{-4}$에서

$y'=(x)'+2(x^{-4})'$

$\quad =1+2\times(-4)\times x^{-4-1}$

$\quad =1-8x^{-5}$

$\quad =1-\dfrac{8}{x^5}$ 　　　　　$\boxdot\, y'=1-\dfrac{8}{x^5}$

012 $y=x^2-\dfrac{3}{x^5}=x^2-3x^{-5}$에서

$y'=(x^2)'-3(x^{-5})'$

$\quad =2x-3\times(-5)\times x^{-5-1}$

$\quad =2x+15x^{-6}$

$\quad =2x+\dfrac{15}{x^6}$ 　　　　　$\boxdot\, y'=2x+\dfrac{15}{x^6}$

013 $y=\dfrac{x^3+1}{x^2}=x+\dfrac{1}{x^2}=x+x^{-2}$에서

$y'=(x)'+(x^{-2})'$

$\quad =1+(-2)\times x^{-2-1}$

$\quad =1-2x^{-3}$

$\quad =1-\dfrac{2}{x^3}$

$\quad =\dfrac{x^3-2}{x^3}$ 　　　　　$\boxdot\, y'=\dfrac{x^3-2}{x^3}$

014 $y=\dfrac{6x^2+2}{x^4}=\dfrac{6}{x^2}+\dfrac{2}{x^4}=6x^{-2}+2x^{-4}$에서

$y'=6(x^{-2})'+2(x^{-4})'$

$\quad =6\times(-2)\times x^{-2-1}+2\times(-4)\times x^{-4-1}$

$\quad =-12x^{-3}-8x^{-5}$

$\quad =-\dfrac{12}{x^3}-\dfrac{8}{x^5}$

$\quad =\dfrac{-12x^2-8}{x^5}$ 　　　　　$\boxdot\, y'=\dfrac{-12x^2-8}{x^5}$

015 $y=x+\tan x$에서

$y'=(x)'+(\tan x)'$

$\quad =1+\sec^2 x$ 　　　　　$\boxdot\, y'=1+\sec^2 x$

016 $y=2\tan x+\sec x$에서

$y'=2(\tan x)'+(\sec x)'$

$\quad =2\sec^2 x+\sec x\tan x$

$\quad =\sec x(2\sec x+\tan x)$

$\boxdot\, y'=\sec x(2\sec x+\tan x)$

017 $y=\csc x-\cot x$에서

$y'=(\csc x)'-(\cot x)'$

$\quad =-\csc x\cot x-(-\csc^2 x)$

$\quad =-\csc x\cot x+\csc^2 x$

$\quad =\csc x(\csc x-\cot x)$

$\boxdot\, y'=\csc x(\csc x-\cot x)$

018 $y=\sec x+\csc x$에서

$y'=(\sec x)'+(\csc x)'$

$\quad =\sec x\tan x-\csc x\cot x$

$\boxdot\, y'=\sec x\tan x-\csc x\cot x$

019 $y=x\tan x$에서

$y'=(x)'\tan x+x(\tan x)'$

$\quad =\tan x+x\sec^2 x$ 　　　$\boxdot\, y'=\tan x+x\sec^2 x$

020 $y=e^x\cot x$에서

$y'=(e^x)'\cot x+e^x(\cot x)'$

$\quad =e^x\cot x+e^x(-\csc^2 x)$

$\quad =e^x(\cot x-\csc^2 x)$ 　　$\boxdot\, y'=e^x(\cot x-\csc^2 x)$

021 $u=3x+1$이라 하면 $y=u^2$

$\dfrac{dy}{du}=2u,\ \dfrac{du}{dx}=3$이므로

$y'=\dfrac{dy}{dx}=\dfrac{dy}{du}\cdot\dfrac{du}{dx}$

$\quad =2u\times 3=6(3x+1)$

$\quad =18x+6$ 　　　　　$\boxdot\, y'=18x+6$

022 $u=x^3-2x$라 하면 $y=u^5$

$\dfrac{dy}{du}=5u^4,\ \dfrac{du}{dx}=3x^2-2$이므로

$y'=\dfrac{dy}{dx}=\dfrac{dy}{du}\cdot\dfrac{du}{dx}$

$\quad =5u^4\times(3x^2-2)$

$\quad =5(3x^2-2)(x^3-2x)^4$

$\boxdot\, y'=5(3x^2-2)(x^3-2x)^4$

023 $u=x^2+2x-5$라 하면 $y=u^3$

$\dfrac{dy}{du}=3u^2,\ \dfrac{du}{dx}=2x+2$이므로

$y'=\dfrac{dy}{dx}=\dfrac{dy}{du}\cdot\dfrac{du}{dx}$

$\quad =3u^2\times(2x+2)$

$\quad =3(2x+2)(x^2+2x-5)^2$

$\quad =6(x+1)(x^2+2x-5)^2$

$\boxdot\, y'=6(x+1)(x^2+2x-5)^2$

024 $u=3-5x$라 하면 $y=\dfrac{1}{u^2}$

$\dfrac{dy}{du}=-\dfrac{(u^2)'}{(u^2)^2}=-\dfrac{2u}{u^4}=-\dfrac{2}{u^3}$, $\dfrac{du}{dx}=-5$이므로

$y'=\dfrac{dy}{dx}=\dfrac{dy}{du}\cdot\dfrac{du}{dx}$

$\quad=-\dfrac{2}{u^3}\times(-5)$

$\quad=\dfrac{10}{(3-5x)^3}$ 　　　　　　　답 $y'=\dfrac{10}{(3-5x)^3}$

025 $u=2x$라 하면 $y=\sin u$

$\dfrac{dy}{du}=\cos u$, $\dfrac{du}{dx}=2$이므로

$y'=\dfrac{dy}{dx}=\dfrac{dy}{du}\cdot\dfrac{du}{dx}=\cos u\times2=2\cos 2x$

답 $y'=2\cos 2x$

026 $u=3x+5$라 하면 $y=\cos u$

$\dfrac{dy}{du}=-\sin u$, $\dfrac{du}{dx}=3$이므로

$y'=\dfrac{dy}{dx}=\dfrac{dy}{du}\cdot\dfrac{du}{dx}=(-\sin u)\times3=-3\sin(3x+5)$

답 $y'=-3\sin(3x+5)$

027 $u=3x$라 하면 $y=\cot u$

$\dfrac{dy}{du}=-\csc^2 u$, $\dfrac{du}{dx}=3$이므로

$y'=\dfrac{dy}{dx}=\dfrac{dy}{du}\cdot\dfrac{du}{dx}=(-\csc^2 u)\times3=-3\csc^2 3x$

답 $y'=-3\csc^2 3x$

028 $u=e^x-3$이라 하면 $y=u^2$

$\dfrac{dy}{du}=2u$, $\dfrac{du}{dx}=e^x$이므로

$y'=\dfrac{dy}{dx}=\dfrac{dy}{du}\cdot\dfrac{du}{dx}=2u\times e^x=2e^x(e^x-3)$

답 $y'=2e^x(e^x-3)$

029 $u=2x+1$이라 하면 $y=3^u$

$\dfrac{dy}{du}=3^u\ln 3$, $\dfrac{du}{dx}=2$이므로

$y'=\dfrac{dy}{dx}=\dfrac{dy}{du}\cdot\dfrac{du}{dx}=3^u\ln 3\times2=2\times 3^{2x+1}\ln 3$

답 $y'=2\times 3^{2x+1}\ln 3$

030 $u=4x-7$이라 하면 $y=\ln u$

$\dfrac{dy}{du}=\dfrac{1}{u}$, $\dfrac{du}{dx}=4$이므로

$y'=\dfrac{dy}{dx}=\dfrac{dy}{du}\cdot\dfrac{du}{dx}=\dfrac{1}{u}\times4=\dfrac{4}{4x-7}$

답 $y'=\dfrac{4}{4x-7}$

031 $y=x^{\sqrt{2}}$에서

$y'=(x^{\sqrt{2}})'=\sqrt{2}x^{\sqrt{2}-1}$ 　　　　　답 $y'=\sqrt{2}x^{\sqrt{2}-1}$

032 $y=(3x+2)^{\sqrt{3}}$에서

$u=3x+2$라 하면 $y=u^{\sqrt{3}}$

$\dfrac{dy}{du}=\sqrt{3}u^{\sqrt{3}-1}$, $\dfrac{du}{dx}=3$이므로

$y'=\dfrac{dy}{dx}=\dfrac{dy}{du}\cdot\dfrac{du}{dx}$

$\quad=\sqrt{3}u^{\sqrt{3}-1}\times3$

$\quad=3\sqrt{3}(3x+2)^{\sqrt{3}-1}$ 　　답 $y'=3\sqrt{3}(3x+2)^{\sqrt{3}-1}$

033 $y=x^{\frac{1}{2}}+x^{\frac{3}{4}}$에서

$y'=(x^{\frac{1}{2}})'+(x^{\frac{3}{4}})'$

$\quad=\dfrac{1}{2}x^{\frac{1}{2}-1}+\dfrac{3}{4}x^{\frac{3}{4}-1}=\dfrac{1}{2}x^{-\frac{1}{2}}+\dfrac{3}{4}x^{-\frac{1}{4}}$

$\quad=\dfrac{1}{2\sqrt{x}}+\dfrac{3}{4\sqrt[4]{x}}$ 　　　답 $y'=\dfrac{1}{2\sqrt{x}}+\dfrac{3}{4\sqrt[4]{x}}$

034 $y=\sqrt{x}=x^{\frac{1}{2}}$에서

$y'=(x^{\frac{1}{2}})'=\dfrac{1}{2}x^{\frac{1}{2}-1}=\dfrac{1}{2}x^{-\frac{1}{2}}=\dfrac{1}{2\sqrt{x}}$ 　답 $y'=\dfrac{1}{2\sqrt{x}}$

035 $y=\sqrt{x^5}=x^{\frac{5}{2}}$에서

$y'=(x^{\frac{5}{2}})'=\dfrac{5}{2}x^{\frac{5}{2}-1}=\dfrac{5}{2}x^{\frac{3}{2}}=\dfrac{5\sqrt{x^3}}{2}$ 　답 $y'=\dfrac{5\sqrt{x^3}}{2}$

036 $y=\sqrt{x^3-5x}=(x^3-5x)^{\frac{1}{2}}$에서

$u=x^3-5x$라 하면 $y=u^{\frac{1}{2}}$

$\dfrac{dy}{du}=\dfrac{1}{2}u^{\frac{1}{2}-1}=\dfrac{1}{2\sqrt{u}}$, $\dfrac{du}{dx}=3x^2-5$이므로

$y'=\dfrac{dy}{dx}=\dfrac{dy}{du}\cdot\dfrac{du}{dx}$

$\quad=\dfrac{1}{2\sqrt{u}}\times(3x^2-5)$

$\quad=\dfrac{3x^2-5}{2\sqrt{x^3-5x}}$ 　　　답 $y'=\dfrac{3x^2-5}{2\sqrt{x^3-5x}}$

037 $y=\dfrac{1}{\sqrt{2x-1}}=(2x-1)^{-\frac{1}{2}}$에서

$u=2x-1$이라 하면 $y=u^{-\frac{1}{2}}$

$\dfrac{dy}{du}=-\dfrac{1}{2}u^{-\frac{1}{2}-1}=-\dfrac{1}{2}u^{-\frac{3}{2}}=-\dfrac{1}{2\sqrt{u^3}}$, $\dfrac{du}{dx}=2$이므로

$y'=\dfrac{dy}{dx}=\dfrac{dy}{du}\cdot\dfrac{du}{dx}$

$\quad=-\dfrac{1}{2\sqrt{u^3}}\times2$

$\quad=-\dfrac{1}{\sqrt{(2x-1)^3}}$ 　　답 $y'=-\dfrac{1}{\sqrt{(2x-1)^3}}$

038 $y=\sqrt{\sin x}=(\sin x)^{\frac{1}{2}}$에서

$u=\sin x$라 하면 $y=u^{\frac{1}{2}}$

$\dfrac{dy}{du}=\dfrac{1}{2}u^{\frac{1}{2}-1}=\dfrac{1}{2\sqrt{u}}$, $\dfrac{du}{dx}=\cos x$이므로

$y'=\dfrac{dy}{dx}=\dfrac{dy}{du}\cdot\dfrac{du}{dx}$

$\quad=\dfrac{1}{2\sqrt{u}}\times\cos x=\dfrac{\cos x}{2\sqrt{\sin x}}$ 　답 $y'=\dfrac{\cos x}{2\sqrt{\sin x}}$

039 $f(x)=\dfrac{1}{x+3}$ 에서

$$f'(x)=-\dfrac{(x+3)'}{(x+3)^2}=-\dfrac{1}{(x+3)^2}$$

$\displaystyle\lim_{h\to0}\dfrac{f(a+h)-f(a)}{h}=f'(a)=-\dfrac{1}{4}$ 이므로

$$-\dfrac{1}{(a+3)^2}=-\dfrac{1}{4}$$

즉, $(a+3)^2=4$에서 $a^2+6a+5=0$

$(a+5)(a+1)=0$

$\therefore a=-5$ 또는 $a=-1$

따라서 모든 실수 a의 값의 곱은

$(-5)\times(-1)=5$ 답 ⑤

040 함수 $f(x)=\dfrac{1-x}{1+x^2}$ 의 그래프 위의 점 $(-1,1)$에서의 접선

의 기울기는 $f'(-1)$과 같다.

$$f'(x)=\dfrac{(1-x)'(1+x^2)-(1-x)(1+x^2)'}{(1+x^2)^2}$$

$$=\dfrac{-(1+x^2)-2x(1-x)}{(1+x^2)^2}$$

$$=\dfrac{x^2-2x-1}{(1+x^2)^2}$$

$$\therefore f'(-1)=\dfrac{2}{4}=\dfrac{1}{2}$$

따라서 점 $(-1,1)$에서의 접선의 기울기는 $\dfrac{1}{2}$이다.

답 $\dfrac{1}{2}$

041 $f'(x)=\dfrac{(x^2+1)'e^x-(x^2+1)(e^x)'}{(e^x)^2}$

$$=\dfrac{2xe^x-(x^2+1)e^x}{e^{2x}}$$

$$=\dfrac{2x-(x^2+1)}{e^x}$$

$$=\dfrac{-(x-1)^2}{e^x}$$

$$\therefore f(1)-f'(1)=\dfrac{2}{e}-0=\dfrac{2}{e}$$

답 $\dfrac{2}{e}$

042 $f'(x)=\dfrac{(1+\sin x)'\cos x-(1+\sin x)(\cos x)'}{(\cos x)^2}$

$$=\dfrac{\cos^2 x+\sin x+\sin^2 x}{\cos^2 x}$$

$$=\dfrac{1+\sin x}{\cos^2 x}$$

$$=\dfrac{1-\sin^2 x}{\cos^2 x(1-\sin x)}$$

$$=\dfrac{1}{1-\sin x}\ (\because 1-\sin^2 x=\cos^2 x)$$

$$\therefore \lim_{x\to-\frac{\pi}{2}}f'(x)=\lim_{x\to-\frac{\pi}{2}}\dfrac{1}{1-\sin x}$$

$$=\dfrac{1}{1-\sin\left(-\dfrac{\pi}{2}\right)}$$

$$=\dfrac{1}{2}$$

답 ③

043 $f'(x)=\dfrac{(x)'\{g(x)-1\}-x\{g(x)-1\}'}{\{g(x)-1\}^2}$

$$=\dfrac{g(x)-1-xg'(x)}{\{g(x)-1\}^2}$$

$$f'(1)=\dfrac{g(1)-1}{\{g(1)-1\}^2}\ (\because g'(1)=0)$$

$$=\dfrac{1}{g(1)-1}$$

$f'(1)=-\dfrac{1}{2}$이므로

$$\dfrac{1}{g(1)-1}=-\dfrac{1}{2}\qquad \therefore g(1)=-1$$

답 -1

044 함수 $f(x)$가 $x=1$에서 미분가능하려면 $x=1$에서 연속이고,

미분계수 $f'(1)$이 존재해야 한다.

$x=1$에서 연속이어야 하므로

$$\lim_{x\to1-}(x^2+a)=\lim_{x\to1+}\dfrac{b}{x+1}=f(1)$$에서

$1+a=\dfrac{b}{2}\qquad \therefore 2a+2=b\qquad \cdots\cdots \text{㉠}$

또 $f'(x)=\begin{cases}2x & (x<1)\\ -\dfrac{b}{(x+1)^2} & (x>1)\end{cases}$ 에서 미분계수 $f'(1)$이

존재해야 하므로

$$\lim_{x\to1-}2x=\lim_{x\to1+}\left\{-\dfrac{b}{(x+1)^2}\right\}$$

$2=-\dfrac{b}{4}\qquad \therefore b=-8$

$b=-8$을 ㉠에 대입하면 $a=-5$

$$\therefore ab=(-5)\times(-8)=40$$

답 40

045 $f(x)=\dfrac{3x^4-2x^2-1}{x^2}=3x^2-2-x^{-2}$에서

$$f'(x)=6x-(-2)\times x^{-3}=6x+\dfrac{2}{x^3}$$

$$\therefore f'(1)=6+2=8$$

답 8

046 $\displaystyle\lim_{x\to0}\dfrac{f(1+x)-f(1-x)}{x}$

$$=\lim_{x\to0}\dfrac{f(1+x)-f(1)-\{f(1-x)-f(1)\}}{x}$$

$$=\lim_{x\to0}\left\{\dfrac{f(1+x)-f(1)}{x}+\dfrac{f(1-x)-f(1)}{-x}\right\}$$

$$=f'(1)+f'(1)=2f'(1)$$

$f(x)=x^{-2}+x^{-4}+x^{-6}+\cdots+x^{-20}$이므로

$$f'(x)=-(2x^{-3}+4x^{-5}+6x^{-7}+\cdots+20x^{-21})$$

$$\therefore 2f'(1)=-2(2+4+6+\cdots+20)$$

$$=-2\times110=-220$$

답 ①

047 $\displaystyle\lim_{x\to0}\dfrac{f(1+3x)-f(1-6x)}{x}$

$$=\lim_{x\to0}\dfrac{f(1+3x)-f(1)-\{f(1-6x)-f(1)\}}{x}$$

$$=\lim_{x\to0}\left\{\dfrac{f(1+3x)-f(1)}{3x}\times3+\dfrac{f(1-6x)-f(1)}{-6x}\times6\right\}$$

$$=3f'(1)+6f'(1)=9f'(1)$$

$f(x)=2x^2-5-x^{-3}$이므로

$f'(x)=4x+3x^{-4}$

$\therefore 9f'(1)=9\times7=63$

$\boxed{\text{답}}$ 63

048 $y=\tan x$에서 $y'=\sec^2 x$

따라서 점 $\left(\dfrac{\pi}{3},\,\sqrt{3}\right)$에서의 접선의 기울기는

$\sec^2\dfrac{\pi}{3}=\dfrac{1}{\cos^2\dfrac{\pi}{3}}=\dfrac{1}{\left(\dfrac{1}{2}\right)^2}=4$

$\boxed{\text{답}}$ 4

049 $f(x)=\sec x+\tan x$에서

$f'(x)=\sec x\tan x+\sec^2 x$이므로

$f'\left(\dfrac{\pi}{3}\right)=\sec\dfrac{\pi}{3}\tan\dfrac{\pi}{3}+\sec^2\dfrac{\pi}{3}$

$\qquad=2\sqrt{3}+4$

따라서 $a=2,\ b=4$이므로

$a+b=2+4=6$

$\boxed{\text{답}}$ 6

050 $f(x)=\dfrac{1+\sec x}{\tan x}=\dfrac{1}{\tan x}+\dfrac{\sec x}{\tan x}=\cot x+\csc x$

이므로

$f'(x)=-\csc^2 x-\csc x\cot x$

$\qquad=-\csc x(\csc x+\cot x)$

$\therefore f'\left(\dfrac{\pi}{6}\right)=-\csc\dfrac{\pi}{6}\left(\csc\dfrac{\pi}{6}+\cot\dfrac{\pi}{6}\right)$

$\qquad\qquad=-2(2+\sqrt{3})=-4-2\sqrt{3}$

$\boxed{\text{답}}$ ①

051 $f'(x)=\{(2x-3)^3\}'\times(x^2+1)+(2x-3)^3\times(x^2+1)'$

$\qquad=3(2x-3)^2\times2\times(x^2+1)+(2x-3)^3\times2x$

$\qquad=6(2x-3)^2(x^2+1)+2x(2x-3)^3$

$\therefore f'(1)=6\times(-1)^2\times2+2\times1\times(-1)^3$

$\qquad\qquad=12-2=10$

$\boxed{\text{답}}$ ②

052 $f(x)=\tan(\sin 2x)$로 놓으면

$f'(x)=\sec^2(\sin 2x)\times(\sin 2x)'$

$\qquad=\sec^2(\sin 2x)\times\cos 2x\times(2x)'$

$\qquad=\sec^2(\sin 2x)\times2\cos 2x$

$\qquad=\dfrac{2\cos 2x}{\cos^2(\sin 2x)}$

이므로 점 $\left(\dfrac{\pi}{2},\,0\right)$에서의 접선의 기울기는

$f'\left(\dfrac{\pi}{2}\right)=\dfrac{2\cos\pi}{\cos^2(\sin\pi)}=\dfrac{-2}{1}=-2$

$\boxed{\text{답}}$ -2

053 $g'(x)=\dfrac{3\{f(x)\}^2 f'(x)\times(2x+1)-\{f(x)\}^3\times2}{(2x+1)^2}$

$\therefore g'(2)=\dfrac{3\{f(2)\}^2 f'(2)\times5-\{f(2)\}^3\times2}{5^2}$

$\qquad\qquad=\dfrac{3\times5^4-2\times5^3}{5^2}=65$

$\boxed{\text{답}}$ 65

054 $h(x)=f(g(x))$라 하면

$h(1)=f(g(1))=f(1)=-2$

$\therefore \lim_{x\to1}\dfrac{f(g(x))+2}{x-1}=\lim_{x\to1}\dfrac{h(x)-h(1)}{x-1}=h'(1)$

$h'(x)=f'(g(x))\times g'(x)$이므로

$h'(1)=f'(g(1))g'(1)$

$\qquad=f'(1)\times2$

$\qquad=3\times2=6$

$\boxed{\text{답}}$ ③

055 $f(2x+1)=3f(x)-1$의 양변을 x에 대하여 미분하면

$2f'(2x+1)=3f'(x)$

위의 식의 양변에 $x=1$을 대입하면

$2f'(3)=3f'(1)$

$f'(1)=4$이므로

$2f'(3)=3\times4=12$

$\therefore f'(3)=6$

$\boxed{\text{답}}$ 6

056 다항식 $x^{10}-ax^2+b$를 $(x^2-1)^2$으로 나누었을 때의 몫을 $Q(x)$라 하면

$x^{10}-ax^2+b=(x^2-1)^2 Q(x)$ ······ ㉠

㉠의 양변에 $x=1$을 대입하면

$1-a+b=0$ ······ ㉡

㉠의 양변을 x에 대하여 미분하면

$10x^9-2ax=2(x^2-1)\times2x\times Q(x)+(x^2-1)^2 Q'(x)$

위의 식의 양변에 $x=1$을 대입하면

$10-2a=0$ $\quad\therefore a=5$

$a=5$를 ㉡에 대입하면 $b=4$

$\therefore a^2+b^2=25+16=41$

$\boxed{\text{답}}$ 41

057 $f'(x)=2^{2x+1}\times\ln 2\times(2x+1)'$

$\qquad=2^{2x+1}\times\ln 2\times2=2^{2x+2}\ln 2$

$\therefore f'(0)=2^2\times\ln 2=4\ln 2$

$\boxed{\text{답}}$ ④

058 $f'(x)=\dfrac{1}{\tan x}\times(\tan x)'$

$\qquad=\dfrac{1}{\tan x}\times\sec^2 x=\dfrac{\cos x}{\sin x}\times\dfrac{1}{\cos^2 x}$

$\qquad=\dfrac{1}{\sin x\times\cos x}=\dfrac{2}{\sin 2x}$

$\therefore f'\left(\dfrac{\pi}{12}\right)=\dfrac{2}{\sin\dfrac{\pi}{6}}=\dfrac{2}{\dfrac{1}{2}}=4$

$\boxed{\text{답}}$ 4

참고

$\sin 2\alpha=2\sin\alpha\cos\alpha$

059 $f(x)=3\ln(x^2-2x+7)$에서

$f'(x)=3\times\dfrac{2x-2}{x^2-2x+7}$

$3\times\dfrac{2x-2}{x^2-2x+7}=1$에서

$x^2-2x+7=6x-6,\ x^2-8x+13=0$

이 이차방정식의 판별식을 D라 하면

$\dfrac{D}{4}=4^2-13=3>0$이므로 서로 다른 두 실근을 갖는다.

따라서 이차방정식의 근과 계수의 관계에서 두 근의 곱은 13이므로 구하는 모든 실근의 곱은 13이다.

$\boxed{\text{답}}$ 13

060 두 함수 $f(x)=kx^2-2x$, $g(x)=e^{3x}+1$에서

$f'(x)=2kx-2$, $g'(x)=3e^{3x}$이므로

$f'(2)=4k-2$, $g(0)=2$, $g'(0)=3$

함수 $h(x)=(f\circ g)(x)$에서

$h'(x)=f'(g(x))g'(x)$

$h'(0)=f'(g(0))g'(0)=f'(2)\times 3=(4k-2)\times 3=42$

$\therefore k=4$ **답** 4

061 $f(x)=\ln\sqrt{\dfrac{1+\cos x}{1-\cos x}}$

$=\dfrac{1}{2}\{\ln(1+\cos x)-\ln(1-\cos x)\}$

에서

$f'(x)=\dfrac{1}{2}\left\{\dfrac{(1+\cos x)'}{1+\cos x}-\dfrac{(1-\cos x)'}{1-\cos x}\right\}$

$=\dfrac{1}{2}\left(\dfrac{-\sin x}{1+\cos x}-\dfrac{\sin x}{1-\cos x}\right)$

$=\dfrac{1}{2}\times\dfrac{-\sin x(1-\cos x)-\sin x(1+\cos x)}{1-\cos^2 x}$

$=\dfrac{1}{2}\times\dfrac{-2\sin x}{\sin^2 x}=-\dfrac{1}{\sin x}$

$\therefore f'\left(\dfrac{\pi}{6}\right)=-\dfrac{1}{\sin\dfrac{\pi}{6}}=-\dfrac{1}{\dfrac{1}{2}}=-2$ **답** -2

062 함수 $f(x)$가 $x=1$에서 미분가능하므로 $x=1$에서 연속이고, 미분계수 $f'(1)$이 존재한다.

$x=1$에서 연속이므로

$\displaystyle\lim_{x\to 1-}(ae^{-x}+1)=\lim_{x\to 1+}\left(b\sin\dfrac{\pi}{2}x+x\right)=f(1)$

$\dfrac{a}{e}+1=b+1$

$\therefore b=\dfrac{a}{e}$ ······㉠

또 $f'(x)=\begin{cases} -ae^{-x} & (x<1) \\ \dfrac{\pi}{2}b\cos\dfrac{\pi}{2}x+1 & (x>1) \end{cases}$ 에서 미분계수 $f'(1)$이 존재하므로

$\displaystyle\lim_{x\to 1-}(-ae^{-x})=\lim_{x\to 1+}\left(\dfrac{\pi}{2}b\cos\dfrac{\pi}{2}x+1\right)$

$-ae^{-1}=1$ $\therefore a=-e$

$a=-e$를 ㉠에 대입하면 $b=-1$

$\therefore a+b=-e-1$ **답** ①

063 $f(x)=\dfrac{x^4}{(x+1)(x-3)^2}$ 에서 양변의 절댓값에 자연로그를 취하면

$\ln|f(x)|=\ln\left|\dfrac{x^4}{(x+1)(x-3)^2}\right|$

$=4\ln|x|-\ln|x+1|-2\ln|x-3|$

양변을 x에 대하여 미분하면

$\dfrac{f'(x)}{f(x)}=\dfrac{4}{x}-\dfrac{1}{x+1}-\dfrac{2}{x-3}$

$=\dfrac{4(x+1)(x-3)-x(x-3)-2x(x+1)}{x(x+1)(x-3)}$

$=\dfrac{x^2-7x-12}{x(x+1)(x-3)}$

$\therefore f'(x)=\dfrac{x^2-7x-12}{x(x+1)(x-3)}\times f(x)$

$=\dfrac{x^2-7x-12}{x(x+1)(x-3)}\times\dfrac{x^4}{(x+1)(x-3)^2}$

$=\dfrac{x^3(x^2-7x-12)}{(x+1)^2(x-3)^3}$

즉, $f'(1)=\dfrac{9}{16}$이므로

$16f'(1)=16\times\dfrac{9}{16}=9$ **답** 9

064 $f(x)=\sqrt{\dfrac{(x-2)(x+3)}{x-1}}$ 의 양변에 자연로그를 취하면

$\ln f(x)=\ln\sqrt{\dfrac{(x-2)(x+3)}{x-1}}$

$=\dfrac{1}{2}(\ln|x-2|+\ln|x+3|-\ln|x-1|)$

양변을 x에 대하여 미분하면

$\dfrac{f'(x)}{f(x)}=\dfrac{1}{2}\left(\dfrac{1}{x-2}+\dfrac{1}{x+3}-\dfrac{1}{x-1}\right)$

$=\dfrac{1}{2}\times\dfrac{(x+3)(x-1)+(x-2)(x-1)-(x-2)(x+3)}{(x-2)(x+3)(x-1)}$

$=\dfrac{x^2-2x+5}{2(x-2)(x+3)(x-1)}$

$\therefore f'(x)=\dfrac{x^2-2x+5}{2(x-2)(x+3)(x-1)}\times f(x)$

$f(0)=\sqrt{6}$이므로

$f'(0)=\dfrac{5\sqrt{6}}{12}$ **답** ⑤

065 $f(x)=x^{\ln x}$의 양변에 자연로그를 취하면

$\ln f(x)=\ln x^{\ln x}=(\ln x)^2$

양변을 x에 대하여 미분하면

$\dfrac{f'(x)}{f(x)}=2\ln x\times\dfrac{1}{x}$

$\therefore f'(x)=2\ln x\times\dfrac{1}{x}\times f(x)=2\ln x\times\dfrac{1}{x}\times x^{\ln x}$

따라서 점 $(e, f(e))$에서의 접선의 기울기는

$f'(e)=2\times\dfrac{1}{e}\times e=2$ **답** 2

066 $y=x^{\sqrt{3}}-1$에서 $y'=\sqrt{3}\,x^{\sqrt{3}-1}$

따라서 점 $(1, 0)$에서의 접선의 기울기는 $\sqrt{3}$이고 $\tan 60°=\sqrt{3}$이므로 접선이 x축과 이루는 예각의 크기는 $60°$이다. **답** ④

067 $f(x)=\sqrt[3]{x^3+6x+1}=(x^3+6x+1)^{\frac{1}{3}}$이므로

$f'(x)=\dfrac{1}{3}(x^3+6x+1)^{-\frac{2}{3}}\times(3x^2+6)$

$=\dfrac{x^2+2}{\sqrt[3]{(x^3+6x+1)^2}}$

$\therefore 4f'(1)=4\times\dfrac{1+2}{\sqrt[3]{(1+6+1)^2}}=4\times\dfrac{3}{4}=3$ **답** 3

068 $f(x)=x^\pi$에서 $f'(x)=\pi x^{\pi-1}$이므로 $f'(1)=\pi$

$\therefore \displaystyle\lim_{h\to 0}\dfrac{f(1+2h)-f(1)}{h}=\lim_{h\to 0}\dfrac{f(1+2h)-f(1)}{2h}\times 2$

$=2f'(1)=2\pi$ **답** 2π

069
$$\lim_{x \to 1} \frac{f(x)-f(1)}{x^2-1} = \lim_{x \to 1} \frac{f(x)-f(1)}{x-1} \times \frac{1}{x+1}$$
$$= \frac{1}{2}f'(1) = 3$$
$$\therefore f'(1) = 6$$
$$f'(x) = \frac{(ax)'(x+2)-ax(x+2)'}{(x+2)^2}$$
$$= \frac{a(x+2)-ax}{(x+2)^2} = \frac{2a}{(x+2)^2}$$
$f'(1)=6$이므로
$$\frac{2a}{9}=6 \qquad \therefore a=27 \qquad\qquad \text{달 } 27$$

070 $\lim_{x \to 3} \frac{f(x)-2}{x-3}=5$에서 $x \to 3$일 때, (분모)$\to 0$이므로
(분자)$\to 0$이어야 한다.
즉, $\lim_{x \to 3}\{f(x)-2\}=0$
함수 $f(x)$가 실수 전체의 집합에서 미분가능하므로 실수 전체의 집합에서 연속이다.
따라서 $\lim_{x \to 3}\{f(x)-2\}=f(3)-2=0$에서 $f(3)=2$
$$\lim_{x \to 3} \frac{f(x)-2}{x-3} = \lim_{x \to 3} \frac{f(x)-f(3)}{x-3}=5$$이므로
$$f'(3)=5$$
$g(x)=\dfrac{f(x)}{e^{x-3}}$에서
$$g'(x) = \frac{f'(x) \times e^{x-3} - f(x) \times (e^{x-3})'}{(e^{x-3})^2}$$
$$= \frac{\{f'(x)-f(x)\}e^{x-3}}{(e^{x-3})^2}$$
$$= \frac{f'(x)-f(x)}{e^{x-3}}$$
$$\therefore g'(3) = \frac{f'(3)-f(3)}{e^0}$$
$$= \frac{5-2}{1}=3 \qquad\qquad \text{달 } 3$$

071
$$f'(x) = \sum_{n=1}^{9} n(4x-3)^{n-1} \times 4 = \sum_{n=1}^{9} 4n(4x-3)^{n-1}$$
$$\therefore f'(1) = \sum_{n=1}^{9} 4n = 4 \times \frac{9 \times 10}{2} = 180 \qquad \text{달 } ③$$

072
$$\lim_{h \to 0} \frac{f(\pi+h)-f(\pi-h)}{h}$$
$$= \lim_{h \to 0} \frac{f(\pi+h)-f(\pi)-\{f(\pi-h)-f(\pi)\}}{h}$$
$$= \lim_{h \to 0} \left\{ \frac{f(\pi+h)-f(\pi)}{h} + \frac{f(\pi-h)-f(\pi)}{-h} \right\}$$
$$= f'(\pi)+f'(\pi) = 2f'(\pi)$$
한편, $f(x)=x^2+2x+\tan x$에서
$$f'(x)=2x+2+\sec^2 x$$
$$\therefore 2f'(\pi) = 2(2\pi+2+\sec^2 \pi)$$
$$= 2(2\pi+3)=4\pi+6 \qquad \text{달 } ⑤$$

073 $h(x)=g(f(x))$에서
$$h'(x)=g'(f(x))f'(x) \qquad \cdots\cdots \text{㉠}$$

$f(x)=\dfrac{x+2}{x^2+2}$에서 $f(0)=1$이고
$$f'(x) = \frac{x^2+2-(x+2) \times 2x}{(x^2+2)^2}$$
$$= \frac{-x^2-4x+2}{(x^2+2)^2}$$
$$\therefore f'(0) = \frac{2}{4} = \frac{1}{2}$$
한편, $h'(0)=4$이므로 ㉠에서
$$h'(0)=g'(f(0))f'(0)$$
$$4=g'(1) \times \frac{1}{2}$$
$$\therefore g'(1)=8 \qquad\qquad \text{달 } 8$$

074 $f(x)=\ln(x^2+3x+2)$에서
$$f'(x) = \frac{2x+3}{x^2+3x+2} = \frac{2x+3}{(x+1)(x+2)}$$
$$\therefore \sum_{n=1}^{\infty} \frac{f'(n)}{2n+3}$$
$$= \sum_{n=1}^{\infty} \frac{1}{2n+3} \times \frac{2n+3}{(n+1)(n+2)}$$
$$= \sum_{n=1}^{\infty} \frac{1}{(n+1)(n+2)}$$
$$= \lim_{n \to \infty} \sum_{k=1}^{n} \left(\frac{1}{k+1} - \frac{1}{k+2} \right)$$
$$= \lim_{n \to \infty} \left\{ \left(\frac{1}{2}-\frac{1}{3}\right) + \left(\frac{1}{3}-\frac{1}{4}\right) + \left(\frac{1}{4}-\frac{1}{5}\right) + \cdots \right.$$
$$\left. + \left(\frac{1}{n+1}-\frac{1}{n+2}\right) \right\}$$
$$= \lim_{n \to \infty} \left(\frac{1}{2} - \frac{1}{n+2} \right) = \frac{1}{2} \qquad \text{달 } \frac{1}{2}$$

075 $f(x)=\ln(2^x+4^x+8^x)$으로 놓으면 $f(0)=\ln 3$이므로
$$\lim_{x \to 0} \frac{1}{x} \ln \frac{2^x+4^x+8^x}{3} = \lim_{x \to 0} \frac{\ln(2^x+4^x+8^x)-\ln 3}{x}$$
$$= \lim_{x \to 0} \frac{f(x)-f(0)}{x} = f'(0)$$
$$f'(x) = \frac{2^x \ln 2 + 4^x \ln 4 + 8^x \ln 8}{2^x+4^x+8^x} \text{이므로}$$
$$f'(0) = \frac{\ln 2 + \ln 4 + \ln 8}{3} = \frac{6 \ln 2}{3} = 2 \ln 2$$
$$\therefore a=2 \qquad\qquad \text{달 } 2$$

076 $f(x)=\dfrac{x^5(x-1)^4(x-2)^3}{(x-3)^2}$에서 양변의 절댓값에 자연로그를 취하면
$$\ln|f(x)| = \ln \left| \frac{x^5(x-1)^4(x-2)^3}{(x-3)^2} \right|$$
$$= 5\ln|x| + 4\ln|x-1| + 3\ln|x-2|$$
$$-2\ln|x-3|$$
양변을 x에 대하여 미분하면
$$\frac{f'(x)}{f(x)} = \frac{5}{x} + \frac{4}{x-1} + \frac{3}{x-2} - \frac{2}{x-3}$$
$$\therefore \lim_{x \to 5} \frac{f'(x)}{f(x)} = \lim_{x \to 5} \left(\frac{5}{x} + \frac{4}{x-1} + \frac{3}{x-2} - \frac{2}{x-3} \right)$$
$$= 1+1+1-1=2 \qquad \text{달 } 2$$

077 $f(x)=x^{\sqrt{x}}$의 양변에 자연로그를 취하면
$\ln f(x)=\sqrt{x}\ln x$
양변을 x에 대하여 미분하면
$$\frac{f'(x)}{f(x)}=\frac{1}{2\sqrt{x}}\times\ln x+\sqrt{x}\times\frac{1}{x}$$
$$=\frac{1}{2\sqrt{x}}(\ln x+2)$$
$\therefore \dfrac{f'(e^2)}{f(e^2)}=\dfrac{1}{2e}(2+2)=\dfrac{2}{e}$ **답** ②

078 $f(x)=\sqrt[3]{\dfrac{x+1}{x+3}}=\left(\dfrac{x+1}{x+3}\right)^{\frac{1}{3}}$에서
$$f'(x)=\frac{1}{3}\left(\frac{x+1}{x+3}\right)^{-\frac{2}{3}}\times\left(\frac{x+1}{x+3}\right)'$$
$$=\frac{1}{3}\times\frac{1}{\sqrt[3]{\left(\dfrac{x+1}{x+3}\right)^2}}\times\frac{x+3-(x+1)}{(x+3)^2}$$
$$=\frac{1}{3}\sqrt[3]{\left(\frac{x+3}{x+1}\right)^2}\times\frac{2}{(x+3)^2}$$
$\therefore f'(-2)=\dfrac{1}{3}\times1\times2=\dfrac{2}{3}$ **답** ③

079 $\displaystyle\lim_{x\to1}\frac{f(x^2)-f(1)}{x-1}=\lim_{x\to1}\frac{f(x^2)-f(1)}{x^2-1}\times(x+1)$
$$=2f'(1)$$
한편,
$f(x)=\displaystyle\sum_{k=1}^{10}(k-11)x^{k-11}$
$=-(10x^{-10}+9x^{-9}+8x^{-8}+\cdots+2x^{-2}+x^{-1})$
이므로
$f'(x)=10^2x^{-11}+9^2x^{-10}+8^2x^{-9}+\cdots+2^2x^{-3}+x^{-2}$
$\therefore f'(1)=10^2+9^2+8^2+\cdots+2^2+1^2$
$$=\sum_{k=1}^{10}k^2$$
$$=\frac{10\times11\times21}{6}=385$$
$\therefore 2f'(1)=2\times385=770$ **답** 770

080 $f(x)=\ln(e^x+e^{2x}+e^{3x}+\cdots+e^{nx})$으로 놓으면
$f(0)=\ln n$
$\therefore \displaystyle\lim_{x\to0}\frac{1}{x}\ln\frac{e^x+e^{2x}+e^{3x}+\cdots+e^{nx}}{n}$
$$=\lim_{x\to0}\frac{1}{x}\{\ln(e^x+e^{2x}+e^{3x}+\cdots+e^{nx})-\ln n\}$$
$$=\lim_{x\to0}\frac{f(x)-f(0)}{x}=f'(0)$$
$f'(x)=\dfrac{e^x+2e^{2x}+3e^{3x}+\cdots+ne^{nx}}{e^x+e^{2x}+e^{3x}+\cdots+e^{nx}}$ 이므로
$f'(0)=\dfrac{1+2+3+\cdots+n}{n}=\dfrac{n+1}{2}=10$
$\therefore n=19$ **답** 19

001 $x=2t$에서 $t=\dfrac{1}{2}x$이므로 이것을 $y=t+2$에 대입하면
$y=\dfrac{1}{2}x+2$ **답** $y=\dfrac{1}{2}x+2$

002 $x=t+1$에서 $t=x-1$이므로 이것을 $y=t^2$에 대입하면
$y=(x-1)^2$ **답** $y=(x-1)^2$

003 $x=t-1$에서 $t=x+1$이므로 이것을 $y=e^t$에 대입하면
$y=e^{x+1}$ **답** $y=e^{x+1}$

004 $x=\cos\theta,\ y=\sin\theta\ (0\le\theta\le\pi)$에서 각 식의 양변을 제곱하여 변끼리 더하면
$x^2+y^2=\cos^2\theta+\sin^2\theta$
$\therefore x^2+y^2=1$ (단, $y\ge0$) **답** $x^2+y^2=1$ (단, $y\ge0$)

005 $x=2t+1$에서 $\dfrac{dx}{dt}=2$
$y=t^2$에서 $\dfrac{dy}{dt}=2t$
$\therefore \dfrac{dy}{dx}=\dfrac{\dfrac{dy}{dt}}{\dfrac{dx}{dt}}=\dfrac{2t}{2}=t$ **답** $\dfrac{dy}{dx}=t$

006 $x=3t-2$에서 $\dfrac{dx}{dt}=3$
$y=2t^2+3$에서 $\dfrac{dy}{dt}=4t$
$\therefore \dfrac{dy}{dx}=\dfrac{\dfrac{dy}{dt}}{\dfrac{dx}{dt}}=\dfrac{4t}{3}=\dfrac{4}{3}t$ **답** $\dfrac{dy}{dx}=\dfrac{4}{3}t$

007 $x=3t-3$에서 $\dfrac{dx}{dt}=3$
$y=-t^3+3t-7$에서 $\dfrac{dy}{dt}=-3t^2+3$
$\therefore \dfrac{dy}{dx}=\dfrac{\dfrac{dy}{dt}}{\dfrac{dx}{dt}}=\dfrac{-3t^2+3}{3}=-t^2+1$

답 $\dfrac{dy}{dx}=-t^2+1$

008 $x=t^2-1$에서 $\dfrac{dx}{dt}=2t$
$y=t^4+t^2$에서 $\dfrac{dy}{dt}=4t^3+2t$
$\therefore \dfrac{dy}{dx}=\dfrac{\dfrac{dy}{dt}}{\dfrac{dx}{dt}}=\dfrac{4t^3+2t}{2t}=2t^2+1$

답 $\dfrac{dy}{dx}=2t^2+1$

009 $x=3\cos\theta$에서 $\dfrac{dx}{d\theta}=-3\sin\theta$

$y=2\sin\theta$에서 $\dfrac{dy}{d\theta}=2\cos\theta$

$\therefore \dfrac{dy}{dx}=\dfrac{\dfrac{dy}{d\theta}}{\dfrac{dx}{d\theta}}=\dfrac{2\cos\theta}{-3\sin\theta}=-\dfrac{2}{3}\cot\theta$ (단, $\sin\theta\neq0$)

답 $\dfrac{dy}{dx}=-\dfrac{2}{3}\cot\theta$ (단, $\sin\theta\neq0$)

010 $x=\theta-\sin\theta$에서 $\dfrac{dx}{d\theta}=1-\cos\theta$

$y=1-\cos\theta$에서 $\dfrac{dy}{d\theta}=\sin\theta$

$\therefore \dfrac{dy}{dx}=\dfrac{\dfrac{dy}{d\theta}}{\dfrac{dx}{d\theta}}=\dfrac{\sin\theta}{1-\cos\theta}$ (단, $1-\cos\theta\neq0$)

답 $\dfrac{dy}{dx}=\dfrac{\sin\theta}{1-\cos\theta}$ (단, $1-\cos\theta\neq0$)

011 $y=\dfrac{4}{x}$에서 $xy=4$

$\therefore xy-4=0$

답 $xy-4=0 \left(\text{또는 } y-\dfrac{4}{x}=0\right)$

012 $y=x^2+1$에서 $x^2-y+1=0$

답 $x^2-y+1=0$

013 $y=\dfrac{x-1}{3x+1}$에서

$3xy+y=x-1$

$\therefore 3xy-x+y+1=0$

답 $3xy-x+y+1=0 \left(\text{또는 } y-\dfrac{x-1}{3x+1}=0\right)$

014 $x^2+y^2=4$의 양변을 x에 대하여 미분하면

$\dfrac{d}{dx}(x^2)+\dfrac{d}{dx}(y^2)=\dfrac{d}{dx}(4)$

$2x+2y\dfrac{dy}{dx}=0$

$2y\dfrac{dy}{dx}=-2x$

$\therefore \dfrac{dy}{dx}=-\dfrac{x}{y}$ (단, $y\neq0$)

답 $\dfrac{dy}{dx}=-\dfrac{x}{y}$ (단, $y\neq0$)

015 $xy=1$의 양변을 x에 대하여 미분하면

$\dfrac{d}{dx}(xy)=\dfrac{d}{dx}(1)$

$\dfrac{d}{dx}(x)\times y+x\times\dfrac{d}{dx}(y)=0$

$y+x\dfrac{dy}{dx}=0$

$x\dfrac{dy}{dx}=-y$

$\therefore \dfrac{dy}{dx}=-\dfrac{y}{x}$ (단, $x\neq0$)

답 $\dfrac{dy}{dx}=-\dfrac{y}{x}$ (단, $x\neq0$)

016 $x+2y^2=6$의 양변을 x에 대하여 미분하면

$\dfrac{d}{dx}(x)+\dfrac{d}{dx}(2y^2)=\dfrac{d}{dx}(6)$

$1+4y\dfrac{dy}{dx}=0$

$4y\dfrac{dy}{dx}=-1$

$\therefore \dfrac{dy}{dx}=-\dfrac{1}{4y}$ (단, $y\neq0$)

답 $\dfrac{dy}{dx}=-\dfrac{1}{4y}$ (단, $y\neq0$)

017 $x^2-y^2=1$의 양변을 x에 대하여 미분하면

$\dfrac{d}{dx}(x^2)-\dfrac{d}{dx}(y^2)=\dfrac{d}{dx}(1)$

$2x-2y\dfrac{dy}{dx}=0$

$-2y\dfrac{dy}{dx}=-2x$

$\therefore \dfrac{dy}{dx}=\dfrac{x}{y}$ (단, $y\neq0$)

답 $\dfrac{dy}{dx}=\dfrac{x}{y}$ (단, $y\neq0$)

018 $x^2-xy-2y=0$의 양변을 x에 대하여 미분하면

$\dfrac{d}{dx}(x^2)-\dfrac{d}{dx}(xy)-\dfrac{d}{dx}(2y)=0$

$2x-\dfrac{d}{dx}(x)\times y-x\dfrac{d}{dx}(y)-2\dfrac{dy}{dx}=0$

$2x-y-x\dfrac{dy}{dx}-2\dfrac{dy}{dx}=0$

$-(x+2)\dfrac{dy}{dx}=-2x+y$

$\therefore \dfrac{dy}{dx}=\dfrac{2x-y}{x+2}$ (단, $x\neq-2$)

답 $\dfrac{dy}{dx}=\dfrac{2x-y}{x+2}$ (단, $x\neq-2$)

019 $x^2+y^3-5xy=0$의 양변을 x에 대하여 미분하면

$\dfrac{d}{dx}(x^2)+\dfrac{d}{dx}(y^3)-\dfrac{d}{dx}(5xy)=0$

$2x+3y^2\dfrac{dy}{dx}-5\left\{\dfrac{d}{dx}(x)\times y+x\dfrac{d}{dx}(y)\right\}=0$

$2x+3y^2\dfrac{dy}{dx}-5y-5x\dfrac{dy}{dx}=0$

$(3y^2-5x)\dfrac{dy}{dx}=5y-2x$

$\therefore \dfrac{dy}{dx}=\dfrac{5y-2x}{3y^2-5x}$ (단, $3y^2-5x\neq0$)

답 $\dfrac{dy}{dx}=\dfrac{5y-2x}{3y^2-5x}$ (단, $3y^2-5x\neq0$)

020 $x+\sin y-y=0$의 양변을 x에 대하여 미분하면

$\dfrac{d}{dx}(x)+\dfrac{d}{dx}(\sin y)-\dfrac{d}{dx}(y)=0$

$1+\cos y\dfrac{dy}{dx}-1\dfrac{dy}{dx}=0$

$(\cos y-1)\dfrac{dy}{dx}=-1$

$$\therefore \frac{dy}{dx}=\frac{1}{1-\cos y} \ (\text{단, } \cos y\neq 1)$$

$$\boxed{\text{답}} \ \frac{dy}{dx}=\frac{1}{1-\cos y} \ (\text{단, } \cos y\neq 1)$$

021 $y=\sqrt[4]{x} \ (x>0)$를 x에 대하여 정리하면

$x=y^4$

양변을 y에 대하여 미분하면

$$\frac{dx}{dy}=4y^3$$

따라서 함수 $y=\sqrt[4]{x}$의 도함수는

$$\frac{dy}{dx}=\frac{1}{\dfrac{dx}{dy}}=\frac{1}{4y^3}=\frac{1}{4\sqrt[4]{x^3}} \qquad \boxed{\text{답}} \ \frac{dy}{dx}=\frac{1}{4\sqrt[4]{x^3}}$$

022 $y=\sqrt[3]{3x} \ (x\neq 0)$를 x에 대하여 정리하면

$$y^3=3x \qquad \therefore x=\frac{1}{3}y^3$$

양변을 y에 대하여 미분하면

$$\frac{dx}{dy}=\frac{1}{3}\times 3y^2=y^2$$

따라서 함수 $y=\sqrt[3]{3x}$의 도함수는

$$\frac{dy}{dx}=\frac{1}{\dfrac{dx}{dy}}=\frac{1}{y^2}=\frac{1}{\sqrt[3]{(3x)^2}}=\frac{1}{\sqrt[3]{9x^2}}$$

$$\boxed{\text{답}} \ \frac{dy}{dx}=\frac{1}{\sqrt[3]{9x^2}}$$

023 $y=\sqrt[4]{x-5} \ (x>5)$를 x에 대하여 정리하면

$$y^4=x-5 \qquad \therefore x=y^4+5$$

양변을 y에 대하여 미분하면

$$\frac{dx}{dy}=4y^3$$

따라서 함수 $y=\sqrt[4]{x-5}$의 도함수는

$$\frac{dy}{dx}=\frac{1}{\dfrac{dx}{dy}}=\frac{1}{4y^3}=\frac{1}{4\sqrt[4]{(x-5)^3}}$$

$$\boxed{\text{답}} \ \frac{dy}{dx}=\frac{1}{4\sqrt[4]{(x-5)^3}}$$

024 $y=\sqrt[3]{2x+4} \ \left(x\neq -\dfrac{1}{2}\right)$를 x에 대하여 정리하면

$$y^3=2x+4, \ y^3-4=2x$$

$$\therefore x=\frac{1}{2}(y^3-4)=\frac{1}{2}y^3-2$$

양변을 y에 대하여 미분하면

$$\frac{dx}{dy}=\frac{1}{2}\times 3y^2=\frac{3}{2}y^2$$

따라서 함수 $y=\sqrt[3]{2x+4}$의 도함수는

$$\frac{dy}{dx}=\frac{1}{\dfrac{dx}{dy}}=\frac{1}{\dfrac{3}{2}y^2}=\frac{2}{3\sqrt[3]{(2x+4)^2}}$$

$$\boxed{\text{답}} \ \frac{dy}{dx}=\frac{2}{3\sqrt[3]{(2x+4)^2}}$$

025 $y=\sqrt{x-3}+1 \ (x>3)$을 x에 대하여 정리하면

$$y-1=\sqrt{x-3}, \ (y-1)^2=x-3$$

$$\therefore x=(y-1)^2+3$$

양변을 y에 대하여 미분하면

$$\frac{dx}{dy}=2(y-1)$$

따라서 함수 $y=\sqrt{x-3}+1$의 도함수는

$$\frac{dy}{dx}=\frac{1}{\dfrac{dx}{dy}}=\frac{1}{2(y-1)}$$

$$=\frac{1}{2(\sqrt{x-3}+1-1)}$$

$$=\frac{1}{2\sqrt{x-3}} \qquad \boxed{\text{답}} \ \frac{dy}{dx}=\frac{1}{2\sqrt{x-3}}$$

026 $y'=3x^2+8x$이므로

$$y''=6x+8 \qquad\qquad \boxed{\text{답}} \ y''=6x+8$$

027 $y'=e^x-4x$이므로

$$y''=e^x-4 \qquad\qquad \boxed{\text{답}} \ y''=e^x-4$$

028 $y'=\dfrac{1}{x}+e^{2x}\times(2x)'=\dfrac{1}{x}+2e^{2x}$이므로

$$y''=-\frac{1}{x^2}+2e^{2x}\times(2x)'$$

$$=-\frac{1}{x^2}+4e^{2x} \qquad \boxed{\text{답}} \ y''=-\frac{1}{x^2}+4e^{2x}$$

029 $y'=3(2x-1)^2\times(2x-1)'=6(2x-1)^2$이므로

$$y''=12(2x-1)\times(2x-1)'$$

$$=24(2x-1) \qquad \boxed{\text{답}} \ y''=24(2x-1)$$

030 $y'=\cos 3x\times(3x)'=3\cos 3x$이므로

$$y''=-3\sin 3x\times(3x)'$$

$$=-9\sin 3x \qquad \boxed{\text{답}} \ y''=-9\sin 3x$$

031 $y'=(x^2)'\ln x+x^2(\ln x)'=2x\ln x+x^2\times\dfrac{1}{x}$

$$=2x\ln x+x=x(2\ln x+1)$$

이므로

$$y''=(x)'(2\ln x+1)+x(2\ln x+1)'$$

$$=2\ln x+1+x\times\frac{2}{x}$$

$$=2\ln x+3 \qquad \boxed{\text{답}} \ y''=2\ln x+3$$

032 $y'=(x)'\cos x+x(\cos x)'=\cos x-x\sin x$이므로

$$y''=(\cos x)'-\{(x)'\sin x+x(\sin x)'\}$$

$$=-\sin x-(\sin x+x\cos x)$$

$$=-2\sin x-x\cos x$$

$$\boxed{\text{답}} \ y''=-2\sin x-x\cos x$$

033 $x=t^2+t+2$에서 $\dfrac{dx}{dt}=2t+1$

$y=t^3+2t$에서 $\dfrac{dy}{dt}=3t^2+2$

$$\therefore \frac{dy}{dx} = \frac{\dfrac{dy}{dt}}{\dfrac{dx}{dt}} = \frac{3t^2+2}{2t+1} \ (\text{단, } 2t+1 \neq 0)$$

$x=t^2+t+2=4$에서 $t^2+t-2=0$

$(t+2)(t-1)=0$

$\therefore t=-2$ 또는 $t=1$ ……㉠

$y=t^3+2t=3$에서 $t^3+2t-3=0$

$(t-1)(t^2+t+3)=0$

$\therefore t=1$ ……㉡

㉠, ㉡에서 $t=1$

따라서 구하는 접선의 기울기는

$$\frac{3\times1^2+2}{2\times1+1}=\frac{5}{3}$$

답 $\dfrac{5}{3}$

034
$$\lim_{h\to0}\frac{f(3+4h)-f(3)}{h}=\lim_{h\to0}\frac{f(3+4h)-f(3)}{4h}\times4$$
$$=4f'(3)$$

$x=t^3-2t^2+3t+1$에서 $\dfrac{dx}{dt}=3t^2-4t+3$

$y=t^2+t+1$에서 $\dfrac{dy}{dt}=2t+1$

$$\therefore \frac{dy}{dx}=\frac{\dfrac{dy}{dt}}{\dfrac{dx}{dt}}=\frac{2t+1}{3t^2-4t+3} \ (\text{단, } 3t^2-4t+3\neq0)$$

한편, $x=t^3-2t^2+3t+1=3$에서

$t^3-2t^2+3t-2=0$

$(t-1)(t^2-t+2)=0$

$\therefore t=1$

$t=1$일 때 $\dfrac{dy}{dx}=\dfrac{3}{2}$이므로

$f'(3)=\dfrac{3}{2}$

$$\therefore \lim_{h\to0}\frac{f(3+4h)-f(3)}{h}=4f'(3)$$
$$=4\times\frac{3}{2}=6$$

답 ③

035
$x=t^3+1$에서 $\dfrac{dx}{dt}=3t^2$

$y=t^2-at+3a^2$에서 $\dfrac{dy}{dt}=2t-a$

$$\therefore \frac{dy}{dx}=\frac{\dfrac{dy}{dt}}{\dfrac{dx}{dt}}=\frac{2t-a}{3t^2} \ (\text{단, } t\neq0)$$

$t=2$에 대응하는 점에서의 접선의 기울기가 -1이므로

$$\frac{4-a}{12}=-1$$

$\therefore a=16$

답 16

036
$x=t+\dfrac{1}{t}$에서

$$\frac{dx}{dt}=1-\frac{1}{t^2}=\frac{t^2-1}{t^2}$$

$y=\dfrac{2t}{1+t^2}$에서

$$\frac{dy}{dt}=\frac{2(1+t^2)-2t(2t)}{(1+t^2)^2}$$
$$=\frac{2-2t^2}{(1+t^2)^2}$$

$$\therefore \frac{dy}{dx}=\frac{\dfrac{dy}{dt}}{\dfrac{dx}{dt}}=\frac{\dfrac{2-2t^2}{(1+t^2)^2}}{\dfrac{t^2-1}{t^2}}=\frac{-2t^2}{(1+t^2)^2}$$

$$\therefore \lim_{t\to1}\frac{dy}{dx}=\lim_{t\to1}\frac{-2t^2}{(1+t^2)^2}=-\frac{1}{2}$$

답 $-\dfrac{1}{2}$

다른 풀이

$x=t+\dfrac{1}{t}=\dfrac{t^2+1}{t}$, $y=\dfrac{2t}{t^2+1}$ 이므로 $y=\dfrac{2}{x}$

$t\to1$일 때, $x\to2$이므로

$$\lim_{t\to1}\frac{dy}{dx}=\lim_{x\to2}\frac{dy}{dx}$$

$\dfrac{dy}{dx}=-\dfrac{2}{x^2}$이므로

$$\lim_{x\to2}\frac{dy}{dx}=\lim_{x\to2}\left(-\frac{2}{x^2}\right)=-\frac{1}{2}$$

037
$x=t+2\sqrt{t}$에서

$$\frac{dx}{dt}=1+\frac{1}{\sqrt{t}}=\frac{\sqrt{t}+1}{\sqrt{t}}$$

$y=4t^3$에서

$$\frac{dy}{dt}=12t^2$$

$$\therefore \frac{dy}{dx}=\frac{\dfrac{dy}{dt}}{\dfrac{dx}{dt}}=\frac{12t^2}{\dfrac{\sqrt{t}+1}{\sqrt{t}}}=\frac{12t^2\sqrt{t}}{\sqrt{t}+1}$$

따라서 $t=1$일 때, $\dfrac{dy}{dx}$ 의 값은 6이다.

답 6

038
$x=t\sin t$에서 $\dfrac{dx}{dt}=\sin t+t\cos t$

$y=e^t\cos t$에서 $\dfrac{dy}{dt}=e^t\cos t-e^t\sin t=e^t(\cos t-\sin t)$

$$\therefore \frac{dy}{dx}=\frac{\dfrac{dy}{dt}}{\dfrac{dx}{dt}}=\frac{e^t(\cos t-\sin t)}{\sin t+t\cos t} \ (\text{단, } \sin t+t\cos t\neq0)$$

따라서 $t=\dfrac{\pi}{2}$에 대응하는 점에서의 접선의 기울기는

$$\frac{e^{\frac{\pi}{2}}(0-1)}{1+\dfrac{\pi}{2}\times0}=-e^{\frac{\pi}{2}}$$

답 ①

039
$x=3e^{t-2}$에서 $\dfrac{dx}{dt}=3e^{t-2}$

$y=e^{3t-1}$에서 $\dfrac{dy}{dt}=3e^{3t-1}$

$$\therefore \frac{dy}{dx}=\frac{\dfrac{dy}{dt}}{\dfrac{dx}{dt}}=\frac{3e^{3t-1}}{3e^{t-2}}=e^{2t+1}$$

답 ②

040 $x=2t+1$에서 $\dfrac{dx}{dt}=2$

$y=t+\dfrac{3}{t}$ 에서 $\dfrac{dy}{dt}=1-\dfrac{3}{t^2}=\dfrac{t^2-3}{t^2}$

점 $\mathrm{P}\left(2t+1,\ t+\dfrac{3}{t}\right)$이 그리는 곡선 위의 한 점에서의 접선의
기울기는

$\dfrac{dy}{dx}=\dfrac{\dfrac{dy}{dt}}{\dfrac{dx}{dt}}=\dfrac{\dfrac{t^2-3}{t^2}}{2}=\dfrac{1}{2}\left(1-\dfrac{3}{t^2}\right)$

곡선 위의 한 점 (a,b)에서의 접선의 기울기가 -1이므로

$\dfrac{1}{2}\left(1-\dfrac{3}{t^2}\right)=-1,\ t^2=1$ $\therefore t=1(\because t>0)$

따라서 $a=3$, $b=4$이므로 $a+b=7$ 　　　　　　　　답 **7**

041 B지점에서 C지점으로 걸어간 거리를 $y\,\mathrm{m}$, 그 지점에서 A지점
까지의 거리를 $x\,\mathrm{m}$라 하면
$x^2=y^2+100^2$
이 식의 양변을 시각 t에 대하여 미분
하면

$2x\dfrac{dx}{dt}=2y\dfrac{dy}{dt}$

$\therefore \dfrac{dx}{dt}=\dfrac{y}{x}\cdot\dfrac{dy}{dt}=\dfrac{y}{x}\left(\because \dfrac{dy}{dt}=1\right)$

$y=50$이므로
$x=\sqrt{50^2+100^2}=50\sqrt{5}$

$\therefore \dfrac{dx}{dt}=\dfrac{50}{50\sqrt{5}}=\dfrac{\sqrt{5}}{5}\ (\mathrm{m/s})$ 　　　답 $\dfrac{\sqrt{5}}{5}\mathrm{m/s}$

042 $x^3-2xy^2=3$의 양변을 x에 대하여 미분하면

$3x^2-\left(2y^2+4xy\dfrac{dy}{dx}\right)=0$

$4xy\dfrac{dy}{dx}=3x^2-2y^2$

$\therefore \dfrac{dy}{dx}=\dfrac{3x^2-2y^2}{4xy}$ (단, $xy\neq0$)

따라서 점 $(3,2)$에서의 접선의 기울기는

$\dfrac{3\times3^2-2\times2^2}{4\times3\times2}=\dfrac{19}{24}$ 　　　　　　　답 ③

043 점 $\mathrm{P}(1,a)$는 곡선 $x^3+y^3-2xy-5=0$ 위의 점이므로
$1+a^3-2a-5=0,\ a^3-2a-4=0$
$(a-2)(a^2+2a+2)=0$　　$\therefore a=2\ (\because a$는 실수$)$
한편, $x^3+y^3-2xy-5=0$의 양변을 x에 대하여 미분하면

$3x^2+3y^2\dfrac{dy}{dx}-\left(2y+2x\dfrac{dy}{dx}\right)=0$

$(3y^2-2x)\dfrac{dy}{dx}=2y-3x^2$

$\therefore \dfrac{dy}{dx}=\dfrac{2y-3x^2}{3y^2-2x}$ (단, $3y^2-2x\neq0$)

따라서 점 $\mathrm{P}(1,2)$에서의 접선의 기울기는

$m=\dfrac{2\times2-3\times1^2}{3\times2^2-2\times1}=\dfrac{1}{10}$

$\therefore am=2\times\dfrac{1}{10}=\dfrac{1}{5}$ 　　　　　　　　답 $\dfrac{1}{5}$

044 $x\sqrt{x}+y\sqrt{y}=2$, 즉 $x^{\frac{3}{2}}+y^{\frac{3}{2}}=2$의 양변을 x에 대하여 미분하면

$\dfrac{3}{2}x^{\frac{1}{2}}+\dfrac{3}{2}y^{\frac{1}{2}}\dfrac{dy}{dx}=0$

$\therefore \dfrac{dy}{dx}=-\dfrac{x^{\frac{1}{2}}}{y^{\frac{1}{2}}}=-\dfrac{\sqrt{x}}{\sqrt{y}}$ (단, $y\neq0$)

따라서 점 $(1,1)$에서의 접선의 기울기는

$-\dfrac{\sqrt{1}}{\sqrt{1}}=-1$ 　　　　　　　　　　　답 -1

045 $e^y+\ln\cos x=1$의 양변을 x에 대하여 미분하면

$e^y\dfrac{dy}{dx}+\dfrac{-\sin x}{\cos x}=0$

$\therefore e^y\dfrac{dy}{dx}=\tan x$ 　　　　　　　　　답 ③

046 $x^3+y^3+3x^2+3x=1$의 양변을 x에 대하여 미분하면

$3x^2+3y^2\dfrac{dy}{dx}+6x+3=0$

$3y^2\dfrac{dy}{dx}=-3x^2-6x-3$

$\qquad\qquad =-3(x+1)^2$

$\therefore \dfrac{dy}{dx}=\dfrac{-3(x+1)^2}{3y^2}=-\dfrac{(x+1)^2}{y^2}$ (단, $y\neq0$)

교점은 직선 $y=x+1$ 위의 점이므로 교점의 좌표를
$(a,a+1)$이라 하면 이 점에서의 접선의 기울기는

$\dfrac{dy}{dx}=-\dfrac{(a+1)^2}{(a+1)^2}=-1$

따라서 교점에서의 접선의 기울기는 -1이다. 　　　답 -1

047 점 $(1,-3)$은 곡선 $x^3+y^3+axy+b=0$ 위의 점이므로
$1-27-3a+b=0$
$\therefore 3a-b=-26$ 　　……㉠
한편, $x^3+y^3+axy+b=0$의 양변을 x에 대하여 미분하면

$3x^2+3y^2\dfrac{dy}{dx}+\left(ay+ax\dfrac{dy}{dx}\right)=0$

$(ax+3y^2)\dfrac{dy}{dx}=-3x^2-ay$

$\therefore \dfrac{dy}{dx}=\dfrac{-3x^2-ay}{ax+3y^2}$ (단, $ax+3y^2\neq0$)

점 $(1,-3)$에서의 접선의 기울기가 $\dfrac{1}{5}$이므로

$\dfrac{-3+3a}{a+27}=\dfrac{1}{5}$

$-15+15a=a+27$
$14a=42$　　$\therefore a=3$
$a=3$을 ㉠에 대입하면 $b=35$
$\therefore b-a=35-3=32$ 　　　　　　　　　　答 32

048 $g(2)=1$이고 $f'(x)=3x^2+1$이므로

$g'(2)=\dfrac{1}{f'(g(2))}=\dfrac{1}{f'(1)}=\dfrac{1}{4}$

따라서 곡선 $y=g(x)$ 위의 점 $(2,1)$에서의 접선의 기울기는
$\dfrac{1}{4}$이다. 　　　　　　　　　　　　　　　답 $\dfrac{1}{4}$

049 $g(0)=a$라 하면 $f(a)=0$이므로

$\dfrac{a+2}{a-2}=0$ $\quad\therefore a=-2$

즉, $g(0)=-2$이고

$f'(x)=\dfrac{(x-2)-(x+2)}{(x-2)^2}=\dfrac{-4}{(x-2)^2}$이므로

$g'(0)=\dfrac{1}{f'(g(0))}=\dfrac{1}{f'(-2)}$

$=\dfrac{1}{-\dfrac{1}{4}}=-4$ 〔답〕-4

050 $g(1)=a$라 하면 $f(a)=1$이므로

$\tan a=1$ $\quad\therefore a=\dfrac{\pi}{4}\left(\because 0\leq a<\dfrac{\pi}{2}\right)$

즉, $g(1)=\dfrac{\pi}{4}$이고 $f'(x)=\sec^2 x$이므로

$g'(1)=\dfrac{1}{f'(g(1))}=\dfrac{1}{f'\left(\dfrac{\pi}{4}\right)}$

$=\dfrac{1}{\sec^2\dfrac{\pi}{4}}=\dfrac{1}{2}$ 〔답〕②

051 $y=\dfrac{1}{2}(e^x-e^{-x})$이라 하고, $e^x=t\ (t>0)$로 놓으면

$y=\dfrac{1}{2}(t-t^{-1}),\ t^2-2yt-1=0$

$\therefore t=y+\sqrt{y^2+1}\ (\because t>0)$

즉, $e^x=y+\sqrt{y^2+1}$이므로

$x=\ln\left(y+\sqrt{y^2+1}\right)$

x와 y를 서로 바꾸면

$y=\ln\left(x+\sqrt{x^2+1}\right)$

$\therefore g(x)=\ln\left(x+\sqrt{x^2+1}\right)$

$g'(x)=\dfrac{1+\dfrac{x}{\sqrt{x^2+1}}}{x+\sqrt{x^2+1}}$

$=\dfrac{\dfrac{1}{\sqrt{x^2+1}}\left(x+\sqrt{x^2+1}\right)}{x+\sqrt{x^2+1}}$

$=\dfrac{1}{\sqrt{x^2+1}}$

$\therefore g'(1)=\dfrac{1}{\sqrt{2}}=\dfrac{\sqrt{2}}{2}$ 〔답〕②

052 $f'(x)=\dfrac{e^x}{e^x-1}$ ……㉠

$g(x)=y$라 하면 $x=f(y)=\ln(e^y-1)$

$\therefore e^y-1=e^x$

$g'(x)=\dfrac{1}{f'(g(x))}=\dfrac{1}{f'(y)}$

$=\dfrac{e^y-1}{e^y}=\dfrac{e^x}{e^x+1}$ ……㉡

㉠, ㉡에서

$\dfrac{1}{f'(a)}+\dfrac{1}{g'(a)}=\dfrac{e^a-1}{e^a}+\dfrac{e^a+1}{e^a}=2$ 〔답〕2

053 $\displaystyle\lim_{x\to 3}\dfrac{x^2g(3)-9g(x)}{x-3}$

$=\displaystyle\lim_{x\to 3}\dfrac{x^2g(3)-9g(3)-\{9g(x)-9g(3)\}}{x-3}$

$=g(3)\displaystyle\lim_{x\to 3}\dfrac{x^2-9}{x-3}-9\lim_{x\to 3}\dfrac{g(x)-g(3)}{x-3}$

$=g(3)\displaystyle\lim_{x\to 3}(x+3)-9g'(3)$

$=6g(3)-9g'(3)$

$g(3)=a$라 하면 $f(a)=3$이므로

$2a^2+4a+3=3,\ 2a(a+2)=0$

$\therefore a=0\ (\because a>-1)$

즉, $g(3)=0$이고 $f'(x)=4x+4$이므로

$\displaystyle\lim_{x\to 3}\dfrac{x^2g(3)-9g(x)}{x-3}=6g(3)-9g'(3)$

$=6g(3)-9\times\dfrac{1}{f'(g(3))}$

$=6\times 0-9\times\dfrac{1}{f'(0)}$

$=-9\times\dfrac{1}{4}$

$=-\dfrac{9}{4}$ 〔답〕$-\dfrac{9}{4}$

054 함수 $f(x)$의 역함수가 $g(x)$이고

$f(1)=2,\ f'(1)=3$이므로

$g(2)=1,\ g'(2)=\dfrac{1}{f'(g(2))}=\dfrac{1}{f'(1)}=\dfrac{1}{3}$

함수 $h(x)=xg(x)$에서

$h'(x)=g(x)+xg'(x)$

$\therefore h'(2)=g(2)+2g'(2)$

$=1+2\times\dfrac{1}{3}=\dfrac{5}{3}$ 〔답〕$\dfrac{5}{3}$

055 $x\to 1$일 때, (분모)$\to 0$이고 극한값이 존재하므로 (분자)$\to 0$
이어야 한다.

$\displaystyle\lim_{x\to 1}\{f(x)-2\}=0$에서 $f(1)=2$ $\quad\therefore g(2)=1$

$\displaystyle\lim_{x\to 1}\dfrac{f(x)-2}{x-1}=\lim_{x\to 1}\dfrac{f(x)-f(1)}{x-1}=f'(1)=\dfrac{1}{3}$

$f(x)$의 역함수가 $g(x)$이므로

$f(g(x))=x$에서 양변을 x에 대하여 미분하면

$f'(g(x))\times g'(x)=1$ $\quad\therefore g'(x)=\dfrac{1}{f'(g(x))}$

$\therefore g'(2)=\dfrac{1}{f'(g(2))}=\dfrac{1}{f'(1)}=3$

$\therefore g(2)+g'(2)=1+3=4$ 〔답〕4

056 $f(\alpha)=\beta$에서 $g(\beta)=\alpha$이고

$f'(\alpha)=\gamma$이므로

$g'(\beta)=\dfrac{1}{f'(g(\beta))}=\dfrac{1}{f'(\alpha)}=\dfrac{1}{\gamma}$ 〔답〕⑤

057 $f(x)=xe^x$에서

$f'(x)=e^x+xe^x$

$f''(x)=e^x+e^x+xe^x=2e^x+xe^x$

$\therefore f''(1)=2e+e=3e$ 〔답〕④

058 $f(x)=e^{\tan x}$에서

$\quad f'(x)=e^{\tan x}\times(\tan x)'$

$\qquad =\sec^2 x\times e^{\tan x}$

$\quad f''(x)=(\sec^2 x)'e^{\tan x}+\sec^2 x(e^{\tan x})'$

$\qquad =2\sec x(\sec x)'e^{\tan x}+\sec^2 x(\sec^2 x\times e^{\tan x})$

$\qquad =2\sec^2 x\times \tan x\times e^{\tan x}+\sec^4 x\times e^{\tan x}$

$\qquad =\sec^2 x(2\tan x+\sec^2 x)e^{\tan x}$

$\quad \therefore g(x)=\dfrac{f''(x)}{f(x)}$

$\qquad =\sec^2 x(2\tan x+\sec^2 x)$

$\qquad =(1+\tan^2 x)(2\tan x+1+\tan^2 x)$

$\qquad =(1+\tan^2 x)(1+\tan x)^2$

$\quad \therefore g\left(\dfrac{\pi}{4}\right)=(1+1^2)(1+1)^2=8$ 🄰 8

059 $f(x)=3x\ln x-x^2$에서

$\quad f'(x)=3\ln x+3-2x$이므로

$\quad f'(1)=1$

또 $f''(x)=\dfrac{3}{x}-2$이므로

$\quad \displaystyle\lim_{x\to 1}\dfrac{f'(x)-1}{x^2-1}=\lim_{x\to 1}\dfrac{f'(x)-f'(1)}{x-1}\times\dfrac{1}{x+1}$

$\qquad =\dfrac{1}{2}f''(1)=\dfrac{1}{2}(3-2)$

$\qquad =\dfrac{1}{2}$ 🄰 $\dfrac{1}{2}$

060 $f(x)=e^{ax}\sin bx$에서

$\quad f'(x)=ae^{ax}\sin bx+be^{ax}\cos bx$

$\qquad =e^{ax}(a\sin bx+b\cos bx)$

$\quad f''(x)=ae^{ax}(a\sin bx+b\cos bx)$

$\qquad\qquad\qquad +e^{ax}(ab\cos bx-b^2\sin bx)$

$\qquad =e^{ax}\{(a^2-b^2)\sin bx+2ab\cos bx\}$

$\quad f'(0)=b=4,\ f''(0)=2ab=8$이므로

$\quad a=1,\ b=4$

$\quad \therefore a+b=5$ 🄰 5

061 $f(x)=e^{ax}\cos x$에서

$\quad f'(x)=ae^{ax}\cos x-e^{ax}\sin x$

$\qquad =e^{ax}(a\cos x-\sin x)$

$\quad f''(x)=ae^{ax}(a\cos x-\sin x)+e^{ax}(-a\sin x-\cos x)$

$\qquad =e^{ax}(a^2\cos x-2a\sin x-\cos x)$

$\quad f''(x)-2f'(x)+2f(x)=0$에서

$\quad e^{ax}(a^2\cos x-2a\sin x-\cos x)$

$\qquad\qquad -2e^{ax}(a\cos x-\sin x)+2e^{ax}\cos x=0$

$\quad e^{ax}\{(a-1)^2\cos x-2(a-1)\sin x\}=0$

모든 실수 x에 대하여 위의 식을 만족시키므로 $a=1$이다.

   🄰 1

062 $f(x)=\sin x+\cos x$에서

$\quad f_1(x)=f'(x)=\cos x-\sin x$

$\quad f_2(x)=f_1'(x)=-\sin x-\cos x$

$\quad f_3(x)=f_2'(x)=-\cos x+\sin x$

$\quad f_4(x)=f_3'(x)=\sin x+\cos x$

$\quad f_5(x)=f_4'(x)=\cos x-\sin x$

$\qquad\qquad\vdots$

이므로 $f_{n+4}(x)=f_n(x)\ (n=1,\ 2,\ 3,\ \cdots)$

또 $f_1(x)+f_2(x)+f_3(x)+f_4(x)=0$이므로

$\quad \displaystyle\sum_{n=1}^{30}f_n\left(\dfrac{\pi}{2}\right)=f_{29}\left(\dfrac{\pi}{2}\right)+f_{30}\left(\dfrac{\pi}{2}\right)$

$\qquad =f_1\left(\dfrac{\pi}{2}\right)+f_2\left(\dfrac{\pi}{2}\right)$

$\qquad =-1+(-1)$

$\qquad =-2$ 🄰 ①

063 $x=2t-1$에서 $\dfrac{dx}{dt}=2$

$\quad y=t^2+1$에서 $\dfrac{dy}{dt}=2t$

$\quad \therefore \dfrac{dy}{dx}=\dfrac{\dfrac{dy}{dt}}{\dfrac{dx}{dt}}=\dfrac{2t}{2}=t$

즉, $t=2$일 때

$\quad a=2\times 2-1=3,\ b=2^2+1=5$

$\quad \therefore a+b=8$ 🄰 8

064 $x=\dfrac{t-1}{1+t}$에서

$\quad \dfrac{dx}{dt}=\dfrac{(1+t)-(t-1)}{(1+t)^2}=\dfrac{2}{(1+t)^2}$

$\quad y=\dfrac{t^2}{1+t}$에서

$\quad \dfrac{dy}{dt}=\dfrac{2t(1+t)-t^2}{(1+t)^2}=\dfrac{t^2+2t}{(1+t)^2}$

$\quad \therefore \dfrac{dy}{dx}=\dfrac{\dfrac{dy}{dt}}{\dfrac{dx}{dt}}=\dfrac{1}{2}t^2+t$

즉, $t=k$에 대응하는 점에서의 접선의 기울기는

$\quad f(k)=\dfrac{1}{2}k^2+k$

$\quad f(k)=\dfrac{1}{2}k^2+k=4$에서

$\quad k^2+2k-8=0$

$\quad (k-2)(k+4)=0$

$\quad \therefore k=2\ (\because k\text{는 자연수})$ 🄰 2

065 $x=t+t^2+t^3+\cdots+t^n$에서

$\quad \dfrac{dx}{dt}=1+2t+3t^2+\cdots+nt^{n-1}$

$\quad y=3t+2$에서

$\quad \dfrac{dy}{dt}=3$

$\quad \therefore \dfrac{dy}{dx}=\dfrac{\dfrac{dy}{dt}}{\dfrac{dx}{dt}}$

$\qquad =\dfrac{3}{1+2t+3t^2+\cdots+nt^{n-1}}$

$$\therefore \lim_{t \to 1} \frac{dy}{dx} = \lim_{t \to 1} \frac{3}{1+2t+3t^2+\cdots+nt^{n-1}}$$
$$= \frac{3}{1+2+3+\cdots+n}$$
$$= \frac{3}{\dfrac{n(n+1)}{2}}$$
$$= \frac{6}{n(n+1)}$$

$$\therefore \sum_{n=1}^{\infty} \lim_{t \to 1} \frac{dy}{dx} = \sum_{n=1}^{\infty} \frac{6}{n(n+1)}$$
$$= 6\lim_{n \to \infty} \sum_{k=1}^{n} \frac{1}{k(k+1)}$$
$$= 6\lim_{n \to \infty} \sum_{k=1}^{n} \left(\frac{1}{k} - \frac{1}{k+1}\right)$$
$$= 6\lim_{n \to \infty} \left\{\left(1 - \frac{1}{2}\right) + \left(\frac{1}{2} - \frac{1}{3}\right) + \cdots \right.$$
$$\left. + \left(\frac{1}{n} - \frac{1}{n+1}\right)\right\}$$
$$= 6\lim_{n \to \infty} \left(1 - \frac{1}{n+1}\right) = 6 \qquad \text{답 ⑤}$$

066 $y^3 = \ln(10-x^2) + xy + 18$의 양변을 x에 대하여 미분하면
$$3y^2 \frac{dy}{dx} = \frac{-2x}{10-x^2} + y + x\frac{dy}{dx}$$
$$(3y^2 - x)\frac{dy}{dx} = \frac{-2x}{10-x^2} + y$$
$$\therefore \frac{dy}{dx} = \frac{1}{3y^2-x}\left(\frac{-2x}{10-x^2} + y\right) \text{ (단, } 3y^2-x \neq 0)$$
따라서 점 $(3, 3)$에서의 접선의 기울기는
$$\frac{1}{3 \times 3^2 - 3}\left(\frac{-2 \times 3}{10-3^2} + 3\right) = -\frac{1}{8} \qquad \text{답} -\frac{1}{8}$$

067 점 $(1, 4)$는 곡선 $a\sqrt{x} + \sqrt{y} = b$ 위의 점이므로
$$a + 2 = b \qquad \cdots\cdots \text{㉠}$$
한편, $a\sqrt{x} + \sqrt{y} = b$의 양변을 x에 대하여 미분하면
$$\frac{a}{2\sqrt{x}} + \frac{1}{2\sqrt{y}} \cdot \frac{dy}{dx} = 0$$
$$\therefore \frac{dy}{dx} = -\frac{a\sqrt{y}}{\sqrt{x}} \text{ (단, } x \neq 0)$$
직선 $x - 4y + 4 = 0$과 수직인 직선의 기울기는 -4이므로
점 $(1, 4)$에서의 접선의 기울기는
$$-\frac{2a}{1} = -4$$
$$\therefore a = 2$$
$a = 2$를 ㉠에 대입하면 $b = 4$
$$\therefore a + b = 6 \qquad \text{답 6}$$

068 $x^2 + 2xy - y^2 - 9 = 0$의 양변을 x에 대하여 미분하면
$$2x + \left(2y + 2x\frac{dy}{dx}\right) - 2y\frac{dy}{dx} = 0$$
$$(2y - 2x)\frac{dy}{dx} = 2x + 2y$$
$$\therefore \frac{dy}{dx} = \frac{2x+2y}{2y-2x} = \frac{x+y}{y-x} \text{ (단, } y-x \neq 0)$$
접선의 기울기가 3이므로

$$\frac{x+y}{y-x} = 3$$
$$x + y = 3y - 3x$$
$$\therefore y = 2x \qquad \cdots\cdots \text{㉠}$$
$y = 2x$를 $x^2 + 2xy - y^2 - 9 = 0$에 대입하면
$$x^2 + 4x^2 - 4x^2 - 9 = 0, \ x^2 = 9$$
$$\therefore x = -3 \text{ 또는 } x = 3 \qquad \cdots\cdots \text{㉡}$$
㉡을 ㉠에 대입하면
$x = -3$일 때 $y = -6$, $x = 3$일 때 $y = 6$이므로
두 점 A, B의 좌표는
A$(-3, -6)$, B$(3, 6)$ 또는 A$(3, 6)$, B$(-3, -6)$
따라서 두 점 A, B 사이의 거리는
$$\sqrt{6^2 + 12^2} = \sqrt{180} = 6\sqrt{5} \qquad \text{답 ④}$$

069 $g(4) = a$라 하면 $f(a) = 4$이므로
$$2^{a^2+2a} + 3 = 4, \ 2^{a^2+2a} = 1$$
$$a^2 + 2a = 0, \ a(a+2) = 0 \quad \therefore a = 0 \ (\because a \geq -1)$$
즉, $g(4) = 0$이고 $f'(x) = 2^{x^2+2x} \times \ln 2 \times (2x+2)$이므로
$$f'(0) = 1 \times \ln 2 \times 2 = 2\ln 2$$
$$\therefore g'(4) = \frac{1}{f'(g(4))} = \frac{1}{f'(0)} = \frac{1}{2\ln 2} \qquad \text{답} \frac{1}{2\ln 2}$$

070 $g(e) = a$라 하면 $f(a) = e$이므로
$$e^a + \ln a = e \quad \therefore a = 1$$
즉, $g(e) = 1$이고 $f'(x) = e^x + \frac{1}{x}$이므로
$$f'(1) = e + 1$$
$$\therefore g'(e) = \frac{1}{f'(g(e))} = \frac{1}{f'(1)} = \frac{1}{e+1} \qquad \text{답 ②}$$

071 $x \to 1$일 때, (분모)$\to 0$이고 극한값이 존재하므로 (분자)$\to 0$
이어야 한다.
$$\lim_{x \to 1}\{g(x) - 2\} = 0 \text{에서 } g(1) = 2 \quad \therefore f(2) = 1$$
$$\lim_{x \to 1} \frac{g(x)-2}{x^2+x-2} = \lim_{x \to 1} \frac{g(x)-g(1)}{x-1} \times \frac{1}{x+2}$$
$$= \frac{1}{3}g'(1) = 1$$
$$\therefore g'(1) = 3$$
$$\therefore f'(2) = \frac{1}{g'(f(2))} = \frac{1}{g'(1)} = \frac{1}{3} \qquad \text{답} \frac{1}{3}$$

072 $f(x) = xe^{ax+b}$에서
$$f'(x) = e^{ax+b} + axe^{ax+b}$$
$$f''(x) = ae^{ax+b} + ae^{ax+b} + a^2xe^{ax+b}$$
$$= 2ae^{ax+b} + a^2xe^{ax+b}$$
$$f'(0) = e^b = e^4 \quad \therefore b = 4$$
$$f''(0) = 2ae^b = 6e^4 \quad \therefore a = 3$$
$$\therefore a + b = 7 \qquad \text{답 7}$$

073 함수 $y = f(x)$의 그래프가 점 $(1, 11)$을 지나므로
$$x = p(t) = t^2 + at + 1 = 1$$
$$t^2 + at = 0 \qquad \cdots\cdots \text{㉠}$$
$$y = q(t) = t^2 + bt + 3 = 11$$
$$t^2 + bt = 8 \qquad \cdots\cdots \text{㉡}$$

㉠에서 $t=-a$ ($\because t=0$은 ㉡의 해가 아니다.)
이 값을 ㉡에 대입하면
$a^2-ab=8$ ······ ㉢

$\dfrac{dx}{dt}=2t+a$, $\dfrac{dy}{dt}=2t+b$

$\therefore \dfrac{dy}{dx}=\dfrac{\dfrac{dy}{dt}}{\dfrac{dx}{dt}}=\dfrac{2t+b}{2t+a}$ (단, $2t+a\neq0$)

$t=-a$일 때, $\dfrac{dy}{dx}$의 값이 3이므로

$\dfrac{-2a+b}{-2a+a}=3$

$\therefore b=-a$

이 값을 ㉢에 대입하면
$2a^2=8$, $a^2=4$
$\therefore a=-2$, $b=2$ ($\because a<0<b$)
$\therefore x=p(t)=t^2-2t+1$, $y=q(t)=t^2+2t+3$
따라서 $p(3)=4$, $q(2)=11$이므로
$p(3)+q(2)=15$ 답 15

다른 풀이
함수 $y=f(x)$의 그래프가 점 $(1, 11)$을 지나므로
$x=p(t)=t^2+at+1=1$
$t^2+at=0$ ······ ㉠
$y=q(t)=t^2+bt+3=11$
$t^2+bt=8$ ······ ㉡
㉡－㉠을 하면
$(b-a)t=8$

$\therefore t=\dfrac{8}{b-a}$

$\dfrac{dx}{dt}=p'(t)=2t+a$,

$\dfrac{dy}{dt}=q'(t)=2t+b$

$\therefore \dfrac{dy}{dx}=\dfrac{\dfrac{dy}{dt}}{\dfrac{dx}{dt}}=\dfrac{2t+b}{2t+a}$ (단, $2t+a\neq0$)

점 $(1, 11)$에서의 접선의 기울기가 3이고 $t=\dfrac{8}{b-a}$이므로

$\dfrac{2\times\dfrac{8}{b-a}+b}{2\times\dfrac{8}{b-a}+a}=3$

$\dfrac{16+b(b-a)}{16+a(b-a)}=3$

$16+b(b-a)=48+3a(b-a)$
$(b-3a)(b-a)=32$
a, b는 $a<0<b$인 정수이므로
$b-3a>b-a>0$
(i) $b-3a=32$, $b-a=1$인 경우
    두 식을 연립하여 풀면 $-2a=31$에서 a는 정수가 아니므로
    조건에 맞지 않는다.
(ii) $b-3a=16$, $b-a=2$인 경우
    두 식을 연립하여 풀면
    $a=-7$, $b=-5$

$b<0$이므로 조건에 맞지 않는다.
(iii) $b-3a=8$, $b-a=4$인 경우
    두 식을 연립하여 풀면
    $a=-2$, $b=2$
(i), (ii), (iii)에서
$x=p(t)=t^2-2t+1$, $y=q(t)=t^2+2t+3$
따라서 $p(3)=4$, $q(2)=11$이므로
$p(3)+q(2)=15$

074 $f\left(2g(x)-\dfrac{x+1}{x-1}\right)=x$에서

$2g(x)-\dfrac{x+1}{x-1}=g(x)$

$\therefore g(x)=\dfrac{x+1}{x-1}$

$f(2)=a$라 하면 $g(a)=2$이므로

$\dfrac{a+1}{a-1}=2$

$a+1=2a-2$ $\therefore a=3$
즉, $f(2)=3$이고

$g'(x)=\dfrac{(x-1)-(x+1)}{(x-1)^2}=\dfrac{-2}{(x-1)^2}$ 이므로

$f'(2)=\dfrac{1}{g'(f(2))}=\dfrac{1}{g'(3)}$

      $=-2$ 답 ②

[001-005] $x=1$인 점에서의 접선의 기울기는 $x=1$에서의 미분계수와 같다.

001 $f(x)=\dfrac{1}{x+2}$이라 하면

$$f'(x)=-\dfrac{(x+2)'}{(x+2)^2}=-\dfrac{1}{(x+2)^2}$$

$$\therefore f'(1)=-\dfrac{1}{(1+2)^2}=-\dfrac{1}{9}$$

답 $-\dfrac{1}{9}$

002 $f(x)=\sqrt{2x}=(2x)^{\frac{1}{2}}$이라 하면

$$f'(x)=\dfrac{1}{2}\times(2x)^{\frac{1}{2}-1}\times(2x)'$$

$$=(2x)^{-\frac{1}{2}}=\dfrac{1}{\sqrt{2x}}$$

$$\therefore f'(1)=\dfrac{1}{\sqrt{2\times1}}=\dfrac{1}{\sqrt{2}}=\dfrac{\sqrt{2}}{2}$$

답 $\dfrac{\sqrt{2}}{2}$

003 $f(x)=e^{x-2}$이라 하면

$$f'(x)=e^{x-2}\times(x-2)'=e^{x-2}$$

$$\therefore f'(1)=e^{1-2}=e^{-1}=\dfrac{1}{e}$$

답 $\dfrac{1}{e}$

004 $f(x)=x-\ln x$라 하면

$$f'(x)=1-\dfrac{1}{x}$$

$$\therefore f'(1)=1-1=0$$

답 0

005 $f(x)=e^{2x+\ln3}$이라 하면

$$f'(x)=e^{2x+\ln3}\times(2x+\ln3)'=2e^{2x+\ln3}$$

$$\therefore f'(1)=2e^{2+\ln3}=6e^2$$

답 $6e^2$

006 $f(x)=\dfrac{3}{x-1}$이라 하면

$$f'(x)=-\dfrac{3\times(x-1)'}{(x-1)^2}=-\dfrac{3}{(x-1)^2}$$

점 $(4,1)$에서의 접선의 기울기는

$$f'(4)=-\dfrac{3}{(4-1)^2}=-\dfrac{1}{3}$$

따라서 구하는 접선의 방정식은

$$y-1=-\dfrac{1}{3}(x-4)$$

$$\therefore y=-\dfrac{1}{3}x+\dfrac{7}{3}$$

답 $y=-\dfrac{1}{3}x+\dfrac{7}{3}$

007 $f(x)=\sqrt{x-1}$이라 하면

$$f'(x)=\dfrac{1}{2}(x-1)^{\frac{1}{2}-1}\times(x-1)'$$

$$=\dfrac{1}{2}(x-1)^{-\frac{1}{2}}=\dfrac{1}{2\sqrt{x-1}}$$

점 $(5,2)$에서의 접선의 기울기는

$$f'(5)=\dfrac{1}{2\sqrt{5-1}}=\dfrac{1}{4}$$

따라서 구하는 접선의 방정식은

$$y-2=\dfrac{1}{4}(x-5)$$

$$\therefore y=\dfrac{1}{4}x+\dfrac{3}{4}$$

답 $y=\dfrac{1}{4}x+\dfrac{3}{4}$

008 $f(x)=e^x+2$라 하면

$$f'(x)=e^x$$

점 $(0,3)$에서의 접선의 기울기는

$$f'(0)=e^0=1$$

따라서 구하는 접선의 방정식은

$$y-3=x-0$$

$$\therefore y=x+3$$

답 $y=x+3$

009 $f(x)=\ln x-3$이라 하면

$$f'(x)=\dfrac{1}{x}$$

점 $(1,-3)$에서의 접선의 기울기는

$$f'(1)=1$$

따라서 구하는 접선의 방정식은

$$y-(-3)=x-1$$

$$\therefore y=x-4$$

답 $y=x-4$

010 $f(x)=\sin x$라 하면

$$f'(x)=\cos x$$

점 $\left(\dfrac{\pi}{3},\dfrac{\sqrt{3}}{2}\right)$에서의 접선의 기울기는

$$f'\left(\dfrac{\pi}{3}\right)=\cos\dfrac{\pi}{3}=\dfrac{1}{2}$$

따라서 구하는 접선의 방정식은

$$y-\dfrac{\sqrt{3}}{2}=\dfrac{1}{2}\left(x-\dfrac{\pi}{3}\right)$$

$$\therefore y=\dfrac{1}{2}x-\dfrac{\pi}{6}+\dfrac{\sqrt{3}}{2}$$

답 $y=\dfrac{1}{2}x-\dfrac{\pi}{6}+\dfrac{\sqrt{3}}{2}$

011 $x^2-xy-3=0$의 양변을 x에 대하여 미분하면

$$2x-y-x\dfrac{dy}{dx}=0$$

$$-x\dfrac{dy}{dx}=-(2x-y)$$

$$\therefore \dfrac{dy}{dx}=\dfrac{2x-y}{x}\ (단,\ x\neq0)$$

위의 식에 $x=1,\ y=-2$를 대입하면

$$\dfrac{2\times1-(-2)}{1}=4$$

따라서 점 $(1,-2)$에서의 접선의 기울기가 4이므로 접선의 방정식은

$$y-(-2)=4(x-1)$$

$$\therefore y=4x-6$$

답 $y=4x-6$

012 $x^2+y^2-5=0$의 양변을 x에 대하여 미분하면

$$2x+2y\dfrac{dy}{dx}=0$$

$$2y\dfrac{dy}{dx}=-2x$$

$$\therefore \frac{dy}{dx}=-\frac{x}{y} \text{ (단, } y\neq 0)$$

위의 식에 $x=2$, $y=1$을 대입하면

$$-\frac{2}{1}=-2$$

따라서 점 $(2, 1)$에서의 접선의 기울기가 -2이므로 접선의 방정식은

$$y-1=-2(x-2)$$
$$\therefore y=-2x+5 \qquad \boxed{\text{답}}\,y=-2x+5$$

013 $x^2+xy-3y^2=1$의 양변을 x에 대하여 미분하면

$$2x+y+x\frac{dy}{dx}-6y\frac{dy}{dx}=0$$

$$(x-6y)\frac{dy}{dx}=-2x-y$$

$$\therefore \frac{dy}{dx}=\frac{-2x-y}{x-6y} \text{ (단, } x-6y\neq 0)$$

위의 식에 $x=1$, $y=0$을 대입하면

$$\frac{-2\times 1-0}{1-6\times 0}=-2$$

따라서 점 $(1, 0)$에서의 접선의 기울기가 -2이므로 접선의 방정식은

$$y=-2(x-1)$$
$$\therefore y=-2x+2 \qquad \boxed{\text{답}}\,y=-2x+2$$

014 $2x^2+3y^2=14$의 양변을 x에 대하여 미분하면

$$4x+6y\frac{dy}{dx}=0$$

$$6y\frac{dy}{dx}=-4x$$

$$\therefore \frac{dy}{dx}=-\frac{2x}{3y} \text{ (단, } y\neq 0)$$

위의 식에 $x=1$, $y=2$를 대입하면

$$-\frac{2\times 1}{3\times 2}=-\frac{1}{3}$$

따라서 점 $(1, 2)$에서의 접선의 기울기가 $-\frac{1}{3}$이므로 접선의 방정식은

$$y-2=-\frac{1}{3}(x-1)$$

$$\therefore y=-\frac{1}{3}x+\frac{7}{3} \qquad \boxed{\text{답}}\,y=-\frac{1}{3}x+\frac{7}{3}$$

015 $x=2t-1$에서 $\frac{dx}{dt}=2$

$y=-2t^3+1$에서 $\frac{dy}{dt}=-6t^2$

$$\therefore \frac{dy}{dx}=\frac{\frac{dy}{dt}}{\frac{dx}{dt}}=\frac{-6t^2}{2}=-3t^2$$

$2t-1=1$, $-2t^3+1=-1$에서 $t=1$

$t=1$을 $\frac{dy}{dx}=-3t^2$에 대입하면

$$(-3)\times 1^2=-3$$

즉, 접선의 기울기가 -3이므로 구하는 접선의 방정식은

$$y+1=-3(x-1)$$
$$\therefore y=-3x+2 \qquad \boxed{\text{답}}\,y=-3x+2$$

016 $x=t^2-1$에서 $\frac{dx}{dt}=2t$

$y=2t^3+t$에서 $\frac{dy}{dt}=6t^2+1$

$$\therefore \frac{dy}{dx}=\frac{\frac{dy}{dt}}{\frac{dx}{dt}}=\frac{6t^2+1}{2t} \text{ (단, } t\neq 0)$$

$t^2-1=0$, $2t^3+t=3$에서 $t=1$

$t=1$을 $\frac{dy}{dx}=\frac{6t^2+1}{2t}$에 대입하면

$$\frac{6\times 1^2+1}{2\times 1}=\frac{7}{2}$$

즉, 접선의 기울기가 $\frac{7}{2}$이므로 구하는 접선의 방정식은

$$y-3=\frac{7}{2}(x-0)$$

$$\therefore y=\frac{7}{2}x+3 \qquad \boxed{\text{답}}\,y=\frac{7}{2}x+3$$

017 $x=2\cos\theta$에서 $\frac{dx}{d\theta}=-2\sin\theta$

$y=\sin\theta$에서 $\frac{dy}{d\theta}=\cos\theta$

$$\therefore \frac{dy}{dx}=\frac{\frac{dy}{d\theta}}{\frac{dx}{d\theta}}=\frac{\cos\theta}{-2\sin\theta}=-\frac{1}{2}\cot\theta \text{ (단, } \sin\theta\neq 0)$$

$2\cos\theta=1$, $\sin\theta=\frac{\sqrt{3}}{2}$에서 $\theta=\frac{\pi}{3}$ $(\because 0\leq\theta\leq\pi)$

$\theta=\frac{\pi}{3}$를 $\frac{dy}{dx}=-\frac{1}{2}\cot\theta$에 대입하면

$$-\frac{1}{2}\cot\frac{\pi}{3}=-\frac{\sqrt{3}}{6}$$

즉, 접선의 기울기가 $-\frac{\sqrt{3}}{6}$이므로 구하는 접선의 방정식은

$$y-\frac{\sqrt{3}}{2}=-\frac{\sqrt{3}}{6}(x-1)$$

$$\therefore y=-\frac{\sqrt{3}}{6}x+\frac{2\sqrt{3}}{3}$$

$$\boxed{\text{답}}\,y=-\frac{\sqrt{3}}{6}x+\frac{2\sqrt{3}}{3}$$

018 $f(x)=e^{2x}$이라 하면

$f'(x)=e^{2x}\times(2x)'=2e^{2x}$

접점의 좌표를 (a, e^{2a})이라 하면

$f'(a)=2e^{2a}=2$

$e^{2a}=1$, $2a=0$

$$\therefore a=0$$

접점의 좌표는 $(0, 1)$이므로 구하는 접선의 방정식은

$$y-1=2(x-0)$$
$$\therefore y=2x+1 \qquad \boxed{\text{답}}\,y=2x+1$$

019 $f(x)=\ln(x+2)$라 하면

$f'(x)=\dfrac{1}{x+2}\times(x+2)'=\dfrac{1}{x+2}$

접점의 좌표를 $(a,\ln(a+2))$라 하면

$f'(a)=\dfrac{1}{a+2}=\dfrac{1}{3}$

$\therefore a=1$

접점의 좌표는 $(1,\ln 3)$이므로 구하는 접선의 방정식은

$y-\ln 3=\dfrac{1}{3}(x-1)$

$\therefore y=\dfrac{1}{3}x-\dfrac{1}{3}+\ln 3$　　　　🔢 $y=\dfrac{1}{3}x-\dfrac{1}{3}+\ln 3$

020 $f(x)=\sin 2x$라 하면

$f'(x)=\cos 2x\times(2x)'=2\cos 2x$

접점의 좌표를 $(a,\sin 2a)$라 하면

$f'(a)=2\cos 2a=1$

$\cos 2a=\dfrac{1}{2},\ 2a=\dfrac{\pi}{3}$

$\therefore a=\dfrac{\pi}{6}\left(\because 0<a<\dfrac{\pi}{4}\right)$

접점의 좌표는 $\left(\dfrac{\pi}{6},\dfrac{\sqrt{3}}{2}\right)$이므로 구하는 접선의 방정식은

$y-\dfrac{\sqrt{3}}{2}=x-\dfrac{\pi}{6}$

$\therefore y=x-\dfrac{\pi}{6}+\dfrac{\sqrt{3}}{2}$　　　🔢 $y=x-\dfrac{\pi}{6}+\dfrac{\sqrt{3}}{2}$

021 $f(x)=\sqrt{x}$라 하면

$f'(x)=\dfrac{1}{2\sqrt{x}}$

접점의 좌표를 $(a,\sqrt{a})$라 하면 접선의 기울기는

$f'(a)=\dfrac{1}{2\sqrt{a}}$

따라서 접선의 방정식은

$y-\sqrt{a}=\dfrac{1}{2\sqrt{a}}(x-a)$

$\therefore y=\dfrac{1}{2\sqrt{a}}x+\dfrac{\sqrt{a}}{2}$　　　……㉠

이 접선이 점 $(-4,0)$을 지나므로

$0=-\dfrac{2}{\sqrt{a}}+\dfrac{\sqrt{a}}{2}$

양변에 $\sqrt{a}$를 곱하면

$0=-2+\dfrac{1}{2}a$

$\therefore a=4$

$a=4$를 ㉠에 대입하면

$y=\dfrac{1}{2\sqrt{4}}x+\dfrac{\sqrt{4}}{2}$

$\therefore y=\dfrac{1}{4}x+1$　　　　　🔢 $y=\dfrac{1}{4}x+1$

022 $f(x)=e^x$이라 하면

$f'(x)=e^x$

접점의 좌표를 (a,e^a)이라 하면 접선의 기울기는

$f'(a)=e^a$

따라서 접선의 방정식은

$y-e^a=e^a(x-a)$

$\therefore y=e^a x+(1-a)e^a$　　　……㉠

이 접선이 점 $(0,0)$을 지나므로

$0=(1-a)e^a$

$\therefore a=1$

$a=1$을 ㉠에 대입하면

$y=ex$　　　　　　　　　　🔢 $y=ex$

023 $f'(x)=x^2-4x-5=(x+1)(x-5)$

$f'(x)=0$에서 $x=-1$ 또는 $x=5$

함수 $f(x)$의 증가, 감소를 표로 나타내면 다음과 같다.

x	$\cdots$	-1	$\cdots$	5	$\cdots$
$f'(x)$	$+$	0	$-$	0	$+$
$f(x)$	↗		↘		↗

따라서 함수 $f(x)$는 구간 $(-\infty,-1]$과 $[5,\infty)$에서 증가하고, 구간 $[-1,5]$에서 감소한다.

🔢 증가: $(-\infty,-1]$, $[5,\infty)$, 감소: $[-1,5]$

024 $f'(x)=\dfrac{-2x}{(x^2+2)^2}$

$f'(x)=0$에서 $x=0$

함수 $f(x)$의 증가, 감소를 표로 나타내면 다음과 같다.

x	$\cdots$	0	$\cdots$
$f'(x)$	$+$	0	$-$
$f(x)$	↗		↘

따라서 함수 $f(x)$는 구간 $(-\infty,0]$에서 증가하고, 구간 $[0,\infty)$에서 감소한다.

🔢 증가: $(-\infty,0]$, 감소: $[0,\infty)$

025 $f'(x)=1-\dfrac{4}{(x-1)^2}=\dfrac{x^2-2x-3}{(x-1)^2}=\dfrac{(x+1)(x-3)}{(x-1)^2}$

$f'(x)=0$에서 $x=-1$ 또는 $x=3$

함수 $f(x)$의 증가, 감소를 표로 나타내면 다음과 같다.

x	$\cdots$	-1	$\cdots$	(1)	$\cdots$	3	$\cdots$
$f'(x)$	$+$	0	$-$		$-$	0	$+$
$f(x)$	↗		↘		↘		↗

따라서 함수 $f(x)$는 구간 $(-\infty,-1]$과 $[3,\infty)$에서 증가하고, 구간 $[-1,1)$과 $(1,3]$에서 감소한다.

🔢 증가: $(-\infty,-1]$, $[3,\infty)$, 감소: $[-1,1)$, $(1,3]$

026 $f'(x)=\dfrac{x-1}{\sqrt{x^2-2x+5}}$

$f'(x)=0$에서 $x=1$

함수 $f(x)$의 증가, 감소를 표로 나타내면 다음과 같다.

x	$\cdots$	1	$\cdots$
$f'(x)$	$-$	0	$+$
$f(x)$	↘		↗

따라서 함수 $f(x)$는 구간 $[1,\infty)$에서 증가하고, 구간 $(-\infty,1]$에서 감소한다.

🔢 증가: $[1,\infty)$, 감소: $(-\infty,1]$

027 $f(x)=x+\ln x$에서 $x>0$

$x>0$에서 $f'(x)=1+\dfrac{1}{x}>0$이므로

함수 $f(x)$는 구간 $(0,\infty)$에서 증가한다.　📋 증가: $(0,\infty)$

028 $f'(x)=e^x+xe^x=e^x(1+x)$

$f'(x)=0$에서 $x=-1$

함수 $f(x)$의 증가, 감소를 표로 나타내면 다음과 같다.

x	$\cdots$	-1	$\cdots$
$f'(x)$	$-$	0	$+$
$f(x)$	$\searrow$		$\nearrow$

따라서 함수 $f(x)$는 구간 $[-1,\infty)$에서 증가하고, 구간 $(-\infty,-1]$에서 감소한다.

📋 증가: $[-1,\infty)$, 감소: $(-\infty,-1]$

029 $f'(x)=-3x^2+3=-3(x+1)(x-1)$

$f'(x)=0$에서 $x=-1$ 또는 $x=1$

함수 $f(x)$의 증가, 감소를 표로 나타내면 다음과 같다.

x	$\cdots$	-1	$\cdots$	1	$\cdots$
$f'(x)$	$-$	0	$+$	0	$-$
$f(x)$	$\searrow$	0	$\nearrow$	4	$\searrow$

따라서 함수 $f(x)$는 $x=1$에서 극대이고 극댓값은 $f(1)=4$, $x=-1$에서 극소이고 극솟값은 $f(-1)=0$이다.

📋 극댓값: 4, 극솟값: 0

030 $f'(x)=2xe^x+x^2e^x=x(x+2)e^x$

$f'(x)=0$에서 $x=-2$ 또는 $x=0$

함수 $f(x)$의 증가, 감소를 표로 나타내면 다음과 같다.

x	$\cdots$	-2	$\cdots$	0	$\cdots$
$f'(x)$	$+$	0	$-$	0	$+$
$f(x)$	$\nearrow$	$\dfrac{4}{e^2}$	$\searrow$	0	$\nearrow$

따라서 함수 $f(x)$는 $x=-2$에서 극대이고 극댓값은 $f(-2)=\dfrac{4}{e^2}$, $x=0$에서 극소이고 극솟값은 $f(0)=0$이다.

📋 극댓값: $\dfrac{4}{e^2}$, 극솟값: 0

031 $f(x)=x\ln x$에서 $x>0$

$f'(x)=\ln x+x\times\dfrac{1}{x}=\ln x+1$

$f'(x)=0$에서 $x=\dfrac{1}{e}$

함수 $f(x)$의 증가, 감소를 표로 나타내면 다음과 같다.

x	(0)	$\cdots$	$\dfrac{1}{e}$	$\cdots$
$f'(x)$		$-$	0	$+$
$f(x)$		$\searrow$	$-\dfrac{1}{e}$	$\nearrow$

따라서 함수 $f(x)$는 $x=\dfrac{1}{e}$에서 극소이고 극솟값은

$f\left(\dfrac{1}{e}\right)=-\dfrac{1}{e}$이다.　📋 극솟값: $-\dfrac{1}{e}$

032 $f'(x)=\cos x-\sin x$

$f'(x)=0$에서 $\sin x=\cos x$

$\therefore x=\dfrac{\pi}{4}$ $(\because 0\le x\le\pi)$

함수 $f(x)$의 증가, 감소를 표로 나타내면 다음과 같다.

x	0	$\cdots$	$\dfrac{\pi}{4}$	$\cdots$	π
$f'(x)$		$+$	0	$-$	
$f(x)$		$\nearrow$	$\sqrt{2}$	$\searrow$	

따라서 함수 $f(x)$는 $x=\dfrac{\pi}{4}$에서 극대이고 극댓값은

$f\left(\dfrac{\pi}{4}\right)=\sqrt{2}$이다.　📋 극댓값: $\sqrt{2}$

033 $f(x)=x+\dfrac{1}{x}$에서 $x\ne0$

$f'(x)=1-\dfrac{1}{x^2}=\dfrac{x^2-1}{x^2}=\dfrac{(x+1)(x-1)}{x^2}$

$f'(x)=0$에서 $x=-1$ 또는 $x=1$

$f''(x)=\dfrac{(x^2)'}{(x^2)^2}=\dfrac{2}{x^3}$이므로

$f''(-1)=-2<0$, $f''(1)=2>0$

따라서 함수 $f(x)$는 $x=-1$에서 극대이고 극댓값은 $f(-1)=-2$, $x=1$에서 극소이고 극솟값은 $f(1)=2$이다.

📋 극댓값: -2, 극솟값: 2

034 $f'(x)=1-e^x$

$f'(x)=0$에서 $x=0$

$f''(x)=-e^x$이므로

$f''(0)=-1<0$

따라서 함수 $f(x)$는 $x=0$에서 극대이고 극댓값은 $f(0)=-1$이다.　📋 극댓값: -1

035 $f'(x)=-\sin x-\cos x$

$f'(x)=0$에서 $x=\dfrac{3}{4}\pi$ $(\because 0\le x\le\pi)$

$f''(x)=-\cos x+\sin x$이므로

$f''\left(\dfrac{3}{4}\pi\right)=-\cos\dfrac{3}{4}\pi+\sin\dfrac{3}{4}\pi=\sqrt{2}>0$

따라서 함수 $f(x)$는 $x=\dfrac{3}{4}\pi$에서 극소이고 극솟값은

$f\left(\dfrac{3}{4}\pi\right)=-\sqrt{2}$이다.　📋 극솟값: $-\sqrt{2}$

036 $f'(x)=3x^2-12x=3x(x-4)$

$f'(x)=0$에서 $x=0$ $(\because -1\le x\le1)$

주어진 구간 $[-1,1]$에서 함수 $f(x)$의 증가, 감소를 표로 나타내면 다음과 같다.

x	-1	$\cdots$	0	$\cdots$	1
$f'(x)$		$+$	0	$-$	
$f(x)$	-8	$\nearrow$	-1	$\searrow$	-6

따라서 함수 $f(x)$는 $x=0$에서 최댓값 -1, $x=-1$에서 최솟값 -8을 갖는다.　📋 최댓값: -1, 최솟값: -8

037 $f'(x)=\dfrac{x^2+1-2x^2}{(x^2+1)^2}=\dfrac{-x^2+1}{(x^2+1)^2}=\dfrac{-(x+1)(x-1)}{(x^2+1)^2}$

$f'(x)=0$에서 $x=1$ $(\because 0\le x\le 3)$

주어진 구간 $[0,3]$에서 함수 $f(x)$의 증가, 감소를 표로 나타내면 다음과 같다.

x	0	$\cdots$	1	$\cdots$	3
$f'(x)$		+	0	−	
$f(x)$	0	↗	$\dfrac{1}{2}$	↘	$\dfrac{3}{10}$

따라서 함수 $f(x)$는 $x=1$에서 최댓값 $\dfrac{1}{2}$, $x=0$에서 최솟값 0을 갖는다. 　　　　目 최댓값: $\dfrac{1}{2}$, 최솟값: 0

038 $f'(x)=e^{-x}-xe^{-x}=(1-x)e^{-x}$

$f'(x)=0$에서 $x=1$

주어진 구간 $[0,3]$에서 함수 $f(x)$의 증가, 감소를 표로 나타내면 다음과 같다.

x	0	$\cdots$	1	$\cdots$	3
$f'(x)$		+	0	−	
$f(x)$	0	↗	e^{-1}	↘	$3e^{-3}$

따라서 함수 $f(x)$는 $x=1$에서 최댓값 e^{-1}, $x=0$에서 최솟값 0을 갖는다. 　　　目 최댓값: e^{-1}, 최솟값: 0

039 $f'(x)=1-\dfrac{1}{x}$

$f'(x)=0$에서 $x=1$

주어진 구간 $\left[\dfrac{1}{2},e^2\right]$에서 함수 $f(x)$의 증가, 감소를 표로 나타내면 다음과 같다.

x	$\dfrac{1}{2}$	$\cdots$	1	$\cdots$	e^2
$f'(x)$		−	0	+	
$f(x)$	$\dfrac{1}{2}-\ln\dfrac{1}{2}$	↘	1	↗	e^2-2

따라서 함수 $f(x)$는 $x=e^2$에서 최댓값 e^2-2, $x=1$에서 최솟값 1을 갖는다. 　目 최댓값: e^2-2, 최솟값: 1

040 $f'(x)=\cos x-\sin x$

$f'(x)=0$에서 $\sin x=\cos x$

$\therefore x=\dfrac{\pi}{4}$ $(\because 0\le x\le \pi)$

주어진 구간 $[0,\pi]$에서 함수 $f(x)$의 증가, 감소를 표로 나타내면 다음과 같다.

x	0	$\cdots$	$\dfrac{\pi}{4}$	$\cdots$	π
$f'(x)$		+	0	−	
$f(x)$	1	↗	$\sqrt{2}$	↘	-1

따라서 함수 $f(x)$는 $x=\dfrac{\pi}{4}$에서 최댓값 $\sqrt{2}$, $x=\pi$에서 최솟값 -1을 갖는다. 　　目 최댓값: $\sqrt{2}$, 최솟값: -1

041 $f(x)=xe^x+1$이라 하면

$f'(x)=e^x+xe^x=(1+x)e^x$

점 $(0,1)$에서의 접선의 기울기는 $f'(0)=1$이므로 접선의 방정식은

$y-1=x-0$ 　　$\therefore y=x+1$

따라서 접선의 x절편은 -1이다. 　　　　目 ②

042 $f(x)=\dfrac{1}{x^2}$이라 하면

$f'(x)=-\dfrac{2}{x^3}$

점 $(1,1)$에서의 접선의 기울기는 $f'(1)=-2$이므로 접선의 방정식은

$y-1=-2(x-1)$

$\therefore y=-2x+3$

따라서 접선의 y절편은 3이다. 　　　　目 3

043 $f(x)=\sin 2x$에서 $f'(x)=2\cos 2x$

점 $(\pi,0)$에서의 접선의 기울기는

$f'(\pi)=2\cos 2\pi=2$

이므로 접선의 방정식은

$y-0=2(x-\pi)$

$\therefore y=2x-2\pi$

따라서 $a=2$, $b=-2\pi$이므로

$ab=-4\pi$ 　　　　目 -4π

044 $x^3-7y^2=1$의 양변을 x에 대하여 미분하면

$3x^2-14y\dfrac{dy}{dx}=0$

$\therefore \dfrac{dy}{dx}=\dfrac{3x^2}{14y}$ (단, $y\neq 0$)

점 $(2,1)$에서의 접선의 기울기는 $\dfrac{6}{7}$이므로 접선의 방정식은

$y-1=\dfrac{6}{7}(x-2)$

$\therefore y=\dfrac{6}{7}x-\dfrac{5}{7}$

$\therefore m+n=\dfrac{6}{7}+\left(-\dfrac{5}{7}\right)=\dfrac{1}{7}$ 　　目 $\dfrac{1}{7}$

045 점 $(0,-1)$이 곡선 $x^3-y^3+axy+b=0$ 위의 점이므로

$1+b=0$ 　　$\therefore b=-1$

한편, $x^3-y^3+axy-1=0$의 양변을 x에 대하여 미분하면

$3x^2-3y^2\dfrac{dy}{dx}+ay+ax\dfrac{dy}{dx}=0$

$(3y^2-ax)\dfrac{dy}{dx}=3x^2+ay$

$\therefore \dfrac{dy}{dx}=\dfrac{3x^2+ay}{3y^2-ax}$ (단, $3y^2-ax\neq 0$)

점 $(0,-1)$에서의 접선의 기울기가 2이므로

$-\dfrac{a}{3}=2$ 　　$\therefore a=-6$

$\therefore ab=(-6)\times(-1)=6$ 　　目 6

046 $t=1$일 때, $x=2$, $y=0$이므로 접점의 좌표는 $(2,0)$

$\dfrac{dx}{dt}=2t-\dfrac{1}{t^2}$, $\dfrac{dy}{dt}=3t^2+\dfrac{1}{t^2}$이므로

$$\frac{dy}{dx} = \frac{\dfrac{dy}{dt}}{\dfrac{dx}{dt}} = \frac{3t^2 + \dfrac{1}{t^2}}{2t - \dfrac{1}{t^2}}$$

$$= \frac{3t^4 + 1}{2t^3 - 1} \ (단, \ 2t^3 - 1 \neq 0)$$

$t=1$일 때, 접선의 기울기는 4이므로 접선의 방정식은

$y - 0 = 4(x-2) \qquad \therefore y = 4x - 8$ 　　目①

047 $f(x) = \ln(x+1)$이라 하면 $f'(x) = \dfrac{1}{x+1}$

점 $P(1, \ln 2)$에서의 접선의 기울기는 $f'(1) = \dfrac{1}{2}$이므로 접선 l_1의 방정식은

$y - \ln 2 = \dfrac{1}{2}(x-1) \qquad \therefore y = \dfrac{1}{2}x + \ln 2 - \dfrac{1}{2}$

또한, 접선 l_1에 수직인 직선의 기울기는 -2이므로 직선 l_2의 방정식은

$y - \ln 2 = -2(x-1) \qquad \therefore y = -2x + \ln 2 + 2$

따라서 두 점 Q, R의 좌표는 각각

$Q\left(0, \ln 2 - \dfrac{1}{2}\right),$

$R(0, \ln 2 + 2)$이므로
삼각형 PQR의 넓이는

$\dfrac{1}{2} \times 1 \times \left\{ (\ln 2 + 2) - \left(\ln 2 - \dfrac{1}{2}\right) \right\} = \dfrac{5}{4}$ 　　目⑤

048 $f(x) = \ln x + 1$에서 $f'(x) = \dfrac{1}{x}$

$g(x) = ax^2$에서 $g'(x) = 2ax$

$x=t$인 점에서 두 곡선이 공통인 접선을 가지므로

$f(t) = g(t)$에서 $\ln t + 1 = at^2$

$\therefore a = \dfrac{\ln t + 1}{t^2} \qquad \cdots\cdots \ㄱ$

$f'(t) = g'(t)$에서 $\dfrac{1}{t} = 2at$

$\therefore a = \dfrac{1}{2t^2} \qquad \cdots\cdots \ㄴ$

ㄱ, ㄴ에서 $\dfrac{\ln t + 1}{t^2} = \dfrac{1}{2t^2}$

$\ln t = -\dfrac{1}{2} \qquad \therefore t = \dfrac{1}{\sqrt{e}}$

$t = \dfrac{1}{\sqrt{e}}$을 ㄴ에 대입하면 $a = \dfrac{e}{2}$ 　　目 $\dfrac{e}{2}$

049 $f(x) = e^x, g(x) = \sqrt{2x+a}$라 하면

$f'(x) = e^x, \ g'(x) = \dfrac{1}{\sqrt{2x+a}}$

두 곡선의 접점의 x좌표를 t라 하면

$f(t) = g(t)$에서 $e^t = \sqrt{2t+a} \qquad \cdots\cdots \ㄱ$

$f'(t) = g'(t)$에서 $e^t = \dfrac{1}{\sqrt{2t+a}} \qquad \cdots\cdots \ㄴ$

ㄱ, ㄴ에서 $\sqrt{2t+a} = \dfrac{1}{\sqrt{2t+a}}$

$(\sqrt{2t+a})^2 = 1$

$\sqrt{2t+a} \geq 0$이므로 $\sqrt{2t+a} = 1 \qquad \cdots\cdots \ㄷ$

ㄷ을 ㄱ에 대입하면

$e^t = 1 \qquad \therefore t = 0$

$t=0$을 ㄷ에 대입하면

$\sqrt{a} = 1 \qquad \therefore a = 1$ 　　目1

050 $f(x) = x\ln x + x$라 하면 $f'(x) = \ln x + 2$

접점의 좌표를 $(a, a\ln a + a)$라 하면 직선 $y = 3x+4$에 평행한 직선의 기울기는 3이므로

$f'(a) = \ln a + 2 = 3$

$\ln a = 1 \qquad \therefore a = e$

따라서 접점의 좌표가 $(e, 2e)$이므로 구하는 직선의 방정식은

$y - 2e = 3(x-e) \qquad \therefore y = 3x - e$ 　　目②

051 $\dfrac{dx}{dt} = 2, \ \dfrac{dy}{dt} = \dfrac{1}{2\sqrt{t}}$

$\therefore \dfrac{dy}{dx} = \dfrac{\dfrac{dy}{dt}}{\dfrac{dx}{dt}} = \dfrac{\dfrac{1}{2\sqrt{t}}}{2} = \dfrac{1}{4\sqrt{t}} \ (단, \ t \neq 0)$

접선의 기울기가 $\dfrac{1}{4}$이므로

$\dfrac{1}{4\sqrt{t}} = \dfrac{1}{4}$

$\therefore t = 1$

즉, 접점의 좌표는 $(2, 0)$이므로 접선의 방정식은

$y - 0 = \dfrac{1}{4}(x-2)$

$\therefore y = \dfrac{1}{4}x - \dfrac{1}{2}$ 　　目 $y = \dfrac{1}{4}x - \dfrac{1}{2}$

052 $f(x) = e^x$에서 $f'(x) = e^x$

접점의 좌표를 (a, e^a)이라 하면 접선의 기울기가 1이므로

$f'(a) = e^a = 1 \qquad \therefore a = 0$

즉, 접점의 좌표가 $(0, 1)$이므로 구하는 접선의 방정식은

$y - 1 = 1 \times (x-0) \qquad \therefore y = x + 1$

$g(x) = \ln x$에서 $g'(x) = \dfrac{1}{x}$

접점의 좌표를 $(b, \ln b)$라 하면 접선의 기울기가 1이므로

$g'(b) = \dfrac{1}{b} = 1 \qquad \therefore b = 1$

즉, 접점의 좌표가 $(1, 0)$이므로 구하는 접선의 방정식은

$y - 0 = 1 \times (x-1) \qquad \therefore y = x - 1$

두 직선 $y = x+1, \ y = x-1$ 사이의 거리는 점 $(0, 1)$과 직선 $x - y - 1 = 0$ 사이의 거리와 같으므로 구하는 거리는

$\dfrac{|0 - 1 - 1|}{\sqrt{1^2 + (-1)^2}} = \dfrac{2}{\sqrt{2}} = \sqrt{2}$ 　　目 $\sqrt{2}$

053 $g(x) = \ln x$라 하면 $g'(x) = \dfrac{1}{x}$

접점의 좌표를 $(a, \ln a)$라 하면 이 점에서의 접선의 기울기는

$g'(a) = \dfrac{1}{a}$이므로 접선의 방정식은

$y - \ln a = \dfrac{1}{a}(x-a)$

이 직선이 원점을 지나므로

$$0 - \ln a = \frac{1}{a}(0 - a)$$

$$-\ln a = -1$$

$$\therefore a = e$$

즉, 구하는 접선의 방정식은

$$y - \ln e = \frac{1}{e}(x - e)$$

$$\therefore y = \frac{1}{e}x$$

따라서 $f(x) = \frac{1}{e}x$이므로

$$f(e^2) = \frac{1}{e} \times e^2 = e$$

답 e

054 $f(x) = \dfrac{e^x}{x}$이라 하면

$$f'(x) = \frac{e^x x - e^x}{x^2} = \frac{e^x(x-1)}{x^2}$$

접점의 좌표를 $\left(a, \dfrac{e^a}{a}\right)$이라 하면 이 점에서의 접선의 기울기는

$$f'(a) = \frac{e^a(a-1)}{a^2}$$이므로 접선의 방정식은

$$y - \frac{e^a}{a} = \frac{e^a(a-1)}{a^2}(x - a)$$

이 직선이 원점을 지나므로

$$0 - \frac{e^a}{a} = \frac{e^a(a-1)}{a^2}(0 - a)$$

$$-\frac{e^a}{a} = -\frac{e^a(a-1)}{a}$$

$$\therefore a = 2$$

즉, 구하는 접선의 방정식은

$$y - \frac{e^2}{2} = \frac{e^2}{4}(x - 2) \qquad \therefore y = \frac{e^2}{4}x$$

이 직선이 점 $\left(k, \dfrac{e}{2}\right)$를 지나므로

$$\frac{e}{2} = \frac{e^2}{4}k \qquad \therefore k = \frac{2}{e}$$

답 $\dfrac{2}{e}$

055 $f(x) = e^x$이라 하면 $f'(x) = e^x$
접점 B의 좌표를 (a, e^a)이라 하면 이 점에서의 접선의 기울기는
$f'(a) = e^a$이므로 접선의 방정식은
$$y - e^a = e^a(x - a)$$
이 직선이 원점을 지나므로
$$0 - e^a = e^a(0 - a)$$
$$-e^a = -ae^a$$
$$\therefore a = 1$$
즉, 점 B의 좌표는 B$(1, e)$
두 함수 $y = \ln x$, $y = e^x$은 서로
역함수 관계이므로 점 A는 점 B를
직선 $y = x$에 대하여 대칭이동한
점이다.
$$\therefore \text{A}(e, 1)$$
따라서 두 점 A, B 사이의 거리는
$$\sqrt{(1-e)^2 + (e-1)^2} = \sqrt{2}\,(e-1)$$

답 ②

056 두 함수 $f(x), g(x)$는 서로 역함수 관계이므로
$g(1) = a$라 하면 $f(a) = 1$
$$a^3 - a^2 + a - 1 = 0$$
$$(a-1)(a^2+1) = 0 \qquad \therefore a = 1$$
즉, 곡선 $y = g(x)$ 위의 접점의 좌표는 $(1, 1)$이고, 이 점에서의
접선의 기울기는
$$g'(1) = \frac{1}{f'(g(1))} = \frac{1}{f'(1)}$$
$f'(x) = 3x^2 - 2x + 1$이므로 $f'(1) = 2$
$$\therefore g'(1) = \frac{1}{2}$$
따라서 구하는 접선의 방정식은
$$y - 1 = \frac{1}{2}(x-1) \qquad \therefore y = \frac{1}{2}x + \frac{1}{2}$$

답 ④

057 두 함수 $f(x), g(x)$는 서로 역함수 관계이므로
$g(1) = a$라 하면 $f(a) = 1$
$$e^{2a-1} = 1, \, 2a - 1 = 0$$
$$\therefore a = \frac{1}{2}$$
즉, 곡선 $y = g(x)$ 위의 접점의 좌표는 $\left(1, \dfrac{1}{2}\right)$이고, 이 점에서의
접선의 기울기는
$$g'(1) = \frac{1}{f'(g(1))} = \frac{1}{f'\left(\frac{1}{2}\right)}$$
$f'(x) = 2e^{2x-1}$이므로 $f'\left(\dfrac{1}{2}\right) = 2$
$$\therefore g'(1) = \frac{1}{2}$$
따라서 구하는 접선의 방정식은
$$y - \frac{1}{2} = \frac{1}{2}(x-1) \qquad \therefore y = \frac{1}{2}x$$

답 $y = \dfrac{1}{2}x$

058 두 함수 $f(x), g(x)$는 서로 역함수 관계이므로
$g(2) = a$라 하면 $f(a) = 2$
$$\sqrt{a+3} = 2, \, a + 3 = 4$$
$$\therefore a = 1$$
즉, 곡선 $y = g(x)$ 위의 접점의 좌표는 $(2, 1)$이고, 이 점에서의
접선의 기울기는
$$g'(2) = \frac{1}{f'(g(2))} = \frac{1}{f'(1)}$$
$f'(x) = \dfrac{1}{2\sqrt{x+3}}$이므로 $f'(1) = \dfrac{1}{4}$
$$\therefore g'(2) = 4$$
즉, 곡선 $y = g(x)$ 위의 점 $(2, 1)$에서의 접선의 방정식은
$$y - 1 = 4(x-2) \qquad \therefore y = 4x - 7$$
따라서 구하는 x절편은 $\dfrac{7}{4}$이다.

답 $\dfrac{7}{4}$

059 $f(x) = \dfrac{x-1}{x^2+3}$에서

$$f'(x) = \frac{x^2+3 - 2x(x-1)}{(x^2+3)^2}$$
$$= \frac{-(x+1)(x-3)}{(x^2+3)^2}$$

$f'(x)=0$에서 $x=-1$ 또는 $x=3$
함수 $f(x)$의 증가, 감소를 표로 나타내면 다음과 같다.

x	$\cdots$	-1	$\cdots$	3	$\cdots$
$f'(x)$	$-$	0	$+$	0	$-$
$f(x)$	$\searrow$		$\nearrow$		$\searrow$

따라서 함수 $f(x)$가 증가하는 구간은 $-1\le x\le 3$이다. 달 ②

060 $f(x)=x-2\ln x$에서 $x>0$이고,

$f'(x)=1-\dfrac{2}{x}=\dfrac{x-2}{x}$

$f'(x)=0$에서 $x=2$

함수 $f(x)$의 증가, 감소를 표로 나타내면 다음과 같다.

x	(0)	$\cdots$	2	$\cdots$
$f'(x)$		$-$	0	$+$
$f(x)$		$\searrow$		$\nearrow$

따라서 $b-a$의 최댓값은 2이다. 달 2

061 $f(x)=e^{x+1}(x^2+3x+1)$에서

$\begin{aligned} f'(x)&=e^{x+1}(x^2+3x+1)+e^{x+1}(2x+3) \\ &=e^{x+1}(x^2+5x+4) \\ &=e^{x+1}(x+4)(x+1) \end{aligned}$

$f'(x)=0$에서 $x=-4$ 또는 $x=-1$

함수 $f(x)$의 증가, 감소를 표로 나타내면 다음과 같다.

x	$\cdots$	-4	$\cdots$	-1	$\cdots$
$f'(x)$	$+$	0	$-$	0	$+$
$f(x)$	$\nearrow$		$\searrow$		$\nearrow$

따라서 $b-a$의 최댓값은 3이다. 달 3

062 $f(x)=x-4\sqrt{x+1}$에서 $x\ge-1$이고,

$\begin{aligned} f'(x)&=1-\dfrac{2}{\sqrt{x+1}} \\ &=\dfrac{\sqrt{x+1}-2}{\sqrt{x+1}} \end{aligned}$

$f'(x)=0$에서 $\sqrt{x+1}-2=0$

$\sqrt{x+1}=2$

$x+1=4$

$\therefore x=3$

함수 $f(x)$의 증가, 감소를 표로 나타내면 다음과 같다.

x	-1	$\cdots$	3	$\cdots$
$f'(x)$		$-$	0	$+$
$f(x)$		$\searrow$		$\nearrow$

따라서 $a+b$의 최솟값은 2이다. 달 2

063 $f(x)=(ax^2-1)e^x$에서

$\begin{aligned} f'(x)&=2axe^x+(ax^2-1)e^x \\ &=(ax^2+2ax-1)e^x \end{aligned}$

함수 $f(x)$가 구간 $(-2,\ -1)$에서 감소하려면 이 구간에서
$f'(x)\le 0$이어야 하므로

$ax^2+2ax-1\le 0$

$g(x)=ax^2+2ax-1\ (a>0)$이라 하면

$g(x)=a(x+1)^2-a-1$
이므로 $y=g(x)$의 그래프는 그림과 같다.

(ⅰ) $g(-2)\le 0$에서

$a-a-1\le 0$

$0\times a\le 1$

따라서 a는 모든 실수이다.

(ⅱ) $g(-1)<0$에서 $-a-1<0$

$\therefore a>-1$

(ⅰ), (ⅱ)에서 구하는 실수 a의 값의 범위는

$a>0$ 달 $a>0$

064 임의의 두 실수 x_1, x_2에 대하여 $x_1<x_2$이면 $f(x_1)<f(x_2)$를
만족시키므로 $f(x)$는 실수 전체의 집합에서 증가한다.

$f(x)=kx+\ln(x^2+2)$에서

$f'(x)=k+\dfrac{2x}{x^2+2}=\dfrac{kx^2+2x+2k}{x^2+2}$

$x^2+2>0$이므로 모든 실수 x에 대하여 $f'(x)\ge 0$이 성립하려면
$kx^2+2x+2k\ge 0$이어야 한다.

이차방정식 $kx^2+2x+2k=0$의 판별식을 D라 하면

$k>0$ $\cdots\cdots$ ㉠

$\dfrac{D}{4}=1-2k^2\le 0$

$(\sqrt{2}k+1)(\sqrt{2}k-1)\ge 0$

$\therefore k\le-\dfrac{1}{\sqrt{2}}$ 또는 $k\ge\dfrac{1}{\sqrt{2}}$ $\cdots\cdots$ ㉡

㉠, ㉡에서 $k\ge\dfrac{\sqrt{2}}{2}$

따라서 실수 k의 최솟값은 $\dfrac{\sqrt{2}}{2}$이다. 달 ②

065 $f(x)=\dfrac{x}{x^2+1}$에서

$\begin{aligned} f'(x)&=\dfrac{1\times(x^2+1)-x\times 2x}{(x^2+1)^2} \\ &=\dfrac{-x^2+1}{(x^2+1)^2} \\ &=-\dfrac{(x+1)(x-1)}{(x^2+1)^2} \end{aligned}$

$f'(x)=0$에서 $x=-1$ 또는 $x=1$

함수 $f(x)$의 증가, 감소를 표로 나타내면 다음과 같다.

x	$\cdots$	-1	$\cdots$	1	$\cdots$
$f'(x)$	$-$	0	$+$	0	$-$
$f(x)$	$\searrow$	극소	$\nearrow$	극대	$\searrow$

따라서 함수 $f(x)$는 $x=-1$에서 극소이고 극솟값은

$f(-1)=-\dfrac{1}{2}$, $x=1$에서 극대이고 극댓값은 $f(1)=\dfrac{1}{2}$이다.

$\therefore \alpha+\beta=\dfrac{1}{2}+\left(-\dfrac{1}{2}\right)=0$ 달 0

다른 풀이

$f(x)=\dfrac{x}{x^2+1}$에서

$f'(x)=\dfrac{-x^2+1}{(x^2+1)^2}=-\dfrac{(x+1)(x-1)}{(x^2+1)^2}$

$$f''(x) = \frac{-2x(x^2+1)^2 + 4x(x^2+1)(x^2-1)}{(x^2+1)^4}$$
$$= \frac{2x(x^2-3)}{(x^2+1)^3}$$

$f'(x)=0$에서 $x=-1$ 또는 $x=1$

$f''(-1)=\frac{1}{2}>0$, $f''(1)=-\frac{1}{2}<0$이므로

함수 $f(x)$의 극댓값은 $f(1)=\frac{1}{2}$, 극솟값은 $f(-1)=-\frac{1}{2}$이다.

$$\therefore \alpha+\beta = \frac{1}{2}+\left(-\frac{1}{2}\right)=0$$

참고

이계도함수를 갖는 함수 $f(x)$에 대하여 $f'(a)=0$일 때,

(1) $f''(a)<0$이면 $f(x)$는 $x=a$에서 극대이고, 극댓값은 $f(a)$이다.

(2) $f''(a)>0$이면 $f(x)$는 $x=a$에서 극소이고, 극솟값은 $f(a)$이다.

066 $f(x)=\dfrac{x^2+ax+b}{x-1}$에서

$$f'(x) = \frac{(2x+a)(x-1)-(x^2+ax+b)\times 1}{(x-1)^2}$$
$$= \frac{x^2-2x-a-b}{(x-1)^2}$$

함수 $f(x)$가 $x=3$에서 극값 -2를 가지므로

$f(3)=-2$에서 $\dfrac{9+3a+b}{2}=-2$

$\therefore 3a+b=-13$ ......㉠

$f'(3)=0$에서 $\dfrac{9-6-a-b}{4}=0$

$\therefore a+b=3$ ......㉡

㉠, ㉡을 연립하여 풀면

$a=-8$, $b=11$

$\therefore ab=-88$ 〔답〕①

067 $f(x)=\sqrt{x}+\sqrt{2-x}$에서 $0 \le x \le 2$이고,

$$f'(x)=\frac{1}{2\sqrt{x}}+\frac{-1}{2\sqrt{2-x}}=\frac{\sqrt{2-x}-\sqrt{x}}{2\sqrt{x(2-x)}}$$

$f'(x)=0$에서 $\sqrt{2-x}-\sqrt{x}=0$

$\sqrt{2-x}=\sqrt{x}$의 양변을 제곱하면

$2-x=x$ $\therefore x=1$

함수 $f(x)$의 증가, 감소를 표로 나타내면 다음과 같다.

x	0	$\cdots$	1	$\cdots$	2
$f'(x)$		$+$	0	$-$	
$f(x)$		↗	극대	↘	

즉, 함수 $f(x)$는 $x=1$에서 극대이고 극댓값은

$f(1)=2$

$\therefore \alpha\beta = 1 \times 2 = 2$ 〔답〕2

068 $f(x)=x^2e^{-x}$이라 하면

$f'(x)=2xe^{-x}+x^2(-e^{-x})=-x(x-2)e^{-x}$

$f'(x)=0$에서 $x=0$ 또는 $x=2$

함수 $f(x)$의 증가, 감소를 표로 나타내면 다음과 같다.

x	$\cdots$	0	$\cdots$	2	$\cdots$
$f'(x)$	$-$	0	$+$	0	$-$
$f(x)$	↘	극소	↗	극대	↘

즉, 함수 $f(x)$는 $x=2$에서 극대이고 극댓값은

$f(2)=\dfrac{4}{e^2}$

$\therefore ab = 2 \times \dfrac{4}{e^2} = \dfrac{8}{e^2}$ 〔답〕④

다른 풀이

$f(x)=x^2e^{-x}$에서

$f'(x)=2xe^{-x}+x^2(-e^{-x})=-x(x-2)e^{-x}$

$f''(x)=(-2x+2)e^{-x}+(x^2-2x)e^{-x}$
$= (x^2-4x+2)e^{-x}$

$f'(x)=0$에서 $x=0$ 또는 $x=2$

$f''(0)=2>0$, $f''(2)=-\dfrac{2}{e^2}<0$이므로

함수 $f(x)$의 극댓값은 $f(2)=\dfrac{4}{e^2}$

$\therefore ab = 2 \times \dfrac{4}{e^2} = \dfrac{8}{e^2}$

069 $f(x)=e^x+e^{-x}+k$에서

$f'(x)=e^x-e^{-x}$

$f'(x)=0$에서 $e^x-e^{-x}=0$

$e^{2x}=1$ $\therefore x=0$

함수 $f(x)$의 증가, 감소를 표로 나타내면 다음과 같다.

x	$\cdots$	0	$\cdots$
$f'(x)$	$-$	0	$+$
$f(x)$	↘	극소	↗

즉, 함수 $f(x)$는 $x=0$에서 극소이고 극솟값이 0이므로

$f(0)=1+1+k=0$

$\therefore k=-2$ 〔답〕-2

070 $f(x)=(x^2+ax+a)e^{-x}$에서

$f'(x)=(2x+a)e^{-x}+(x^2+ax+a)(-e^{-x})$
$= -x(x+a-2)e^{-x}$

$f'(x)=0$에서 $x=0$ 또는 $x=2-a$

함수 $f(x)$의 증가, 감소를 표로 나타내면 다음과 같다.

x	$\cdots$	$2-a$	$\cdots$	0	$\cdots$
$f'(x)$	$-$	0	$+$	0	$-$
$f(x)$	↘	극소	↗	극대	↘

즉, 함수 $f(x)$는 $x=0$에서 극대이고 극댓값이 4이므로

$f(0)=a=4$ 〔답〕4

071 $f(x)=x(\ln x)^3$에서 $x>0$이고,

$$f'(x)=(\ln x)^3 + x \times 3(\ln x)^2 \times \frac{1}{x}$$
$$= (\ln x)^2(\ln x+3)$$

$f'(x)=0$에서 $\ln x=-3$ 또는 $\ln x=0$

$\therefore x=e^{-3}$ 또는 $x=1$

함수 $f(x)$의 증가, 감소를 표로 나타내면 다음과 같다.

x	(0)	$\cdots$	e^{-3}	$\cdots$	1	$\cdots$
$f'(x)$		$-$	0	$+$	0	$+$
$f(x)$		$\searrow$	극소	$\nearrow$		$\nearrow$

따라서 함수 $f(x)$는 $x=e^{-3}$에서 극소이고 극솟값은

$$f(e^{-3})=e^{-3}\times(-3)^3=-\frac{27}{e^3}$$ 답 ①

072 $f(x)=x\ln x-2x$에서 $x>0$이고,

$f'(x)=\ln x-1$

$f'(x)=0$에서 $x=e$

함수 $f(x)$의 증가, 감소를 표로 나타내면 다음과 같다.

x	(0)	$\cdots$	e	$\cdots$
$f'(x)$		$-$	0	$+$
$f(x)$		$\searrow$	극소	$\nearrow$

즉, 함수 $f(x)$는 $x=e$에서 극소이고 극솟값은

$f(e)=-e$

$\therefore ab=e\times(-e)=-e^2$ 답 $-e^2$

073 $f(x)=(-x^2+ax+b)e^{2x}$에서

$f'(x)=(-2x+a)e^{2x}+2(-x^2+ax+b)e^{2x}$

$\quad\ =\{-2x^2+2(a-1)x+a+2b\}e^{2x}$

함수 $f(x)$가 $x=-\sqrt{2}$, $x=\sqrt{2}$에서 극값을 가지므로 이차방정식 $2x^2-2(a-1)x-(a+2b)=0$의 두 근이 $-\sqrt{2}$와 $\sqrt{2}$이다.

즉, 근과 계수의 관계에서

$-\sqrt{2}+\sqrt{2}=a-1$ $\therefore a=1$

$(-\sqrt{2})\times\sqrt{2}=-\dfrac{a+2b}{2}$

$1+2b=4$ $\therefore b=\dfrac{3}{2}$

$\therefore a+b=1+\dfrac{3}{2}=\dfrac{5}{2}$ 답 $\dfrac{5}{2}$

074 $f(x)=\sin 2x-2\cos x$에서

$f'(x)=2\cos 2x+2\sin x$

$\quad\ =2(1-2\sin^2 x)+2\sin x$

$\quad\ =-2(2\sin^2 x-\sin x-1)$

$\quad\ =-2(2\sin x+1)(\sin x-1)$

$f'(x)=0$에서 $\sin x=-\dfrac{1}{2}$ 또는 $\sin x=1$

$\therefore x=\dfrac{\pi}{2}$ 또는 $x=\dfrac{7}{6}\pi$ 또는 $x=\dfrac{11}{6}\pi$ $(\because 0\leq x\leq 2\pi)$

함수 $f(x)$의 증가, 감소를 표로 나타내면 다음과 같다.

x	0	$\cdots$	$\dfrac{\pi}{2}$	$\cdots$	$\dfrac{7}{6}\pi$	$\cdots$	$\dfrac{11}{6}\pi$	$\cdots$	2π
$f'(x)$		$+$	0	$+$	0	$-$	0	$+$	
$f(x)$		$\nearrow$		$\nearrow$	극대	$\searrow$	극소	$\nearrow$	

즉, 함수 $f(x)$는 $x=\dfrac{7}{6}\pi$에서 극대이고 $x=\dfrac{11}{6}\pi$에서 극소이므로

$\alpha=f\left(\dfrac{7}{6}\pi\right)=\sin\dfrac{7}{3}\pi-2\cos\dfrac{7}{6}\pi$

$\quad =\dfrac{\sqrt{3}}{2}-2\times\left(-\dfrac{\sqrt{3}}{2}\right)=\dfrac{3\sqrt{3}}{2}$

$\beta=f\left(\dfrac{11}{6}\pi\right)=\sin\dfrac{11}{3}\pi-2\cos\dfrac{11}{6}\pi$

$\quad =-\dfrac{\sqrt{3}}{2}-2\times\dfrac{\sqrt{3}}{2}=-\dfrac{3\sqrt{3}}{2}$

$\therefore \alpha-\beta=\dfrac{3\sqrt{3}}{2}-\left(-\dfrac{3\sqrt{3}}{2}\right)=3\sqrt{3}$ 답 ④

다른 풀이

$f(x)=\sin 2x-2\cos x$에서

$f'(x)=2\cos 2x+2\sin x$

$\quad\ =2(1-2\sin^2 x)+2\sin x$

$\quad\ =-2(2\sin^2 x-\sin x-1)$

$\quad\ =-2(2\sin x+1)(\sin x-1)$

$f''(x)=-4\sin 2x+2\cos x$

$f'(x)=0$에서 $\sin x=-\dfrac{1}{2}$ 또는 $\sin x=1$

$\therefore x=\dfrac{\pi}{2}$ 또는 $x=\dfrac{7}{6}\pi$ 또는 $x=\dfrac{11}{6}\pi$ $(\because 0\leq x\leq 2\pi)$

$f''\left(\dfrac{\pi}{2}\right)=0$, $f''\left(\dfrac{7}{6}\pi\right)=-3\sqrt{3}<0$, $f''\left(\dfrac{11}{6}\pi\right)=3\sqrt{3}>0$이므로

함수 $f(x)$의 극댓값은 $f\left(\dfrac{7}{6}\pi\right)=\dfrac{3\sqrt{3}}{2}$,

극솟값은 $f\left(\dfrac{11}{6}\pi\right)=-\dfrac{3\sqrt{3}}{2}$

$\therefore \alpha-\beta=\dfrac{3\sqrt{3}}{2}-\left(-\dfrac{3\sqrt{3}}{2}\right)=3\sqrt{3}$

참고 배각의 공식

(1) $\sin 2\alpha=2\sin\alpha\cos\alpha$

(2) $\cos 2\alpha=\cos^2\alpha-\sin^2\alpha$

$\qquad\quad =1-2\sin^2\alpha=2\cos^2\alpha-1$

(3) $\tan 2\alpha=\dfrac{2\tan\alpha}{1-\tan^2\alpha}$

075 $f(x)=x+a\cos x$에서

$f'(x)=1-a\sin x$

$0<x<2\pi$에서 $f'(x)=0$인 x의 값을 $x=\alpha\left(0<\alpha<\dfrac{\pi}{2}\right)$,

$x=\pi-\alpha$라 하자.

함수 $f(x)$의 증가, 감소를 표로 나타내면 다음과 같다.

x	(0)	$\cdots$	α	$\cdots$	$\pi-\alpha$	$\cdots$	(2π)
$f'(x)$		$+$	0	$-$	0	$+$	
$f(x)$		$\nearrow$	극대	$\searrow$	극소	$\nearrow$	

즉, 함수 $f(x)$는 $x=\alpha$에서 극대이고 $x=\pi-\alpha$에서 극소이다.

극댓값이 π이므로

$f(\alpha)=\alpha+a\cos\alpha=\pi$

따라서 극솟값은

$f(\pi-\alpha)=\pi-\alpha+a\cos(\pi-\alpha)$

$\qquad\qquad =\pi-\alpha-a\cos\alpha=\pi-(\alpha+a\cos\alpha)$

$\qquad\qquad =\pi-\pi=0$ 답 0

076 $f(x)=\tan x-2x$에서

$f'(x)=\sec^2 x-2=(\sec x+\sqrt{2})(\sec x-\sqrt{2})$

$f'(x)=0$에서 $\sec x=-\sqrt{2}$ 또는 $\sec x=\sqrt{2}$

즉, $\cos x=-\dfrac{1}{\sqrt{2}}$ 또는 $\cos x=\dfrac{1}{\sqrt{2}}$

$\therefore x=\dfrac{\pi}{4}$ 또는 $x=\dfrac{3}{4}\pi$ 또는 $x=\dfrac{5}{4}\pi$ 또는 $x=\dfrac{7}{4}\pi$

$(\because 0<x<2\pi)$

함수 $f(x)$의 증가, 감소를 표로 나타내면 다음과 같다.

x	(0)	$\cdots$	$\dfrac{\pi}{4}$	$\cdots$	$\left(\dfrac{\pi}{2}\right)$	$\cdots$	$\dfrac{3}{4}\pi$
$f'(x)$		$-$	0	$+$		$+$	0
$f(x)$		$\searrow$	극소	$\nearrow$		$\nearrow$	극대

$\cdots$	$\dfrac{5}{4}\pi$	$\cdots$	$\left(\dfrac{3}{2}\pi\right)$	$\cdots$	$\dfrac{7}{4}\pi$	$\cdots$	(2π)
	$-$	0		$+$	$+$	0	$-$
	$\searrow$	극소		$\nearrow$	$\nearrow$	극대	$\searrow$

즉, 함수 $f(x)$는 $x=\dfrac{\pi}{4}$, $x=\dfrac{5}{4}\pi$에서 극소이고

$x=\dfrac{3}{4}\pi$, $x=\dfrac{7}{4}\pi$에서 극대이다.

따라서 극대 또는 극소가 되는 점의 개수는 4이다. 답 4

077 $f(x)=(x^2+6x-a)e^x$에서

$f'(x)=(2x+6)e^x+(x^2+6x-a)e^x$
$\quad\;\;=(x^2+8x-a+6)e^x$

$f'(x)=0$에서 $x^2+8x-a+6=0$

$f(x)$가 극값을 갖지 않으려면 이차방정식

$x^2+8x-a+6=0$이 중근 또는 허근을 가져야 한다.

이차방정식 $x^2+8x-a+6=0$의 판별식을 D라 하면

$\dfrac{D}{4}=16-(-a+6)\le 0$

$a+10\le 0$ $\qquad\therefore a\le -10$ 답 ①

078 $f(x)=2\ln x-\dfrac{a}{x}-x$에서

$f'(x)=\dfrac{2}{x}+\dfrac{a}{x^2}-1=-\dfrac{x^2-2x-a}{x^2}$

$f'(x)=0$에서 $x^2-2x-a=0$

$f(x)$가 극값을 갖지 않으려면 이차방정식

$x^2-2x-a=0$이 중근 또는 허근을 가져야 한다.

이차방정식 $x^2-2x-a=0$의 판별식을 D라 하면

$\dfrac{D}{4}=1+a\le 0$ $\qquad\therefore a\le -1$

따라서 a의 값으로 적당한 것은 -3이다. 답 ①

079 $f(x)=\sin x+ax+1$에서 $f'(x)=\cos x+a$

$f'(x)=0$에서 $\cos x+a=0$ $\quad\therefore a=-\cos x$

$-1\le \cos x\le 1$이므로 $-1\le a\le 1$

그런데 $a=-1$ 또는 $a=1$일 때는 $f'(x)=0$이 되는 x의 값의 좌우에서 $f'(x)$의 부호가 바뀌지 않으므로 함수 $f(x)$가 극값을 가지는 a의 값의 범위는

$-1<a<1$ 답 $-1<a<1$

080 $f(x)=\dfrac{3x-4}{x^2+1}$에서

$f'(x)=\dfrac{3(x^2+1)-(3x-4)\times 2x}{(x^2+1)^2}$
$\quad\;\;=-\dfrac{(3x+1)(x-3)}{(x^2+1)^2}$

$f'(x)=0$에서 $x=-\dfrac{1}{3}$ 또는 $x=3$

$-1\le x\le 4$에서 함수 $f(x)$의 증가, 감소를 표로 나타내면 다음과 같다.

x	-1	$\cdots$	$-\dfrac{1}{3}$	$\cdots$	3	$\cdots$	4
$f'(x)$		$-$	0	$+$	0	$-$	
$f(x)$	$-\dfrac{7}{2}$	$\searrow$	$-\dfrac{9}{2}$	$\nearrow$	$\dfrac{1}{2}$	$\searrow$	$\dfrac{8}{17}$

따라서 함수 $f(x)$의 최댓값은 $f(3)=\dfrac{1}{2}$,

최솟값은 $f\left(-\dfrac{1}{3}\right)=-\dfrac{9}{2}$이므로 구하는 합은

$\dfrac{1}{2}+\left(-\dfrac{9}{2}\right)=-4$ 답 ①

081 $f(x)=\sqrt{4-x^2}$에서 $-2\le x\le 2$이고,

$f'(x)=\dfrac{-2x}{2\sqrt{4-x^2}}$
$\quad\;\;=-\dfrac{x}{\sqrt{4-x^2}}$

$f'(x)=0$에서 $x=0$

$-2\le x\le 2$에서 함수 $f(x)$의 증가, 감소를 표로 나타내면 다음과 같다.

x	-2	$\cdots$	0	$\cdots$	2
$f'(x)$		$+$	0	$-$	
$f(x)$	0	$\nearrow$	2	$\searrow$	0

따라서 함수 $f(x)$의 최댓값은 $M=f(0)=2$,

최솟값은 $m=f(-2)=f(2)=0$이므로

$M-m=2$ 답 2

082 $f(x)=\dfrac{ax+b}{x^2+x+1}$에서

$f'(x)=\dfrac{a(x^2+x+1)-(ax+b)(2x+1)}{(x^2+x+1)^2}$
$\quad\;\;=\dfrac{-ax^2-2bx+a-b}{(x^2+x+1)^2}$

$f(x)$가 $x=2$에서 최댓값 1을 가지므로 $f(x)$는 $x=2$에서 극대이다.

즉, $f(2)=1$에서 $\dfrac{2a+b}{7}=1$

$\therefore 2a+b=7$ $\qquad\cdots\cdots\,\ominus$

$f'(2)=0$에서 $\dfrac{-3a-5b}{7^2}=0$

$\therefore 3a+5b=0$ $\qquad\cdots\cdots\,\bigcirc\!\!\!\lfloor$

$\ominus$, $\bigcirc\!\!\!\lfloor$을 연립하여 풀면 $a=5$, $b=-3$

$\therefore a+b=2$ 답 2

083 $f(x)=e^x\sqrt{2-x^2}$에서 $-\sqrt{2}\le x\le \sqrt{2}$이고,

$f'(x)=e^x\sqrt{2-x^2}+e^x\times\dfrac{-2x}{2\sqrt{2-x^2}}$
$\quad\;\;=\dfrac{(2-x-x^2)}{\sqrt{2-x^2}}e^x$
$\quad\;\;=-\dfrac{(x-1)(x+2)}{\sqrt{2-x^2}}e^x$

$f'(x)=0$에서 $x=1$ ($\because -\sqrt{2}\le x\le\sqrt{2}$)
$-\sqrt{2}\le x\le\sqrt{2}$에서 함수 $f(x)$의 증가, 감소를 표로 나타내면 다음과 같다.

x	$-\sqrt{2}$	$\cdots$	1	$\cdots$	$\sqrt{2}$
$f'(x)$		$+$	0	$-$	
$f(x)$	0	$\nearrow$	e	$\searrow$	0

따라서 함수 $f(x)$의 최댓값은 $M=f(1)=e$,
최솟값은 $m=f(-\sqrt{2})=f(\sqrt{2})=0$이므로
$M-m=e$ 답 ①

084 $f(x)=\dfrac{\ln x-1}{x}$에서 $x>0$이고,

$$f'(x)=\frac{\dfrac{1}{x}\times x-(\ln x-1)}{x^2}$$

$$=\frac{2-\ln x}{x^2}$$

$f'(x)=0$에서 $\ln x=2$ $\therefore x=e^2$
$x>0$에서 함수 $f(x)$의 증가, 감소를 표로 나타내면 다음과 같다.

x	(0)	$\cdots$	e^2	$\cdots$
$f'(x)$		$+$	0	$-$
$f(x)$		$\nearrow$	$\dfrac{1}{e^2}$	$\searrow$

따라서 함수 $f(x)$는 $x=e^2$에서 최댓값 $\dfrac{1}{e^2}$을 가지므로

$a=e^2,\ b=\dfrac{1}{e^2}$

$\therefore \dfrac{a}{b}=e^4$ 답 e^4

085 $f(x)=e^{-x}$에서 $f'(x)=-e^{-x}$이므로
점 $\mathrm{P}(t, e^{-t})$에서의 접선의 기울기는 $f'(t)=-e^{-t}$
접선의 방정식은 $y-e^{-t}=-e^{-t}(x-t)$
$\therefore y=-e^{-t}x+e^{-t}(t+1)$
즉, x절편은 $x=t+1$, y절편은 $y=(t+1)e^{-t}$이므로
$\mathrm{A}(t+1, 0),\ \mathrm{B}(0, (t+1)e^{-t})$
삼각형 OAB의 넓이 $S(t)$는

$S(t)=\dfrac{1}{2}(t+1)(t+1)e^{-t}=\dfrac{1}{2}(t+1)^2 e^{-t}$

$S'(t)=(t+1)e^{-t}+\dfrac{1}{2}(t+1)^2(-e^{-t})$

$\qquad =\dfrac{1}{2}(1-t^2)e^{-t}$

$\qquad =-\dfrac{1}{2}(t+1)(t-1)e^{-t}$

$S'(t)=0$에서 $t=1$ ($\because t>0$)
$t>0$에서 함수 $S(t)$의 증가, 감소를 표로 나타내면 다음과 같다.

t	(0)	$\cdots$	1	$\cdots$
$S'(t)$		$+$	0	$-$
$S(t)$		$\nearrow$	극대	$\searrow$

따라서 함수 $S(t)$는 $t=1$일 때, 극대이면서 최대이므로 넓이의 최댓값은 $S(1)=\dfrac{2}{e}$이다.   답 $\dfrac{2}{e}$

086 $f(x)=x+\cos 2x+1$에서 $f'(x)=1-2\sin 2x$

$f'(x)=0$에서 $\sin 2x=\dfrac{1}{2}$

$2x=\dfrac{\pi}{6}$ 또는 $2x=\dfrac{5}{6}\pi$

$\therefore x=\dfrac{\pi}{12}$ 또는 $x=\dfrac{5}{12}\pi$ ($\because 0\le x\le\pi$)

$0\le x\le\pi$에서 함수 $f(x)$의 증가, 감소를 표로 나타내면 다음과 같다.

x	0	$\cdots$	$\dfrac{\pi}{12}$	$\cdots$	$\dfrac{5}{12}\pi$	$\cdots$	π
$f'(x)$		$+$	0	$-$	0	$+$	
$f(x)$	2	$\nearrow$	극대	$\searrow$	극소	$\nearrow$	$\pi+2$

$f\left(\dfrac{\pi}{12}\right)=\dfrac{\pi}{12}+\cos\dfrac{\pi}{6}+1=\dfrac{\pi}{12}+\dfrac{\sqrt{3}}{2}+1$

$f(\pi)=\pi+\cos 2\pi+1=\pi+2$

따라서 함수 $f(x)$는 $x=\pi$일 때 최댓값 $\pi+2$를 갖는다.   답 ③

087 $f(x)=e^x\sin x$에서
$f'(x)=e^x\sin x+e^x\cos x$
$\qquad =e^x(\sin x+\cos x)$
$\qquad =\sqrt{2}\,e^x\sin\left(x+\dfrac{\pi}{4}\right)$

$f'(x)=0$에서 $\sin\left(x+\dfrac{\pi}{4}\right)=0$

$\therefore x=-\dfrac{\pi}{4}$ 또는 $x=\dfrac{3}{4}\pi$ ($\because -\pi\le x\le\pi$)

$-\pi\le x\le\pi$에서 함수 $f(x)$의 증가, 감소를 표로 나타내면 다음과 같다.

x	$-\pi$	$\cdots$	$-\dfrac{\pi}{4}$	$\cdots$	$\dfrac{3}{4}\pi$	$\cdots$	π
$f'(x)$		$-$	0	$+$	0	$-$	
$f(x)$	0	$\searrow$	$-\dfrac{1}{\sqrt{2}}e^{-\frac{\pi}{4}}$	$\nearrow$	$\dfrac{1}{\sqrt{2}}e^{\frac{3}{4}\pi}$	$\searrow$	0

따라서 함수 $f(x)$의 최댓값은 $M=f\left(\dfrac{3}{4}\pi\right)=\dfrac{1}{\sqrt{2}}e^{\frac{3}{4}\pi}$,

최솟값은 $m=f\left(-\dfrac{\pi}{4}\right)=-\dfrac{1}{\sqrt{2}}e^{-\frac{\pi}{4}}$이므로

$Mm=-\dfrac{1}{2}e^{\frac{\pi}{2}}$ 답 $-\dfrac{1}{2}e^{\frac{\pi}{2}}$

참고 **삼각함수의 합성**
$a\sin\theta+b\cos\theta=\sqrt{a^2+b^2}\sin(\theta+\alpha)$

$\left(\text{단, }\cos\alpha=\dfrac{a}{\sqrt{a^2+b^2}},\ \sin\alpha=\dfrac{b}{\sqrt{a^2+b^2}}\right)$

088 $\angle\mathrm{AOD}=\theta\left(0<\theta<\dfrac{\pi}{2}\right)$, 점 D에서 $\overline{\mathrm{AO}}$에 내린 수선의 발을 E라 하면
$\overline{\mathrm{DE}}=2\sin\theta$, $\overline{\mathrm{OE}}=2\cos\theta$,
$\overline{\mathrm{CD}}=4\cos\theta$
사다리꼴 ABCD의 넓이를 $S(\theta)$라 하면

$S(\theta)=\dfrac{1}{2}(4\cos\theta+4)\times 2\sin\theta$

$\qquad =4\sin\theta(1+\cos\theta)$

$$S'(\theta)=4\cos\theta(1+\cos\theta)+4\sin\theta(-\sin\theta)$$
$$=4(\cos^2\theta-\sin^2\theta+\cos\theta)$$
$$=4(2\cos^2\theta+\cos\theta-1)$$
$$=4(\cos\theta+1)(2\cos\theta-1)$$

$S'(\theta)=0$에서 $\cos\theta=-1$ 또는 $\cos\theta=\dfrac{1}{2}$

$\therefore \theta=\dfrac{\pi}{3}\left(\because 0<\theta<\dfrac{\pi}{2}\right)$

$0<\theta<\dfrac{\pi}{2}$에서 함수 $S(\theta)$의 증가, 감소를 표로 나타내면 다음과 같다.

θ	(0)	$\cdots$	$\dfrac{\pi}{3}$	$\cdots$	$\left(\dfrac{\pi}{2}\right)$
$S'(\theta)$		$+$	0	$-$	
$S(\theta)$		↗	극대	↘	

따라서 함수 $S(\theta)$는 $\theta=\dfrac{\pi}{3}$일 때, 극대이면서 최대이므로 넓이의 최댓값은

$$S\left(\dfrac{\pi}{3}\right)=4\sin\dfrac{\pi}{3}\left(1+\cos\dfrac{\pi}{3}\right)$$
$$=4\times\dfrac{\sqrt{3}}{2}\left(1+\dfrac{1}{2}\right)=3\sqrt{3}$$

답 $3\sqrt{3}$

089 $f(x)=ax+\cos x+b$라 하면

$f'(x)=a-\sin x$

곡선 $y=f(x)$가 점 $(0,1)$을 지나고 이 점에서의 접선의 기울기가 3이므로

$f(0)=1+b=1$　　$\therefore b=0$

$f'(0)=a-0=3$　　$\therefore a=3$

한편, 직선 $y=3x+c$가 점 $(0,1)$을 지나므로

$1=0+c$　　$\therefore c=1$

$\therefore a+b+c=3+0+1=4$

답 4

090 $y^3=\ln(5-x^2)+xy+4$의 양변을 x에 대하여 미분하면

$$3y^2\dfrac{dy}{dx}=\dfrac{-2x}{5-x^2}+y+x\dfrac{dy}{dx}$$

$$(3y^2-x)\dfrac{dy}{dx}=\dfrac{-2x}{5-x^2}+y$$

$$\therefore \dfrac{dy}{dx}=\dfrac{\dfrac{-2x}{5-x^2}+y}{3y^2-x}\ (단,\ 3y^2-x\ne0)$$

점 $(2,2)$에서의 접선의 기울기는

$$\dfrac{-4+2}{12-2}=-\dfrac{1}{5}$$

이므로 접선의 방정식은

$$y-2=-\dfrac{1}{5}(x-2)$$

$\therefore x+5y-12=0$

답 ①

091 $g(x)=xe^x-1$이라 하면

$g'(x)=e^x+xe^x$

접점의 좌표를 (a, ae^a-1)이라 하면 접선의 기울기가 1이므로

$g'(a)=e^a+ae^a=e^a(1+a)=1$　　$\cdots\cdots\ \textcircled{\scriptsize ㄱ}$

$\textcircled{\scriptsize ㄱ}$에서 $e^a=\dfrac{1}{a+1}$이므로 a는 두 곡선 $y=e^x$,

---

$y=\dfrac{1}{x+1}$의 교점의 x좌표이다.

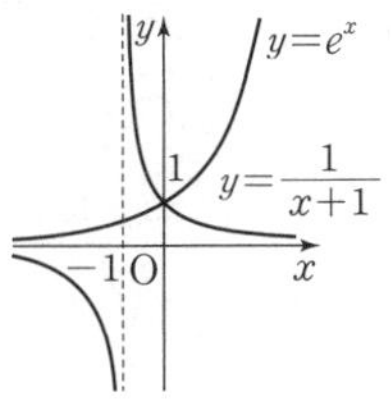

그림과 같이 두 곡선은 점 $(0,1)$에서 만나므로 $a=0$

즉, 접점의 좌표가 $(0,-1)$이므로 구하는 접선의 방정식은

$y+1=1\times(x-0)$

$\therefore y=x-1$

따라서 $f(x)=x-1$이므로

$f(1)=0$

답 0

092 $f(x)=(2x+a)e^{x^2}$에서

$$f'(x)=2e^{x^2}+(2x+a)\times2xe^{x^2}$$
$$=e^{x^2}(4x^2+2ax+2)$$

함수 $f(x)$가 실수 전체의 집합에서 증가하려면 모든 실수 x에 대하여 $f'(x)\ge0$이어야 하므로 $4x^2+2ax+2\ge0$이어야 한다.

이차방정식 $4x^2+2ax+2=0$의 판별식을 D라 하면

$$\dfrac{D}{4}=a^2-8\le0$$

$(a+2\sqrt{2})(a-2\sqrt{2})\le0$

$\therefore -2\sqrt{2}\le a\le2\sqrt{2}$

따라서 실수 a의 최댓값은 $2\sqrt{2}$이다.

답 ④

093 $f(x)=x+\dfrac{k}{x-1}$에서

$$f'(x)=1-\dfrac{k}{(x-1)^2}=\dfrac{(x-1)^2-k}{(x-1)^2}$$
$$=\dfrac{(x-1+\sqrt{k})(x-1-\sqrt{k})}{(x-1)^2}$$

$f'(x)=0$에서 $x=1-\sqrt{k}$ 또는 $x=1+\sqrt{k}$

함수 $f(x)$의 증가, 감소를 표로 나타내면 다음과 같다.

x	$\cdots$	$1-\sqrt{k}$	$\cdots$	(1)	$\cdots$	$1+\sqrt{k}$	$\cdots$
$f'(x)$	$+$	0	$-$		$-$	0	$+$
$f(x)$	↗	극대	↘		↘	극소	↗

즉, 함수 $f(x)$는 $x=1-\sqrt{k}$에서 극대이고 $x=1+\sqrt{k}$에서 극소이다. 극댓값이 -3이므로

$$f(1-\sqrt{k})=1-\sqrt{k}+\dfrac{k}{-\sqrt{k}}$$
$$=1-2\sqrt{k}=-3$$

$2\sqrt{k}=4$　　$\therefore k=4$

극솟값은

$$a=f(1+\sqrt{k})=f(3)=3+\dfrac{4}{2}=5$$

$\therefore a^2+k^2=5^2+4^2=41$

답 41

094 $f(x)=kx^2-\ln x$에서 $x>0$이고,

$$f'(x)=2kx-\dfrac{1}{x}=\dfrac{2kx^2-1}{x}$$
$$=\dfrac{(\sqrt{2k}x+1)(\sqrt{2k}x-1)}{x}$$

$f'(x)=0$에서 $x=\dfrac{1}{\sqrt{2k}}\ (\because x>0)$

함수 $f(x)$의 증가, 감소를 표로 나타내면 다음과 같다.

x	(0)	$\cdots$	$\dfrac{1}{\sqrt{2k}}$	$\cdots$
$f'(x)$		$-$	0	$+$
$f(x)$		$\searrow$	극소	$\nearrow$

즉, 함수 $f(x)$는 $x=\dfrac{1}{\sqrt{2k}}$ 에서 극소이고 극솟값이 $\dfrac{1}{2}$이므로

$$f\left(\dfrac{1}{\sqrt{2k}}\right)=k\left(\dfrac{1}{\sqrt{2k}}\right)^2-\ln\dfrac{1}{\sqrt{2k}}$$

$$=\dfrac{1}{2}-\ln\dfrac{1}{\sqrt{2k}}=\dfrac{1}{2}$$

$$\ln\dfrac{1}{\sqrt{2k}}=0,\ \dfrac{1}{\sqrt{2k}}=1$$

$$\therefore k=\dfrac{1}{2}$$ 답 $\dfrac{1}{2}$

095 $f(x)=x+a\sin x+b\cos x$에서
$f'(x)=1+a\cos x-b\sin x$

함수 $f(x)$가 $x=\dfrac{\pi}{3}$와 $x=\pi$에서 극값을 가지므로

$f'\left(\dfrac{\pi}{3}\right)=0$에서

$1+\dfrac{a}{2}-\dfrac{\sqrt{3}}{2}b=0$ $\cdots\cdots$ ㉠

$f'(\pi)=0$에서

$1-a=0$ $\therefore a=1$

$a=1$을 ㉠에 대입하면 $b=\sqrt{3}$

즉, $f(x)=x+\sin x+\sqrt{3}\cos x$이므로

$f'(x)=1+\cos x-\sqrt{3}\sin x$

$f''(x)=-\sin x-\sqrt{3}\cos x$

$f''\left(\dfrac{\pi}{3}\right)=-\sin\dfrac{\pi}{3}-\sqrt{3}\cos\dfrac{\pi}{3}=-\sqrt{3}<0$

이므로 $x=\dfrac{\pi}{3}$에서 극대이다.

$f''(\pi)=-\sin\pi-\sqrt{3}\cos\pi=\sqrt{3}>0$

이므로 $x=\pi$에서 극소이다.

따라서 $f(x)$의 극솟값은

$f(\pi)=\pi+\sin\pi+\sqrt{3}\cos\pi=\pi-\sqrt{3}$ 답 $\pi-\sqrt{3}$

096 밑면의 한 변의 길이를 x, 높이를 y라 하면 삼각기둥의 부피 V는

$V=\dfrac{\sqrt{3}}{4}x^2y=16$

$\therefore y=\dfrac{64}{\sqrt{3}\,x^2}$ $\cdots\cdots$ ㉠

삼각기둥의 겉넓이를 $S(x)$라 하면

$$S(x)=2\times\dfrac{\sqrt{3}}{4}x^2+3xy$$

$$=2\times\dfrac{\sqrt{3}}{4}x^2+3x\times\dfrac{64}{\sqrt{3}\,x^2}\ (\because ㉠)$$

$$=\dfrac{\sqrt{3}}{2}x^2+\dfrac{64\sqrt{3}}{x}$$

$$S'(x)=\sqrt{3}\,x-\dfrac{64\sqrt{3}}{x^2}$$

$S'(x)=0$에서 $\sqrt{3}\,x=\dfrac{64\sqrt{3}}{x^2}$

$x^3=64$ $\therefore x=4$

$x>0$에서 함수 $S(x)$의 증가, 감소를 표로 나타내면 다음과 같다.

x	(0)	$\cdots$	4	$\cdots$
$S'(x)$		$-$	0	$+$
$S(x)$		$\searrow$	극소	$\nearrow$

즉, 함수 $S(x)$는 $x=4$일 때, 극소이면서 최소이다.

$x=4$를 ㉠에 대입하면 $y=\dfrac{4\sqrt{3}}{3}$

따라서 $a=4$, $b=\dfrac{4\sqrt{3}}{3}$이므로

$ab=\dfrac{16\sqrt{3}}{3}$ 답 ④

097 $f(x)=e^{x^2-2x-a}+b$에서
$f'(x)=(2x-2)e^{x^2-2x-a}=2(x-1)e^{x^2-2x-a}$
$f'(x)=0$에서 $x=1$

$0\le x\le 1$에서 함수 $f(x)$의 증가, 감소를 표로 나타내면 다음과 같다.

x	0	$\cdots$	1
$f'(x)$		$-$	0
$f(x)$	$e^{-a}+b$	$\searrow$	$e^{-1-a}+b$

즉, 최댓값은 $f(0)=e^{-a}+b$
최솟값은 $f(1)=e^{-1-a}+b$이므로

$e^{-a}+b=e^{-3}-e^{-4}$ $\cdots\cdots$ ㉠

$e^{-1-a}+b=0$ $\cdots\cdots$ ㉡

㉡에서 $b=-e^{-1-a}$을 ㉠에 대입하면

$e^{-a}-e^{-1-a}=e^{-3}-e^{-4}$

$\therefore a=3$, $b=-e^{-4}$

$\therefore ab=-3e^{-4}=-\dfrac{3}{e^4}$ 답 $-\dfrac{3}{e^4}$

098 $f(x)=x-k\sin x$에서 $f'(x)=1-k\cos x$

$f'(x)=0$에서 $\cos x=\dfrac{1}{k}$ $\cdots\cdots$ ㉠

$k>1$에서 $0<\dfrac{1}{k}<1$이고, ㉠은 $0<x<2\pi$에서 두 근 α,

$2\pi-\alpha\left(0<\alpha<\dfrac{\pi}{2}\right)$를 갖는다.

$0<x<2\pi$에서 함수 $f(x)$의 증가, 감소를 표로 나타내면 다음과 같다.

x	(0)	$\cdots$	α	$\cdots$	$2\pi-\alpha$	$\cdots$	(2π)
$f'(x)$		$-$	0	$+$	0	$-$	
$f(x)$		$\searrow$	극소	$\nearrow$	극대	$\searrow$	

즉, 함수 $f(x)$는 $x=\alpha$에서 극소이면서 최소이므로

$f(\alpha)=\alpha-k\sin\alpha=-1$ $\cdots\cdots$ ㉡

또한, 함수 $f(x)$는 $x=2\pi-\alpha$에서 극대이면서 최대이므로 최댓값은

$f(2\pi-\alpha)=(2\pi-\alpha)-k\sin(2\pi-\alpha)$

$=2\pi-\alpha+k\sin\alpha$

$=2\pi+1\ (\because ㉡)$ 답 $2\pi+1$

099 $f(x)=\ln x$라 하면 $f'(x)=\dfrac{1}{x}$

점 P의 좌표를 $(a,\ \ln a)\ (a>0)$라 하면 점 P에서의 접선의

기울기는 $f'(a)=\dfrac{1}{a}$이므로 접선의 방정식은

$$y-\ln a=\dfrac{1}{a}(x-a)$$

이 직선이 직선 $x=-1$과 만나는 점 Q의 y좌표는

$$y=\ln a-\dfrac{1}{a}-1$$

$$\therefore Q\left(-1,\ \ln a-\dfrac{1}{a}-1\right)$$

또 점 P에서 직선 $x=-1$에 내린 수선의 발 R의 좌표는 $(-1,\ \ln a)$이므로

$$\overline{PR}=a+1,\ \overline{RQ}=\dfrac{1}{a}+1$$

즉, 삼각형 PQR의 넓이를 S라 하면

$$S=\dfrac{1}{2}\left(\dfrac{1}{a}+1\right)(a+1)$$

$$=\dfrac{1}{2}\left(a+\dfrac{1}{a}\right)+1$$

$a>0$이므로 산술평균과 기하평균의 관계에서

$$a+\dfrac{1}{a}\geq 2\sqrt{a\times\dfrac{1}{a}}=2\ (\text{단, 등호는 }a=1\text{일 때 성립한다.})$$

$$\therefore S\geq\dfrac{1}{2}\times 2+1=2$$

따라서 삼각형 PQR의 넓이의 최솟값은 2이다. 　　🔳 ③

100 $y=\sin x$에서

$y'=\cos x$

곡선 $y=\sin x$ 위의 점 $(\theta,\ \sin\theta)$에서의 접선의 기울기는 $\cos\theta$이므로 접선의 방정식은

$$y-\sin\theta=\cos\theta(x-\theta)$$

$$\therefore y=\cos\theta\,x-\theta\cos\theta+\sin\theta$$

$x=0$일 때, $y=-\theta\cos\theta+\sin\theta$

$x=\pi$일 때, $y=\pi\cos\theta-\theta\cos\theta+\sin\theta$

구하는 넓이를 $S(\theta)$라 하면

$$S(\theta)=\dfrac{1}{2}(\pi\cos\theta-2\theta\cos\theta+2\sin\theta)\times\pi$$

$$S'(\theta)=\dfrac{\pi}{2}(-\pi\sin\theta-2\cos\theta+2\theta\sin\theta+2\cos\theta)$$

$$=\dfrac{\pi}{2}\sin\theta\times(2\theta-\pi)$$

$S'(\theta)=0$에서 $\theta=\dfrac{\pi}{2}\ (\because 0<\theta<\pi)$

$0<\theta<\pi$에서 함수 $S(\theta)$의 증가, 감소를 표로 나타내면 다음과 같다.

θ	(0)	$\cdots$	$\dfrac{\pi}{2}$	$\cdots$	(π)
$S'(\theta)$		$-$	0	$+$	
$S(\theta)$		$\searrow$	극소	$\nearrow$	

따라서 함수 $S(\theta)$는 $\theta=\dfrac{\pi}{2}$에서 극소이면서 최소이므로 구하는 넓이의 최솟값은

$$S\left(\dfrac{\pi}{2}\right)=\dfrac{1}{2}\times 2\times\pi=\pi$$　　🔳 π

---

001 $f(x)=-x^3+6x^2$이라 하면

$f'(x)=-3x^2+12x,\ f''(x)=-6x+12$

$f''(x)=0$에서 $x=2$

따라서 곡선 $y=f(x)$는 $x<2$일 때 $f''(x)>0$이므로 아래로 볼록하고, $x>2$일 때 $f''(x)<0$이므로 위로 볼록하다.

🔳 $x<2$일 때 아래로 볼록, $x>2$일 때 위로 볼록

002 $f(x)=x^4-2x^3+3x+5$라 하면

$f'(x)=4x^3-6x^2+3$

$f''(x)=12x^2-12x=12x(x-1)$

$f''(x)=0$에서 $x=0$ 또는 $x=1$

따라서 곡선 $y=f(x)$는 $x<0$ 또는 $x>1$일 때 $f''(x)>0$이므로 아래로 볼록하고, $0<x<1$일 때 $f''(x)<0$이므로 위로 볼록하다.

🔳 $x<0$ 또는 $x>1$일 때 아래로 볼록, $0<x<1$일 때 위로 볼록

003 $f(x)=3^x$이라 하면

$f'(x)=3^x\ln 3,\ f''(x)=3^x(\ln 3)^2$

모든 실수 x에 대하여 $3^x>0$이므로 $f''(x)>0$

따라서 곡선 $y=f(x)$는 구간 $(-\infty,\ \infty)$에서 아래로 볼록하다. 🔳 구간 $(-\infty,\ \infty)$에서 아래로 볼록

004 $f(x)=\ln x$라 하면

$$f'(x)=\dfrac{1}{x},\ f''(x)=-\dfrac{1}{x^2}$$

$x>0$일 때 $f''(x)<0$이므로 곡선 $y=f(x)$는 구간 $(0,\ \infty)$에서 위로 볼록하다. 🔳 구간 $(0,\ \infty)$에서 위로 볼록

005 $f(x)=\sin x$라 하면

$f'(x)=\cos x,\ f''(x)=-\sin x$

$f''(x)=0$에서 $x=\pi\ (\because 0<x<2\pi)$

$0<x<\pi$일 때 $f''(x)<0$이므로 위로 볼록하고, $\pi<x<2\pi$일 때 $f''(x)>0$이므로 아래로 볼록하다.

🔳 $0<x<\pi$일 때 위로 볼록, $\pi<x<2\pi$일 때 아래로 볼록

006 $f(x)=x^3-3x^2+3$이라 하면

$f'(x)=3x^2-6x,\ f''(x)=6x-6$

$f''(x)=0$에서 $x=1$

$x<1$일 때 $f''(x)<0$, $x>1$일 때 $f''(x)>0$이므로 변곡점의 좌표는 $(1,\ f(1))$, 즉 $(1,\ 1)$이다. 🔳 $(1,\ 1)$

007 $f(x)=-x^4+2x^3-1$이라 하면

$f'(x)=-4x^3+6x^2$

$f''(x)=-12x^2+12x=-12x(x-1)$

$f''(x)=0$에서 $x=0$ 또는 $x=1$

$x<0$ 또는 $x>1$일 때 $f''(x)<0$, $0<x<1$일 때 $f''(x)>0$이므로 변곡점의 좌표는

$(0,\ f(0)),\ (1,\ f(1))$, 즉 $(0,\ -1),\ (1,\ 0)$이다.

🔳 $(0,\ -1),\ (1,\ 0)$

008 $f(x)=xe^x$이라 하면

$f'(x)=e^x+xe^x=(1+x)e^x$

$f''(x)=e^x+(1+x)e^x=(2+x)e^x$

$f''(x)=0$에서 $x=-2$

$x<-2$일 때 $f''(x)<0$, $x>-2$일 때 $f''(x)>0$이므로

변곡점의 좌표는 $(-2, f(-2))$, 즉 $\left(-2, -\dfrac{2}{e^2}\right)$이다.

답 $\left(-2, -\dfrac{2}{e^2}\right)$

009 $f(x)=\ln(x^2+9)$라 하면

$f'(x)=\dfrac{2x}{x^2+9}$

$f''(x)=\dfrac{2(x^2+9)-2x\times 2x}{(x^2+9)^2}=\dfrac{2(9-x^2)}{(x^2+9)^2}$

$f''(x)=0$에서 $x=-3$ 또는 $x=3$

$x<-3$ 또는 $x>3$일 때 $f''(x)<0$, $-3<x<3$일 때

$f''(x)>0$이므로 변곡점의 좌표는

$(-3, f(-3)), (3, f(3))$ 즉, $(-3, \ln 18), (3, \ln 18)$이다.

답 $(-3, \ln 18), (3, \ln 18)$

010 $f(x)=x+2\cos x$라 하면

$f'(x)=1-2\sin x$

$f''(x)=-2\cos x$

$f''(x)=0$에서 $x=\dfrac{\pi}{2}$ $(\because 0<x<\pi)$

$0<x<\dfrac{\pi}{2}$일 때 $f''(x)<0$, $\dfrac{\pi}{2}<x<\pi$일 때 $f''(x)>0$이므로

변곡점의 좌표는 $\left(\dfrac{\pi}{2}, f\left(\dfrac{\pi}{2}\right)\right)$, 즉 $\left(\dfrac{\pi}{2}, \dfrac{\pi}{2}\right)$이다.

답 $\left(\dfrac{\pi}{2}, \dfrac{\pi}{2}\right)$

011 $f(x)=x^3-3x^2-9x$라 하면

$f'(x)=3x^2-6x-9=3(x+1)(x-3)$

$f'(x)=0$에서 $x=-1$ 또는 $x=3$

$f''(x)=6(x-1)$

$f''(x)=0$에서 $x=1$

함수 $f(x)$의 증가와 감소, 오목과 볼록을 표로 나타내면 다음과 같다.

x	$\cdots$	-1	$\cdots$	1	$\cdots$	3	$\cdots$
$f'(x)$	$+$	0	$-$	$-$	$-$	0	$+$
$f''(x)$	$-$	$-$	$-$	0	$+$	$+$	$+$
$f(x)$	↗	5 (극대)	↘	-11 (변곡점)	↘	-27 (극소)	↗

따라서 함수 $f(x)=x^3-3x^2-9x$의 그래프는 그림과 같다.

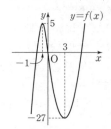

답 풀이 참조

012 $f(x)=\dfrac{1}{4}x^4-\dfrac{3}{2}x^2+\dfrac{9}{4}$라 하면

$f'(x)=x^3-3x=x(x^2-3)$

$\qquad =x(x+\sqrt{3})(x-\sqrt{3})$

$f'(x)=0$에서

$x=-\sqrt{3}$ 또는 $x=0$ 또는 $x=\sqrt{3}$

$f''(x)=3x^2-3=3(x+1)(x-1)$

$f''(x)=0$에서

$x=-1$ 또는 $x=1$

함수 $f(x)$의 증가와 감소, 오목과 볼록을 표로 나타내면 다음과 같다.

x	$\cdots$	$-\sqrt{3}$	$\cdots$	-1	$\cdots$
$f'(x)$	$-$	0	$+$	$+$	$+$
$f''(x)$	$+$	$+$	$+$	0	$-$
$f(x)$	↘	0 (극소)	↗	1 (변곡점)	↗

0	$\cdots$	1	$\cdots$	$\sqrt{3}$	$\cdots$
0	$-$	$-$	$-$	0	$+$
$-$	$-$	0	$+$	$+$	$+$
$\dfrac{9}{4}$ (극대)	↘	1 (변곡점)	↘	0 (극소)	↗

따라서 함수 $f(x)=\dfrac{1}{4}x^4-\dfrac{3}{2}x^2+\dfrac{9}{4}$의 그래프는 그림과 같다.

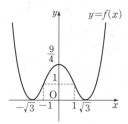

답 풀이 참조

013 $f(x)=x+\dfrac{2}{x}$라 하면

$f'(x)=1-\dfrac{2}{x^2}$

$f'(x)=0$에서

$x=-\sqrt{2}$ 또는 $x=\sqrt{2}$

$f''(x)=\dfrac{4}{x^3}$

$f''(x)=0$을 만족시키는 x의 값이 존재하지 않으므로 변곡점은 없다.

정의역은 $\{x\,|\,x\neq 0$인 실수$\}$이고 함수 $f(x)$의 증가와 감소, 오목과 볼록을 표로 나타내면 다음과 같다.

x	$\cdots$	$-\sqrt{2}$	$\cdots$	(0)	$\cdots$	$\sqrt{2}$	$\cdots$
$f'(x)$	$+$	0	$-$		$-$	0	$+$
$f''(x)$	$-$	$-$	$-$		$+$	$+$	$+$
$f(x)$	↗	$-2\sqrt{2}$ (극대)	↘		↘	$2\sqrt{2}$ (극소)	↗

$\displaystyle\lim_{x\to 0+}\left(x+\dfrac{2}{x}\right)=\infty$, $\displaystyle\lim_{x\to 0-}\left(x+\dfrac{2}{x}\right)=-\infty$이므로

함수 $f(x)=x+\dfrac{2}{x}$의 그래프는 그림과 같다.

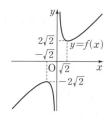

답 풀이 참조

014 $f(x)=\dfrac{1}{2}e^{-x^2}$이라 하면

$f'(x)=-xe^{-x^2}$

$f'(x)=0$에서 $x=0$

$f''(x)=-e^{-x^2}+2x^2e^{-x^2}$

$\qquad =e^{-x^2}(2x^2-1)$

$f''(x)=0$에서 $x=-\dfrac{1}{\sqrt{2}}$ 또는 $x=\dfrac{1}{\sqrt{2}}$

함수 $f(x)$의 증가와 감소, 오목과 볼록을 표로 나타내면 다음과 같다.

x	$\cdots$	$-\dfrac{1}{\sqrt{2}}$	$\cdots$	0	$\cdots$	$\dfrac{1}{\sqrt{2}}$	$\cdots$
$f'(x)$	$+$	$+$	$+$	0	$-$	$-$	$-$
$f''(x)$	$+$	0	$-$	$-$	$-$	0	$+$
$f(x)$	↗	$\dfrac{1}{2\sqrt{e}}$ (변곡점)	↗	$\dfrac{1}{2}$ (극대)	↘	$\dfrac{1}{2\sqrt{e}}$ (변곡점)	↘

$\displaystyle\lim_{x\to-\infty}\dfrac{1}{2}e^{-x^2}=0$, $\displaystyle\lim_{x\to\infty}\dfrac{1}{2}e^{-x^2}=0$이므로

함수 $f(x)=\dfrac{1}{2}e^{-x^2}$의 그래프는 그림과 같다.

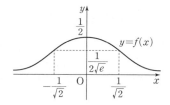

답 풀이 참조

015 $f(x)=x-\sqrt{2}\sin x$라 하면

$f'(x)=1-\sqrt{2}\cos x$

$f'(x)=0$에서 $\cos x=\dfrac{\sqrt{2}}{2}$

$\therefore x=\dfrac{\pi}{4}$ 또는 $x=\dfrac{7}{4}\pi$ $(\because 0\le x\le 2\pi)$

$f''(x)=\sqrt{2}\sin x$

$f''(x)=0$에서 $x=0$ 또는 $x=\pi$ 또는 $x=2\pi$ $(\because 0\le x\le 2\pi)$

정의역은 $\{x\,|\,0\le x\le 2\pi\}$이고 함수 $f(x)$의 증가와 감소, 오목과 볼록을 표로 나타내면 다음과 같다.

x	0	$\cdots$	$\dfrac{\pi}{4}$	$\cdots$
$f'(x)$	$-$	$-$	0	$+$
$f''(x)$	0	$+$	$+$	$+$
$f(x)$	0	↘	$\dfrac{\pi}{4}-1$ (극소)	↗

π	$\cdots$	$\dfrac{7}{4}\pi$	$\cdots$	2π
$+$	$+$	0	$-$	$-$
0	$-$	$-$	$-$	0
π (변곡점)	↗	$\dfrac{7}{4}\pi+1$ (극대)	↘	2π

따라서 함수 $f(x)=x-\sqrt{2}\sin x$ $(0\le x\le 2\pi)$의 그래프는 그림과 같다.

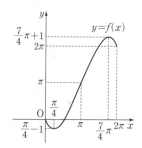

답 풀이 참조

016 $f(x)=e^x-x-3$이라 하면

$f'(x)=e^x-1$

$f'(x)=0$에서 $x=0$

$\displaystyle\lim_{x\to-\infty}(e^x-x-3)=\infty$, $\displaystyle\lim_{x\to\infty}(e^x-x-3)=\infty$이므로

함수 $f(x)$의 증가, 감소를 표로 나타내고 그래프를 그리면 다음과 같다.

x	$\cdots$	0	$\cdots$
$f'(x)$	$-$	0	$+$
$f(x)$	↘	-2	↗

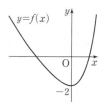

따라서 함수 $f(x)=e^x-x-3$의 그래프와 x축의 교점의 개수가 2이므로 방정식 $e^x-x-3=0$의 실근의 개수는 2이다.

답 2

017 $f(x)=e^x+e^{-x}$이라 하면

$f'(x)=e^x-e^{-x}$

$f'(x)=0$에서 $e^{2x}-1=0$

$e^{2x}=1$ $\quad\therefore x=0$

$\displaystyle\lim_{x\to-\infty}(e^x+e^{-x})=\infty$, $\displaystyle\lim_{x\to\infty}(e^x+e^{-x})=\infty$이므로

함수 $f(x)$의 증가, 감소를 표로 나타내고 그래프를 그리면 다음과 같다.

x	$\cdots$	0	$\cdots$
$f'(x)$	$-$	0	$+$
$f(x)$	↘	2	↗

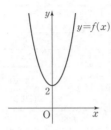

따라서 함수 $f(x)=e^x+e^{-x}$의 그래프와 x축의 교점이 없으므로 방정식 $e^x+e^{-x}=0$의 실근은 없다.

답 0

018 $f(x)=3x-2\cos x$라 하면
$f'(x)=3+2\sin x>0$
이므로 함수 $f(x)$는 모든 실수 x에 대하여 증가한다.
또 $f(0)=-2<0$, $f(\pi)=3\pi+2>0$이므로
함수 $f(x)=3x-2\cos x$의 그래프와 x축의 교점의 개수는
1이다.
따라서 방정식 $3x-2\cos x=0$의 실근의 개수는 1이다.

답 1

019 $f(x)=x+\dfrac{32}{x^2}-6$이라 하면

$f'(x)=1-\dfrac{64}{x^3}$

$f'(x)=0$에서 $x=4$
$x>0$일 때, 함수 $f(x)$의 증가, 감소를 표로 나타내면 다음과 같다.

x	(0)	$\cdots$	4	$\cdots$
$f'(x)$		$-$	0	$+$
$f(x)$		$\searrow$	0	$\nearrow$

즉, $x>0$일 때 함수 $f(x)$는 $x=4$에서 최솟값 0을 가지므로
$f(x)\geq0$

따라서 $x>0$일 때, 부등식 $x+\dfrac{32}{x^2}-6\geq0$이 성립한다.

답 풀이 참조

020 $f(x)=\sin x+3x$라 하면
$f'(x)=\cos x+3$
$-1\leq\cos x\leq1$이므로
$f'(x)=\cos x+3>0$
즉, 함수 $f(x)$는 $x>0$에서 증가하고, $f(0)=0$이므로
$x>0$일 때, 부등식 $\sin x+3x>0$이 성립한다.

답 풀이 참조

[021-022] 점 P의 시각 t에서의 속도와 가속도를 각각 v, a라 하면

021 $v=\dfrac{dx}{dt}=2t-9$이므로 $t=2$일 때 $v=-5$

$a=\dfrac{dv}{dt}=2$이므로 $t=2$일 때 $a=2$

답 속도: -5, 가속도: 2

022 $v=\dfrac{dx}{dt}=3t^2-2$이므로 $t=1$일 때 $v=1$

$a=\dfrac{dv}{dt}=6t$이므로 $t=1$일 때 $a=6$

답 속도: 1, 가속도: 6

023 $\dfrac{dx}{dt}=2t+2$, $\dfrac{dy}{dt}=3t^2$
이므로 시각 t에서의 속도는
$(2t+2, 3t^2)$

답 $(2t+2, 3t^2)$

024 $\dfrac{d^2x}{dt^2}=2$, $\dfrac{d^2y}{dt^2}=6t$
이므로 시각 t에서의 가속도는
$(2, 6t)$

답 $(2, 6t)$

025 시각 t에서의 속도가 $(2t+2, 3t^2)$이므로
시각 $t=1$에서의 속도는
$(4, 3)$

답 $(4, 3)$

026 시각 $t=1$에서의 속도가 $(4, 3)$이므로 시각 $t=1$에서의 속력은
$\sqrt{4^2+3^2}=5$

답 5

027 시각 t에서의 가속도가 $(2, 6t)$이므로
시각 $t=1$에서의 가속도는
$(2, 6)$

답 $(2, 6)$

028 시각 $t=1$에서의 가속도가 $(2, 6)$이므로
시각 $t=1$에서의 가속도의 크기는
$\sqrt{2^2+6^2}=2\sqrt{10}$

답 $2\sqrt{10}$

029 $\dfrac{dx}{dt}=2$, $\dfrac{dy}{dt}=2t$이므로 점 P의 시각 $t=2$에서의 속도는
$(2, 4)$

$\dfrac{d^2x}{dt^2}=0$, $\dfrac{d^2y}{dt^2}=2$이므로 점 P의 시각 $t=2$에서의 가속도는
$(0, 2)$

답 속도: $(2, 4)$, 가속도: $(0, 2)$

030 $\dfrac{dx}{dt}=\cos t$, $\dfrac{dy}{dt}=-\sin t$이므로 점 P의 시각 $t=\dfrac{\pi}{3}$에서의
속도는
$\left(\dfrac{1}{2}, -\dfrac{\sqrt{3}}{2}\right)$

$\dfrac{d^2x}{dt^2}=-\sin t$, $\dfrac{d^2y}{dt^2}=-\cos t$이므로 점 P의 시각 $t=\dfrac{\pi}{3}$
에서의 가속도는
$\left(-\dfrac{\sqrt{3}}{2}, -\dfrac{1}{2}\right)$

답 속도: $\left(\dfrac{1}{2}, -\dfrac{\sqrt{3}}{2}\right)$, 가속도: $\left(-\dfrac{\sqrt{3}}{2}, -\dfrac{1}{2}\right)$

031 $f(x)=x+3\sin x$라 하면
$f'(x)=1+3\cos x$, $f''(x)=-3\sin x$
$f''(x)=0$에서 $x=\pi$ ($\because 0<x<2\pi$)
따라서 곡선 $y=f(x)$는 $\pi<x<2\pi$에서 $f''(x)>0$이므로
아래로 볼록하다.

답 ⑤

032 함수 $f(x)$가 $f\left(\dfrac{x_1+x_2}{2}\right)<\dfrac{f(x_1)+f(x_2)}{2}$ 를 항상 만족시키려면 아래로 볼록이어야 한다.

$f(x)=x^3-9x^2+24x$에서

$f'(x)=3x^2-18x+24,\ f''(x)=6x-18$

곡선이 아래로 볼록이려면 $f''(x)>0$이어야 하므로

$6x-18>0$ $\therefore x>3$

따라서 $a\geq3$이므로 a의 최솟값은 3이다. 답 3

033 $f(x)=(ax^2+1)e^x$이라 하면

$f'(x)=2axe^x+(ax^2+1)e^x=(ax^2+2ax+1)e^x$

$f''(x)=(2ax+2a)e^x+(ax^2+2ax+1)e^x$
$=(ax^2+4ax+2a+1)e^x$

곡선 $y=f(x)$가 실수 전체의 집합에서 아래로 볼록하므로

$f''(x)=(ax^2+4ax+2a+1)e^x\geq0$

즉, $ax^2+4ax+2a+1\geq0$ ($\because e^x>0$)이고, $a>0$이므로

이차방정식 $ax^2+4ax+2a+1=0$의 판별식을 D라 하면

$\dfrac{D}{4}=(2a)^2-a(2a+1)\leq0,\ 2a^2-a\leq0$

$a(2a-1)\leq0$ $\therefore 0<a\leq\dfrac{1}{2}$

따라서 a의 값이 될 수 있는 것은 $\dfrac{1}{3}$이다. 답 ①

034 $f(x)=\dfrac{\ln x}{x}$라 하면

$f'(x)=\dfrac{1-\ln x}{x^2}$

$f''(x)=\dfrac{-x-2x(1-\ln x)}{x^4}=\dfrac{2\ln x-3}{x^3}$

$f''(x)=0$에서 $\ln x=\dfrac{3}{2}$, 즉 $x=e^{\frac{3}{2}}$

$0<x<e^{\frac{3}{2}}$일 때 $f''(x)<0$, $x>e^{\frac{3}{2}}$일 때 $f''(x)>0$이므로

변곡점의 좌표는 $\left(e^{\frac{3}{2}},\ f\left(e^{\frac{3}{2}}\right)\right)$이다.

따라서 $a=e^{\frac{3}{2}},\ b=\dfrac{\ln e^{\frac{3}{2}}}{e^{\frac{3}{2}}}=\dfrac{3}{2}e^{-\frac{3}{2}}$이므로

$ab=\dfrac{3}{2}$ 답 ②

035 $f(x)=xe^{-x^2}$이라 하면

$f'(x)=e^{-x^2}-2x^2e^{-x^2}$
$=(1-2x^2)e^{-x^2}$

$f''(x)=-4xe^{-x^2}-2x(1-2x^2)e^{-x^2}$
$=2x(2x^2-3)e^{-x^2}$

$f''(x)=0$에서

$x=-\dfrac{\sqrt{6}}{2}$ 또는 $x=0$ 또는 $x=\dfrac{\sqrt{6}}{2}$

그런데 이들 각각의 점의 좌우에서 $f''(x)$의 부호가 바뀌므로 변곡점의 x좌표는

$a_1=-\dfrac{\sqrt{6}}{2},\ a_2=0,\ a_3=\dfrac{\sqrt{6}}{2}$

$\therefore a_1{}^2+a_2{}^2+a_3{}^2=\dfrac{3}{2}+0+\dfrac{3}{2}=3$ 답 3

036 $f(x)=x^2+\ln x$라 하면

$f'(x)=2x+\dfrac{1}{x}$

$f''(x)=2-\dfrac{1}{x^2}$

$f''(x)=0$에서 $2-\dfrac{1}{x^2}=0,\ x^2=\dfrac{1}{2}$

$\therefore x=\dfrac{\sqrt{2}}{2}$ ($\because x>0$)

그런데 $x=\dfrac{\sqrt{2}}{2}$의 좌우에서 $f''(x)$의 부호가 바뀌므로 변곡점

의 좌표는 $\left(\dfrac{\sqrt{2}}{2},\ f\left(\dfrac{\sqrt{2}}{2}\right)\right)$이다.

따라서 변곡점에서의 접선의 기울기는

$f'\left(\dfrac{\sqrt{2}}{2}\right)=\sqrt{2}+\dfrac{2}{\sqrt{2}}=2\sqrt{2}$ 답 $2\sqrt{2}$

037 $f(x)=\dfrac{1}{x^2+3}$이라 하면

$f'(x)=-\dfrac{2x}{(x^2+3)^2}$

$f''(x)=\dfrac{-2(x^2+3)^2+2x\times2(x^2+3)\times2x}{(x^2+3)^4}$
$=\dfrac{6x^2-6}{(x^2+3)^3}$
$=\dfrac{6(x+1)(x-1)}{(x^2+3)^3}$

$f''(x)=0$에서 $x=-1$ 또는 $x=1$

그런데 $x=-1$, $x=1$의 좌우에서 $f''(x)$의 부호가 바뀌므로

변곡점의 좌표는 $\left(-1,\ \dfrac{1}{4}\right),\ \left(1,\ \dfrac{1}{4}\right)$이다.

따라서 그림에서 삼각형 OAB의 넓이는

$\dfrac{1}{2}\times2\times\dfrac{1}{4}=\dfrac{1}{4}$

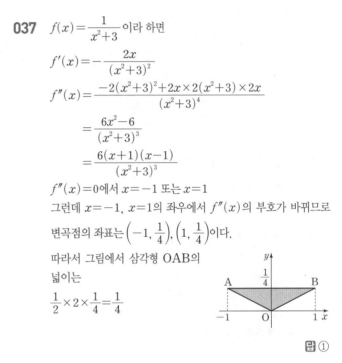

답 ①

038 $f(x)=ax^2+bx-4\ln x$에서

$f'(x)=2ax+b-\dfrac{4}{x}$

$f''(x)=2a+\dfrac{4}{x^2}$

함수 $f(x)$가 $x=2$에서 극대이므로

$f'(2)=4a+b-2=0$ ······ ㉠

곡선 $y=f(x)$의 변곡점의 x좌표가 $\sqrt{2}$이므로

$f''(\sqrt{2})=2a+2=0$ $\therefore a=-1$

$a=-1$을 ㉠에 대입하면 $b=6$

즉, $f(x)=-x^2+6x-4\ln x$ $(x>0)$에서

$f'(x)=-2x+6-\dfrac{4}{x}$
$=\dfrac{-2x^2+6x-4}{x}$
$=\dfrac{-2(x-1)(x-2)}{x}$

$f'(x)=0$에서 $x=1$ 또는 $x=2$
$x>0$에서 함수 $f(x)$의 증가, 감소를 표로 나타내면 다음과 같다.

x	(0)	$\cdots$	1	$\cdots$	2	$\cdots$
$f'(x)$		$-$	0	$+$	0	$-$
$f(x)$		$\searrow$	극소	$\nearrow$	극대	$\searrow$

따라서 함수 $f(x)$의 극솟값은
$f(1)=-1+6=5$

圉 5

039 $f(x)=x^2+a\sin x$라 하면
$f'(x)=2x+a\cos x$
$f''(x)=2-a\sin x$
곡선 $y=f(x)$가 변곡점을 가지려면 방정식 $f''(x)=0$이 실근을 갖고, 그 근의 좌우에서 $f''(x)$의 부호가 바뀌어야 한다.
$f''(x)=0$에서
$2-a\sin x=0$
$\therefore \sin x=\dfrac{2}{a}$ ......㉠

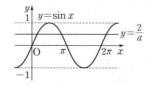

㉠이 실근을 가지려면 그림과 같이 곡선 $y=\sin x$와 직선 $y=\dfrac{2}{a}$ 가 만나야 하므로
$-1\leq\dfrac{2}{a}\leq 1$ $\therefore a\geq 2$
$a=2$이면 $f''(x)=2(1-\sin x)$
$\therefore f''(x)\geq 0$
즉, $f''(x)=0$을 만족시키는 x의 값의 좌우에서 $f''(x)$의 부호가 바뀌지 않으므로 변곡점이 될 수 없다.
$\therefore a>2$
따라서 자연수 a의 최솟값은 3이다.

圉 3

040 $f''(x)$의 부호를 표로 나타내면 다음과 같다.

x	$\cdots$	-2	$\cdots$	2	$\cdots$
$f''(x)$	$+$	0	$-$	0	$+$

함수 $y=f(x)$의 그래프의 모양이 위로 볼록하려면 $f''(x)<0$ 이어야 하므로
$-2<x<2$

圉 $-2<x<2$

참고 $y=f'(x)$의 그래프와 함수 $y=f(x)$의 관계
그림의 $y=f'(x)$의 그래프에서
(1) $y=f(x)$의 극값을 갖는 점의
　x좌표
　➡ $f'(x)=0$의 해
　➡ x축의 교점의 x좌표
　➡ $x=a$(극소), $x=c$(극대), $x=e$(극소)
(2) $y=f(x)$의 변곡점의 x좌표
　➡ $y=f'(x)$의 그래프에서 극값을 갖는 점의 x좌표
　➡ $x=b$, $x=d$

041 점 A, B, C, D, E, F에서의 x좌표를 각각 a, b, c, d, e, f라 하고, $f'(x)$, $f''(x)$의 부호를 표로 나타내면 다음과 같다.

x	a	b	c	d	e	f
$f'(x)$	$+$	0	$-$	$-$	0	$+$
$f''(x)$	$-$	$-$	$-$	0	$+$	$+$

따라서 $f'(x)$와 $f''(x)$의 부호가 같은 점은 C, F이다.

圉 ②

042 x좌표 a, b, c, d, e에서 $f'(x)$, $f''(x)$의 부호를 표로 나타내면 다음과 같다.

x	a	b	c	d	e
$f'(x)$	$-$	0	$+$	0	$-$
$f''(x)$	$+$	$+$	0	$-$	$-$

ㄱ. $f'(a)f''(b)<0$ (거짓)
ㄴ. $f'(b)f''(d)=0$ (거짓)
ㄷ. $f'(c)f''(e)<0$ (참)
ㄹ. $f'(e)f''(a)<0$ (참)
따라서 옳은 것은 ㄷ, ㄹ이다.

圉 ㄷ, ㄹ

043 $f(x)=x^4-8x^3+16x^2$에서
$f'(x)=4x^3-24x^2+32x=4x(x-2)(x-4)$
$f''(x)=12x^2-48x+32=4(3x^2-12x+8)$
$f'(x)=0$에서 $x=0$ 또는 $x=2$ 또는 $x=4$
$f''(x)=0$에서 $x=\dfrac{6\pm 2\sqrt{3}}{3}$

함수 $f(x)$의 증가와 감소, 오목과 볼록을 표로 나타내면 다음과 같다.

x	$\cdots$	0	$\cdots$	$\dfrac{6-2\sqrt{3}}{3}$	$\cdots$
$f'(x)$	$-$	0	$+$	$+$	$+$
$f''(x)$	$+$	$+$	$+$	0	$-$
$f(x)$	$\searrow$	극소	$\nearrow$	변곡점	$\curvearrowright$

2	$\cdots$	$\dfrac{6+2\sqrt{3}}{3}$	$\cdots$	4	$\cdots$
0	$-$	$-$	$-$	0	$+$
$-$	$-$	0	$+$	$+$	$+$
극대	$\searrow$	변곡점	$\searrow$	극소	$\nearrow$

ㄱ. 방정식 $f'(x)=0$에서 $x=0$ 또는 $x=2$ 또는 $x=4$이므로 서로 다른 세 실근을 갖는다. (참)
ㄴ. 함수 $f(x)$는 극댓값 $f(2)=16$을 갖는다. (참)
ㄷ. $f''(x)=0$에서 $x=\dfrac{6\pm 2\sqrt{3}}{3}$이므로 변곡점의 개수는 2이다.
(참)
따라서 ㄱ, ㄴ, ㄷ 모두 옳다.

圉 ㄱ, ㄴ, ㄷ

044 $f(x)=\dfrac{ax}{x^2+1}$에서
$f'(x)=\dfrac{a(x^2+1)-ax\times 2x}{(x^2+1)^2}=\dfrac{-ax^2+a}{(x^2+1)^2}$
$f'(0)=2$에서 $a=2$이므로
$f'(x)=\dfrac{-2x^2+2}{(x^2+1)^2}=\dfrac{-2(x+1)(x-1)}{(x^2+1)^2}$

$f'(x)=0$에서 $x=-1$ 또는 $x=1$

함수 $f(x)$의 증가, 감소를 표로 나타내면 다음과 같다.

x	$\cdots$	-1	$\cdots$	1	$\cdots$
$f'(x)$	$-$	0	$+$	0	$-$
$f(x)$	$\searrow$	극소	$\nearrow$	극대	$\searrow$

ㄱ. $a=2$ (참)

ㄴ. 극댓값은 $f(1)=\dfrac{2}{2}=1$ (거짓)

ㄷ. $\displaystyle\lim_{x\to\infty}f(x)=\lim_{x\to\infty}\dfrac{2x}{x^2+1}=0$,

$\displaystyle\lim_{x\to-\infty}f(x)=\lim_{x\to-\infty}\dfrac{2x}{x^2+1}=0$

이므로 점근선의 방정식은 $y=0$이다. (참)

따라서 옳은 것은 ㄱ, ㄷ이다.　　　　　답 ㄱ, ㄷ

045 $f(x)=\dfrac{x^2}{e^x}$에서

$f'(x)=\dfrac{2x\times e^x-x^2\times e^x}{(e^x)^2}=\dfrac{x(2-x)}{e^x}$

$f''(x)=\dfrac{(2-2x)e^x-(2x-x^2)e^x}{(e^x)^2}$

$\qquad\;=\dfrac{x^2-4x+2}{e^x}$

$f'(x)=0$에서 $x=0$ 또는 $x=2$

$f''(x)=0$에서 $x=2\pm\sqrt{2}$

함수 $f(x)$의 증가와 감소, 오목과 볼록을 표로 나타내면 다음과 같다.

x	$\cdots$	0	$\cdots$	$2-\sqrt{2}$
$f'(x)$	$-$	0	$+$	$+$
$f''(x)$	$+$	$+$	$+$	0
$f(x)$	$\searrow$	극소	$\nearrow$	변곡점

$\cdots$	2	$\cdots$	$2+\sqrt{2}$	$\cdots$
$+$	0	$-$	$-$	$-$
$-$	$-$	$-$	0	$+$
$\nearrow$	극대	$\searrow$	변곡점	$\searrow$

또 $\displaystyle\lim_{x\to\infty}\dfrac{x^2}{e^x}=0$, $\displaystyle\lim_{x\to-\infty}\dfrac{x^2}{e^x}=\infty$

이므로
함수 $y=f(x)$의 그래프는 그림과 같다.

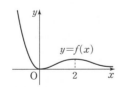

ㄱ. $x=0$에서 극솟값 $f(0)=0$을 갖는다. (참)

ㄴ. $x=2$에서 극댓값 $f(2)=\dfrac{4}{e^2}$를 갖는다. (거짓)

ㄷ. $x=2\pm\sqrt{2}$에서 변곡점을 갖는다. (거짓)

따라서 옳은 것은 ㄱ뿐이다.　　　　　답 ㄱ

046 $x^2e^{-x^2}-a=0$에서

$x^2e^{-x^2}=a$　　　……㉠

방정식 ㉠이 서로 다른 네 실근을 가지려면 곡선 $y=x^2e^{-x^2}$과
직선 $y=a$가 서로 다른 네 점에서 만나야 한다.

$f(x)=x^2e^{-x^2}$이라 하면

$f'(x)=2xe^{-x^2}+x^2e^{-x^2}(-2x)$

$\qquad\;=2xe^{-x^2}(1-x^2)$

$\qquad\;=-2x(x+1)(x-1)e^{-x^2}$

$f'(x)=0$에서 $x=-1$ 또는 $x=0$ 또는 $x=1$

함수 $f(x)$의 증가, 감소를 표로 나타내면 다음과 같다.

x	$\cdots$	-1	$\cdots$	0	$\cdots$	1	$\cdots$
$f'(x)$	$+$	0	$-$	0	$+$	0	$-$
$f(x)$	$\nearrow$	$\dfrac{1}{e}$	$\searrow$	0	$\nearrow$	$\dfrac{1}{e}$	$\searrow$

$\displaystyle\lim_{x\to\infty}x^2e^{-x^2}=0$, $\displaystyle\lim_{x\to-\infty}x^2e^{-x^2}=0$이므로

함수 $y=f(x)$의 그래프는 그림과 같다.

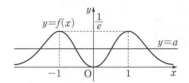

따라서 곡선 $y=f(x)$와 직선 $y=a$가 서로 다른 네 점에서 만나려면

$0<a<\dfrac{1}{e}$　　　　　답 ①

047 $\ln x-x+10-n=0$에서

$\ln x-x+10=n$　　……㉠

방정식 ㉠이 서로 다른 두 실근을 가지려면 곡선
$y=\ln x-x+10$과 직선 $y=n$이 서로 다른 두 점에서 만나야
한다.

$f(x)=\ln x-x+10$이라 하면 $x>0$이고,

$f'(x)=\dfrac{1}{x}-1$

$f'(x)=0$에서 $\dfrac{1}{x}=1$　　$\therefore x=1$

$x>0$에서 함수 $f(x)$의 증가, 감소를 표로 나타내면 다음과
같다.

x	(0)	$\cdots$	1	$\cdots$
$f'(x)$		$+$	0	$-$
$f(x)$		$\nearrow$	9	$\searrow$

$\displaystyle\lim_{x\to\infty}(\ln x-x+10)=-\infty$,

$\displaystyle\lim_{x\to0+}(\ln x-x+10)=-\infty$

이므로 $y=f(x)$의 그래프는 그림과 같다.

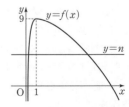

따라서 곡선 $y=f(x)$와 직선 $y=n$이 서로 다른 두 점에서 만나려면 $n<9$이므로 자연수 n의 개수는 $1, 2, 3, \cdots, 8$의 8이다.

답 8

048 두 곡선 $y=\dfrac{16}{x}$, $y=-x^2+a$가 서로 다른 두 점에서 만나려면

방정식 $-x^2+a=\dfrac{16}{x}$이 서로 다른 두 실근을 가져야 한다.

$x^2+\dfrac{16}{x}=a$에서 $f(x)=x^2+\dfrac{16}{x}$이라 하면

$$f'(x)=2x-\dfrac{16}{x^2}=\dfrac{2x^3-16}{x^2}$$
$$=\dfrac{2(x-2)(x^2+2x+4)}{x^2}$$

$f'(x)=0$에서 $x=2$

함수 $f(x)$의 증가, 감소를 표로 나타내면 다음과 같다.

x	$\cdots$	(0)	$\cdots$	2	$\cdots$
$f'(x)$	$-$		$-$	0	$+$
$f(x)$	$\searrow$		$\searrow$	12	$\nearrow$

$\lim\limits_{x\to-\infty}f(x)=\infty$, $\lim\limits_{x\to 0-}f(x)=-\infty$,

$\lim\limits_{x\to 0+}f(x)=\infty$, $\lim\limits_{x\to\infty}f(x)=\infty$이므로 함수 $y=f(x)$의

그래프는 그림과 같다.

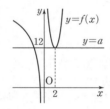

따라서 곡선 $y=f(x)$와 직선 $y=a$가 서로 다른 두 점에서 만나려면 $a=12$　　　　閏 12

049 방정식 $e^x=kx$의 실근의 개수는 $y=e^x$과 $y=kx$의 그래프의 교점의 개수와 같다.

함수 $y=e^x$의 그래프 위의 점 (a, e^a)에서의 접선의 방정식은

$y-e^a=e^a(x-a)$

$\therefore y=e^a x+e^a(1-a)$　　$\cdots\cdots$㉠

㉠이 $y=kx$와 같아야 하므로

$k=e^a$, $e^a(1-a)=0$　　$\therefore a=1$

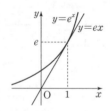

즉, 접점의 좌표는 $(1, e)$이고, $k=e$이므로 그래프에서 k의 값에 따른 실근의 개수를 조사하면

ㄱ. $k<0$일 때, 1개의 실근을 갖는다. (참)
ㄴ. $k>e$일 때, 2개의 실근을 갖는다. (참)
ㄷ. $0<k<e$일 때, 실근을 갖지 않는다. (거짓)

따라서 옳은 것은 ㄱ, ㄴ이다.　　　　閏 ④

050 ㄱ. $f(x)=x^3$, $g(x)=\sin x$의 그래프에서 교점의 개수는 3이므로 $f(x)-g(x)=0$의 실근의 개수는 3이다. (참)
ㄴ. $f'(x)=3x^2$, $g'(x)=\cos x$의 그래프에서 교점의 개수는 2이므로 $f'(x)-g'(x)=0$의 실근의 개수는 2이다. (참)

ㄷ. $f''(x)=6x$, $g''(x)=-\sin x$의 그래프에서 교점의 개수는 1이므로 $f''(x)-g''(x)=0$의 실근의 개수는 1이다. (참)

따라서 ㄱ, ㄴ, ㄷ 모두 옳다.

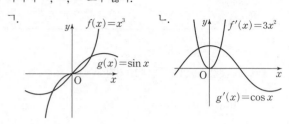

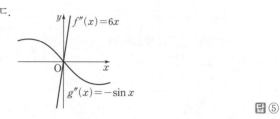

閏 ⑤

051 $f(x)=\sin x-2x+a$라 하면
$f'(x)=\cos x-2<0$ $(\because -1\leq\cos x\leq 1)$
즉, 함수 $f(x)$는 모든 실수 x에 대하여 감소한다.
$f(0)<0$이면 $x\geq 0$인 모든 실수 x에 대하여 $f(x)<0$이 성립하므로 $f(0)=a$
$\therefore a<0$　　　　閏 ③

052 부등식 $ax\geq\ln x$가 성립하려면 직선 $y=ax$가 곡선 $y=\ln x$보다 위쪽에 있거나 서로 접해야 한다.

$f(x)=ax$, $g(x)=\ln x$라 하면 $f'(x)=a$, $g'(x)=\dfrac{1}{x}$

접점의 x좌표를 t라 하면

$f(t)=g(t)$에서 $at=\ln t$　　$\cdots\cdots$㉠

$f'(t)=g'(t)$에서 $a=\dfrac{1}{t}$　　$\cdots\cdots$㉡

㉡을 ㉠에 대입하면 $\ln t=1$　　$\therefore t=e$

$\therefore a=\dfrac{1}{e}$

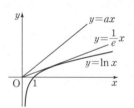

따라서 $a\geq\dfrac{1}{e}$이므로 상수 a의 최솟값은 $\dfrac{1}{e}$이다.　閏 $\dfrac{1}{e}$

053 부등식 $\alpha x\leq e^x\leq\beta x$가 성립하려면 $1\leq x\leq 2$에서 곡선 $y=e^x$이 두 직선 $y=\alpha x$, $y=\beta x$ 사이에 있어야 한다.

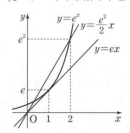

(i) 곡선 $y=e^x$ 위의 점 $(t,\,e^t)$에서의 접선의 방정식은
$$y-e^t=e^t(x-t)$$
이 직선이 원점을 지나므로
$$-e^t=-te^t \qquad \therefore t=1$$
$$\therefore y=ex$$
즉, $ax\le ex$이어야 하므로 $a\le e$

(ii) 곡선 $y=e^x$ 위의 점 $(2,\,e^2)$과 원점을 지나는 직선의 방정식은
$$y=\frac{e^2}{2}x$$
즉, $\dfrac{e^2}{2}x\le\beta x$이어야 하므로
$$\beta\ge\frac{e^2}{2}$$

(i), (ii)에서 β의 최솟값은 $\dfrac{e^2}{2}$, α의 최댓값은 e이므로 $\beta-\alpha$의 최솟값은
$$\frac{e^2}{2}-e=e\Big(\frac{e}{2}-1\Big)$$

답 ②

054 (1) $f(t)=\sin t+\cos t$라 하면 점 P의 시각 t에서의 속도 $v(t)$는
$$v(t)=f'(t)=\cos t-\sin t$$
점 P의 가속도 $a(t)$는
$$a(t)=f''(t)=-\sin t-\cos t$$
따라서 $t=\pi$일 때,
점 P의 속도는
$$f'(\pi)=-1-0=-1$$
점 P의 가속도는
$$f''(\pi)=0-(-1)=1$$

(2) 점 P가 운동 방향을 바꾸는 순간 $v(t)=0$이므로
$$v(\alpha)=f'(\alpha)=\cos\alpha-\sin\alpha=0$$에서 $\cos\alpha=\sin\alpha$
$0\le\alpha\le\pi$이므로 $\alpha=\dfrac{\pi}{4}$

답 (1) 속도: -1, 가속도: 1 (2) $\dfrac{\pi}{4}$

055 점 P의 시각 t에서의 속도를 $v(t)$라 하면
$$\begin{aligned}v(t)&=f'(t)\\&=e^t\cos\pi t-e^t\pi\sin\pi t\\&=e^t(\cos\pi t-\pi\sin\pi t)\end{aligned}$$
운동 방향이 바뀌는 순간 $v(t)=0$이므로
$$e^t(\cos\pi t-\pi\sin\pi t)=0$$
$$\cos\pi t=\pi\sin\pi t$$
$$\therefore \frac{\sin\pi t}{\cos\pi t}=\tan\pi t=\frac{1}{\pi}\ \Big(\text{단, }\pi t\ne n\pi+\frac{\pi}{2},\ n\text{은 정수}\Big)$$
점 P가 출발 후 운동 방향이 처음으로 바뀌는 순간 $t=k$에서
$$\tan k\pi=\frac{1}{\pi}\ (k\pi\text{는 예각})$$이므로
$$\sin k\pi=\frac{1}{\sqrt{\pi^2+1}},\ \cos k\pi=\frac{\pi}{\sqrt{\pi^2+1}}$$
또한, 점 P의 시각 t에서의 가속도를 $a(t)$라 하면
$$\begin{aligned}a(t)&=v'(t)\\&=e^t(\cos\pi t-\pi\sin\pi t)+e^t(-\pi\sin\pi t-\pi^2\cos\pi t)\\&=e^t(\cos\pi t-2\pi\sin\pi t-\pi^2\cos\pi t)\end{aligned}$$

$$\begin{aligned}\therefore a(k)&=e^k(\cos k\pi-2\pi\sin k\pi-\pi^2\cos k\pi)\\&=\Big(\frac{\pi}{\sqrt{\pi^2+1}}-\frac{2\pi}{\sqrt{\pi^2+1}}-\frac{\pi^3}{\sqrt{\pi^2+1}}\Big)e^k\\&=\frac{-\pi(\pi^2+1)}{\sqrt{\pi^2+1}}e^k\\&=-\pi\sqrt{\pi^2+1}\,e^k\end{aligned}$$

답 ⑤

056 점 P의 속도와 가속도를 각각 v_1, a_1이라 하면
$x_1=3\sin t$에서
$$v_1=\frac{dx_1}{dt}=3\cos t$$
$$a_1=\frac{dv_1}{dt}=-3\sin t \qquad\cdots\cdots\ \text{㉠}$$
또 점 Q의 속도와 가속도를 각각 v_2, a_2라 하면
$x_2=\sqrt{3}\cos t$에서
$$v_2=\frac{dx_2}{dt}=-\sqrt{3}\sin t$$
$$a_2=\frac{dv_2}{dt}=-\sqrt{3}\cos t \qquad\cdots\cdots\ \text{㉡}$$
㉠, ㉡에서 $a_1=a_2$가 되는 순간의 t의 값은
$$-3\sin t=-\sqrt{3}\cos t$$
$$\frac{\sin t}{\cos t}=\frac{\sqrt{3}}{3},\ \text{즉}\ \tan t=\frac{\sqrt{3}}{3}$$
$$\therefore t=\frac{\pi}{6}\ \text{또는}\ t=\frac{7}{6}\pi\ (\because 0<t<2\pi)$$
따라서 구하는 모든 t의 값의 합은
$$\frac{\pi}{6}+\frac{7}{6}\pi=\frac{4}{3}\pi$$

답 $\dfrac{4}{3}\pi$

057 $x=t-\sin t$, $y=1-\cos t$에서
$$\frac{dx}{dt}=1-\cos t,\ \frac{dy}{dt}=\sin t$$
이므로 점 P의 시각 t에서의 속도는
$$(1-\cos t,\ \sin t)$$
$t=\dfrac{\pi}{3}$일 때, 점 P의 속도는 $\Big(\dfrac{1}{2},\ \dfrac{\sqrt{3}}{2}\Big)$이므로 속력은
$$\sqrt{\Big(\frac{1}{2}\Big)^2+\Big(\frac{\sqrt{3}}{2}\Big)^2}=1$$

답 1

058 $x=t^2+at$, $y=2at^2+4t$에서
$$\frac{dx}{dt}=2t+a,$$
$$\frac{dy}{dt}=4at+4$$
이므로 점 P의 시각 t에서의 속도는
$$(2t+a,\ 4at+4)$$
따라서 점 P의 속력은
$$\sqrt{(2t+a)^2+(4at+4)^2}$$
$t=1$에서의 점 P의 속력이 $4\sqrt{10}$이므로
$$\sqrt{(2+a)^2+(4a+4)^2}=4\sqrt{10}$$
$$(a+2)^2+(4a+4)^2=160$$
$$17a^2+36a-140=0$$
$$(17a+70)(a-2)=0$$
$$\therefore a=2\ (\because a>0)$$

답 ⑤

059 $x=2t+1$, $y=t-t^2$에서

$\dfrac{dx}{dt}=2$, $\dfrac{dy}{dt}=1-2t$

즉, 점 P의 시각 t에서의 속도는 $(2, 1-2t)$이므로
점 P의 속력은

$$\sqrt{2^2+(1-2t)^2}=\sqrt{4t^2-4t+5}$$
$$=\sqrt{4\left(t-\dfrac{1}{2}\right)^2+4}$$

따라서 $t=\dfrac{1}{2}$일 때 속력이 최소이므로 점 P의 좌표는

$\left(2, \dfrac{1}{4}\right)$ 目 $\left(2, \dfrac{1}{4}\right)$

060 $\dfrac{dx}{dt}=10$, $\dfrac{dy}{dt}=6-6t$

이므로 $t=1$에서의 점 P의 속도는
$(10, 0)$

$\therefore$ (속력)$=\sqrt{10^2+0^2}=10$

$\dfrac{d^2x}{dt^2}=0$, $\dfrac{d^2y}{dt^2}=-6$이므로

$t=1$에서의 점 P의 가속도는
$(0, -6)$

$\therefore$ (가속도의 크기)$=\sqrt{0^2+(-6)^2}=6$

따라서 속력은 10, 가속도의 크기는 6이다.   目 ⑤

061 $\dfrac{dx}{dt}=2t$, $\dfrac{dy}{dt}=1$

이므로 점 P의 시각 t에서의 속도는
$(2t, 1)$

$\dfrac{d^2x}{dt^2}=2$, $\dfrac{d^2y}{dt^2}=0$

이므로 점 P의 시각 t에서의 가속도는
$(2, 0)$

$\therefore$ (속력)$=\sqrt{4t^2+1}$, (가속도의 크기)$=\sqrt{2^2+0^2}=2$

즉, (속력)=(가속도의 크기)에서 $\sqrt{4t^2+1}=2$

$4t^2+1=4$, $t^2=\dfrac{3}{4}$

$\therefore t=\dfrac{\sqrt{3}}{2}$ ($\because t>0$)   目 $\dfrac{\sqrt{3}}{2}$

062 $\dfrac{dx}{dt}=1-\cos t$, $\dfrac{dy}{dt}=\sin t$

이므로 점 P의 시각 t에서의 속도는
$(1-\cos t, \sin t)$

$\dfrac{d^2x}{dt^2}=\sin t$, $\dfrac{d^2y}{dt^2}=\cos t$

이므로 점 P의 시각 t에서의 가속도는
$(\sin t, \cos t)$

(속력)$=\sqrt{(1-\cos t)^2+\sin^2 t}$
$=\sqrt{1-2\cos t+\cos^2 t+\sin^2 t}$
$=\sqrt{2-2\cos t}$

이므로 $\cos t=-1$, 즉 $t=2n\pi+\pi$ (n은 음이 아닌 정수)일 때, 속력이 최대가 된다.

따라서 구하는 가속도는 $(0, -1)$이다.   目 $(0, -1)$

063 $\dfrac{dx}{dt}=10\sqrt{2}$, $\dfrac{dy}{dt}=-10t+10\sqrt{2}$

이므로 야구공의 시각 t에서의 속도는
$(10\sqrt{2}, -10t+10\sqrt{2})$

야구공이 지면에 떨어질 때 $y=0$이므로
$-5t^2+10\sqrt{2}t=0$, $-5t(t-2\sqrt{2})=0$

$\therefore t=2\sqrt{2}$ ($\because t>0$)

따라서 $2\sqrt{2}$초일 때, 야구공의 속력은

$\sqrt{(10\sqrt{2})^2+(-10\times2\sqrt{2}+10\sqrt{2})^2}=20$ (m/s)

目 20 m/s

064 현재의 비행기의 위치를 B, t초 후의 비행기의 위치를 P, P에서 B까지의 거리를 x, P에서 A까지의 거리를 y라 하면
$y^2=x^2+3^2$ ……㉠

양변을 시각 t에 대하여 미분하면

$2y\dfrac{dy}{dt}=2x\dfrac{dx}{dt}$

$\therefore \dfrac{dy}{dt}=\dfrac{x}{y}\times\dfrac{dx}{dt}$

$t=20$일 때 $x=0.2\times20=4$ (km)이고

㉠에서 $y=5$ (km)

$\dfrac{dx}{dt}=0.2=\dfrac{1}{5}$ (km/s)이므로

$\dfrac{dy}{dt}=\dfrac{4}{5}\times\dfrac{1}{5}=0.16$ (km/s)

따라서 매초 0.16 km의 속력으로 멀어진다.   目 ④

065 $f(x)=e^{-2x^2}$에서 $f'(x)=-4xe^{-2x^2}$

$f''(x)=-4e^{-2x^2}-4x\times(-4x)\times e^{-2x^2}$
$=-4e^{-2x^2}(1-4x^2)$
$=-4e^{-2x^2}(1+2x)(1-2x)$

$f''(x)=0$에서 $x=-\dfrac{1}{2}$ 또는 $x=\dfrac{1}{2}$

즉, 곡선 $y=f(x)$는 $-\dfrac{1}{2}<x<\dfrac{1}{2}$에서 $f''(x)<0$이므로

위로 볼록하다.

따라서 이 구간에 속하는 정수 x의 개수는 0의 1이다.   目 ①

066 $f(x)=\ln(1+x^2)$이라 하면 $f'(x)=\dfrac{2x}{1+x^2}$

$f''(x)=\dfrac{2(1+x^2)-2x\times2x}{(1+x^2)^2}=\dfrac{-2(x+1)(x-1)}{(1+x^2)^2}$

$f''(x)=0$에서 $x=-1$ 또는 $x=1$

그런데 $x=-1$, $x=1$의 좌우에서 $f''(x)$의 부호가 바뀌므로 두 변곡점의 좌표는 $(-1, \ln 2)$, $(1, \ln 2)$이다.

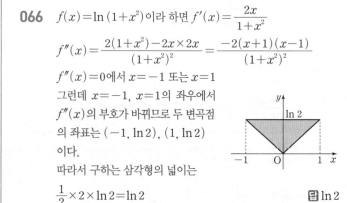

따라서 구하는 삼각형의 넓이는

$\dfrac{1}{2}\times2\times\ln 2=\ln 2$ 目 $\ln 2$

067 $f(x)=\left(\ln\dfrac{1}{ax}\right)^2=(-\ln ax)^2=(\ln ax)^2$이라 하면

$$f'(x)=2\ln ax\times\frac{a}{ax}=\frac{2\ln ax}{x}$$

$$f''(x)=\frac{\frac{2}{x}\times x-2\ln ax}{x^2}=\frac{2(1-\ln ax)}{x^2}$$

$f''(x)=0$에서 $x=\dfrac{e}{a}$

$0<x<\dfrac{e}{a}$일 때, $f''(x)>0$이고 $x>\dfrac{e}{a}$일 때, $f''(x)<0$이다.

따라서 $x=\dfrac{e}{a}$의 좌우에서 $f''(x)$의 부호가 바뀌므로 변곡점의 좌표는 $\left(\dfrac{e}{a},\ 1\right)$이다.

변곡점이 직선 $y=2x$ 위에 있으므로

$$\frac{2e}{a}=1 \qquad \therefore a=2e$$
답 $2e$

068 $\dfrac{f''(x)}{f'(x)}\leq 0$에서

$f'(x)f''(x)\leq 0,\ f'(x)\neq 0$ ······ ㉠

$f'(x),\ f''(x)$의 부호를 표로 나타내면 다음과 같다.

x	⋯	1	⋯	$\frac{7}{2}$	⋯	6	⋯
$f'(x)$	+	0	−	−	−	0	+
$f''(x)$	−	−	−	0	+	+	+

즉, ㉠을 만족시키는 x의 값의 범위는

$x<1$ 또는 $\dfrac{7}{2}\leq x<6$

따라서 자연수 x의 개수는 4, 5의 2이다.
답 2

069 $f(x)=(x^2+k)e^x$에서

$f'(x)=2xe^x+(x^2+k)e^x=(x^2+2x+k)e^x$
$\qquad =\{(x+1)^2+(k-1)\}e^x$

ㄱ. $k>1$이면 $f'(x)>0$이므로 함수 $f(x)$는 구간 $(-\infty,\ \infty)$에서 증가한다. (참)

ㄴ. $k<1$일 때, 방정식 $x^2+2x+k=0$의 판별식을 D라 하면

$\dfrac{D}{4}=1-k>0$이므로 서로 다른 두 실근을 갖는다.

따라서 함수 $f(x)$는 극값을 2개 갖는다. (참)

ㄷ. $k=1$이면 $f'(x)=(x^2+2x+1)e^x$이고

$f''(x)=(2x+2)e^x+(x^2+2x+1)e^x$
$\qquad =(x^2+4x+3)e^x=(x+3)(x+1)e^x$

$f''(x)=0$에서 $x=-3$ 또는 $x=-1$이고,

$x=-3,\ x=-1$의 좌우에서 $f''(x)$의 부호가 바뀐다.

그러므로 $x=-3,\ x=-1$에서 변곡점을 갖는다. (거짓)

따라서 옳은 것은 ㄱ, ㄴ이다.
답 ④

070 ㄱ. $f(x)=4\ln x+\ln(10-x)$에서 $0<x<10$이고

$$f'(x)=\frac{4}{x}+\frac{-1}{10-x}=\frac{-5(x-8)}{x(10-x)}$$

$f'(x)=0$에서 $x=8$

$$f''(x)=\frac{-5x(10-x)-(-5x+40)(10-2x)}{\{x(10-x)\}^2}$$

$$\qquad =\frac{-5(x^2-16x+80)}{\{x(10-x)\}^2}$$

$x^2-16x+80>0$이므로 $0<x<10$에서 $f''(x)<0$

함수 $f(x)$의 증가와 감소, 오목과 볼록을 표로 나타내면 다음과 같다.

x	(0)	⋯	8	⋯	(10)
$f'(x)$		+	0	−	
$f''(x)$		−	−	−	
$f(x)$		↗	극대	↘	

또 $\displaystyle\lim_{x\to 0+}f(x)=-\infty$,

$\displaystyle\lim_{x\to 10-}f(x)=-\infty$이므로

$y=f(x)$의 그래프는 그림과 같다. 따라서 $f(x)$의 최댓값은 $f(8)=13\ln 2$ (참)

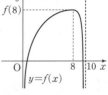

ㄴ. $f(1)=\ln 9>0$, $f(9)=4\ln 9>0$이므로 구간 $[1,\ 9]$에서 방정식 $f(x)=0$은 실근을 갖지 않는다. (참)

ㄷ. $f(x)=\ln x^4(10-x)\ (0<x<10)$이므로

$g(x)=e^{f(x)}=x^4(10-x)=10x^4-x^5$

$g'(x)=40x^3-5x^4=-5x^3(x-8)$

$g'(x)=0$에서 $x=0$ 또는 $x=8$

함수 $g(x)$의 증가, 감소를 표로 나타내면 다음과 같다.

x	(0)	⋯	8	⋯	(10)
$g'(x)$		+	0	−	
$g(x)$		↗	극대	↘	

따라서 함수 $g(x)=e^{f(x)}$은 $x=8$에서 극댓값을 갖는다. (참)

따라서 ㄱ, ㄴ, ㄷ 모두 옳다.
답 ㄱ, ㄴ, ㄷ

071 $\dfrac{\ln x}{x}=kx$에서 $\ln x=kx^2$ (단, $x>0$)

즉, 방정식 $\ln x=kx^2$이 서로 다른 두 실근을 가지려면 그림과 같이 두 곡선 $y=\ln x$, $y=kx^2$이 서로 다른 두 점에서 만나야 한다.

$f(x)=\ln x,\ g(x)=kx^2$이라 하면

$f'(x)=\dfrac{1}{x},\ g'(x)=2kx$

두 곡선 $y=f(x),\ y=g(x)$가 접할 때, 접점의 x좌표를 t라 하면

$f(t)=g(t)$에서 $\ln t=kt^2$ ······ ㉠

$f'(t)=g'(t)$에서 $\dfrac{1}{t}=2kt$ ······ ㉡

㉡에서 $kt^2=\dfrac{1}{2}$을 ㉠에 대입하면 $\ln t=\dfrac{1}{2}$ $\therefore t=e^{\frac{1}{2}}$

㉡에서 $k=\dfrac{1}{2e}$

따라서 방정식 $\dfrac{\ln x}{x}=kx$가 서로 다른 두 실근을 가지려면

$0<k<\dfrac{1}{2e}$
답 $0<k<\dfrac{1}{2e}$

072 $f(x)=2x\ln x+k\ (x>0)$라 하면

$f'(x)=2\ln x+2$

$f'(x)=0$에서 $x=e^{-1}$

$x>0$에서 함수 $f(x)$의 증가, 감소를 표로 나타내면 다음과 같다.

x	(0)	$\cdots$	e^{-1}	$\cdots$
$f'(x)$		$-$	0	$+$
$f(x)$		$\searrow$	최소	$\nearrow$

함수 $f(x)$의 최솟값은

$f(e^{-1})=2e^{-1}\times(-1)+k=-2e^{-1}+k$

$f(e^{-1})\geq0$이어야 하므로

$-2e^{-1}+k\geq0$

$\therefore k\geq2e^{-1}=\dfrac{2}{e}$

따라서 상수 k의 최솟값은 $\dfrac{2}{e}$이다. 답 $\dfrac{2}{e}$

073 $\dfrac{dx}{dt}=e^t(\cos t-\sin t)$, $\dfrac{dy}{dt}=e^t(\sin t+\cos t)$

이므로 점 P의 시각 t에서의 속도는

$(e^t(\cos t-\sin t),\ e^t(\sin t+\cos t))$

점 P의 시각 t에서의 속력은

$\sqrt{\{e^t(\cos t-\sin t)\}^2+\{e^t(\sin t+\cos t)\}^2}$

$=e^t\sqrt{2(\sin^2 t+\cos^2 t)}$

$=\sqrt{2}\,e^t$

따라서 점 P의 속력이 $\sqrt{2}\,e^3$일 때의 시각 t는

$\sqrt{2}\,e^t=\sqrt{2}\,e^3$에서

$e^t=e^3$

$\therefore t=3$ 답 3

074 $\dfrac{dx}{dt}=1+a\sin t$, $\dfrac{dy}{dt}=2at-a\cos t$이므로

$\dfrac{d^2x}{dt^2}=a\cos t$, $\dfrac{d^2y}{dt^2}=2a+a\sin t$

즉, 점 P의 시각 t에서의 가속도는

$(a\cos t,\ 2a+a\sin t)$

따라서 $t=\pi$에서의 가속도는 $(-a,\ 2a)$이므로

(가속도의 크기)$=\sqrt{(-a)^2+(2a)^2}=\sqrt{5}\,a\ (\because a>0)$

가속도의 크기가 10이므로

$\sqrt{5}\,a=10$

$\therefore a=2\sqrt{5}$ 답 $2\sqrt{5}$

075 $f(x)=\dfrac{1}{2}\times2\times e^{x+4}=e^{x+4}$

이므로

$f'(x)=e^{x+4}$, $f''(x)=e^{x+4}$

ㄱ. $f'(x)>0$이므로 함수 $f(x)$는 모든 실수 x에 대하여 증가하는 함수이다.

즉, 함수 $f(x)$의 최댓값은 존재하지 않는다. (거짓)

ㄴ. 곡선 $y=f(x)$는 곡선 $y=e^x$을 x축의 방향으로 -4만큼 평행이동한 것이므로 직선 $y=0$은 곡선 $y=f(x)$의 점근선이다. (참)

ㄷ. $f''(x)>0$이므로 함수 $f(x)$의 변곡점은 존재하지 않는다. (거짓)

따라서 옳은 것은 ㄴ뿐이다. 답 ㄴ

076 $f(x)=(1-\sin x)\sin x-\dfrac{1}{n}$

$f'(x)=(-\cos x)\sin x+(1-\sin x)\cos x$

$\quad\ \ =(1-2\sin x)\cos x$

$f'(x)=0$에서 $x=\dfrac{\pi}{6}$ 또는 $x=\dfrac{\pi}{2}$ 또는 $x=\dfrac{5}{6}\pi$ 또는 $x=\dfrac{3}{2}\pi$

함수 $f(x)$의 증가, 감소를 표로 나타내고 그래프를 그리면 다음과 같다.

x	(0)	$\cdots$	$\dfrac{\pi}{6}$	$\cdots$	$\dfrac{\pi}{2}$
$f'(x)$		$+$	0	$-$	0
$f(x)$	$-\dfrac{1}{n}$	$\nearrow$	$\dfrac{1}{4}-\dfrac{1}{n}$	$\searrow$	$-\dfrac{1}{n}$

$\cdots$	$\dfrac{5}{6}\pi$	$\cdots$	$\dfrac{3}{2}\pi$	$\cdots$	(2π)
$+$	0	$-$	0	$+$	
$\nearrow$	$\dfrac{1}{4}-\dfrac{1}{n}$	$\searrow$	$-2-\dfrac{1}{n}$	$\nearrow$	$-\dfrac{1}{n}$

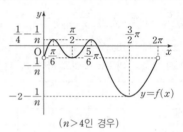

($n>4$인 경우)

$S(n)$은 곡선 $y=f(x)$와 x축의 교점의 개수이므로

$S(1)=S(2)=S(3)=0$

$S(4)=2$

$S(5)=S(6)=S(7)=S(8)=S(9)=S(10)=4$

$\therefore \displaystyle\sum_{n=1}^{10}S(n)=2+4\times6=26$ 답 26

001 $\displaystyle\int x^{-2}\,dx=-x^{-1}+C$

$\qquad\qquad =-\dfrac{1}{x}+C$ 답 $-\dfrac{1}{x}+C$

002 $\displaystyle\int \dfrac{3}{x^3}\,dx=3\int x^{-3}\,dx$

$\qquad\qquad =-\dfrac{3}{2}x^{-2}+C$

$\qquad\qquad =-\dfrac{3}{2x^2}+C$ 답 $-\dfrac{3}{2x^2}+C$

003 $\displaystyle\int \sqrt{x}\,dx=\int x^{\frac{1}{2}}\,dx$

$\qquad\qquad =\dfrac{2}{3}x^{\frac{3}{2}}+C$

$\qquad\qquad =\dfrac{2}{3}x\sqrt{x}+C$ 답 $\dfrac{2}{3}x\sqrt{x}+C$

004 $\displaystyle\int x\sqrt{x}\,dx=\int x^{\frac{3}{2}}\,dx$

$\qquad\qquad =\dfrac{2}{5}x^{\frac{5}{2}}+C$

$\qquad\qquad =\dfrac{2}{5}x^2\sqrt{x}+C$ 답 $\dfrac{2}{5}x^2\sqrt{x}+C$

005 $\displaystyle\int \dfrac{3}{x}\,dx=3\int \dfrac{1}{x}\,dx$

$\qquad\qquad =3\ln|x|+C$ 답 $3\ln|x|+C$

006 $\displaystyle\int \dfrac{1}{2x\sqrt{x}}\,dx=\dfrac{1}{2}\int x^{-\frac{3}{2}}\,dx$

$\qquad\qquad =\dfrac{1}{2}\left(-2x^{-\frac{1}{2}}\right)+C$

$\qquad\qquad =-x^{-\frac{1}{2}}+C$

$\qquad\qquad =-\dfrac{1}{\sqrt{x}}+C$ 답 $-\dfrac{1}{\sqrt{x}}+C$

007 $\displaystyle\int e^x\,dx=e^x+C$ 답 e^x+C

008 $\displaystyle\int 3e^x\,dx=3e^x+C$ 답 $3e^x+C$

009 $\displaystyle\int (2x-e^x)\,dx=x^2-e^x+C$ 답 x^2-e^x+C

010 $\displaystyle\int \dfrac{e^{2x}-1}{e^x-1}\,dx=\int \dfrac{(e^x+1)(e^x-1)}{e^x-1}\,dx$

$\qquad\qquad =\int (e^x+1)\,dx$

$\qquad\qquad =e^x+x+C$ 답 e^x+x+C

011 $\displaystyle\int 2^x\,dx=\dfrac{2^x}{\ln 2}+C$ 답 $\dfrac{2^x}{\ln 2}+C$

012 $\displaystyle\int \dfrac{9^x-1}{3^x-1}\,dx=\int \dfrac{(3^x+1)(3^x-1)}{3^x-1}\,dx$

$\qquad\qquad =\int (3^x+1)\,dx$

$\qquad\qquad =\dfrac{3^x}{\ln 3}+x+C$ 답 $\dfrac{3^x}{\ln 3}+x+C$

013 $\displaystyle\int 3\sin x\,dx=-3\cos x+C$ 답 $-3\cos x+C$

014 $\displaystyle\int (\sin x-2\cos x)\,dx=-\cos x-2\sin x+C$

답 $-\cos x-2\sin x+C$

015 $\displaystyle\int (\sec^2 x-3\sin x)\,dx=\tan x+3\cos x+C$

답 $\tan x+3\cos x+C$

016 $\displaystyle\int \cot^2 x\,dx=\int (\csc^2 x-1)\,dx$

$\qquad\qquad =-\cot x-x+C$ 답 $-\cot x-x+C$

017 $3x+1=t$로 놓으면 $3=\dfrac{dt}{dx}$ 이므로

$3\,dx=dt$

$\therefore \displaystyle\int 3(3x+1)^5\,dx=\int t^5\,dt$

$\qquad\qquad =\dfrac{1}{6}t^6+C$

$\qquad\qquad =\dfrac{1}{6}(3x+1)^6+C$

답 $\dfrac{1}{6}(3x+1)^6+C$

018 $2x-3=t$로 놓으면 $2=\dfrac{dt}{dx}$ 이므로 $dx=\dfrac{1}{2}dt$

$\therefore \displaystyle\int (2x-3)^3\,dx=\int t^3\cdot\dfrac{1}{2}\,dt$

$\qquad\qquad =\dfrac{1}{8}t^4+C$

$\qquad\qquad =\dfrac{1}{8}(2x-3)^4+C$

답 $\dfrac{1}{8}(2x-3)^4+C$

019 $x^2+5=t$로 놓으면 $2x=\dfrac{dt}{dx}$ 이므로 $2x\,dx=dt$

$\therefore \displaystyle\int 2x(x^2+5)^2\,dx=\int t^2\,dt$

$\qquad\qquad =\dfrac{1}{3}t^3+C$

$\qquad\qquad =\dfrac{1}{3}(x^2+5)^3+C$

답 $\dfrac{1}{3}(x^2+5)^3+C$

020 $x^2+6x=t$로 놓으면 $2x+6=\dfrac{dt}{dx}$ 이므로

$$(x+3)\,dx=\frac{1}{2}\,dt$$

$$\therefore \int (x+3)(x^2+6x)^2\,dx=\int t^2\cdot\frac{1}{2}\,dt$$

$$=\frac{1}{6}t^3+C$$

$$=\frac{1}{6}(x^2+6x)^3+C$$

답 $\dfrac{1}{6}(x^2+6x)^3+C$

021 $2x=t$로 놓으면 $2=\dfrac{dt}{dx}$이므로 $dx=\dfrac{1}{2}\,dt$

$$\therefore \int \sqrt{2x}\,dx=\int \sqrt{t}\cdot\frac{1}{2}\,dt$$

$$=\frac{1}{2}\int t^{\frac{1}{2}}\,dt$$

$$=\frac{1}{2}\times\frac{2}{3}t^{\frac{3}{2}}+C$$

$$=\frac{1}{3}(2x)^{\frac{3}{2}}+C$$

$$=\frac{2}{3}x\sqrt{2x}+C$$

답 $\dfrac{2}{3}x\sqrt{2x}+C$

022 $x^2-1=t$로 놓으면 $2x=\dfrac{dt}{dx}$이므로 $2x\,dx=dt$

$$\therefore \int 2x\sqrt{x^2-1}\,dx=\int \sqrt{t}\,dt$$

$$=\int t^{\frac{1}{2}}\,dt$$

$$=\frac{2}{3}t^{\frac{3}{2}}+C$$

$$=\frac{2}{3}(x^2-1)^{\frac{3}{2}}+C$$

답 $\dfrac{2}{3}(x^2-1)^{\frac{3}{2}}+C$

023 $x^2+1=t$로 놓으면 $2x=\dfrac{dt}{dx}$이므로 $x\,dx=\dfrac{1}{2}\,dt$

$$\therefore \int \frac{x}{\sqrt{x^2+1}}\,dx=\int \frac{1}{\sqrt{t}}\cdot\frac{1}{2}\,dt$$

$$=\frac{1}{2}\int t^{-\frac{1}{2}}\,dt$$

$$=t^{\frac{1}{2}}+C$$

$$=\sqrt{x^2+1}+C$$

답 $\sqrt{x^2+1}+C$

024 $\sqrt{2x}=t$로 놓으면 $2x=t^2$에서

$2=2t\dfrac{dt}{dx}$이므로 $dx=t\,dt$

$$\therefore \int x\sqrt{2x}\,dx=\int \left(\frac{1}{2}t^2\times t\right)t\,dt$$

$$=\frac{1}{2}\int t^4\,dt$$

$$=\frac{1}{10}t^5+C$$

$$=\frac{1}{10}(2x)^2\sqrt{2x}+C$$

$$=\frac{2}{5}x^2\sqrt{2x}+C$$

답 $\dfrac{2}{5}x^2\sqrt{2x}+C$

025 $-x=t$로 놓으면 $-1=\dfrac{dt}{dx}$이므로

$dx=(-1)\,dt$

$$\therefore \int e^{-x}\,dx=\int e^t\cdot(-1)\,dt$$

$$=-\int e^t\,dt$$

$$=-e^t+C$$

$$=-e^{-x}+C$$

답 $-e^{-x}+C$

026 $2x=t$로 놓으면 $2=\dfrac{dt}{dx}$이므로 $dx=\dfrac{1}{2}\,dt$

$$\therefore \int e^{2x}\,dx=\int e^t\cdot\frac{1}{2}\,dt$$

$$=\frac{1}{2}e^t+C$$

$$=\frac{1}{2}e^{2x}+C$$

답 $\dfrac{1}{2}e^{2x}+C$

027 $x^2=t$로 놓으면 $2x=\dfrac{dt}{dx}$이므로 $x\,dx=\dfrac{1}{2}\,dt$

$$\therefore \int xe^{x^2}\,dx=\int e^t\cdot\frac{1}{2}\,dt$$

$$=\frac{1}{2}e^t+C$$

$$=\frac{1}{2}e^{x^2}+C$$

답 $\dfrac{1}{2}e^{x^2}+C$

028 $2x^2+1=t$로 놓으면 $4x=\dfrac{dt}{dx}$이므로

$4x\,dx=dt$

$$\therefore \int 4x\,e^{2x^2+1}\,dx=\int e^t\,dt$$

$$=e^t+C$$

$$=e^{2x^2+1}+C$$

답 $e^{2x^2+1}+C$

029 $3x=t$로 놓으면 $3=\dfrac{dt}{dx}$이므로 $dx=\dfrac{1}{3}\,dt$

$$\therefore \int 6^{3x}\,dx=\int 6^t\cdot\frac{1}{3}\,dt$$

$$=\frac{6^t}{3\ln 6}+C$$

$$=\frac{6^{3x}}{3\ln 6}+C$$

답 $\dfrac{6^{3x}}{3\ln 6}+C$

030 $\ln x=t$로 놓으면 $\dfrac{1}{x}=\dfrac{dt}{dx}$이므로

$\dfrac{1}{x}\,dx=dt$

$$\therefore \int \frac{\ln x}{x}\,dx=\int t\,dt$$

$$=\frac{1}{2}t^2+C$$

$$=\frac{1}{2}(\ln x)^2+C$$

답 $\dfrac{1}{2}(\ln x)^2+C$

031 $\ln x=t$로 놓으면 $\dfrac{1}{x}=\dfrac{dt}{dx}$이므로 $\dfrac{1}{x}\,dx=dt$

$$\therefore \int \frac{(\ln x)^2}{x}\,dx = \int t^2\,dt$$
$$= \frac{1}{3}t^3 + C$$
$$= \frac{1}{3}(\ln x)^3 + C \qquad \boxed{답} \frac{1}{3}(\ln x)^3 + C$$

032 $3^x + 1 = t$로 놓으면 $3^x \ln 3 = \dfrac{dt}{dx}$이므로 $3^x \ln 3\,dx = dt$

$$\therefore \int \frac{3^x \ln 3}{3^x + 1}\,dx = \int \frac{1}{t}\,dt$$
$$= \ln|t| + C$$
$$= \ln(3^x + 1) + C \qquad \boxed{답}\ \ln(3^x + 1) + C$$

033 $2x = t$로 놓으면 $2 = \dfrac{dt}{dx}$이므로 $dx = \dfrac{1}{2}dt$

$$\therefore \int \sin 2x\,dx = \int \sin t \cdot \frac{1}{2}\,dt$$
$$= -\frac{1}{2}\cos t + C$$
$$= -\frac{1}{2}\cos 2x + C \qquad \boxed{답} -\frac{1}{2}\cos 2x + C$$

034 $2x - 3 = t$로 놓으면 $2 = \dfrac{dt}{dx}$이므로 $dx = \dfrac{1}{2}dt$

$$\therefore \int \cos(2x - 3)\,dx = \int \cos t \cdot \frac{1}{2}\,dt$$
$$= \frac{1}{2}\sin t + C$$
$$= \frac{1}{2}\sin(2x - 3) + C$$
$$\boxed{답} \frac{1}{2}\sin(2x - 3) + C$$

035 $x^2 = t$로 놓으면 $2x = \dfrac{dt}{dx}$이므로 $2x\,dx = dt$

$$\therefore \int 2x \cos x^2\,dx = \int \cos t\,dt$$
$$= \sin t + C$$
$$= \sin x^2 + C \qquad \boxed{답}\ \sin x^2 + C$$

036 $\sin x = t$로 놓으면 $\cos x = \dfrac{dt}{dx}$이므로 $\cos x\,dx = dt$

$$\therefore \int \sin^2 x \cos x\,dx = \int t^2\,dt$$
$$= \frac{1}{3}t^3 + C$$
$$= \frac{1}{3}\sin^3 x + C \qquad \boxed{답} \frac{1}{3}\sin^3 x + C$$

037 $(x^2 + 1)' = 2x$이므로

$$\int \frac{2x}{x^2 + 1}\,dx = \int \frac{(x^2 + 1)'}{x^2 + 1}\,dx$$
$$= \ln(x^2 + 1) + C \qquad \boxed{답}\ \ln(x^2 + 1) + C$$

038 $(x^3 - 2x)' = 3x^2 - 2$이므로

$$\int \frac{-3x^2 + 2}{x^3 - 2x}\,dx = -\int \frac{(x^3 - 2x)'}{x^3 - 2x}\,dx$$
$$= -\ln|x^3 - 2x| + C$$
$$\boxed{답} -\ln|x^3 - 2x| + C$$

039 $(e^x + 2)' = e^x$이므로

$$\int \frac{e^x}{e^x + 2}\,dx = \int \frac{(e^x + 2)'}{e^x + 2}\,dx$$
$$= \ln(e^x + 2) + C \qquad \boxed{답}\ \ln(e^x + 2) + C$$

040 $(\ln x)' = \dfrac{1}{x}$이므로

$$\int \frac{1}{x \ln x}\,dx = \int \frac{(\ln x)'}{\ln x}\,dx$$
$$= \ln|\ln x| + C \qquad \boxed{답}\ \ln|\ln x| + C$$

041 $\tan x = \dfrac{\sin x}{\cos x}$이고 $(\cos x)' = -\sin x$이므로

$$\int \tan x\,dx = \int \frac{\sin x}{\cos x}\,dx$$
$$= -\int \frac{(\cos x)'}{\cos x}\,dx$$
$$= -\ln|\cos x| + C \qquad \boxed{답} -\ln|\cos x| + C$$

042 $f(x) = x$, $g'(x) = e^x$으로 놓으면
$f'(x) = 1$, $g(x) = e^x$

$$\therefore \int xe^x\,dx = xe^x - \int 1 \times e^x\,dx$$
$$= xe^x - e^x + C \qquad \boxed{답}\ xe^x - e^x + C$$

043 $f(x) = x$, $g'(x) = \cos x$로 놓으면
$f'(x) = 1$, $g(x) = \sin x$

$$\therefore \int x \cos x\,dx = x \sin x - \int 1 \times \sin x\,dx$$
$$= x \sin x + \cos x + C$$
$$\boxed{답}\ x \sin x + \cos x + C$$

044 $f(x) = \ln x$, $g'(x) = 1$로 놓으면
$f'(x) = \dfrac{1}{x}$, $g(x) = x$

$$\therefore \int \ln x\,dx = x \ln x - \int \frac{1}{x} \times x\,dx$$
$$= x \ln x - x + C \qquad \boxed{답}\ x \ln x - x + C$$

045 $f(x) = \ln x$, $g'(x) = 2x$로 놓으면
$f'(x) = \dfrac{1}{x}$, $g(x) = x^2$

$$\therefore \int 2x \ln x\,dx = x^2 \ln x - \int \frac{1}{x} \times x^2\,dx$$
$$= x^2 \ln x - \frac{1}{2}x^2 + C$$
$$\boxed{답}\ x^2 \ln x - \frac{1}{2}x^2 + C$$

046 $f(x) = x$, $g'(x) = e^{-3x}$으로 놓으면

$$f'(x)=1, g(x)=-\frac{1}{3}e^{-3x}$$

$$\therefore \int xe^{-3x}\,dx = x\left(-\frac{1}{3}e^{-3x}\right)-\int 1\times\left(-\frac{1}{3}e^{-3x}\right)dx$$

$$=-\frac{1}{3}xe^{-3x}+\int \frac{1}{3}e^{-3x}\,dx$$

$$=-\frac{1}{3}xe^{-3x}-\frac{1}{9}e^{-3x}+C$$

답 $-\dfrac{1}{3}xe^{-3x}-\dfrac{1}{9}e^{-3x}+C$

047 $f(x)=\displaystyle\int \frac{3x^3+2x^2+4}{x}\,dx$

$$=\int\left(3x^2+2x+\frac{4}{x}\right)dx$$

$$=x^3+x^2+4\ln|x|+C$$

$f(1)=0$이므로

$$1+1+0+C=0$$

$$\therefore C=-2$$

따라서 $f(x)=x^3+x^2+4\ln|x|-2$이므로

$$f(-1)=-1+1+0-2=-2$$

답 -2

048 $F(x)=\displaystyle\int(x\sqrt{x}+x+1)\,dx$

$$=\int\left(x^{\frac{3}{2}}+x+1\right)dx$$

$$=\frac{2}{5}x^{\frac{5}{2}}+\frac{1}{2}x^2+x+C$$

$$=\frac{2}{5}x^2\sqrt{x}+\frac{1}{2}x^2+x+C$$

$F(1)=2$이므로

$$\frac{2}{5}+\frac{1}{2}+1+C=2 \quad \therefore C=\frac{1}{10}$$

$$\therefore F(x)=\frac{2}{5}x^2\sqrt{x}+\frac{1}{2}x^2+x+\frac{1}{10}$$

답 $F(x)=\dfrac{2}{5}x^2\sqrt{x}+\dfrac{1}{2}x^2+x+\dfrac{1}{10}$

049 $f'(x)=1-\dfrac{1}{x}$이므로

$$f(x)=\int\left(1-\frac{1}{x}\right)dx$$

$$=x-\ln|x|+C$$

$f(1)=0$이므로

$$1-0+C=0 \quad \therefore C=-1$$

따라서 $f(x)=x-\ln|x|-1$이므로

$$f(e)=e-\ln e-1=e-2$$

답 ③

050 $f(x)=\displaystyle\int(e^{-x}+e^{2x})\,dx$

$$=-e^{-x}+\frac{1}{2}e^{2x}+C$$

$f(0)=-\dfrac{1}{2}$이므로

$$-1+\frac{1}{2}+C=-\frac{1}{2} \quad \therefore C=0$$

따라서 $f(x)=-e^{-x}+\dfrac{1}{2}e^{2x}$이므로

$$f(1)=\frac{1}{2}e^2-\frac{1}{e}$$

답 ③

051 $f'(x)=\dfrac{xe^x-1}{x}=e^x-\dfrac{1}{x}$이므로

$$f(x)=\int\left(e^x-\frac{1}{x}\right)dx$$

$$=e^x-\ln|x|+C$$

$f(1)=e$이므로

$$e-0+C=e \quad \therefore C=0$$

따라서 $f(x)=e^x-\ln|x|$이므로

$$f(-1)=\frac{1}{e}$$

답 $\dfrac{1}{e}$

052 $f(x)=\ln 9\displaystyle\int(3^x-9^x)\,dx$

$$=2\ln 3\left(\frac{3^x}{\ln 3}-\frac{9^x}{\ln 9}\right)+C$$

$$=2\ln 3\left(\frac{3^x}{\ln 3}-\frac{9^x}{2\ln 3}\right)+C$$

$$=2\times 3^x-9^x+C$$

$f(0)=1$이므로

$$2-1+C=1$$

$$\therefore C=0$$

따라서 $f(x)=2\times 3^x-9^x$이므로

$$\sum_{n=1}^{\infty}f(-n)=\sum_{n=1}^{\infty}\left\{2\times\left(\frac{1}{3}\right)^n-\left(\frac{1}{9}\right)^n\right\}$$

$$=2\times\frac{\frac{1}{3}}{1-\frac{1}{3}}-\frac{\frac{1}{9}}{1-\frac{1}{9}}$$

$$=1-\frac{1}{8}=\frac{7}{8}$$

답 $\dfrac{7}{8}$

053 $f(x)=\displaystyle\int \sin x\,dx=-\cos x+C$

$$\therefore f(\pi)-f(0)=-\cos\pi+C-(-\cos 0+C)$$

$$=1+1=2$$

답 2

054 $f(x)=\displaystyle\int \frac{\cos^2 x}{1+\sin x}\,dx=\int\frac{1-\sin^2 x}{1+\sin x}\,dx$

$$=\int\frac{(1+\sin x)(1-\sin x)}{1+\sin x}\,dx$$

$$=\int(1-\sin x)\,dx$$

$$=x+\cos x+C$$

$f\left(\dfrac{\pi}{2}\right)=\dfrac{\pi}{2}$이므로

$$\frac{\pi}{2}+\cos\frac{\pi}{2}+C=\frac{\pi}{2}$$

$$\therefore C=0$$

따라서 $f(x)=x+\cos x$이므로

$$4f\left(\frac{3}{4}\pi\right)=4\left(\frac{3}{4}\pi+\cos\frac{3}{4}\pi\right)$$

$$=4\left(\frac{3}{4}\pi-\frac{\sqrt{2}}{2}\right)$$

$$=3\pi-2\sqrt{2}$$

답 ④

055 $f'(x)=\tan^2 x$이므로

$$f(x)=\int \tan^2 x\,dx$$
$$=\int(\sec^2 x-1)\,dx$$
$$=\tan x-x+C$$

$f(0)=0$이므로

$\tan 0-0+C=0$

$\therefore C=0$

따라서 $f(x)=\tan x-x$이므로

$$a=f\left(\frac{\pi}{4}\right)=\tan \frac{\pi}{4}-\frac{\pi}{4}$$
$$=1-\frac{\pi}{4}$$

답 $1-\dfrac{\pi}{4}$

056 $x^2+2x-1=t$로 놓으면 $2x+2=\dfrac{dt}{dx}$이므로

$$\int(x+1)(x^2+2x-1)^3\,dx=\int t^3\cdot\frac{1}{2}\,dt$$
$$=\frac{1}{8}t^4+C$$
$$=\frac{1}{8}(x^2+2x-1)^4+C$$

따라서 $a=8,\,b=4$이므로

$ab=32$

답 ③

057 $F(x)=\displaystyle\int(kx-5)^3\,dx$에서

$kx-5=t$로 놓으면 $k=\dfrac{dt}{dx}$이므로

$$F(x)=\int(kx-5)^3\,dx$$
$$=\int t^3\cdot\frac{1}{k}\,dt$$
$$=\frac{1}{4k}t^4+C$$
$$=\frac{1}{4k}(kx-5)^4+C$$

$F(x)$의 최고차항의 계수가 16이므로

$\dfrac{1}{4k}\times k^4=16$

$k^3=64$

$\therefore k=4$

답 4

058 $x+1=t$로 놓으면 $1=\dfrac{dt}{dx}$이므로

$$f_n(x)=\int \frac{1}{n}(x+1)^n\,dx$$
$$=\int \frac{1}{n}t^n\,dt$$
$$=\frac{1}{n(n+1)}t^{n+1}+C$$
$$=\frac{1}{n(n+1)}(x+1)^{n+1}+C$$

$f_n(-1)=0$이므로 $C=0$

따라서 $f_n(x)=\dfrac{1}{n(n+1)}(x+1)^{n+1}$이므로

$$\sum_{n=1}^{\infty}f_n(0)=\sum_{n=1}^{\infty}\frac{1}{n(n+1)}$$
$$=\lim_{n\to\infty}\sum_{k=1}^{n}\frac{1}{k(k+1)}$$
$$=\lim_{n\to\infty}\sum_{k=1}^{n}\left(\frac{1}{k}-\frac{1}{k+1}\right)$$
$$=\lim_{n\to\infty}\left\{\left(1-\frac{1}{2}\right)+\left(\frac{1}{2}-\frac{1}{3}\right)+\left(\frac{1}{3}-\frac{1}{4}\right)+\cdots\right.$$
$$\left.+\left(\frac{1}{n}-\frac{1}{n+1}\right)\right\}$$
$$=\lim_{n\to\infty}\left(1-\frac{1}{n+1}\right)=1$$

답 1

059 $x^2+3=t$로 놓으면 $2x=\dfrac{dt}{dx}$이므로

$$\int 2x\sqrt{x^2+3}\,dx=\int \sqrt{t}\,dt=\int t^{\frac{1}{2}}\,dt$$
$$=\frac{2}{3}t^{\frac{3}{2}}+C=\frac{2}{3}t\sqrt{t}+C$$
$$=\frac{2}{3}(x^2+3)\sqrt{x^2+3}+C$$

$\therefore a=\dfrac{2}{3}$

답 ②

060 $\ln x+1=t$로 놓으면 $\dfrac{1}{x}=\dfrac{dt}{dx}$이므로

$$f(x)=\int \frac{1}{2x\sqrt{\ln x+1}}\,dx$$
$$=\int \frac{1}{2\sqrt{t}}\,dt$$
$$=\frac{1}{2}\int t^{-\frac{1}{2}}\,dt$$
$$=t^{\frac{1}{2}}+C$$
$$=\sqrt{t}+C$$
$$=\sqrt{\ln x+1}+C$$

$f(e^3)=4$이므로

$\sqrt{3+1}+C=4$ $\therefore C=2$

따라서 $f(x)=\sqrt{\ln x+1}+2$이므로

$f(e^8)=\sqrt{8+1}+2=5$

답 5

061 $\sqrt{x+1}=t$로 놓으면 $x+1=t^2$

즉, $x=t^2-1$에서 $1=2t\dfrac{dt}{dx}$이므로

$$f(x)=\int \frac{x^2}{\sqrt{x+1}}\,dx=\int \frac{(t^2-1)^2}{t}\cdot 2t\,dt$$
$$=2\int(t^4-2t^2+1)\,dt$$
$$=\frac{2}{5}t^5-\frac{4}{3}t^3+2t+C$$
$$=\frac{2}{5}(x+1)^{\frac{5}{2}}-\frac{4}{3}(x+1)^{\frac{3}{2}}+2(x+1)^{\frac{1}{2}}+C$$

$f(0)=2$이므로

$\dfrac{2}{5}-\dfrac{4}{3}+2+C=2$ $\therefore C=\dfrac{14}{15}$

$\therefore f(x)=\dfrac{2}{5}(x+1)^{\frac{5}{2}}-\dfrac{4}{3}(x+1)^{\frac{3}{2}}+2(x+1)^{\frac{1}{2}}+\dfrac{14}{15}$

$\therefore f(-1)=\dfrac{14}{15}$

답 $\dfrac{14}{15}$

062 $\displaystyle\lim_{h\to0}\frac{f(x+h)-f(x)}{h}=f'(x)=2xe^{x^2}$이므로

$$f(x)=\int 2xe^{x^2}\,dx$$

$x^2=t$로 놓으면 $2x=\dfrac{dt}{dx}$이므로

$$f(x)=\int 2xe^{x^2}\,dx=\int e^t\,dt=e^t+C=e^{x^2}+C$$

$$\therefore f(1)-f(0)=(e+C)-(1+C)$$
$$=e-1$$

답 $e-1$

063 $\ln x=t$로 놓으면 $\dfrac{1}{x}=\dfrac{dt}{dx}$이므로

$$f(x)=\int\frac{(\ln x)^2}{x}\,dx=\int t^2\,dt$$
$$=\frac{1}{3}t^3+C$$
$$=\frac{1}{3}(\ln x)^3+C$$

$f(e)=\dfrac{7}{3}$이므로

$$\frac{1}{3}+C=\frac{7}{3}\qquad\therefore C=2$$

따라서 $f(x)=\dfrac{1}{3}(\ln x)^3+2$이므로

$$3f(e^2)=3\left\{\frac{1}{3}(\ln e^2)^3+2\right\}=2^3+6=14$$

답 14

064 $f'(x)=\dfrac{1}{x\ln x}$이므로 $f(x)=\displaystyle\int\frac{1}{x\ln x}\,dx$

$\ln x=t$로 놓으면 $\dfrac{1}{x}=\dfrac{dt}{dx}$이므로

$$f(x)=\int\frac{1}{x\ln x}\,dx$$
$$=\int\frac{1}{t}\,dt$$
$$=\ln|t|+C$$
$$=\ln|\ln x|+C$$

$f(e)=1$이므로

$\ln|\ln e|+C=1\qquad\therefore C=1$

따라서 $f(x)=\ln|\ln x|+1$이므로

$f(e^3)=\ln|\ln e^3|+1=\ln 3+1$

답 ③

065 $\sin x=t$로 놓으면 $\cos x=\dfrac{dt}{dx}$이므로

$$f(x)=\int(\sin^3 x+1)\cos x\,dx$$
$$=\int(t^3+1)\,dt$$
$$=\frac{1}{4}t^4+t+C$$
$$=\frac{1}{4}\sin^4 x+\sin x+C$$

$f(\pi)=1$이므로 $C=1$

따라서 $f(x)=\dfrac{1}{4}\sin^4 x+\sin x+1$이므로

$$f\left(\frac{\pi}{2}\right)=\frac{1}{4}+1+1=\frac{9}{4}$$

답 $\dfrac{9}{4}$

066 $\tan x=t$로 놓으면 $\sec^2 x=\dfrac{dt}{dx}$이므로

$$f(x)=\int\tan x\sec^2 x\,dx$$
$$=\int t\,dt$$
$$=\frac{1}{2}t^2+C$$
$$=\frac{1}{2}\tan^2 x+C$$

$f\left(\dfrac{\pi}{6}\right)=1$이므로

$$\frac{1}{2}\left(\frac{1}{\sqrt{3}}\right)^2+C=1\qquad\therefore C=\frac{5}{6}$$

따라서 $f(x)=\dfrac{1}{2}\tan^2 x+\dfrac{5}{6}$이므로

$$f\left(\frac{\pi}{4}\right)=\frac{1}{2}+\frac{5}{6}=\frac{4}{3}$$

답 $\dfrac{4}{3}$

067
$$\int\frac{3\cos^2 3x}{1-\sin 3x}\,dx=\int\frac{3(1-\sin^2 3x)}{1-\sin 3x}\,dx$$
$$=\int\frac{3(1+\sin 3x)(1-\sin 3x)}{1-\sin 3x}\,dx$$
$$=\int 3(1+\sin 3x)\,dx$$
$$=3x-\cos 3x+C$$

답 ①

068 $\cos x=t$로 놓으면 $-\sin x=\dfrac{dt}{dx}$이므로

$$\int\sin^3 x\cos^2 x\,dx=\int\sin^2 x\cos^2 x\sin x\,dx$$
$$=\int(1-\cos^2 x)\cos^2 x\sin x\,dx$$
$$=\int\{-(1-t^2)t^2\}\,dt$$
$$=\int(t^4-t^2)\,dt$$
$$=\frac{1}{5}t^5-\frac{1}{3}t^3+C$$
$$=\frac{1}{5}\cos^5 x-\frac{1}{3}\cos^3 x+C$$

따라서 $\alpha=\dfrac{1}{5}$, $\beta=-\dfrac{1}{3}$이므로

$$\alpha\beta=-\frac{1}{15}$$

답 $-\dfrac{1}{15}$

069 $\ln x=t$로 놓으면 $\dfrac{1}{x}=\dfrac{dt}{dx}$이므로

$$f(x)=\int\frac{\cos(\pi\ln x)}{x}\,dx$$
$$=\int\cos\pi t\,dt$$
$$=\frac{1}{\pi}\sin\pi t+C$$
$$=\frac{1}{\pi}\sin(\pi\ln x)+C$$

$f(1)=0$이므로

$$\frac{1}{\pi}\sin 0+C=0\qquad\therefore C=0$$

따라서 $f(x)=\dfrac{1}{\pi}\sin\left(\pi\ln x\right)$이므로

$$f(\sqrt{e})=\dfrac{1}{\pi}\sin\left(\pi\ln\sqrt{e}\right)$$
$$=\dfrac{1}{\pi}\sin\dfrac{\pi}{2}=\dfrac{1}{\pi}$$ 답 ②

070 $\dfrac{d}{dx}\{f(x)\cos x\}=3\sin 3x+\sin x$의 양변을 x에 대하여 적분하면

$$f(x)\cos x=-\cos 3x-\cos x+C$$

$f\left(\dfrac{\pi}{3}\right)=1$이므로 양변에 $x=\dfrac{\pi}{3}$를 대입하면

$$f\left(\dfrac{\pi}{3}\right)\cos\dfrac{\pi}{3}=-\cos\pi-\cos\dfrac{\pi}{3}+C$$
$$1\times\dfrac{1}{2}=1-\dfrac{1}{2}+C \quad \therefore C=0$$

즉, $f(x)\cos x=-\cos 3x-\cos x$이므로 양변에 $x=\pi$를 대입하면

$$f(\pi)\times(-1)=1+1$$
$$\therefore f(\pi)=-2$$ 답 -2

071 $(x^2-2x-2)'=2x-2$이므로

$$f(x)=\int\dfrac{x-1}{x^2-2x-2}\,dx$$
$$=\int\dfrac{1}{2}\times\dfrac{2x-2}{x^2-2x-2}\,dx$$
$$=\dfrac{1}{2}\int\dfrac{(x^2-2x-2)'}{x^2-2x-2}\,dx$$
$$=\dfrac{1}{2}\ln|x^2-2x-2|+C$$

$f(1)=3$이므로

$$\dfrac{1}{2}\ln 3+C=3 \quad \therefore C=3-\dfrac{1}{2}\ln 3$$

따라서 $f(x)=\dfrac{1}{2}\ln|x^2-2x-2|+3-\dfrac{1}{2}\ln 3$이므로

$$f(-2)=\dfrac{1}{2}\ln 6+3-\dfrac{1}{2}\ln 3$$
$$=\dfrac{1}{2}\ln 2+3$$ 답 ③

072 $f'(x)=\dfrac{\sin x}{3-\cos x}$이므로

$$f(x)=\int\dfrac{\sin x}{3-\cos x}\,dx$$

$(3-\cos x)'=\sin x$이므로

$$f(x)=\int\dfrac{\sin x}{3-\cos x}\,dx$$
$$=\int\dfrac{(3-\cos x)'}{3-\cos x}\,dx$$
$$=\ln(3-\cos x)+C\ (\because -1\le\cos x\le 1)$$

$f(0)=0$이므로

$$\ln 2+C=0 \quad \therefore C=-\ln 2$$

따라서 $f(x)=\ln(3-\cos x)-\ln 2$이므로

$$f(\pi)=\ln(3-\cos\pi)-\ln 2$$
$$=\ln 4-\ln 2=\ln 2$$ 답 $\ln 2$

073 $f(x)=\displaystyle\int\dfrac{e^{2x}}{e^{2x}-1}\,dx-\int\dfrac{e^x}{e^{2x}-1}\,dx$

$$=\int\dfrac{e^{2x}-e^x}{e^{2x}-1}\,dx$$
$$=\int\dfrac{e^x(e^x-1)}{(e^x-1)(e^x+1)}\,dx$$
$$=\int\dfrac{e^x}{e^x+1}\,dx$$
$$=\int\dfrac{(e^x+1)'}{e^x+1}\,dx$$
$$=\ln(e^x+1)+C$$

$f(0)=0$이므로

$$\ln 2+C=0 \quad \therefore C=-\ln 2$$

따라서 $f(x)=\ln(e^x+1)-\ln 2=\ln\dfrac{e^x+1}{2}$이므로

$$f(1)=\ln\dfrac{e+1}{2}$$ 답 $\ln\dfrac{e+1}{2}$

074 $f(x)=\displaystyle\int\dfrac{x^3-1}{x^2-1}\,dx$

$$=\int\dfrac{(x-1)(x^2+x+1)}{(x-1)(x+1)}\,dx$$
$$=\int\dfrac{x^2+x+1}{x+1}\,dx$$
$$=\int\left(x+\dfrac{1}{x+1}\right)dx$$
$$=\dfrac{1}{2}x^2+\ln|x+1|+C$$

$f(0)=0$이므로 $C=0$

따라서 $f(x)=\dfrac{1}{2}x^2+\ln|x+1|$이므로

$$f(1)=\dfrac{1}{2}+\ln 2$$ 답 ①

075 $f(x)=\displaystyle\int\dfrac{x-5}{x^2+4x+3}\,dx+\int\dfrac{6-x}{x^2+4x+3}\,dx$

$$=\int\left(\dfrac{x-5}{x^2+4x+3}+\dfrac{6-x}{x^2+4x+3}\right)dx$$
$$=\int\dfrac{1}{x^2+4x+3}\,dx$$
$$=\int\dfrac{1}{(x+1)(x+3)}\,dx$$
$$=\dfrac{1}{2}\int\left(\dfrac{1}{x+1}-\dfrac{1}{x+3}\right)dx$$
$$=\dfrac{1}{2}(\ln|x+1|-\ln|x+3|)+C$$
$$=\dfrac{1}{2}\ln\left|\dfrac{x+1}{x+3}\right|+C$$

$f(-2)=0$이므로 $\dfrac{1}{2}\ln 1+C=0 \quad \therefore C=0$

따라서 $f(x)=\dfrac{1}{2}\ln\left|\dfrac{x+1}{x+3}\right|$이므로

$$f(1)+f(2)+f(3)=\dfrac{1}{2}\ln\dfrac{2}{4}+\dfrac{1}{2}\ln\dfrac{3}{5}+\dfrac{1}{2}\ln\dfrac{4}{6}$$
$$=\dfrac{1}{2}\ln\left(\dfrac{2}{4}\times\dfrac{3}{5}\times\dfrac{4}{6}\right)$$
$$=\dfrac{1}{2}\ln\dfrac{1}{5}$$ 답 $\dfrac{1}{2}\ln\dfrac{1}{5}$

076 $f(x)=\displaystyle\int \frac{1}{\cos x}\,dx$

$\qquad =\displaystyle\int \frac{\cos x}{\cos^2 x}\,dx$

$\qquad =\displaystyle\int \frac{\cos x}{1-\sin^2 x}\,dx$

$\sin x=t$로 놓으면 $\cos x=\dfrac{dt}{dx}$이므로

$f(x)=\displaystyle\int \frac{\cos x}{1-\sin^2 x}\,dx$

$\qquad =\displaystyle\int \frac{1}{1-t^2}\,dt$

$\qquad =\displaystyle\int \frac{1}{(1+t)(1-t)}\,dt$

$\qquad =\dfrac{1}{2}\displaystyle\int\left(\frac{1}{1+t}-\frac{-1}{1-t}\right)dt$

$\qquad =\dfrac{1}{2}(\ln|1+t|-\ln|1-t|)+C$

$\qquad =\dfrac{1}{2}\ln\left|\dfrac{1+t}{1-t}\right|+C$

$\qquad =\dfrac{1}{2}\ln\left(\dfrac{1+\sin x}{1-\sin x}\right)+C$

$f(0)=0$이므로 $C=0$

따라서 $f(x)=\dfrac{1}{2}\ln\left(\dfrac{1+\sin x}{1-\sin x}\right)$이므로

$f\left(\dfrac{\pi}{6}\right)=\dfrac{1}{2}\ln\left(\dfrac{1+\frac{1}{2}}{1-\frac{1}{2}}\right)=\dfrac{1}{2}\ln 3$ 目 $\dfrac{1}{2}\ln 3$

077 $f(x)=\ln x,\ g'(x)=9x^2$으로 놓으면

$f'(x)=\dfrac{1}{x},\ g(x)=3x^3$이므로

$\displaystyle\int 9x^2\ln x\,dx=3x^3\ln x-\int \frac{1}{x}\times 3x^3\,dx$

$\qquad\qquad\qquad =3x^3\ln x-\displaystyle\int 3x^2\,dx$

$\qquad\qquad\qquad =3x^3\ln x-x^3+C$ 目 ⑤

078 $f'(x)=xe^{-x}$에서

$f(x)=\displaystyle\int xe^{-x}\,dx$

$u(x)=x,\ v'(x)=e^{-x}$으로 놓으면

$u'(x)=1,\ v(x)=-e^{-x}$이므로

$f(x)=\displaystyle\int xe^{-x}\,dx$

$\qquad =-xe^{-x}+\displaystyle\int 1\times e^{-x}\,dx$

$\qquad =-xe^{-x}-e^{-x}+C$

$f(-1)=1$이므로

$e-e+C=1$

$\therefore C=1$

따라서 $f(x)=-xe^{-x}-e^{-x}+1$이므로

$f(0)=0$ 目 0

079 $f'(x)=x\sin x$이므로

$f(x)=\displaystyle\int x\sin x\,dx$

$u(x)=x,\ v'(x)=\sin x$로 놓으면

$u'(x)=1,\ v(x)=-\cos x$이므로

$f(x)=\displaystyle\int x\sin x\,dx$

$\qquad =x(-\cos x)-\displaystyle\int 1\times(-\cos x)\,dx$

$\qquad =-x\cos x+\displaystyle\int \cos x\,dx$

$\qquad =-x\cos x+\sin x+C$

$\therefore f(3\pi)-f(2\pi)$

$\quad =(-3\pi\cos 3\pi+\sin 3\pi+C)$

$\qquad\qquad\qquad\qquad -(-2\pi\cos 2\pi+\sin 2\pi+C)$

$\quad =(3\pi+C)-(-2\pi+C)$

$\quad =5\pi$ 目 5π

080 점 (x,y)에서의 접선의 기울기는 $f'(x)$이므로

$f'(x)\times\dfrac{1}{\ln x}=-1$

즉, $f'(x)=-\ln x$이므로

$f(x)=\displaystyle\int(-\ln x)\,dx$

$u(x)=\ln x,\ v'(x)=1$로 놓으면

$u'(x)=\dfrac{1}{x},\ v(x)=x$이므로

$f(x)=\displaystyle\int(-\ln x)\,dx$

$\qquad =-\displaystyle\int(\ln x)\times 1\,dx$

$\qquad =-\left\{(\ln x)\times x-\displaystyle\int \frac{1}{x}\times x\,dx\right\}$

$\qquad =-x\ln x+x+C$

$f(1)=0$이므로

$1+C=0 \quad \therefore C=-1$

$\therefore f(x)=-x\ln x+x-1$

    目 $f(x)=-x\ln x+x-1$

081 조건 ㈎에서 $\{f(x)g(x)\}'=h(x)$이므로

$f(x)g(x)=\displaystyle\int h(x)\,dx$

$xg(x)=\displaystyle\int \ln x\,dx$

$u(x)=\ln x,\ v'(x)=1$로 놓으면

$u'(x)=\dfrac{1}{x},\ v(x)=x$이므로

$\displaystyle\int \ln x\,dx=x\ln x-x+C$

$\therefore xg(x)=x\ln x-x+C$

조건 ㈏에서 $g(1)=-1$이므로 양변에 $x=1$을 대입하면

$1\times g(1)=-1+C \quad \therefore C=0$

따라서 $g(x)=\ln x-1$이므로

$g(e)=0$ 目 ③

082 $f(x)=e^x,\ g'(x)=\sin x$로 놓으면

$f'(x)=e^x,\ g(x)=-\cos x$이므로

$\displaystyle\int e^x\sin x\,dx=-e^x\cos x+\displaystyle\int e^x\cos x\,dx$ ……㉠

$\displaystyle\int e^x \cos x\, dx$에서 $u(x)=e^x$, $v'(x)=\cos x$로 놓으면

$u'(x)=e^x$, $v(x)=\sin x$이므로

$\displaystyle\int e^x \cos x\, dx = e^x \sin x - \int e^x \sin x\, dx$ $\qquad$ ……ⓒ

ⓒ을 ⊙에 대입하면

$\displaystyle\int e^x \sin x\, dx = -e^x \cos x + e^x \sin x - \int e^x \sin x\, dx$

$\displaystyle 2\int e^x \sin x\, dx = e^x(\sin x - \cos x)$

$\therefore \displaystyle\int e^x \sin x\, dx = \frac{1}{2}e^x(\sin x - \cos x) + C$ $\qquad$ 답 ①

083 $x<-1$일 때,

$f'(x)=\dfrac{1}{x^2}$이므로

$f(x)=\displaystyle\int \frac{1}{x^2}\, dx = \int x^{-2}\, dx$

$\qquad = -\dfrac{1}{x} + C_1$

$x>-1$일 때,

$f'(x)=3x^2+1$이므로

$f(x)=\displaystyle\int (3x^2+1)\, dx$

$\qquad = x^3+x+C_2$

$f(-2)=\dfrac{1}{2}$이므로

$\dfrac{1}{2}+C_1 = \dfrac{1}{2}$ $\qquad \therefore C_1 = 0$

또 $f(x)$가 $x=-1$에서 연속이므로

$\displaystyle\lim_{x\to-1-}\left(-\frac{1}{x}\right) = \lim_{x\to-1+}(x^3+x+C_2)$

$1=-1-1+C_2$ $\qquad \therefore C_2 = 3$

따라서 $x>-1$일 때, $f(x)=x^3+x+3$이므로

$f(0)=3$ $\qquad$ 답 ③

084 $f(x)=\displaystyle\int (5x^2+ae^{-x}+x)\, dx$의 양변을 x에 대하여 미분하면

$f'(x)=5x^2+ae^{-x}+x$

$f'(1)=e^2+6$이므로

$5+ae^{-1}+1=e^2+6$

$ae^{-1}=e^2$

$\therefore a=e^3$ $\qquad$ 답 e^3

085 $F(x)=xf(x)-(x\sin x+\cos x)$의 양변을 x에 대하여 미분하면

$F'(x)=f(x)+xf'(x)-(\sin x+x\cos x-\sin x)$

$f(x)=f(x)+xf'(x)-x\cos x$

$f'(x)=\cos x$

$\therefore f(x)=\displaystyle\int \cos x\, dx = \sin x + C$ $\qquad$ ……⊙

$F\left(\dfrac{\pi}{2}\right)=\dfrac{\pi}{2}$이므로

$\dfrac{\pi}{2}f\left(\dfrac{\pi}{2}\right)-\left(\dfrac{\pi}{2}\sin\dfrac{\pi}{2}+\cos\dfrac{\pi}{2}\right)=\dfrac{\pi}{2}$

$\therefore f\left(\dfrac{\pi}{2}\right)=2$

⊙에서 $f\left(\dfrac{\pi}{2}\right)=\sin\dfrac{\pi}{2}+C=2$

$\therefore C=1$

따라서 $f(x)=\sin x+1$이므로

$f(\pi)=1$ $\qquad$ 답 1

086 조건 (가)에서 $\displaystyle\lim_{x\to\infty}\frac{f(x)}{x^2+x-4}=1$이므로

$f(x)=x^2+ax+b$ (단, a, b는 상수이다.)

조건 (나)에서 $\displaystyle\lim_{x\to4}\frac{x^2+ax+b}{x-4}=6$

$x\to4$일 때, (분모)$\to0$이고 극한값이 존재하므로 (분자)$\to0$
이어야 한다.

즉, $\displaystyle\lim_{x\to4}(x^2+ax+b)=0$에서

$16+4a+b=0$

$\therefore b=-4a-16$ $\qquad$ ……⊙

$\therefore \displaystyle\lim_{x\to4}\frac{x^2+ax-4a-16}{x-4} = \lim_{x\to4}\frac{(x-4)(x+a+4)}{x-4}$

$\qquad\qquad\qquad\qquad = \displaystyle\lim_{x\to4}(x+a+4)$

$\qquad\qquad\qquad\qquad = a+8=6$

따라서 $a=-2$이므로 ⊙에 대입하면 $b=-8$

$\therefore f(x)=x^2-2x-8$

$F(x)=\displaystyle\int (x-1)(x^2-2x-8)^3\, dx$에서

$x^2-2x-8=t$로 놓으면 $2x-2=\dfrac{dt}{dx}$이므로

$\displaystyle\int (x-1)(x^2-2x-8)^3\, dx = \int t^3 \cdot \frac{1}{2}\, dt$

$\qquad\qquad\qquad\qquad = \dfrac{1}{8}t^4+C$

$\qquad\qquad\qquad\qquad = \dfrac{1}{8}(x^2-2x-8)^4+C$

$\therefore F(2)-F(-2)=(8^3+C)-C=512$ $\qquad$ 답 512

087 $x^2+3=t$로 놓으면 $2x=\dfrac{dt}{dx}$이므로

$f(x)=\displaystyle\int \frac{x}{\sqrt{x^2+3}}\, dx$

$\qquad = \displaystyle\int \frac{1}{\sqrt{t}} \cdot \frac{1}{2}\, dt$

$\qquad = \dfrac{1}{2}\displaystyle\int t^{-\frac{1}{2}}\, dt$

$\qquad = \sqrt{t}+C$

$\qquad = \sqrt{x^2+3}+C$

$f(1)=-2$이므로

$\sqrt{1+3}+C=-2$

$\therefore C=-4$

$\therefore f(x)=\sqrt{x^2+3}-4$

방정식 $f(x)=0$, 즉 $\sqrt{x^2+3}-4=0$에서

$\sqrt{x^2+3}=4$

$x^2+3=16$, $x^2=13$

$\therefore x=\pm\sqrt{13}$

따라서 구하는 모든 실수 x의 값의 곱은 -13이다.

답 ①

088 $f'(x)=\dfrac{\ln x}{x}$이므로

$$f(x)=\int\dfrac{\ln x}{x}\,dx$$

$\ln x=t$로 놓으면 $\dfrac{1}{x}=\dfrac{dt}{dx}$이므로

$$\begin{aligned}f(x)&=\int\dfrac{\ln x}{x}\,dx\\&=\int t\,dt\\&=\dfrac{1}{2}t^2+C\\&=\dfrac{1}{2}(\ln x)^2+C\end{aligned}$$

$f(1)=10$이므로 $C=10$

따라서 $f(x)=\dfrac{1}{2}(\ln x)^2+10$이므로

$$f(e^4)=\dfrac{1}{2}(\ln e^4)^2+10=\dfrac{1}{2}\times 4^2+10=18 \qquad \text{뮙 } 18$$

---

089 $e^x=t$로 놓으면 $e^x=\dfrac{dt}{dx}$이므로

$$\begin{aligned}f(x)&=\int\dfrac{e^{2x}}{e^x+1}\,dx\\&=\int\dfrac{t}{t+1}\,dt\\&=\int\left(1-\dfrac{1}{t+1}\right)dt\\&=t-\ln|t+1|+C\\&=e^x-\ln(e^x+1)+C\end{aligned}$$

$f(0)=\dfrac{1}{2}$이므로

$$1-\ln 2+C=\dfrac{1}{2}\qquad\therefore C=\ln 2-\dfrac{1}{2}$$

따라서 $f(x)=e^x-\ln(e^x+1)+\ln 2-\dfrac{1}{2}$이므로

$$\begin{aligned}f(\ln 3)&=e^{\ln 3}-\ln(e^{\ln 3}+1)+\ln 2-\dfrac{1}{2}\\&=3-\ln 4+\ln 2-\dfrac{1}{2}\\&=\dfrac{5}{2}-\ln 2 \qquad \text{뮙 } \dfrac{5}{2}-\ln 2\end{aligned}$$

---

090 $f'(x)=e^{\sin x}\cos x$이므로

$$f(x)=\int e^{\sin x}\cos x\,dx$$

$\sin x=t$로 놓으면 $\cos x=\dfrac{dt}{dx}$이므로

$$\begin{aligned}f(x)&=\int e^{\sin x}\cos x\,dx\\&=\int e^t\,dt\\&=e^t+C\\&=e^{\sin x}+C\end{aligned}$$

$f(0)=1$이므로

$$1+C=1$$
$$\therefore C=0$$

따라서 $f(x)=e^{\sin x}$이므로

$$f\left(\dfrac{3}{2}\pi\right)=e^{\sin\frac{3}{2}\pi}=e^{-1}=\dfrac{1}{e} \qquad \text{뮙 ①}$$

---

091 $f(x)=\displaystyle\int\dfrac{\sin x}{1-\sin^2 x}\,dx=\int\dfrac{\sin x}{\cos^2 x}\,dx$

$\cos x=t$로 놓으면 $-\sin x=\dfrac{dt}{dx}$이므로

$$\begin{aligned}f(x)&=\int\dfrac{\sin x}{\cos^2 x}\,dx\\&=\int\left(-\dfrac{1}{t^2}\right)dt\\&=\int(-t^{-2})\,dt\\&=t^{-1}+C\\&=\dfrac{1}{\cos x}+C\end{aligned}$$

$$\therefore f\left(\dfrac{\pi}{3}\right)-f(0)=(2+C)-(1+C)=1 \qquad \text{뮙 } 1$$

---

092 $\displaystyle\lim_{h\to 0}\dfrac{f(x+h)-f(x)}{h}=f'(x)=\dfrac{\ln x}{x^2}$이므로

$$f(x)=\int\dfrac{\ln x}{x^2}\,dx$$

$u(x)=\ln x,\ v'(x)=\dfrac{1}{x^2}$로 놓으면

$u'(x)=\dfrac{1}{x},\ v(x)=-\dfrac{1}{x}$이므로

$$\begin{aligned}f(x)&=\int\dfrac{\ln x}{x^2}\,dx\\&=-\dfrac{1}{x}\ln x-\int\dfrac{1}{x}\left(-\dfrac{1}{x}\right)dx\\&=-\dfrac{\ln x}{x}-\dfrac{1}{x}+C\end{aligned}$$

$f(e)=0$이므로

$$-\dfrac{1}{e}-\dfrac{1}{e}+C=0\qquad\therefore C=\dfrac{2}{e}$$

따라서 $f(x)=-\dfrac{\ln x}{x}-\dfrac{1}{x}+\dfrac{2}{e}$이므로

$$f(1)=-\dfrac{\ln 1}{1}-1+\dfrac{2}{e}=\dfrac{2}{e}-1 \qquad \text{뮙 } \dfrac{2}{e}-1$$

---

093 $x<0$일 때, $f'(x)=\sin^2 x\cos x$이므로

$$f(x)=\int\sin^2 x\cos x\,dx$$

$\sin x=t$로 놓으면 $\cos x=\dfrac{dt}{dx}$이므로

$$\begin{aligned}f(x)&=\int\sin^2 x\cos x\,dx\\&=\int t^2\,dt\\&=\dfrac{1}{3}t^3+C_1\\&=\dfrac{1}{3}\sin^3 x+C_1\end{aligned}$$

$x>0$일 때, $f'(x)=xe^{x^2}$이므로

$$f(x)=\int xe^{x^2}\,dx$$

$x^2=t$로 놓으면 $2x=\dfrac{dt}{dx}$ 이므로

$$f(x)=\int xe^{x^2}dx$$
$$=\int e^t\cdot\frac{1}{2}dt$$
$$=\frac{1}{2}e^t+C_2$$
$$=\frac{1}{2}e^{x^2}+C_2$$

$f(-\pi)=-2$ 이므로

$$\frac{1}{3}\sin^3(-\pi)+C_1=-2 \quad \therefore C_1=-2$$

또 $f(x)$ 가 $x=0$ 에서 연속이므로

$$\lim_{x\to 0-}\left(\frac{1}{3}\sin^3 x-2\right)=\lim_{x\to 0+}\left(\frac{1}{2}e^{x^2}+C_2\right)$$

$$-2=\frac{1}{2}+C_2 \quad \therefore C_2=-\frac{5}{2}$$

따라서 $x>0$ 일 때, $f(x)=\dfrac{1}{2}e^{x^2}-\dfrac{5}{2}$ 이므로

$$f(1)=\frac{1}{2}e-\frac{5}{2} \qquad \text{답 ①}$$

094 $\dfrac{x-1}{x^3+1}=\dfrac{x-1}{(x+1)(x^2-x+1)}$ 이므로

$$\frac{x-1}{(x+1)(x^2-x+1)}=\frac{A}{x+1}+\frac{Bx+C}{x^2-x+1} \text{ 라 하면}$$

$$\frac{x-1}{(x+1)(x^2-x+1)}=\frac{A(x^2-x+1)+(Bx+C)(x+1)}{(x+1)(x^2-x+1)}$$

에서

$$x-1=(A+B)x^2+(-A+B+C)x+A+C$$

$$A+B=0,\ -A+B+C=1,\ A+C=-1$$

세 식을 연립하여 풀면 $A=-\dfrac{2}{3}, B=\dfrac{2}{3}, C=-\dfrac{1}{3}$

즉, $\dfrac{x-1}{(x+1)(x^2-x+1)}=-\dfrac{2}{3}\times\dfrac{1}{x+1}+\dfrac{1}{3}\times\dfrac{2x-1}{x^2-x+1}$

이므로

$$\int\frac{x-1}{x^3+1}dx=-\frac{2}{3}\int\frac{1}{x+1}dx+\frac{1}{3}\int\frac{2x-1}{x^2-x+1}dx$$

$$=-\frac{2}{3}\ln|x+1|+\frac{1}{3}\ln(x^2-x+1)+C$$

따라서 $p=-\dfrac{2}{3}, q=\dfrac{1}{3}$ 이므로

$$p+q=-\frac{1}{3} \qquad \text{답 }-\frac{1}{3}$$

다른 풀이

주어진 등식의 양변을 x 에 대하여 미분하면

$$\frac{x-1}{x^3+1}=\frac{p}{x+1}+\frac{q(2x-1)}{x^2-x+1} \text{ 이므로}$$

$$x-1=p(x^2-x+1)+q(2x-1)(x+1)$$

$$x-1=(p+2q)x^2-(p-q)x+p-q$$

즉, $p+2q=0, p-q=-1$

두 식을 연립하여 풀면 $p=-\dfrac{2}{3}, q=\dfrac{1}{3}$

$$\therefore p+q=-\frac{1}{3}$$

001 $\displaystyle\int_2^5\frac{1}{x}dx=\Big[\ln|x|\Big]_2^5$

$$=\ln 5-\ln 2$$
$$=\ln\frac{5}{2} \qquad \text{답 }\ln\frac{5}{2}$$

002 $\displaystyle\int_1^9\sqrt{x}\,dx=\int_1^9 x^{\frac{1}{2}}dx$

$$=\left[\frac{2}{3}x^{\frac{3}{2}}\right]_1^9$$
$$=\frac{54}{3}-\frac{2}{3}$$
$$=\frac{52}{3} \qquad \text{답 }\frac{52}{3}$$

003 $\displaystyle\int_0^3 e^x dx=\Big[e^x\Big]_0^3$

$$=e^3-e^0=e^3-1 \qquad \text{답 }e^3-1$$

004 $\displaystyle\int_0^2 3^x dx=\left[\frac{3^x}{\ln 3}\right]_0^2$

$$=\frac{9}{\ln 3}-\frac{1}{\ln 3}=\frac{8}{\ln 3} \qquad \text{답 }\frac{8}{\ln 3}$$

005 $\displaystyle\int_{\frac{\pi}{2}}^{\pi}\sin t\,dt=\Big[-\cos t\Big]_{\frac{\pi}{2}}^{\pi}$

$$=-\cos\pi-\left(-\cos\frac{\pi}{2}\right)$$
$$=1-0=1 \qquad \text{답 }1$$

006 $\displaystyle\int_1^2(e^x+2x)\,dx=\int_1^2 e^x dx+\int_1^2 2x\,dx$

$$=\Big[e^x\Big]_1^2+\Big[x^2\Big]_1^2$$
$$=(e^2-e)+(4-1)$$
$$=e^2-e+3 \qquad \text{답 }e^2-e+3$$

007 $\displaystyle\int_{\pi}^{2\pi}(\cos x-\sin x)\,dx$

$$=\int_{\pi}^{2\pi}\cos x\,dx-\int_{\pi}^{2\pi}\sin x\,dx$$
$$=\Big[\sin x\Big]_{\pi}^{2\pi}-\Big[-\cos x\Big]_{\pi}^{2\pi}$$
$$=(\sin 2\pi-\sin\pi)-(-\cos 2\pi+\cos\pi)$$
$$=0-0-(-1-1)=2 \qquad \text{답 }2$$

008 $\displaystyle\int_1^2(\sqrt{x}-2)\,dx+\int_2^4(\sqrt{x}-2)\,dx=\int_1^4(\sqrt{x}-2)\,dx$

$$=\left[\frac{2}{3}x^{\frac{3}{2}}-2x\right]_1^4$$
$$=\left(\frac{16}{3}-8\right)-\left(\frac{2}{3}-2\right)$$
$$=-\frac{4}{3} \qquad \text{답 }-\frac{4}{3}$$

009
$$\int_0^1 \sin^2 x\, dx + \int_0^1 \cos^2 x\, dx = \int_0^1 (\sin^2 x + \cos^2 x)\, dx$$
$$= \int_0^1 1\, dx$$
$$= \Big[\, x\, \Big]_0^1 = 1 \qquad \text{답}\ 1$$

010
$$\int_0^1 (e^x+1)^2\, dx - \int_0^1 (e^x-1)^2\, dx$$
$$= \int_0^1 (e^{2x}+2e^x+1)\, dx - \int_0^1 (e^{2x}-2e^x+1)\, dx$$
$$= \int_0^1 4e^x\, dx = \Big[\, 4e^x\, \Big]_0^1$$
$$= 4e-4 \qquad \text{답}\ 4e-4$$

011
$$\int_{-2}^2 (x^3+3x^2+x)\, dx$$
$$= \int_{-2}^2 (x^3+x)\, dx + \int_{-2}^2 3x^2\, dx$$
$$= 2\int_0^2 3x^2\, dx = 2\Big[\, x^3\, \Big]_0^2$$
$$= 2\times 8 = 16 \qquad \text{답}\ 16$$

012
$f(x)=e^x+e^{-x}$으로 놓으면
$f(-x)=e^{-x}+e^x=f(x)$
이므로 $f(x)=e^x+e^{-x}$은 우함수이다.
$$\therefore \int_{-1}^1 (e^x+e^{-x})\, dx = 2\int_0^1 (e^x+e^{-x})\, dx$$
$$= 2\Big[\, e^x-e^{-x}\, \Big]_0^1$$
$$= 2\Big(e-\frac{1}{e}\Big) \qquad \text{답}\ 2\Big(e-\frac{1}{e}\Big)$$

013
$y=\cos x$는 우함수, $y=\sin x$는 기함수이므로
$$\int_{-\frac{\pi}{2}}^{\frac{\pi}{2}} (\cos x + \sin x)\, dx$$
$$= \int_{-\frac{\pi}{2}}^{\frac{\pi}{2}} \cos x\, dx + \int_{-\frac{\pi}{2}}^{\frac{\pi}{2}} \sin x\, dx$$
$$= 2\int_0^{\frac{\pi}{2}} \cos x\, dx$$
$$= 2\Big[\, \sin x\, \Big]_0^{\frac{\pi}{2}} = 2 \qquad \text{답}\ 2$$

014
$2x-3=t$로 놓으면 $2=\dfrac{dt}{dx}$이고,
$x=1$일 때 $t=-1$, $x=2$일 때 $t=1$이므로
$$\int_1^2 (2x-3)^4\, dx = \int_{-1}^1 t^4 \cdot \frac{1}{2}\, dt$$
$$= \frac{1}{2}\times 2\int_0^1 t^4\, dt$$
$$= \Big[\, \frac{1}{5}t^5\, \Big]_0^1 = \frac{1}{5} \qquad \text{답}\ \frac{1}{5}$$

015
$2x-\pi=t$로 놓으면 $2=\dfrac{dt}{dx}$이고,
$x=0$일 때 $t=-\pi$, $x=\pi$일 때 $t=\pi$이므로
$$\int_0^\pi \sin(2x-\pi)\, dx = \int_{-\pi}^\pi \sin t \cdot \frac{1}{2}\, dt = 0 \qquad \text{답}\ 0$$

016
$x^2+1=t$로 놓으면 $2x=\dfrac{dt}{dx}$이고,
$x=0$일 때 $t=1$, $x=1$일 때 $t=2$이므로
$$\int_0^1 2x(x^2+1)^3\, dx = \int_1^2 t^3\, dt$$
$$= \Big[\, \frac{1}{4}t^4\, \Big]_1^2$$
$$= 4-\frac{1}{4} = \frac{15}{4} \qquad \text{답}\ \frac{15}{4}$$

017
$x+2=t$로 놓으면 $1=\dfrac{dt}{dx}$이고,
$x=1$일 때 $t=3$, $x=7$일 때 $t=9$이므로
$$\int_1^7 \sqrt{x+2}\, dx = \int_3^9 \sqrt{t}\, dt$$
$$= \Big[\, \frac{2}{3}t^{\frac{3}{2}}\, \Big]_3^9$$
$$= 18-2\sqrt{3} \qquad \text{답}\ 18-2\sqrt{3}$$

018
$x^2+1=t$로 놓으면 $2x=\dfrac{dt}{dx}$이고,
$x=0$일 때 $t=1$, $x=\sqrt{3}$일 때 $t=4$이므로
$$\int_0^{\sqrt{3}} 2x\sqrt{x^2+1}\, dx = \int_1^4 \sqrt{t}\, dt$$
$$= \Big[\, \frac{2}{3}t^{\frac{3}{2}}\, \Big]_1^4$$
$$= \frac{16}{3}-\frac{2}{3}$$
$$= \frac{14}{3} \qquad \text{답}\ \frac{14}{3}$$

019
$x^2-1=t$로 놓으면 $2x=\dfrac{dt}{dx}$이고,
$x=2$일 때 $t=3$, $x=3$일 때 $t=8$이므로
$$\int_2^3 \frac{2x}{x^2-1}\, dx = \int_3^8 \frac{1}{t}\, dt$$
$$= \Big[\, \ln|t|\, \Big]_3^8$$
$$= \ln 8 - \ln 3$$
$$= \ln\frac{8}{3} \qquad \text{답}\ \ln\frac{8}{3}$$

020
$\sin x=t$로 놓으면 $\cos x=\dfrac{dt}{dx}$이고,
$x=0$일 때 $t=0$, $x=\dfrac{\pi}{2}$일 때 $t=1$이므로
$$\int_0^{\frac{\pi}{2}} \sin^2 x \cos x\, dx = \int_0^1 t^2\, dt$$
$$= \Big[\, \frac{1}{3}t^3\, \Big]_0^1$$
$$= \frac{1}{3} \qquad \text{답}\ \frac{1}{3}$$

021
$\cos x=t$로 놓으면 $-\sin x=\dfrac{dt}{dx}$이고,
$x=0$일 때 $t=1$, $x=\dfrac{\pi}{3}$일 때 $t=\dfrac{1}{2}$이므로

$$\int_0^{\frac{\pi}{3}} \cos^2 x \sin x\, dx = -\int_0^{\frac{\pi}{3}} \cos^2 x (-\sin x)\, dx$$

$$= -\int_1^{\frac{1}{2}} t^2\, dt$$

$$= \int_{\frac{1}{2}}^1 t^2\, dt$$

$$= \left[\frac{1}{3} t^3\right]_{\frac{1}{2}}^1$$

$$= \frac{1}{3} - \frac{1}{24} = \frac{7}{24} \qquad \text{圕}\ \frac{7}{24}$$

022 $e^x + 2 = t$로 놓으면 $e^x = \dfrac{dt}{dx}$이고,

$x = 0$일 때 $t = 3$, $x = 1$일 때 $t = e + 2$이므로

$$\int_0^1 \frac{e^x}{e^x + 2}\, dx = \int_3^{e+2} \frac{1}{t}\, dt$$

$$= \left[\ln |t|\right]_3^{e+2}$$

$$= \ln(e + 2) - \ln 3$$

$$= \ln \frac{e+2}{3} \qquad \text{圕}\ \ln \frac{e+2}{3}$$

023 $\ln x = t$로 놓으면 $\dfrac{1}{x} = \dfrac{dt}{dx}$이고,

$x = 1$일 때 $t = 0$, $x = e^2$일 때 $t = 2$이므로

$$\int_1^{e^2} \frac{\ln x}{x}\, dx = \int_0^2 t\, dt$$

$$= \left[\frac{1}{2} t^2\right]_0^2$$

$$= 2 \qquad \text{圕}\ 2$$

024 $1 + \cos x = t$로 놓으면 $-\sin x = \dfrac{dt}{dx}$이고,

$x = 0$일 때 $t = 2$, $x = \dfrac{\pi}{2}$일 때 $t = 1$이므로

$$\int_0^{\frac{\pi}{2}} \frac{\sin x}{1 + \cos x}\, dx = -\int_0^{\frac{\pi}{2}} \frac{-\sin x}{1 + \cos x}\, dx$$

$$= -\int_2^1 \frac{1}{t}\, dt = \int_1^2 \frac{1}{t}\, dt$$

$$= \left[\ln |t|\right]_1^2$$

$$= \ln 2 \qquad \text{圕}\ \ln 2$$

025 $\ln x = t$로 놓으면 $\dfrac{1}{x} = \dfrac{dt}{dx}$이고,

$x = e$일 때 $t = 1$, $x = e^2$일 때 $t = 2$이므로

$$\int_e^{e^2} \frac{1}{x \ln x}\, dx = \int_1^2 \frac{1}{t}\, dt$$

$$= \left[\ln |t|\right]_1^2$$

$$= \ln 2 \qquad \text{圕}\ \ln 2$$

026 $x = \sin \theta \left(-\dfrac{\pi}{2} \leq \theta \leq \dfrac{\pi}{2}\right)$로 놓으면 $\dfrac{dx}{d\theta} = \cos \theta$이고,

$x = 0$일 때 $\theta = 0$, $x = 1$일 때 $\theta = \dfrac{\pi}{2}$이므로

$$\int_0^1 \sqrt{1 - x^2}\, dx = \int_0^{\frac{\pi}{2}} \sqrt{1 - \sin^2 \theta} \cdot \cos \theta\, d\theta$$

$$= \int_0^{\frac{\pi}{2}} \cos^2 \theta\, d\theta \ (\because \cos \theta \geq 0)$$

$$= \int_0^{\frac{\pi}{2}} \frac{1 + \cos 2\theta}{2}\, d\theta$$

$$= \frac{1}{2} \left[\theta + \frac{1}{2} \sin 2\theta\right]_0^{\frac{\pi}{2}}$$

$$= \frac{\pi}{4} \qquad \text{圕}\ \frac{\pi}{4}$$

참고 반각의 공식

(1) $\sin^2 \dfrac{\alpha}{2} = \dfrac{1 - \cos \alpha}{2}$

(2) $\cos^2 \dfrac{\alpha}{2} = \dfrac{1 + \cos \alpha}{2}$

(3) $\tan^2 \dfrac{\alpha}{2} = \dfrac{1 - \cos \alpha}{1 + \cos \alpha}$

027 $x = 2 \sin \theta \left(-\dfrac{\pi}{2} \leq \theta \leq \dfrac{\pi}{2}\right)$로 놓으면 $\dfrac{dx}{d\theta} = 2\cos \theta$이고,

$x = 0$일 때 $\theta = 0$, $x = 2$일 때 $\theta = \dfrac{\pi}{2}$이므로

$$\int_0^2 \sqrt{4 - x^2}\, dx = \int_0^{\frac{\pi}{2}} \sqrt{4 - (2\sin \theta)^2} \cdot 2\cos \theta\, d\theta$$

$$= \int_0^{\frac{\pi}{2}} 4\cos^2 \theta\, d\theta \ (\because \cos \theta \geq 0)$$

$$= 4\int_0^{\frac{\pi}{2}} \frac{1 + \cos 2\theta}{2}\, d\theta$$

$$= 2\left[\theta + \frac{1}{2} \sin 2\theta\right]_0^{\frac{\pi}{2}}$$

$$= \pi \qquad \text{圕}\ \pi$$

028 $x = \tan \theta \left(-\dfrac{\pi}{2} < \theta < \dfrac{\pi}{2}\right)$로 놓으면 $\dfrac{dx}{d\theta} = \sec^2 \theta$이고,

$x = 0$일 때 $\theta = 0$, $x = 1$일 때 $\theta = \dfrac{\pi}{4}$이므로

$$\int_0^1 \frac{1}{x^2 + 1}\, dx = \int_0^{\frac{\pi}{4}} \frac{1}{\tan^2 \theta + 1} \cdot \sec^2 \theta\, d\theta$$

$$= \int_0^{\frac{\pi}{4}} \frac{\sec^2 \theta}{\sec^2 \theta}\, d\theta$$

$$= \int_0^{\frac{\pi}{4}} 1\, d\theta$$

$$= \left[\theta\right]_0^{\frac{\pi}{4}}$$

$$= \frac{\pi}{4} \qquad \text{圕}\ \frac{\pi}{4}$$

029 $f(x + 3) = f(x)$를 만족시키는 함수 $f(x)$의 주기 a의 최댓값은 3이다. $\qquad \text{圕}\ 3$

030 $f(x - 2) = f(x)$의 양변에 $x + 2$를 대입하면

$f(x) = f(x + 2)$이므로 이 식을 만족시키는 함수 $f(x)$의 주기 a의 최댓값은 2이다. $\qquad \text{圕}\ 2$

031 $f(x)=\ln x,\, g'(x)=1$로 놓으면

$f'(x)=\dfrac{1}{x},\, g(x)=x$

$\therefore \displaystyle\int_1^e \ln x\, dx = \Big[\, x\ln x \,\Big]_1^e - \int_1^e \dfrac{1}{x}\times x\, dx$

$\qquad\qquad = e - \Big[\, x \,\Big]_1^e$

$\qquad\qquad = e - (e-1)$

$\qquad\qquad = 1$ **답** 1

032 $f(x)=2x,\, g'(x)=e^x$으로 놓으면

$f'(x)=2,\, g(x)=e^x$

$\therefore \displaystyle\int_0^1 2xe^x\, dx = \Big[\, 2xe^x \,\Big]_0^1 - \int_0^1 2e^x\, dx$

$\qquad\qquad = 2e - \Big[\, 2e^x \,\Big]_0^1$

$\qquad\qquad = 2e - (2e-2)$

$\qquad\qquad = 2$ **답** 2

033 $f(x)=x,\, g'(x)=e^{-x}$으로 놓으면

$f'(x)=1,\, g(x)=-e^{-x}$

$\therefore \displaystyle\int_0^1 xe^{-x}\, dx = \Big[\, -xe^{-x} \,\Big]_0^1 - \int_0^1 1\times(-e^{-x})\, dx$

$\qquad\qquad = -e^{-1} + \Big[\, -e^{-x} \,\Big]_0^1$

$\qquad\qquad = -\dfrac{1}{e} + \Big(-\dfrac{1}{e}+1\Big)$

$\qquad\qquad = 1 - \dfrac{2}{e}$ **답** $1-\dfrac{2}{e}$

034 $f(x)=\ln x,\, g'(x)=x$로 놓으면

$f'(x)=\dfrac{1}{x},\, g(x)=\dfrac{1}{2}x^2$

$\therefore \displaystyle\int_1^e x\ln x\, dx = \Big[\, \dfrac{1}{2}x^2\ln x \,\Big]_1^e - \int_1^e \dfrac{1}{x}\times\dfrac{1}{2}x^2\, dx$

$\qquad\qquad = \dfrac{1}{2}e^2 - \Big[\, \dfrac{1}{4}x^2 \,\Big]_1^e$

$\qquad\qquad = \dfrac{1}{2}e^2 - \Big(\dfrac{1}{4}e^2 - \dfrac{1}{4}\Big)$

$\qquad\qquad = \dfrac{1}{4}(e^2+1)$ **답** $\dfrac{1}{4}(e^2+1)$

035 $f(x)=x,\, g'(x)=\cos x$로 놓으면

$f'(x)=1,\, g(x)=\sin x$

$\therefore \displaystyle\int_0^{\frac{\pi}{2}} x\cos x\, dx = \Big[\, x\sin x \,\Big]_0^{\frac{\pi}{2}} - \int_0^{\frac{\pi}{2}} 1\times\sin x\, dx$

$\qquad\qquad = \dfrac{\pi}{2} - \Big[\, -\cos x \,\Big]_0^{\frac{\pi}{2}}$

$\qquad\qquad = \dfrac{\pi}{2} - 1$ **답** $\dfrac{\pi}{2}-1$

036 $\displaystyle\int_0^2 f(t)\, dt = k$ (k는 상수)로 놓으면

$f(x) = \boxed{2x+k}$

$\displaystyle\int_0^2 f(t)\, dt = \int_0^2 \boxed{2t+k}\, dt$

$\qquad\qquad = \Big[\, \boxed{t^2+kt} \,\Big]_0^2 = 4+2k = k$

따라서 $k = \boxed{-4}$이므로

$f(x) = \boxed{2x-4}$

$\therefore f(2) = 2\times2 - 4 = \boxed{0}$ **답** 풀이 참조

037 $\displaystyle\int_0^x f(t)\, dt = e^x + a$의 양변에 $x=0$을 대입하면

$0 = 1+a \quad \therefore a = -1$ **답** -1

038 $\displaystyle\int_1^x f(t)\, dt = \ln x - 2x + a$의 양변에 $x=1$을 대입하면

$0 = -2+a \quad \therefore a = 2$ **답** 2

039 $\displaystyle\int_1^a \Big(\dfrac{1}{x^2}+\dfrac{1}{x^3}\Big)\, dx = \int_1^a (x^{-2}+x^{-3})\, dx$

$\qquad\qquad = \Big[\, -\dfrac{1}{x} - \dfrac{1}{2x^2} \,\Big]_1^a$

$\qquad\qquad = \Big(-\dfrac{1}{a} - \dfrac{1}{2a^2}\Big) - \Big(-1-\dfrac{1}{2}\Big)$

$\qquad\qquad = -\dfrac{1}{a} - \dfrac{1}{2a^2} + \dfrac{3}{2}$

즉, $-\dfrac{1}{a} - \dfrac{1}{2a^2} + \dfrac{3}{2} = \dfrac{7}{8}$이므로

$\dfrac{5}{8} - \dfrac{1}{a} - \dfrac{1}{2a^2} = 0,\; 5a^2 - 8a - 4 = 0$

$(a-2)(5a+2) = 0 \quad \therefore a = 2\ (\because a>0)$ **답** 2

040 $\displaystyle\int_0^1 (x+\sqrt{x})^2\, dx = \int_0^1 (x^2 + 2x\sqrt{x} + x)\, dx$

$\qquad\qquad = \Big[\, \dfrac{1}{3}x^3 + \dfrac{4}{5}x^{\frac{5}{2}} + \dfrac{1}{2}x^2 \,\Big]_0^1 = \dfrac{49}{30}$

$\therefore p+q = 30+49 = 79$ **답** 79

041 $\displaystyle\int_0^1 \dfrac{4^x-1}{2^x-1}\, dx = \int_0^1 \dfrac{(2^x-1)(2^x+1)}{2^x-1}\, dx$

$\qquad\qquad = \int_0^1 (2^x+1)\, dx$

$\qquad\qquad = \Big[\, \dfrac{2^x}{\ln 2} + x \,\Big]_0^1$

$\qquad\qquad = \Big(\dfrac{2}{\ln 2}+1\Big) - \Big(\dfrac{1}{\ln 2}+0\Big)$

$\qquad\qquad = \dfrac{1}{\ln 2} + 1$ **답** ④

042 $\displaystyle\int_0^\pi (4e^{2x}+\cos x)\, dx = \Big[\, 2e^{2x}+\sin x \,\Big]_0^\pi$

$\qquad\qquad = 2e^{2\pi} - 2$ **답** ④

043 $\displaystyle\int_0^a \dfrac{1}{\sin^2 x - 1}\, dx = \int_0^a \dfrac{1}{-\cos^2 x}\, dx$

$\qquad\qquad = \int_0^a -\sec^2 x\, dx$

$\qquad\qquad = \Big[\, -\tan x \,\Big]_0^a = -\tan a$

따라서 $-\tan a = 1$이므로

$\tan a = -1 \quad \therefore a = \dfrac{3}{4}\pi\ (\because 0<a<\pi)$ **답** $\dfrac{3}{4}\pi$

044

$$\int_0^1 \frac{1}{x^2+5x+6}\,dx = \int_0^1 \frac{1}{(x+2)(x+3)}\,dx$$

$$= \int_0^1 \left(\frac{1}{x+2} - \frac{1}{x+3}\right)dx$$

$$= \Big[\ln|x+2| - \ln|x+3|\Big]_0^1$$

$$= (\ln 3 - \ln 4) - (\ln 2 - \ln 3)$$

$$= 2\ln 3 - 3\ln 2$$

$$= \ln \frac{9}{8}$$

즉, $\ln\dfrac{9}{8} = \ln k$이므로

$$k = \frac{9}{8}$$

달 $\dfrac{9}{8}$

045

$$\int_1^4 (\sqrt{x}+1)^2\,dx - \int_1^4 (\sqrt{x}-1)^2\,dx$$

$$= \int_1^4 \{(\sqrt{x}+1)^2 - (\sqrt{x}-1)^2\}\,dx$$

$$= \int_1^4 4\sqrt{x}\,dx$$

$$= 4\left[\frac{2}{3}x^{\frac{3}{2}}\right]_1^4$$

$$= 4\left(\frac{16}{3} - \frac{2}{3}\right) = \frac{56}{3}$$

$$\therefore p+q = 3+56 = 59$$

달 59

046

$$\int_0^1 (2x+e^{-x})\,dx + \int_1^2 (2y+e^{-y})\,dy$$

$$= \int_0^1 (2x+e^{-x})\,dx + \int_1^2 (2x+e^{-x})\,dx$$

$$= \int_0^2 (2x+e^{-x})\,dx$$

$$= \Big[x^2 - e^{-x}\Big]_0^2$$

$$= (4-e^{-2}) - (-1)$$

$$= 5 - \frac{1}{e^2}$$

달 ①

047

$$\int_0^{\frac{\pi}{2}} \frac{1}{1+\cos x}\,dx + \int_{\frac{\pi}{2}}^0 \frac{\cos^2 x}{1+\cos x}\,dx$$

$$= \int_0^{\frac{\pi}{2}} \frac{1}{1+\cos x}\,dx - \int_0^{\frac{\pi}{2}} \frac{\cos^2 x}{1+\cos x}\,dx$$

$$= \int_0^{\frac{\pi}{2}} \frac{1-\cos^2 x}{1+\cos x}\,dx$$

$$= \int_0^{\frac{\pi}{2}} \frac{(1-\cos x)(1+\cos x)}{1+\cos x}\,dx$$

$$= \int_0^{\frac{\pi}{2}} (1-\cos x)\,dx$$

$$= \Big[x - \sin x\Big]_0^{\frac{\pi}{2}} = \frac{\pi}{2} - 1$$

달 $\dfrac{\pi}{2} - 1$

048

$$\int_0^{\pi} f(x)\,dx = \int_0^{\frac{\pi}{2}} (\cos x+2)\,dx + \int_{\frac{\pi}{2}}^{\pi} 2\sin x\,dx$$

$$= \Big[\sin x + 2x\Big]_0^{\frac{\pi}{2}} + \Big[-2\cos x\Big]_{\frac{\pi}{2}}^{\pi}$$

$$= (1+\pi) + 2 = 3+\pi$$

달 ④

049

$$\int_{\ln\frac{1}{2}}^1 f(x)\,dx = \int_{-\ln 2}^1 f(x)\,dx$$

$$= \int_{-\ln 2}^0 e^x\,dx + \int_0^1 (\sqrt[3]{x}+1)\,dx$$

$$= \Big[e^x\Big]_{-\ln 2}^0 + \left[\frac{3}{4}x^{\frac{4}{3}} + x\right]_0^1$$

$$= (1-e^{-\ln 2}) + \left(\frac{3}{4}+1\right)$$

$$= \left(1-\frac{1}{2}\right) + \frac{7}{4}$$

$$= \frac{9}{4}$$

달 $\dfrac{9}{4}$

050 함수 $f(x)$가 모든 실수 x에 대하여 연속이므로 $f(x)$는 $x=\dfrac{\pi}{2}$ 에서도 연속이다.

$$\lim_{x \to \frac{\pi}{2}^-} (\sin x+1) = \lim_{x \to \frac{\pi}{2}^+} (\cos x+k) = f\left(\frac{\pi}{2}\right)$$

$$\therefore k=2$$

즉, $f(x) = \begin{cases} \sin x+1 & \left(x < \dfrac{\pi}{2}\right) \\ \cos x+2 & \left(x \geq \dfrac{\pi}{2}\right) \end{cases}$ 이므로

$$\int_0^{\pi} f(x)\,dx = \int_0^{\frac{\pi}{2}} (\sin x+1)\,dx + \int_{\frac{\pi}{2}}^{\pi} (\cos x+2)\,dx$$

$$= \Big[-\cos x+x\Big]_0^{\frac{\pi}{2}} + \Big[\sin x+2x\Big]_{\frac{\pi}{2}}^{\pi}$$

$$= \left(\frac{\pi}{2}+1\right) + (\pi-1)$$

$$= \frac{3}{2}\pi$$

달 $\dfrac{3}{2}\pi$

051 적분 구간이 $\left[0, \dfrac{\pi}{2}\right]$이고, $\sin x - \cos x = 0$에서

$x = \dfrac{\pi}{4}$이므로

$$|\sin x - \cos x| = \begin{cases} \cos x - \sin x & \left(0 \leq x \leq \dfrac{\pi}{4}\right) \\ \sin x - \cos x & \left(\dfrac{\pi}{4} \leq x \leq \dfrac{\pi}{2}\right) \end{cases}$$

$$\therefore \int_0^{\frac{\pi}{2}} |\sin x - \cos x|\,dx$$

$$= \int_0^{\frac{\pi}{4}} (\cos x - \sin x)\,dx + \int_{\frac{\pi}{4}}^{\frac{\pi}{2}} (\sin x - \cos x)\,dx$$

$$= \Big[\sin x + \cos x\Big]_0^{\frac{\pi}{4}} + \Big[-\cos x - \sin x\Big]_{\frac{\pi}{4}}^{\frac{\pi}{2}}$$

$$= (\sqrt{2}-1) + (-1+\sqrt{2})$$

$$= 2\sqrt{2} - 2$$

달 $2\sqrt{2}-2$

052 $e^x - 2 = 0$에서 $x = \ln 2$이므로

$$|e^x - 2| = \begin{cases} -(e^x-2) & (0 \leq x \leq \ln 2) \\ e^x - 2 & (\ln 2 \leq x \leq 1) \end{cases}$$

$$\therefore \int_0^1 |e^x - 2|\,dx = \int_0^{\ln 2} \{-(e^x-2)\}\,dx + \int_{\ln 2}^1 (e^x-2)\,dx$$

$$= \Big[-e^x + 2x\Big]_0^{\ln 2} + \Big[e^x - 2x\Big]_{\ln 2}^1$$

$$= (-1+2\ln 2) + (e-4+2\ln 2)$$

$$= 4\ln 2 + e - 5$$

달 ⑤

053 $\dfrac{x-1}{x+1}=0$에서 $x=1$이므로

$$\left|\dfrac{x-1}{x+1}\right|=\begin{cases}-\dfrac{x-1}{x+1} & (0\le x\le 1)\\[2mm]\dfrac{x-1}{x+1} & (1\le x\le 2)\end{cases}$$

$$\therefore \int_0^2\left|\dfrac{x-1}{x+1}\right|dx$$

$$=\int_0^1\left(-\dfrac{x-1}{x+1}\right)dx+\int_1^2\dfrac{x-1}{x+1}\,dx$$

$$=-\int_0^1\left(1-\dfrac{2}{x+1}\right)dx+\int_1^2\left(1-\dfrac{2}{x+1}\right)dx$$

$$=-\Big[x-2\ln|x+1|\Big]_0^1+\Big[x-2\ln|x+1|\Big]_1^2$$

$$=-(1-2\ln 2)+(1-2\ln 3+2\ln 2)$$

$$=4\ln 2-2\ln 3=\ln\dfrac{16}{9}$$

즉, $\ln\dfrac{16}{9}=\ln k$이므로

$$k=\dfrac{16}{9} \qquad\qquad\qquad\text{달}\ \dfrac{16}{9}$$

054 $y=\cos x$는 우함수, $y=3\sin x$는 기함수이므로

$$\int_{-\frac{\pi}{2}}^{\frac{\pi}{2}}(\cos x+3\sin x)\,dx$$

$$=\int_{-\frac{\pi}{2}}^{\frac{\pi}{2}}\cos x\,dx+\int_{-\frac{\pi}{2}}^{\frac{\pi}{2}}3\sin x\,dx$$

$$=2\int_0^{\frac{\pi}{2}}\cos x\,dx$$

$$=2\Big[\sin x\Big]_0^{\frac{\pi}{2}}=2 \qquad\qquad\text{달}\ 2$$

055 $f(x)=2^x+2^{-x}$으로 놓으면

$$f(-x)=2^{-x}+2^x=f(x)$$

이므로 $f(x)=2^x+2^{-x}$은 우함수이다.

또 $g(x)=3^x-3^{-x}$으로 놓으면

$$g(-x)=3^{-x}-3^x=-(3^x-3^{-x})=-g(x)$$

이므로 $g(x)=3^x-3^{-x}$은 기함수이다.

$$\therefore \int_{-1}^1(2^x+3^x+2^{-x}-3^{-x})\,dx$$

$$=\int_{-1}^1\{(2^x+2^{-x})+(3^x-3^{-x})\}dx$$

$$=2\int_0^1(2^x+2^{-x})\,dx$$

$$=2\Big[\dfrac{2^x}{\ln 2}-\dfrac{2^{-x}}{\ln 2}\Big]_0^1$$

$$=2\times\dfrac{3}{2\ln 2}=\dfrac{3}{\ln 2} \qquad\text{달}\ \dfrac{3}{\ln 2}$$

056 $\int_{-a}^{-b}f(x)\,dx=\int_a^b f(x)\,dx$의 양변에 $a=0$을 대입하면

$$\int_0^{-b}f(x)\,dx=\int_0^b f(x)\,dx$$

$$\int_0^b f(x)\,dx-\int_0^{-b}f(x)\,dx=0$$

$$\int_{-b}^0 f(x)\,dx+\int_0^b f(x)\,dx=0$$

즉, $\int_{-b}^b f(x)\,dx=0$이므로 $f(x)$는 기함수이다.

ㄱ. $f(x)=e^x+\cos x$에 대하여

$$f(-x)=e^{-x}+\cos(-x)$$

$$=e^{-x}+\cos x$$

이므로 $f(x)$는 우함수도 기함수도 아니다.

ㄴ. $f(x)=x^2+\cos x$에 대하여

$$f(-x)=(-x)^2+\cos(-x)$$

$$=x^2+\cos x=f(x)$$

이므로 $f(x)$는 우함수이다.

ㄷ. $f(x)=\sin x\cos x+\dfrac{1}{x^3}$에 대하여

$$f(-x)=\sin(-x)\cos(-x)+\dfrac{1}{(-x)^3}$$

$$=-\sin x\cos x-\dfrac{1}{x^3}=-f(x)$$

이므로 $f(x)$는 기함수이다.

따라서 기함수인 것은 ㄷ뿐이다.   달 ③

다른 풀이

ㄱ. $f(x)=e^x+\cos x$는 우함수도 기함수도 아니다.

ㄴ. $y=x^2$은 우함수, $y=\cos x$는 우함수이므로

$$f(x)=x^2+\cos x$$는 우함수이다.

ㄷ. $y=\sin x$는 기함수, $y=\cos x$는 우함수, $y=\dfrac{1}{x^3}$은 기함

수이므로 $f(x)=\sin x\cos x+\dfrac{1}{x^3}$은 기함수이다.

참고

일반적으로 (우함수)와 (기함수)를 연산하면 다음과 같다.

(우함수)$\pm$(우함수) $\Rightarrow$ 우함수

(기함수)$\pm$(기함수) $\Rightarrow$ 기함수

(우함수)$\pm$(기함수) $\Rightarrow$ 우함수도 기함수도 아니다.

(우함수)$\times$(우함수) $\Rightarrow$ 우함수

(기함수)$\times$(기함수) $\Rightarrow$ 우함수

(우함수)$\times$(기함수) $\Rightarrow$ 기함수

057 $x^2+2x+5=t$로 놓으면 $2(x+1)=\dfrac{dt}{dx}$이고,

$x=-1$일 때 $t=4$, $x=1$일 때 $t=8$이므로

$$2\int_{-1}^1\dfrac{x+1}{x^2+2x+5}\,dx=\int_4^8\dfrac{1}{t}\,dt$$

$$=\Big[\ln|t|\Big]_4^8$$

$$=\ln 2 \qquad\qquad\text{달}\ ①$$

058 $x^2+1=t$로 놓으면 $2x=\dfrac{dt}{dx}$이고,

$x=0$일 때 $t=1$, $x=\sqrt{3}$일 때 $t=4$이므로

$$\int_0^{\sqrt{3}}3x\sqrt{x^2+1}\,dx=\dfrac{3}{2}\int_1^4\sqrt{t}\,dt$$

$$=\dfrac{3}{2}\Big[\dfrac{2}{3}t^{\frac{3}{2}}\Big]_1^4$$

$$=\dfrac{3}{2}\times\dfrac{14}{3}=7 \qquad\text{달}\ 7$$

059 $x^2=t$로 놓으면 $2x=\dfrac{dt}{dx}$ 이고,

$x=0$일 때 $t=0$, $x=1$일 때 $t=1$이므로

$\displaystyle\int_0^1 2xe^{x^2}\,dx=\int_0^1 e^t\,dt$

$\qquad\qquad =\Big[\,e^t\,\Big]_0^1=e-1$ **답** $e-1$

060 $\displaystyle\int_{-2}^0 \dfrac{e^x}{e^x+1}\,dx-\int_2^0 \dfrac{e^x}{e^x+1}\,dx$

$=\displaystyle\int_{-2}^0 \dfrac{e^x}{e^x+1}\,dx+\int_0^2 \dfrac{e^x}{e^x+1}\,dx$

$=\displaystyle\int_{-2}^2 \dfrac{e^x}{e^x+1}\,dx$

$e^x+1=t$로 놓으면 $e^x=\dfrac{dt}{dx}$ 이고,

$x=-2$일 때 $t=e^{-2}+1$, $x=2$일 때 $t=e^2+1$이므로

$\displaystyle\int_{-2}^2 \dfrac{e^x}{e^x+1}\,dx=\int_{e^{-2}+1}^{e^2+1} \dfrac{1}{t}\,dt$

$\qquad\qquad =\Big[\,\ln|t|\,\Big]_{e^{-2}+1}^{e^2+1}$

$\qquad\qquad =\ln\dfrac{e^2+1}{e^{-2}+1}$

$\qquad\qquad =\ln e^2=2$ **답** ③

061 $\ln x=t$로 놓으면 $\dfrac{1}{x}=\dfrac{dt}{dx}$ 이고,

$x=1$일 때 $t=0$, $x=e$일 때 $t=1$이므로

$\displaystyle\int_1^e \dfrac{(\ln x)^2}{x}\,dx=\int_0^1 t^2\,dt$

$\qquad\qquad =\Big[\,\dfrac{1}{3}t^3\,\Big]_0^1=\dfrac{1}{3}$ **답** $\dfrac{1}{3}$

062 $1+\ln x=t$로 놓으면 $\dfrac{1}{x}=\dfrac{dt}{dx}$ 이고,

$x=1$일 때 $t=1$, $x=e$일 때 $t=2$이므로

$\displaystyle\int_1^e \dfrac{1}{x(1+\ln x)^3}\,dx=\int_1^2 \dfrac{1}{t^3}\,dt$

$\qquad\qquad =\Big[-\dfrac{1}{2t^2}\Big]_1^2$

$\qquad\qquad =\dfrac{3}{8}$ **답** $\dfrac{3}{8}$

063 $\cos x=t$로 놓으면 $-\sin x=\dfrac{dt}{dx}$ 이고,

$x=0$일 때 $t=1$, $x=\dfrac{\pi}{2}$일 때 $t=0$이므로

$\displaystyle\int_0^{\frac{\pi}{2}} \sin x\cos^3 x\,dx=\int_1^0 (-t^3)\,dt$

$\qquad\qquad =\int_0^1 t^3\,dt$

$\qquad\qquad =\Big[\,\dfrac{1}{4}t^4\,\Big]_0^1$

$\qquad\qquad =\dfrac{1}{4}$ **답** $\dfrac{1}{4}$

064 $\displaystyle\int_0^\pi \dfrac{\sin^3 x}{1+\cos x}\,dx=\int_0^\pi \dfrac{\sin^2 x\times\sin x}{1+\cos x}\,dx$

$\qquad\qquad =\displaystyle\int_0^\pi \dfrac{(1-\cos^2 x)\sin x}{1+\cos x}\,dx$

$\qquad\qquad =\displaystyle\int_0^\pi (1-\cos x)\sin x\,dx$

$1-\cos x=t$로 놓으면 $\sin x=\dfrac{dt}{dx}$ 이고,

$x=0$일 때 $t=0$, $x=\pi$일 때 $t=2$이므로

$\displaystyle\int_0^\pi (1-\cos x)\sin x\,dx=\int_0^2 t\,dt$

$\qquad\qquad =\Big[\,\dfrac{1}{2}t^2\,\Big]_0^2=2$ **답** ④

065 $1+\sin^2 x=t$로 놓으면 $2\sin x\cos x=\dfrac{dt}{dx}$ 이고,

$x=0$일 때 $t=1$, $x=\dfrac{\pi}{2}$일 때 $t=2$이므로

$\displaystyle\int_0^{\frac{\pi}{2}} \dfrac{\sin x\cos x}{1+\sin^2 x}\,dx=\dfrac{1}{2}\int_1^2 \dfrac{1}{t}\,dt$

$\qquad\qquad =\dfrac{1}{2}\Big[\,\ln|t|\,\Big]_1^2$

$\qquad\qquad =\dfrac{1}{2}\ln 2$

즉, $\dfrac{1}{2}\ln 2=\dfrac{1}{2}\ln k$이므로 $k=2$ **답** 2

066 $\displaystyle\int_0^{\frac{\pi}{4}} \dfrac{1}{\cos x}\,dx=\int_0^{\frac{\pi}{4}} \dfrac{\cos x}{\cos^2 x}\,dx=\int_0^{\frac{\pi}{4}} \dfrac{\cos x}{1-\sin^2 x}\,dx$

$\sin x=t$로 놓으면 $\cos x=\dfrac{dt}{dx}$ 이고,

$x=0$일 때 $t=0$, $x=\dfrac{\pi}{4}$일 때 $t=\dfrac{\sqrt 2}{2}$이므로

$\displaystyle\int_0^{\frac{\pi}{4}} \dfrac{\cos x}{1-\sin^2 x}\,dx=\int_0^{\frac{\sqrt 2}{2}} \dfrac{1}{1-t^2}\,dt$

$\qquad\qquad =-\displaystyle\int_0^{\frac{\sqrt 2}{2}} \dfrac{1}{(t-1)(t+1)}\,dt$

$\qquad\qquad =-\dfrac{1}{2}\displaystyle\int_0^{\frac{\sqrt 2}{2}} \Big(\dfrac{1}{t-1}-\dfrac{1}{t+1}\Big)dt$

$\qquad\qquad =-\dfrac{1}{2}\Big[\,\ln|t-1|-\ln|t+1|\,\Big]_0^{\frac{\sqrt 2}{2}}$

$\qquad\qquad =-\dfrac{1}{2}\Big(\ln\dfrac{2-\sqrt 2}{2}-\ln\dfrac{2+\sqrt 2}{2}\Big)$

$\qquad\qquad =\dfrac{1}{2}\ln\dfrac{2+\sqrt 2}{2-\sqrt 2}$

$\qquad\qquad =\dfrac{1}{2}\ln(3+2\sqrt 2)$ **답** ③

067 $x=\sin\theta\left(-\dfrac{\pi}{2}\le\theta\le\dfrac{\pi}{2}\right)$로 놓으면 $\dfrac{dx}{d\theta}=\cos\theta$ 이고,

$x=0$일 때 $\theta=0$, $x=1$일 때 $\theta=\dfrac{\pi}{2}$이므로

$\displaystyle\int_0^1 \dfrac{1}{\sqrt{1-x^2}}\,dx=\int_0^{\frac{\pi}{2}} \dfrac{1}{\sqrt{1-\sin^2\theta}}\cdot\cos\theta\,d\theta$

$$= \int_0^{\frac{\pi}{2}} \frac{\cos\theta}{\sqrt{\cos^2\theta}} \, d\theta$$
$$= \int_0^{\frac{\pi}{2}} \frac{\cos\theta}{\cos\theta} \, d\theta \ (\because \cos\theta \geq 0)$$
$$= \int_0^{\frac{\pi}{2}} 1 \, d\theta$$
$$= \Big[\theta \Big]_0^{\frac{\pi}{2}} = \frac{\pi}{2}$$

目 $\dfrac{\pi}{2}$

068 주어진 등식의 좌변에서 $\ln x = s$로 놓으면 $\dfrac{1}{x} = \dfrac{ds}{dx}$이고,

$x = e^2$일 때 $s = 2$, $x = e^3$일 때 $s = 3$이므로

$$\int_{e^2}^{e^3} \frac{a + \ln x}{x} \, dx = \int_2^3 (a + s) \, ds$$
$$= \Big[as + \frac{1}{2} s^2 \Big]_2^3 = a + \frac{5}{2}$$

주어진 등식의 우변에서 $\sin x = t$로 놓으면 $\cos x = \dfrac{dt}{dx}$이고,

$x = 0$일 때 $t = 0$, $x = \dfrac{\pi}{2}$일 때 $t = 1$이므로

$$\int_0^{\frac{\pi}{2}} (1 + \sin x) \cos x \, dx = \int_0^1 (1 + t) \, dt$$
$$= \Big[t + \frac{1}{2} t^2 \Big]_0^1 = \frac{3}{2}$$

따라서 $a + \dfrac{5}{2} = \dfrac{3}{2}$이므로

$a = -1$

目 -1

069

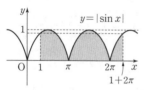

그림과 같이 $y = |\sin x|$는 주기함수이므로

$$\int_1^{1+2\pi} |\sin x| \, dx = \int_0^{2\pi} |\sin x| \, dx$$
$$= 2 \int_0^{\pi} |\sin x| \, dx$$
$$= 2 \int_0^{\pi} \sin x \, dx$$
$$= 2 \Big[-\cos x \Big]_0^{\pi}$$
$$= 2(1 + 1) = 4$$

目 ③

070 $f(x+2) = f(x)$에서 $f(x)$는 주기함수이므로

$$\int_0^{12} f(x) \, dx = 6 \int_0^2 f(x) \, dx$$
$$= 6 \left(\int_0^1 \pi x^2 \, dx + \int_1^2 \pi \sin \frac{\pi}{2} x \, dx \right)$$
$$= 6 \left(\Big[\frac{\pi}{3} x^3 \Big]_0^1 + \Big[-2 \cos \frac{\pi}{2} x \Big]_1^2 \right)$$
$$= 6 \left(\frac{\pi}{3} + 2 \right)$$
$$= 2\pi + 12$$

따라서 $a = 2$, $b = 12$이므로

$a + b = 14$

目 14

071 $a - x = t$로 놓으면 $-1 = \dfrac{dt}{dx}$이고,

$x = a - 2$일 때 $t = 2$, $x = a$일 때 $t = 0$이므로

$$\int_{a-2}^a f(a-x) \, dx = \int_2^0 f(t) \cdot (-1) \, dt = \int_0^2 f(t) \, dt$$

함수 $y = f(x)$의 그래프가 직선 $x = 1$에 대하여 대칭이므로

$$\int_0^2 f(t) \, dt = 2 \int_0^1 f(t) \, dt = 30$$
$$\therefore \int_0^1 f(x) \, dx = 15$$

目 15

072 $f(x) = x$, $g'(x) = \sin x$로 놓으면

$f'(x) = 1$, $g(x) = -\cos x$

$$\therefore \int_0^{\frac{\pi}{2}} x \sin x \, dx = \Big[-x \cos x \Big]_0^{\frac{\pi}{2}} - \int_0^{\frac{\pi}{2}} (-\cos x) \, dx$$
$$= 0 + \Big[\sin x \Big]_0^{\frac{\pi}{2}} = 1$$

目 1

073 $f(x) = x$, $g'(x) = \cos kx$로 놓으면

$f'(x) = 1$, $g(x) = \dfrac{1}{k} \sin kx$

$$\therefore \int_0^{\frac{\pi}{k}} x \cos kx \, dx = \Big[\frac{1}{k} x \sin kx \Big]_0^{\frac{\pi}{k}} - \int_0^{\frac{\pi}{k}} \frac{1}{k} \sin kx \, dx$$
$$= 0 - \Big[-\frac{1}{k^2} \cos kx \Big]_0^{\frac{\pi}{k}}$$
$$= -\frac{2}{k^2}$$

즉, $-\dfrac{2}{k^2} = -\dfrac{1}{18}$이므로

$k^2 = 36$ $\quad \therefore k = 6 \ (\because k > 0)$

目 6

074 $\displaystyle \int_0^1 (2x + e^{2x})^2 \, dx - \int_0^1 (2x - e^{2x})^2 \, dx$

$$= \int_0^1 \{ (2x + e^{2x})^2 - (2x - e^{2x})^2 \} \, dx$$
$$= 8 \int_0^1 x e^{2x} \, dx$$

$f(x) = x$, $g'(x) = e^{2x}$으로 놓으면

$f'(x) = 1$, $g(x) = \dfrac{1}{2} e^{2x}$

$$\therefore 8 \int_0^1 x e^{2x} \, dx = 8 \left(\Big[\frac{1}{2} x e^{2x} \Big]_0^1 - \int_0^1 \frac{1}{2} e^{2x} \, dx \right)$$
$$= 8 \left(\frac{1}{2} e^2 - \Big[\frac{1}{4} e^{2x} \Big]_0^1 \right)$$
$$= 8 \left\{ \frac{1}{2} e^2 - \frac{1}{4} (e^2 - 1) \right\}$$
$$= 2(e^2 + 1)$$

目 ③

075 $\displaystyle \int_2^4 f(x) \, dx - \int_3^4 f(x) \, dx + \int_1^2 f(x) \, dx$

$$= \int_1^2 f(x) \, dx + \int_2^4 f(x) \, dx + \int_4^3 f(x) \, dx$$
$$= \int_1^3 f(x) \, dx$$
$$= \int_1^3 x e^x \, dx$$

$u(x) = x$, $v'(x) = e^x$으로 놓으면

$u'(x) = 1$, $v(x) = e^x$

$$\therefore \int_1^3 xe^x\,dx = \Big[xe^x\Big]_1^3 - \int_1^3 e^x\,dx$$
$$= (3e^3 - e) - \Big[e^x\Big]_1^3$$
$$= (3e^3 - e) - (e^3 - e) = 2e^3 \qquad \text{답 } 2e^3$$

076 $f(t) = \cos t,\ g'(t) = e^t$으로 놓으면
$f'(t) = -\sin t,\ g(t) = e^t$
$$\therefore \int_0^{2\pi} e^t \cos t\,dt = \Big[e^t \cos t\Big]_0^{2\pi} - \int_0^{2\pi} e^t(-\sin t)\,dt$$
$$= e^{2\pi} - 1 + \int_0^{2\pi} e^t \sin t\,dt \quad \cdots\cdots \text{㉠}$$

$\int_0^{2\pi} e^t \sin t\,dt$에서 $u(t) = \sin t,\ v'(t) = e^t$으로 놓으면
$u'(t) = \cos t,\ v(t) = e^t$
$$\therefore \int_0^{2\pi} e^t \sin t\,dt = \Big[e^t \sin t\Big]_0^{2\pi} - \int_0^{2\pi} e^t \cos t\,dt$$
$$= -\int_0^{2\pi} e^t \cos t\,dt \quad \cdots\cdots \text{㉡}$$

㉡을 ㉠에 대입하면
$$\int_0^{2\pi} e^t \cos t\,dt = e^{2\pi} - 1 - \int_0^{2\pi} e^t \cos t\,dt$$
$$2\int_0^{2\pi} e^t \cos t\,dt = e^{2\pi} - 1$$
$$\therefore \int_0^{2\pi} e^t \cos t\,dt = \frac{e^{2\pi}-1}{2} \qquad \text{답 } ④$$

077

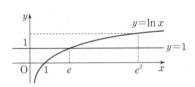

그림에서
$$\ln x * 1 = \begin{cases} 1 & (1 \le x < e) \\ \ln x & (e \le x \le e^2) \end{cases}$$
$$\therefore \int_1^{e^2} (\ln x * 1)\,dx = \int_1^e 1\,dx + \int_e^{e^2} \ln x\,dx$$
$$= \Big[x\Big]_1^e + \int_e^{e^2} \ln x\,dx$$
$$= (e-1) + \int_e^{e^2} \ln x\,dx \quad \cdots\cdots \text{㉠}$$

$\int_e^{e^2} \ln x\,dx$에서 $f(x) = \ln x,\ g'(x) = 1$로 놓으면
$f'(x) = \dfrac{1}{x},\ g(x) = x$
$$\therefore \int_e^{e^2} \ln x\,dx = \Big[x \ln x\Big]_e^{e^2} - \int_e^{e^2} \frac{1}{x} \times x\,dx$$
$$= (2e^2 - e) - \Big[x\Big]_e^{e^2}$$
$$= (2e^2 - e) - (e^2 - e) = e^2 \quad \cdots\cdots \text{㉡}$$

㉡을 ㉠에 대입하면
$$\int_1^{e^2} (\ln x * 1)\,dx = (e-1) + e^2$$
$$= e^2 + e - 1 \qquad \text{답 } e^2 + e - 1$$

078 $\int_0^1 f(t)\,dt = k$ (k는 상수)로 놓으면
$f(x) = e^x + 2k$

$$k = \int_0^1 (e^t + 2k)\,dt$$
$$= \Big[e^t + 2kt\Big]_0^1$$
$$= e + 2k - 1$$
즉, $k = e + 2k - 1$이므로 $k = 1 - e$
$$\therefore f(x) = e^x + 2(1-e)$$
$f(x) = 2$에서 $e^x + 2 - 2e = 2$
$e^x = 2e$
$$\therefore x = \ln 2e = 1 + \ln 2 \qquad \text{답 } ②$$

079 $\int_0^{\frac{1}{2}} f(t)\,dt = k$ (k는 상수)로 놓으면
$f(x) = \cos \pi x + k$
$$k = \int_0^{\frac{1}{2}} (\cos \pi t + k)\,dt$$
$$= \Big[\frac{1}{\pi} \sin \pi t + kt\Big]_0^{\frac{1}{2}}$$
$$= \frac{1}{\pi} + \frac{k}{2}$$
즉, $k = \dfrac{1}{\pi} + \dfrac{k}{2}$이므로
$$k = \frac{2}{\pi}$$
$$\therefore f(x) = \cos \pi x + \frac{2}{\pi}$$
$$\therefore \int_0^{\frac{1}{2}} \{\cos \pi x + f(x)\}\,dx = \int_0^{\frac{1}{2}} \cos \pi x\,dx + \int_0^{\frac{1}{2}} f(x)\,dx$$
$$= \Big[\frac{1}{\pi} \sin \pi x\Big]_0^{\frac{1}{2}} + \frac{2}{\pi}$$
$$= \frac{1}{\pi} + \frac{2}{\pi}$$
$$= \frac{3}{\pi} \qquad \text{답 } \frac{3}{\pi}$$

080 $f(x) = e^x + \int_0^2 2xf(t)\,dt$에서
$$f(x) = e^x + 2x\int_0^2 f(t)\,dt$$
$\int_0^2 f(t)\,dt = k$ (k는 상수)로 놓으면
$$f(x) = e^x + 2kx$$
$$k = \int_0^2 (e^t + 2kt)\,dt$$
$$= \Big[e^t + kt^2\Big]_0^2$$
$$= e^2 + 4k - 1$$
즉, $k = e^2 + 4k - 1$이므로
$$3k = 1 - e^2$$
$$\therefore k = \frac{1}{3}(1 - e^2)$$
$$\therefore f(x) = e^x + \frac{2}{3}(1 - e^2)x$$
$f(1) = -\dfrac{2}{3}e^2 + e + \dfrac{2}{3}$이므로
$$a = -\frac{2}{3},\ b = \frac{2}{3}$$
$$\therefore a + b = 0 \qquad \text{답 } 0$$

081 $\int_0^x f(t)\,dt = e^x + 2x - a$ ······ ㉠

㉠의 양변에 $x=0$을 대입하면

$0 = 1 - a$ $\therefore a = 1$

㉠의 양변을 x에 대하여 미분하면

$f(x) = e^x + 2$

$\therefore f(1) = e + 2$

$\therefore a + f(a) = 1 + f(1) = e + 3$ 　　　답 ③

082 $xf(x) - x = \int_1^x f(t)\,dt$ ······ ㉠

㉠의 양변에 $x=1$을 대입하면

$f(1) - 1 = 0$ $\therefore f(1) = 1$

㉠의 양변을 x에 대하여 미분하면

$f(x) + xf'(x) - 1 = f(x)$

$\therefore f'(x) = \dfrac{1}{x}$ ($\because x > 0$)

$f(x) = \int f'(x)\,dx = \int \dfrac{1}{x}\,dx$

$\quad = \ln x + C$

$f(1) = 1$이므로 $C = 1$

따라서 $f(x) = \ln x + 1$이므로

$f(e^3) + f\left(\dfrac{1}{e}\right) = 4 + 0 = 4$ 　　　답 4

083 $\int_0^x (x-t)f(t)\,dt = x\int_0^x f(t)\,dt - \int_0^x tf(t)\,dt$이므로

$x\int_0^x f(t)\,dt - \int_0^x tf(t)\,dt = x(e^{2x} - 1)$

위의 식의 양변을 x에 대하여 미분하면

$\int_0^x f(t)\,dt + xf(x) - xf(x) = e^{2x} - 1 + 2xe^{2x}$

$\therefore \int_0^x f(t)\,dt = (2x + 1)e^{2x} - 1$

위의 식의 양변을 x에 대하여 미분하면

$f(x) = 2e^{2x} + 2(2x+1)e^{2x}$

$\quad\quad = 4(x+1)e^{2x}$

$\therefore f(1) = 8e^2$ 　　　답 $8e^2$

084 $f(x) = \int_x^{x+1} te^t\,dt$의 양변을 x에 대하여 미분하면

$f'(x) = (x+1)e^{x+1} - xe^x = \{(e-1)x + e\}e^x$

$f'(x) = 0$에서 $x = -\dfrac{e}{e-1}$

함수 $f(x)$의 증가, 감소를 표로 나타내면 다음과 같다.

x	$\cdots$	$-\dfrac{e}{e-1}$	$\cdots$
$f'(x)$	$-$	0	$+$
$f(x)$	↘	극소	↗

따라서 함수 $f(x)$는 $x = -\dfrac{e}{e-1}$에서 극솟값을 가지므로

$a = -\dfrac{e}{e-1}$ 　　　답 ⑤

085 $f(t) = \dfrac{1}{2 - \cos t}$로 놓고, $f(t)$의 한 부정적분을 $F(t)$라 하면

$\displaystyle\lim_{x \to \frac{\pi}{2}} \dfrac{1}{x - \dfrac{\pi}{2}} \int_{\frac{\pi}{2}}^x \dfrac{1}{2 - \cos t}\,dt = \lim_{x \to \frac{\pi}{2}} \dfrac{1}{x - \dfrac{\pi}{2}} \int_{\frac{\pi}{2}}^x f(t)\,dt$

$\quad = \displaystyle\lim_{x \to \frac{\pi}{2}} \dfrac{F(x) - F\left(\dfrac{\pi}{2}\right)}{x - \dfrac{\pi}{2}}$

$\quad = F'\left(\dfrac{\pi}{2}\right) = f\left(\dfrac{\pi}{2}\right)$

$\quad = \dfrac{1}{2 - \cos\dfrac{\pi}{2}} = \dfrac{1}{2}$

답 $\dfrac{1}{2}$

086 $f(t)$의 한 부정적분을 $F(t)$라 하면

$\displaystyle\lim_{x \to 2} \dfrac{1}{x^2 - 4} \int_2^x f(t)\,dt = \lim_{x \to 2} \dfrac{F(x) - F(2)}{x^2 - 4}$

$\quad = \displaystyle\lim_{x \to 2} \dfrac{F(x) - F(2)}{x - 2} \times \dfrac{1}{x + 2}$

$\quad = \dfrac{1}{4} F'(2) = \dfrac{1}{4} f(2)$

$\quad = \dfrac{1}{4}(e^2 \sin\pi + 12 + 4)$

$\quad = 4$ 　　　답 4

087 $\displaystyle\int_0^1 (2^x + 1)(4^x - 2^x + 1)\,dx = \int_0^1 (8^x + 1)\,dx$

$\quad = \left[\dfrac{8^x}{\ln 8} + x\right]_0^1$

$\quad = \left(\dfrac{8}{\ln 8} + 1\right) - \dfrac{1}{\ln 8}$

$\quad = \dfrac{7}{\ln 8} + 1$

따라서 $a = 7$, $b = 1$이므로 $a + b = 8$ 　　　답 8

088 $\displaystyle\int_0^{\ln 2} \dfrac{1}{e^x + 1}\,dx - \int_{\ln 2}^0 \dfrac{e^{3t}}{e^t + 1}\,dt$

$= \displaystyle\int_0^{\ln 2} \dfrac{1}{e^x + 1}\,dx - \int_{\ln 2}^0 \dfrac{e^{3x}}{e^x + 1}\,dx$

$= \displaystyle\int_0^{\ln 2} \dfrac{1}{e^x + 1}\,dx + \int_0^{\ln 2} \dfrac{e^{3x}}{e^x + 1}\,dx$

$= \displaystyle\int_0^{\ln 2} \dfrac{1 + e^{3x}}{e^x + 1}\,dx$

$= \displaystyle\int_0^{\ln 2} \dfrac{(1 + e^x)(1 - e^x + e^{2x})}{e^x + 1}\,dx$

$= \displaystyle\int_0^{\ln 2} (1 - e^x + e^{2x})\,dx$

$= \left[x - e^x + \dfrac{1}{2}e^{2x}\right]_0^{\ln 2} = (\ln 2 - 2 + 2) - \left(-\dfrac{1}{2}\right)$

$= \ln 2 + \dfrac{1}{2}$ 　　　답 $\ln 2 + \dfrac{1}{2}$

089 적분 구간이 $\left[0, \dfrac{\pi}{2}\right]$이고, $\cos 2x = 0$에서 $x = \dfrac{\pi}{4}$이므로

$|\cos 2x| = \begin{cases} \cos 2x & \left(0 \le x \le \dfrac{\pi}{4}\right) \\ -\cos 2x & \left(\dfrac{\pi}{4} \le x \le \dfrac{\pi}{2}\right) \end{cases}$

$\therefore \displaystyle\int_0^{\frac{\pi}{2}} |\cos 2x|\,dx = \int_0^{\frac{\pi}{4}} \cos 2x\,dx + \int_{\frac{\pi}{4}}^{\frac{\pi}{2}} (-\cos 2x)\,dx$

$$=\left[\frac{1}{2}\sin 2x\right]_0^{\frac{\pi}{4}}+\left[-\frac{1}{2}\sin 2x\right]_{\frac{\pi}{4}}^{\frac{\pi}{2}}$$
$$=\frac{1}{2}+\frac{1}{2}=1 \qquad \text{답 ①}$$

090 $f(-x)=f(x)$이므로
$f'(-x)=-f'(x)$이고, $f''(-x)=f''(x)$이다.
또 $f'(-x)=-f'(x)$에서 양변에 $x=0$을 대입하면
$f'(0)=-f'(0)$이므로 $f'(0)=0$
$$\therefore \int_{-1}^{1}f'(x)\,dx+\int_{-1}^{1}f''(x)\,dx=0+2\int_0^1 f''(x)\,dx$$
$$=2\left[f'(x)\right]_0^1$$
$$=2\{f'(1)-f'(0)\}$$
$$=20 \qquad \text{답 20}$$

091 $2x-2a=t$로 놓으면 $2=\dfrac{dt}{dx}$이고,
$x=1$일 때 $t=2-2a$, $x=a$일 때 $t=0$이므로
$$\int_1^a e^{2x-2a}\,dx=\int_{2-2a}^0 \frac{1}{2}e^t\,dt$$
$$=\left[\frac{1}{2}e^t\right]_{2-2a}^0$$
$$=\frac{1}{2}-\frac{1}{2}e^{2-2a}$$
즉, $\dfrac{1}{2}-\dfrac{1}{2}e^{2-2a}=-\dfrac{1}{2}$이므로
$e^{2-2a}=2$, $2-2a=\ln 2$
$$\therefore a=1-\frac{1}{2}\ln 2 \qquad \text{답 ④}$$

092 $\displaystyle\int_0^1 f(x)\,dx+\int_1^2 f(x)\,dx-\int_{\sqrt{3}}^2 f(x)\,dx$
$$=\int_0^1 f(x)\,dx+\int_1^2 f(x)\,dx+\int_2^{\sqrt{3}} f(x)\,dx$$
$$=\int_0^{\sqrt{3}} f(x)\,dx$$
$$=\int_0^{\sqrt{3}} \frac{x}{1+x^2}\ln(1+x^2)\,dx$$
$\ln(1+x^2)=t$로 놓으면 $\dfrac{2x}{1+x^2}=\dfrac{dt}{dx}$이고,
$x=0$일 때 $t=0$, $x=\sqrt{3}$일 때 $t=2\ln 2$이므로
$$\int_0^{\sqrt{3}} \frac{x}{1+x^2}\ln(1+x^2)\,dx=\int_0^{2\ln 2}\frac{1}{2}t\,dt$$
$$=\left[\frac{1}{4}t^2\right]_0^{2\ln 2}$$
$$=(\ln 2)^2 \qquad \text{답 }(\ln 2)^2$$

093 $\displaystyle\int_{-\frac{\pi}{4}}^{\frac{\pi}{4}}\{f(x)+f(-x)\}\,dx=\int_{-\frac{\pi}{4}}^{\frac{\pi}{4}}\cos x\,dx$에서
$$\int_{-\frac{\pi}{4}}^{\frac{\pi}{4}} f(x)\,dx+\int_{-\frac{\pi}{4}}^{\frac{\pi}{4}} f(-x)\,dx=\int_{-\frac{\pi}{4}}^{\frac{\pi}{4}}\cos x\,dx$$
$\displaystyle\int_{-\frac{\pi}{4}}^{\frac{\pi}{4}} f(-x)\,dx$에서 $-x=t$로 놓으면 $-1=\dfrac{dt}{dx}$이고,
$x=-\dfrac{\pi}{4}$일 때 $t=\dfrac{\pi}{4}$, $x=\dfrac{\pi}{4}$일 때 $t=-\dfrac{\pi}{4}$이므로
$$\int_{-\frac{\pi}{4}}^{\frac{\pi}{4}} f(-x)\,dx=\int_{\frac{\pi}{4}}^{-\frac{\pi}{4}}\{-f(t)\}\,dt=\int_{-\frac{\pi}{4}}^{\frac{\pi}{4}} f(t)\,dt$$

즉, $\displaystyle\int_{-\frac{\pi}{4}}^{\frac{\pi}{4}} f(x)\,dx+\int_{-\frac{\pi}{4}}^{\frac{\pi}{4}} f(-x)\,dx=2\int_{-\frac{\pi}{4}}^{\frac{\pi}{4}} f(x)\,dx$이므로
$$2\int_{-\frac{\pi}{4}}^{\frac{\pi}{4}} f(x)\,dx=\int_{-\frac{\pi}{4}}^{\frac{\pi}{4}}\cos x\,dx$$
$$=2\int_0^{\frac{\pi}{4}}\cos x\,dx$$
$$=2\left[\sin x\right]_0^{\frac{\pi}{4}}$$
$$=\sqrt{2}$$
$$\therefore \int_{-\frac{\pi}{4}}^{\frac{\pi}{4}} f(x)\,dx=\frac{\sqrt{2}}{2} \qquad \text{답 }\frac{\sqrt{2}}{2}$$

094 $f(x)=\displaystyle\sum_{k=1}^{12}(-1)^k\times k\ln x$
$$=-\ln x+2\ln x-3\ln x+4\ln x-5\ln x+\cdots$$
$$\qquad\qquad\qquad\qquad -11\ln x+12\ln x$$
$$=(-1+2-3+4-5+\cdots-11+12)\ln x=6\ln x$$
$$\therefore \int_1^e xf(x)\,dx=6\int_1^e x\ln x\,dx$$
$u(x)=\ln x$, $v'(x)=x$로 놓으면
$u'(x)=\dfrac{1}{x}$, $v(x)=\dfrac{x^2}{2}$이므로
$$\int_1^e x\ln x\,dx=\left[\frac{x^2\ln x}{2}\right]_1^e-\int_1^e \frac{1}{x}\times\frac{x^2}{2}\,dx$$
$$=\frac{e^2}{2}-\int_1^e \frac{x}{2}\,dx$$
$$=\frac{e^2}{2}-\left[\frac{1}{4}x^2\right]_1^e$$
$$=\frac{e^2}{2}-\frac{1}{4}(e^2-1)$$
$$=\frac{1}{4}(e^2+1)$$
$$\therefore \int_1^e xf(x)\,dx=6\int_1^e x\ln x\,dx$$
$$=\frac{3}{2}(e^2+1) \qquad \text{답 ⑤}$$

095 $f(x)=e^{x^2}+\displaystyle\int_0^1 tf(t)\,dt$에서
$\displaystyle\int_0^1 tf(t)\,dt=a\,(a\text{는 상수})$로 놓으면
$f(x)=e^{x^2}+a$이므로
$$a=\int_0^1 t\times f(t)\,dt$$
$$=\int_0^1 t(e^{t^2}+a)\,dt$$
$$=\int_0^1 (t\times e^{t^2}+at)\,dt$$
$$=\left[\frac{1}{2}e^{t^2}+\frac{1}{2}at^2\right]_0^1$$
$$=\frac{1}{2}e+\frac{1}{2}a-\frac{1}{2}$$
$$\therefore a=e-1 \qquad \text{답 }e-1$$

096 $\displaystyle\int_1^x (x-t)f(t)\,dt=x\int_1^x f(t)\,dt-\int_1^x tf(t)\,dt$이므로
$$x\int_1^x f(t)\,dt-\int_1^x tf(t)\,dt=x^2\ln x+ax+b \qquad \cdots\cdots ㉠$$

⊙의 양변에 $x=1$을 대입하면
$0=a+b$ ......ⓛ
⊙의 양변을 x에 대하여 미분하면
$$\int_1^x f(t)\,dt+xf(x)-xf(x)=2x\ln x+x+a$$
$$\therefore \int_1^x f(t)\,dt=2x\ln x+x+a \quad\cdots\cdots ©$$
©의 양변에 $x=1$을 대입하면
$0=1+a$ •
$\therefore a=-1$
$a=-1$을 ⓛ에 대입하면
$b=1$
$\therefore b-a=2$

답 2

097 $x=\tan\theta\left(-\dfrac{\pi}{2}<\theta<\dfrac{\pi}{2}\right)$로 놓으면 $\dfrac{dx}{d\theta}=\sec^2\theta$이고,

$x=0$일 때 $\theta=0$, $x=1$일 때 $\theta=\dfrac{\pi}{4}$이므로

$$\int_0^1 \frac{1}{\sqrt{x^2+1}}\,dx=\int_0^{\frac{\pi}{4}} \frac{1}{\sqrt{\tan^2\theta+1}}\cdot\sec^2\theta\,d\theta$$
$$=\int_0^{\frac{\pi}{4}} \frac{1}{\sec\theta}\cdot\sec^2\theta\,d\theta\ (\because \sec\theta>0)$$
$$=\int_0^{\frac{\pi}{4}} \sec\theta\,d\theta$$
$$=\int_0^{\frac{\pi}{4}} \frac{\sec\theta(\sec\theta+\tan\theta)}{\sec\theta+\tan\theta}\,d\theta$$
$$=\int_0^{\frac{\pi}{4}} \frac{\sec^2\theta+\sec\theta\tan\theta}{\sec\theta+\tan\theta}\,d\theta$$
$$=\int_0^{\frac{\pi}{4}} \frac{(\sec\theta+\tan\theta)'}{\sec\theta+\tan\theta}\,d\theta$$
$$=\Big[\ln|\sec\theta+\tan\theta|\Big]_0^{\frac{\pi}{4}}$$
$$=\ln(\sqrt{2}+1)$$

답 ③

098 함수 $f(x)=\dfrac{3}{x}+k\ (x>0)$의

그래프는 곡선 $y=\dfrac{3}{x}$을 y축의 방향
으로 $k\ (k<0)$만큼 평행이동한 것
이므로 그림과 같다.

$g(x)=mx+\displaystyle\int_1^x |f(t)|\,dt$에서

$g'(x)=m+|f(x)|$이므로 $g'(x)=0$에서
$|f(x)|=-m$
함수 $y=|f(x)|$의 그래프가 그림과
같으므로 함수 $g(x)$가 오직 하나의
극값을 가지려면 $-m\geq -k$,
즉 $m\leq k$이어야 한다.
실수 m의 최댓값이 -3이므로
$k=-3$이다.

따라서 $f(x)=\dfrac{3}{x}-3$이므로

$f\left(\dfrac{1}{3}\right)=9-3=6$

답 6

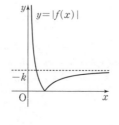

13 정적분과 도형의 넓이
본책 173~182쪽

001 그림과 같이 구간 $[0,1]$을 n등분하면
각 분점의 x좌표는 순서대로
$\dfrac{1}{n},\dfrac{2}{n},\dfrac{3}{n},\cdots,\dfrac{n}{n}\,(=1)$
직사각형의 세로의 길이는 각 구간
에서의 함숫값이므로 순서대로
$\left(\dfrac{1}{n}\right)^2,\boxed{\left(\dfrac{2}{n}\right)^2},\boxed{\left(\dfrac{3}{n}\right)^2},\cdots,\left(\dfrac{n}{n}\right)^2$
또 각 직사각형의 가로의 길이는 모두 $\dfrac{1}{n}$이므로 어두운 부분의
직사각형의 넓이의 합을 S_n이라 하면
$$S_n=\frac{1}{n}\left(\frac{1}{n}\right)^2+\frac{1}{n}\left(\frac{2}{n}\right)^2+\frac{1}{n}\left(\frac{3}{n}\right)^2+\cdots+\frac{1}{n}\left(\frac{n}{n}\right)^2$$
$$=\boxed{\frac{1}{n^3}}(1^2+2^2+3^2+\cdots+n^2)$$
$$=\frac{n(n+1)(2n+1)}{\boxed{6n^3}}$$
$$=\frac{1}{6}\left(1+\frac{1}{n}\right)\left(2+\frac{1}{n}\right)$$
따라서 구하는 부분의 넓이를 S라 하면
$$S=\lim_{n\to\infty}S_n=\lim_{n\to\infty}\boxed{\frac{1}{6}}\left(1+\frac{1}{n}\right)\left(2+\frac{1}{n}\right)=\boxed{\frac{1}{3}}$$

답 $\left(\dfrac{2}{n}\right)^2,\left(\dfrac{3}{n}\right)^2,\dfrac{1}{n^3},6n^3,\dfrac{1}{6},\dfrac{1}{6},\dfrac{1}{3}$

002 닫힌구간 $[0,1]$을 n등분하였으므로 직사각형의 가로의 길이는
$\dfrac{1-0}{n}=\dfrac{1}{n}$

답 $\dfrac{1}{n}$

003 구간 $[0,1]$을 n등분하여 k번째 구간의 오른쪽 끝점의 x좌표가
$\dfrac{k}{n}$이므로 k번째 직사각형의 세로의 길이는 $\dfrac{2k}{n}$이다.

답 $\dfrac{2k}{n}$

004 1번째 직사각형의 넓이: $\dfrac{2}{n}\times\dfrac{1}{n}$

2번째 직사각형의 넓이: $\dfrac{4}{n}\times\dfrac{1}{n}$

3번째 직사각형의 넓이: $\dfrac{6}{n}\times\dfrac{1}{n}$

⋮   ⋮

k번째 직사각형의 넓이: $\dfrac{2k}{n}\times\dfrac{1}{n}$

⋮   ⋮

n번째 직사각형의 넓이: $\dfrac{2n}{n}\times\dfrac{1}{n}$

따라서 직사각형의 넓이의 합은
$$\frac{2}{n}\times\frac{1}{n}+\frac{4}{n}\times\frac{1}{n}+\frac{6}{n}\times\frac{1}{n}+\cdots+\frac{2k}{n}\times\frac{1}{n}+\cdots+\frac{2n}{n}\times\frac{1}{n}$$
$$=\sum_{k=1}^n \frac{2k}{n}\times\frac{1}{n}$$

답 $\displaystyle\sum_{k=1}^n \frac{2k}{n}\times\frac{1}{n}$

005 $n\to\infty$이면 직사각형의 넓이의 합이 직선 $y=2x$와 x축 및 직선
$x=1$로 둘러싸인 부분의 넓이와 같아지므로 $n\to\infty$일 때,

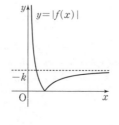

직사각형의 넓이의 합은 정적분 $\int_0^1 2x\,dx$의 값과 같다.

$$\therefore \lim_{n\to\infty}\sum_{k=1}^{n}\frac{2k}{n}\times\frac{1}{n}=\int_0^1 2x\,dx=\Big[\,x^2\,\Big]_0^1=1$$ 답 1

006 $\dfrac{2k}{n}$를 x로, $\dfrac{2}{n}$를 dx로 바꾸면 $k=1$이고 $n\to\infty$일 때 $x=0$이고, $k=n$일 때 $x=2$이므로 적분 구간은 $[0,\,2]$이다.

$$\therefore \lim_{n\to\infty}\sum_{k=1}^{n}\Big(1+\frac{2k}{n}\Big)^2\times\frac{2}{n}=\int_{\boxed{0}}^{\boxed{2}}(1+x)^2\,dx$$ 답 2, 0

007 $1+\dfrac{2k}{n}$를 x로, $\dfrac{2}{n}$를 dx로 바꾸면 $k=1$이고 $n\to\infty$일 때 $x=1$이고, $k=n$일 때 $x=3$이므로 적분 구간은 $[1,\,3]$이다.

$$\therefore \lim_{n\to\infty}\sum_{k=1}^{n}\Big(1+\frac{2k}{n}\Big)^2\times\frac{2}{n}=\int_{\boxed{1}}^{\boxed{3}}x^2\,dx$$ 답 3, 1

008 $\dfrac{k}{n}$를 x로, $\dfrac{1}{n}$을 dx로 바꾸면 $k=1$이고 $n\to\infty$일 때 $x=0$이고, $k=n$일 때 $x=1$이므로 적분 구간은 $[0,\,1]$이다.

$$\therefore \lim_{n\to\infty}\sum_{k=1}^{n}\Big(1+\frac{2k}{n}\Big)^2\times\frac{2}{n}=\boxed{2}\int_{\boxed{0}}^{\boxed{1}}(1+2x)^2\,dx$$ 답 2, 1, 0

009 $y=x^2-2x=x(x-2)$이므로 주어진 곡선과 x축의 교점의 좌표는 $x=0$ 또는 $x=2$
따라서 구하는 부분의 넓이는

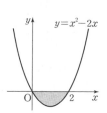

$$\int_0^2 |x^2-2x|\,dx$$
$$=-\int_0^2 (x^2-2x)\,dx$$
$$=-\Big[\frac{1}{3}x^3-x^2\Big]_0^2$$
$$=\frac{4}{3}$$ 답 $\dfrac{4}{3}$

010 $y=4x-x^3=x(2-x)(2+x)$이므로 주어진 곡선과 x축의 교점의 좌표는 $x=-2$ 또는 $x=0$ 또는 $x=2$
따라서 구하는 부분의 넓이는

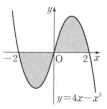

$$\int_{-2}^2 |4x-x^3|\,dx$$
$$=\int_{-2}^0 (-4x+x^3)\,dx+\int_0^2 (4x-x^3)\,dx$$
$$=\Big[-2x^2+\frac{1}{4}x^4\Big]_{-2}^0+\Big[2x^2-\frac{1}{4}x^4\Big]_0^2$$
$$=4+4=8$$ 답 8

011 곡선 $y=\dfrac{1}{x}$과 x축 및 두 직선 $x=1$, $x=2$로 둘러싸인 부분은 그림과 같다.
따라서 구하는 넓이는

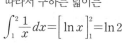

$$\int_1^2 \frac{1}{x}\,dx=\Big[\ln x\Big]_1^2=\ln 2$$

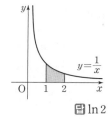

답 $\ln 2$

012 곡선 $y=\sqrt{x}$와 x축 및 직선 $x=2$로 둘러싸인 부분은 그림과 같다.
따라서 구하는 넓이는

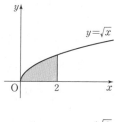

$$\int_0^2 \sqrt{x}\,dx=\Big[\frac{2}{3}x^{\frac{3}{2}}\Big]_0^2$$
$$=\frac{2}{3}\times 2^{\frac{3}{2}}=\frac{4\sqrt{2}}{3}$$

답 $\dfrac{4\sqrt{2}}{3}$

013 곡선 $y=e^x$과 x축 및 두 직선 $x=0$, $x=1$로 둘러싸인 부분은 그림과 같다.
따라서 구하는 넓이는

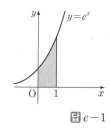

$$\int_0^1 e^x\,dx=\Big[e^x\Big]_0^1=e-1$$

답 $e-1$

014 곡선 $y=e^x-1$과 x축 및 두 직선 $x=-2$, $x=1$로 둘러싸인 부분은 그림과 같다.
따라서 구하는 넓이는

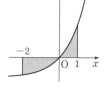

$$\int_{-2}^1 |e^x-1|\,dx$$
$$=\int_{-2}^0 (-e^x+1)\,dx+\int_0^1 (e^x-1)\,dx$$
$$=\Big[-e^x+x\Big]_{-2}^0+\Big[e^x-x\Big]_0^1$$
$$=(e^{-2}+1)+(e-2)$$
$$=\frac{1}{e^2}+e-1$$ 답 $\dfrac{1}{e^2}+e-1$

015 곡선 $y=x^2+x+1$과 직선 $y=x+2$로 둘러싸인 부분은 그림과 같다.
곡선 $y=x^2+x+1$과 직선 $y=x+2$의 교점의 x좌표는

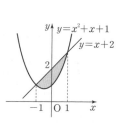

$x^2+x+1=x+2$에서
$x^2-1=0$, $(x+1)(x-1)=0$
$\therefore x=-1$ 또는 $x=1$
따라서 구하는 넓이는

$$\int_{-1}^1 \{(x+2)-(x^2+x+1)\}\,dx=\int_{-1}^1 (1-x^2)\,dx$$
$$=2\int_0^1 (1-x^2)\,dx$$
$$=2\Big[x-\frac{1}{3}x^3\Big]_0^1$$
$$=\frac{4}{3}$$ 답 $\dfrac{4}{3}$

016 곡선 $y=x^3-4x^2+4x$와 직선 $y=x$로 둘러싸인 부분은 그림과 같다.
곡선 $y=x^3-4x^2+4x$와 직선 $y=x$의 교점의 x좌표는

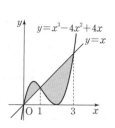

$x^3-4x^2+4x=x$에서
$x^3-4x^2+3x=0$

$$x(x-1)(x-3)=0$$
$$\therefore x=0 \ \text{또는} \ x=1 \ \text{또는} \ x=3$$
따라서 구하는 넓이는
$$\int_0^1 \{(x^3-4x^2+4x)-x\}\,dx + \int_1^3 \{x-(x^3-4x^2+4x)\}\,dx$$
$$=\left[\frac{1}{4}x^4-\frac{4}{3}x^3+\frac{3}{2}x^2\right]_0^1 + \left[-\frac{1}{4}x^4+\frac{4}{3}x^3-\frac{3}{2}x^2\right]_1^3$$
$$=\frac{5}{12}+\left\{\frac{9}{4}-\left(-\frac{5}{12}\right)\right\}$$
$$=\frac{37}{12}$$

답 $\dfrac{37}{12}$

017 곡선 $y=\sqrt{x}$ 와 직선 $y=x$ 로 둘러싸인
부분은 그림과 같다.
곡선 $y=\sqrt{x}$ 와 직선 $y=x$ 의 교점의
x 좌표는

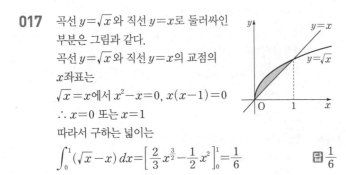

$\sqrt{x}=x$ 에서 $x^2-x=0$, $x(x-1)=0$
$\therefore x=0$ 또는 $x=1$
따라서 구하는 넓이는
$$\int_0^1 (\sqrt{x}-x)\,dx=\left[\frac{2}{3}x^{\frac{3}{2}}-\frac{1}{2}x^2\right]_0^1=\frac{1}{6}$$

답 $\dfrac{1}{6}$

018 두 곡선 $y=\sqrt{x}$, $y=\dfrac{1}{x}$ 과
직선 $x=4$ 로 둘러싸인 부분은
그림과 같다.
두 곡선 $y=\sqrt{x}$, $y=\dfrac{1}{x}$ 의 교점의
x 좌표는

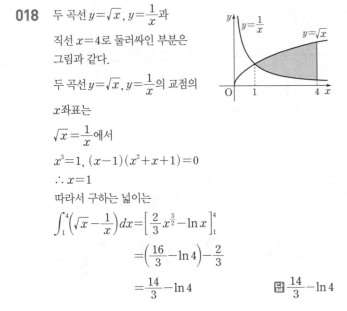

$\sqrt{x}=\dfrac{1}{x}$ 에서
$x^3=1$, $(x-1)(x^2+x+1)=0$
$\therefore x=1$
따라서 구하는 넓이는
$$\int_1^4 \left(\sqrt{x}-\frac{1}{x}\right)dx=\left[\frac{2}{3}x^{\frac{3}{2}}-\ln x\right]_1^4$$
$$=\left(\frac{16}{3}-\ln 4\right)-\frac{2}{3}$$
$$=\frac{14}{3}-\ln 4$$

답 $\dfrac{14}{3}-\ln 4$

019 원에 내접하는 정n각형은 n개의 합동인 삼각형으로 나누어지
므로
$$(\text{삼각형 OAB의 넓이})=\frac{1}{2}\times\overline{\text{AB}}\times h_n=\frac{1}{2}\times\frac{l_n}{n}\times h_n$$
$$\therefore S_n=n\times(\text{삼각형 OAB의 넓이})=\boxed{\frac{1}{2}l_n h_n}$$
n 의 값이 한없이 커지면 삼각형 OAB의 높이 h_n은 원의 반지
름의 길이에 가까워지고 정n각형의 둘레의 길이 l_n은 원의 둘
레의 길이에 가까워진다. 즉,
$n \to \infty$ 일 때 $h_n \to \boxed{r}$, $l_n \to \boxed{2\pi r}$, $S_n \to S$ 이므로
$$S=\lim_{n\to\infty} S_n=\lim_{n\to\infty}\frac{1}{2}l_n h_n$$
$$=\frac{1}{2}\times 2\pi r\times r=\pi r^2$$
$\therefore$ (가): $\dfrac{1}{2}l_n h_n$, (나): r, (다): $2\pi r$

답 ③

020 그림과 같이 구간 $[0, 2]$를 n등분한 각
분점의 x좌표는 차례로
$$\frac{2}{n}, \frac{4}{n}, \frac{6}{n}, \cdots, \frac{2n}{n}\ (=2)$$
이에 대응하는 y의 값, 즉 각각의 직사
각형의 높이는
$$\left(\frac{2}{n}\right)^2, \left(\frac{4}{n}\right)^2, \left(\frac{6}{n}\right)^2, \cdots, \left(\frac{2n}{n}\right)^2$$
이므로 그림에서 직사각형의 넓이의
합을 S_n이라 하면

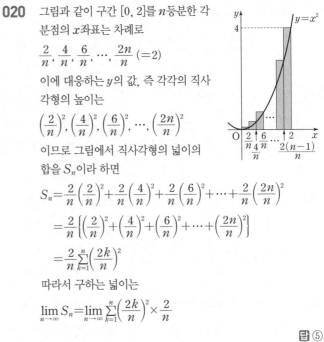

$$S_n=\frac{2}{n}\left(\frac{2}{n}\right)^2+\frac{2}{n}\left(\frac{4}{n}\right)^2+\frac{2}{n}\left(\frac{6}{n}\right)^2+\cdots+\frac{2}{n}\left(\frac{2n}{n}\right)^2$$
$$=\frac{2}{n}\left\{\left(\frac{2}{n}\right)^2+\left(\frac{4}{n}\right)^2+\left(\frac{6}{n}\right)^2+\cdots+\left(\frac{2n}{n}\right)^2\right\}$$
$$=\frac{2}{n}\sum_{k=1}^{n}\left(\frac{2k}{n}\right)^2$$
따라서 구하는 넓이는
$$\lim_{n\to\infty} S_n=\lim_{n\to\infty}\sum_{k=1}^{n}\left(\frac{2k}{n}\right)^2\times\frac{2}{n}$$

답 ⑤

021 정사각뿔의 높이를 n등분하여 각 분점을 지나고 밑면에 평행한
평면으로 정사각뿔을 잘라 $(n-1)$개의 직육면체를 만든다.
각 직육면체의 밑넓이는 위에서부터 순서대로
$$\left(\frac{1}{n}\right)^2 S, \left(\frac{2}{n}\right)^2 S, \left(\frac{3}{n}\right)^2 S, \cdots, \left\{\frac{(n-1)}{n}\right\}^2 S$$
각 직육면체의 높이는 $\boxed{\dfrac{h}{n}}$ 이므로 $(n-1)$개의 직육면체의 부피의
합을 V_n이라 하면
$$V_n=\left(\frac{1}{n}\right)^2 S\times\frac{h}{n}+\left(\frac{2}{n}\right)^2 S\times\frac{h}{n}+\left(\frac{3}{n}\right)^2 S\times\frac{h}{n}+\cdots$$
$$+\left\{\frac{(n-1)}{n}\right\}^2 S\times\frac{h}{n}$$
$$=\frac{Sh}{n^3}\{1^2+2^2+3^2+\cdots+(n-1)^2\}$$
$$=\frac{Sh}{n^3}\times\boxed{\sum_{k=1}^{n-1}k^2}$$
$$=\frac{Sh}{n^3}\times\frac{(n-1)n(2n-1)}{6}$$
$$=\frac{1}{6}Sh\left(1-\frac{1}{n}\right)\left(2-\frac{1}{n}\right)$$
$$\therefore V=\lim_{n\to\infty}V_n$$
$$=\lim_{n\to\infty}\frac{1}{6}Sh\left(1-\frac{1}{n}\right)\left(2-\frac{1}{n}\right)$$
$$=\frac{1}{3}Sh$$
$\therefore$ (가): $\dfrac{h}{n}$, (나): $\displaystyle\sum_{k=1}^{n-1}k^2$

답 ④

022 원뿔을 자른 단면의 반지름의 길이는 위에서부터 순서대로
$$\frac{r}{n}, \frac{2r}{n}, \frac{3r}{n}, \cdots, \frac{(n-1)r}{n}$$
이고, 높이는 모두 $\dfrac{h}{n}$ 이므로 $(n-1)$개의 원기둥의 부피의 합을
V_n이라 하면

$$V_n = \pi\left(\frac{r}{n}\right)^2 \times \frac{h}{n} + \pi\left(\frac{2r}{n}\right)^2 \times \frac{h}{n} + \pi\left(\frac{3r}{n}\right)^2 \times \frac{h}{n} + \cdots$$
$$+ \pi\left\{\frac{(n-1)r}{n}\right\}^2 \times \frac{h}{n}$$
$$= \frac{\pi r^2 h}{n^3}\{1^2 + 2^2 + 3^2 + \cdots + (n-1)^2\}$$
$$= \frac{\pi r^2 h}{n^3} \times \sum_{k=1}^{n-1} k^2$$
$$= \frac{\pi r^2 h}{n^3} \times \frac{(n-1)n(2n-1)}{6}$$
$$= \frac{\pi r^2 h}{6n^3} \times \boxed{n(n-1)(2n-1)}$$
$$= \frac{1}{6}\pi r^2 h\left(1 - \frac{1}{n}\right)\left(2 - \frac{1}{n}\right)$$
$$\therefore V = \lim_{n\to\infty} V_n = \lim_{n\to\infty} \frac{1}{6}\pi r^2 h\left(1-\frac{1}{n}\right)\left(2-\frac{1}{n}\right) = \boxed{\frac{1}{3}\pi r^2 h}$$
$$\therefore \text{(가)}: n(n-1)(2n-1),\ \text{(나)}: \frac{1}{3}\pi r^2 h$$

🗒 (가): $n(n-1)(2n-1)$, (나): $\frac{1}{3}\pi r^2 h$

023 $x_k = 1 + \frac{2k}{n},\ \Delta x = \frac{2}{n}$

$$\lim_{x\to\infty} \sum_{k=1}^{n} f(x_k)\Delta x = \int_1^3 f(x)\,dx$$
$f(x) = \frac{1}{x}$이므로 $\int_1^3 \frac{1}{x}\,dx = \left[\ln x\right]_1^3 = \ln 3$ 🗒 ②

024 $\lim_{n\to\infty} \frac{1}{n}\sum_{k=1}^{n} e^{2+\frac{k}{n}} = \lim_{n\to\infty}\sum_{k=1}^{n} e^{2+\frac{k}{n}} \times \frac{1}{n} = \int_2^3 e^x\,dx$

$$\therefore a+b = 2+3 = 5$$ 🗒 5

025 $\lim_{n\to\infty} \frac{\pi}{n^2}\sum_{k=1}^{n} k\sin\frac{k}{n}\pi = \pi\lim_{n\to\infty}\sum_{k=1}^{n} \frac{k}{n}\sin\frac{k}{n}\pi \times \frac{1}{n}$
$$= \pi\int_0^1 x\sin\pi x\,dx$$
$f(x) = x,\ g'(x) = \sin\pi x$로 놓으면
$f'(x) = 1,\ g(x) = -\frac{1}{\pi}\cos\pi x$
$$\therefore \pi\int_0^1 x\sin\pi x\,dx$$
$$= \pi\left\{\left[-\frac{x}{\pi}\cos\pi x\right]_0^1 - \int_0^1\left(-\frac{1}{\pi}\cos\pi x\right)dx\right\}$$
$$= \pi\left(\frac{1}{\pi} + \frac{1}{\pi}\left[\frac{1}{\pi}\sin\pi x\right]_0^1\right)$$
$$= 1$$ 🗒 1

026 $\lim_{n\to\infty}\left(\frac{1}{n+1} + \frac{1}{n+2} + \frac{1}{n+3} + \cdots + \frac{1}{2n}\right)$
$$= \lim_{n\to\infty}\sum_{k=1}^{n} \frac{1}{n+k}$$
$$= \lim_{n\to\infty}\sum_{k=1}^{n} \frac{1}{1+\frac{k}{n}} \times \frac{1}{n}$$
$$= \int_0^1 \frac{1}{1+x}\,dx$$
$$= \left[\ln|1+x|\right]_0^1 = \ln 2$$ 🗒 $\ln 2$

027 $\lim_{n\to\infty} \frac{2^2}{n^2}\left(e^{\frac{2}{n}} + 2e^{\frac{4}{n}} + 3e^{\frac{6}{n}} + \cdots + ne^{\frac{2n}{n}}\right)$
$$= \lim_{n\to\infty} \frac{2^2}{n^2}\sum_{k=1}^{n} ke^{\frac{2k}{n}}$$
$$= \lim_{n\to\infty}\sum_{k=1}^{n} \frac{2k}{n}e^{\frac{2k}{n}} \times \frac{2}{n}$$
$$= \int_0^2 xe^x\,dx$$
$f(x) = x,\ g'(x) = e^x$으로 놓으면
$f'(x) = 1,\ g(x) = e^x$
$$\therefore \int_0^2 xe^x\,dx = \left[xe^x\right]_0^2 - \int_0^2 e^x\,dx$$
$$= 2e^2 - \left[e^x\right]_0^2$$
$$= 2e^2 - e^2 + 1 = e^2 + 1$$ 🗒 ②

028 $x_k = 1 + \frac{k}{n}$에서 $f(x_k) = e^{1+\frac{k}{n}}$이므로
$$A_k = \frac{1}{2}\left(1+\frac{k}{n}\right)e^{1+\frac{k}{n}}$$
$$\therefore \lim_{n\to\infty} \frac{1}{n}\sum_{k=1}^{n} A_k = \lim_{n\to\infty} \frac{1}{n}\sum_{k=1}^{n} \frac{1}{2}\left(1+\frac{k}{n}\right)e^{1+\frac{k}{n}}$$
$$= \frac{1}{2}\lim_{n\to\infty}\sum_{k=1}^{n}\left(1+\frac{k}{n}\right)e^{1+\frac{k}{n}} \times \frac{1}{n}$$
$$= \frac{1}{2}\int_1^2 xe^x\,dx$$
$u(x) = x,\ v'(x) = e^x$으로 놓으면
$u'(x) = 1,\ v(x) = e^x$
$$\therefore \frac{1}{2}\int_1^2 xe^x\,dx = \frac{1}{2}\left(\left[xe^x\right]_1^2 - \int_1^2 e^x\,dx\right)$$
$$= \frac{1}{2}\left\{(2e^2 - e) - \left[e^x\right]_1^2\right\}$$
$$= \frac{1}{2}\{(2e^2 - e) - (e^2 - e)\} = \frac{1}{2}e^2$$ 🗒 $\frac{1}{2}e^2$

029 곡선 $y = \ln(x+1)$과 x축 및 직선 $x=3$으로 둘러싸인 부분은 그림과 같다.

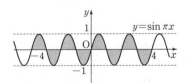

$x+1 = t$로 놓으면 $1 = \frac{dt}{dx}$
$x=0$일 때 $t=1$, $x=3$일 때 $t=4$
이므로 구하는 넓이는
$$\int_0^3 \ln(x+1)\,dx = \int_1^4 \ln t\,dt$$
$$= \left[t\ln t - t\right]_1^4$$
$$= (4\ln 4 - 4) - (\ln 1 - 1)$$
$$= 4\ln 4 - 3$$ 🗒 ③

030 $-4 \le x \le 4$에서 곡선 $y = \sin\pi x$와 x축으로 둘러싸인 부분은 그림과 같다.

따라서 구하는 넓이는

$$8\int_0^1 \sin \pi x\, dx=8\Big[-\frac{1}{\pi}\cos \pi x\Big]_0^1$$

$$=8\Big(\frac{1}{\pi}+\frac{1}{\pi}\Big)=\frac{16}{\pi}$$

답 $\dfrac{16}{\pi}$

031 곡선 $y=\dfrac{1}{x+1}$과 x축 및 두

직선 $x=0$, $x=a$로 둘러싸인 부분은 그림과 같으므로

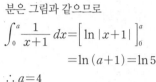

$$\int_0^a \frac{1}{x+1}\, dx=\Big[\ln |x+1|\Big]_0^a$$

$$=\ln (a+1)=\ln 5$$

$\therefore a=4$

답 4

032 곡선 $y=e^x$과 x축 및 두 직선 $x=a$,

$x=a+1$로 둘러싸인 부분은 그림과 같으므로

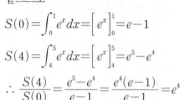

$$S(0)=\int_0^1 e^x dx=\Big[e^x\Big]_0^1=e-1$$

$$S(4)=\int_4^5 e^x dx=\Big[e^x\Big]_4^5=e^5-e^4$$

$$\therefore \frac{S(4)}{S(0)}=\frac{e^5-e^4}{e-1}=\frac{e^4(e-1)}{e-1}=e^4$$

답 e^4

033 주어진 그림에서 $0\leq x\leq \dfrac{\pi}{2}$일 때, $x\sin 2x\geq 0$, $\dfrac{\pi}{2}\leq x\leq \pi$일

때, $x\sin 2x\leq 0$이므로 구하는 넓이는

$$\int_0^{\frac{\pi}{2}} x\sin 2x\, dx-\int_{\frac{\pi}{2}}^{\pi} x\sin 2x\, dx$$

$$=\Big[x\times\Big(-\frac{1}{2}\cos 2x\Big)\Big]_0^{\frac{\pi}{2}}-\int_0^{\frac{\pi}{2}}\Big(-\frac{1}{2}\cos 2x\Big)dx$$

$$\qquad-\Big\{\Big[x\times\Big(-\frac{1}{2}\cos 2x\Big)\Big]_{\frac{\pi}{2}}^{\pi}-\int_{\frac{\pi}{2}}^{\pi}\Big(-\frac{1}{2}\cos 2x\Big)dx\Big\}$$

$$=\frac{\pi}{4}+\frac{1}{2}\Big[\frac{1}{2}\sin 2x\Big]_0^{\frac{\pi}{2}}-\Big(-\frac{3}{4}\pi+\frac{1}{2}\Big[\frac{1}{2}\sin 2x\Big]_{\frac{\pi}{2}}^{\pi}\Big)$$

$$=\frac{\pi}{4}-\Big(-\frac{3}{4}\pi\Big)=\pi$$

답 π

034 곡선 $y=-\ln (x-1)$과 y축 및 두

직선 $y=0$, $y=2$로 둘러싸인 부분은 그림과 같다.

$y=-\ln (x-1)$에서

$\ln (x-1)=-y$

$x-1=e^{-y}$ $\therefore x=e^{-y}+1$

따라서 구하는 넓이는

$$\int_0^2 (e^{-y}+1)dy=\Big[-e^{-y}+y\Big]_0^2$$

$$=(-e^{-2}+2)-(-1)$$

$$=3-\frac{1}{e^2}$$

답 ⑤

다른 풀이

곡선 $y=-\ln (x-1)$과 y축 및 두 직선 $y=0$, $y=2$로 둘러싸

인 넓이는 곡선 $y=-\ln (x-1)$을 직선 $y=x$에 대칭시킨

$y=e^{-x}+1$과 x축 및 두 직선 $x=0$, $x=2$로 둘러싸인 넓이와

같다.

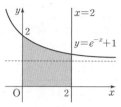

따라서 구하는 넓이는

$$\int_0^2 (e^{-x}+1)\, dx=\Big[-e^{-x}+x\Big]_0^2$$

$$=-e^{-2}+2+1-0$$

$$=3-\frac{1}{e^2}$$

035 곡선 $y=\sqrt{x}$와 직선 $y=x-2$의

교점의 x좌표는

$\sqrt{x}=x-2$에서 $x=x^2-4x+4$

$x^2-5x+4=0$

$(x-1)(x-4)=0$

$\therefore x=4$

따라서 구하는 넓이는

$$\int_0^2 \sqrt{x}\, dx+\int_2^4 (\sqrt{x}-x+2)\, dx$$

$$=\Big[\frac{2}{3}x^{\frac{3}{2}}\Big]_0^2+\Big[\frac{2}{3}x^{\frac{3}{2}}-\frac{1}{2}x^2+2x\Big]_2^4$$

$$=\frac{2}{3}\times 2^{\frac{3}{2}}+\Big(\frac{2}{3}\times 4^{\frac{3}{2}}-8+8\Big)-\Big(\frac{2}{3}\times 2^{\frac{3}{2}}-2+4\Big)$$

$$=\frac{10}{3}$$

답 $\dfrac{10}{3}$

다른 풀이

어두운 부분의 넓이는

$$\int_0^2 \{(y+2)-y^2\}\, dy=\Big[\frac{1}{2}y^2+2y-\frac{1}{3}y^3\Big]_0^2$$

$$=2+4-\frac{8}{3}=\frac{10}{3}$$

036 $xe^x=2x$, $xe^x-2x=0$, $x(e^x-2)=0$이므로

곡선 $y=xe^x$과 직선 $y=2x$의 교점의 x좌표는 $x=0$, $x=\ln 2$

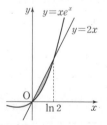

따라서 구하는 넓이는

$$\int_0^{\ln 2} |xe^x-2x|\, dx=\int_0^{\ln 2} (2x-xe^x)\, dx$$

$$=\Big[x^2\Big]_0^{\ln 2}-\Big(\Big[xe^x\Big]_0^{\ln 2}-\int_0^{\ln 2} e^x dx\Big)$$

$$=(\ln 2)^2-\{2\ln 2-(2-1)\}$$

$$=(\ln 2)^2-2\ln 2+1$$

답 $(\ln 2)^2-2\ln 2+1$

037

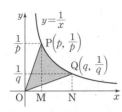

두 점 P, Q에서 x축에 내린 수선의 발을 각각 M, N이라 하면 구하는 넓이는

(삼각형 OPM의 넓이)$+\int_p^q \frac{1}{x}dx-$(삼각형 OQN의 넓이)

$=\frac{1}{2}\times p\times\frac{1}{p}+\left[\ln x\right]_p^q-\frac{1}{2}\times q\times\frac{1}{q}$

$=\ln q-\ln p$

$=\ln\frac{q}{p}$　　　　　　　　　　　　　　　 답 ④

038 곡선 $y=\sqrt{x+9}$와 x축, y축으로 둘러싸인 부분의 넓이를 S_1이라 하면

$S_1=\int_{-9}^0\sqrt{x+9}\,dx=\left[\frac{2}{3}(x+9)^{\frac{3}{2}}\right]_{-9}^0=\frac{2}{3}\times3^3=18$

곡선 $y=\sqrt{x+4}$와 x축, y축으로 둘러싸인 부분의 넓이를 S_2라 하면

$S_2=\int_{-4}^0\sqrt{x+4}\,dx=\left[\frac{2}{3}(x+4)^{\frac{3}{2}}\right]_{-4}^0=\frac{2}{3}\times2^3=\frac{16}{3}$

따라서 구하는 부분의 넓이는

$S_1-S_2=18-\frac{16}{3}=\frac{38}{3}$　　　　　 답 ④

039

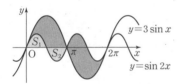

두 곡선 $y=3\sin x$, $y=\sin 2x$의 교점의 x좌표는

$3\sin x=\sin 2x$에서 $3\sin x=2\sin x\cos x$

$\sin x(3-2\cos x)=0$

$\therefore \sin x=0\ (\because -1\le\cos x\le1)$

$\therefore x=0$ 또는 $x=\pi$ 또는 $x=2\pi\ (\because 0\le x\le 2\pi)$

그림에서 $S_1=S_2$이므로 구하는 부분의 넓이는

$2\int_0^\pi 3\sin x\,dx=2\left[-3\cos x\right]_0^\pi$

$=6-(-6)=12$　　　　　　 답 12

040 두 곡선 $y=\frac{1}{x}$, $y=\sqrt{x}$의 교점의

x좌표는 $\frac{1}{x}=\sqrt{x}$에서 $x\sqrt{x}=1$

$x^3=1$, $(x-1)(x^2+x+1)=0$

$\therefore x=1$

따라서 구하는 넓이는

$\int_{\frac{1}{4}}^4\left|\frac{1}{x}-\sqrt{x}\right|dx$

$=\int_{\frac{1}{4}}^1\left(\frac{1}{x}-\sqrt{x}\right)dx+\int_1^4\left(\sqrt{x}-\frac{1}{x}\right)dx$

$=\left[\ln x-\frac{2}{3}x^{\frac{3}{2}}\right]_{\frac{1}{4}}^1+\left[\frac{2}{3}x^{\frac{3}{2}}-\ln x\right]_1^4=\frac{49}{12}$　答 $\frac{49}{12}$

041 두 곡선 $y=e^x$, $y=xe^x$의 교점의 x좌표는

$e^x=xe^x$에서 $(1-x)e^x=0$

$\therefore x=1$

$a=\int_0^1(e^x-xe^x)\,dx=\int_0^1(1-x)e^x\,dx$

$=\left[(1-x)e^x\right]_0^1+\int_0^1 e^x\,dx$

$=-1+\left[e^x\right]_0^1$

$=e-2$

$b=\int_1^2(xe^x-e^x)\,dx=\int_1^2(x-1)e^x\,dx$

$=\left[(x-1)e^x\right]_1^2-\int_1^2 e^x\,dx$

$=e^2-\left[e^x\right]_1^2$

$=e$

$\therefore b-a=e-(e-2)=2$　　　　　 답 2

042 $\frac{1}{n}\sin x=\frac{1}{n+1}\sin x$에서 $\sin x=0$　$\therefore x=0,\ \pi$

$S_n=\int_0^\pi\left(\frac{1}{n}\sin x-\frac{1}{n+1}\sin x\right)dx$

$=\left(\frac{1}{n}-\frac{1}{n+1}\right)\int_0^\pi\sin x\,dx=\left(\frac{1}{n}-\frac{1}{n+1}\right)\times\left[-\cos x\right]_0^\pi$

$=2\left(\frac{1}{n}-\frac{1}{n+1}\right)$

$\therefore \sum_{n=1}^{10}S_n=S_1+S_2+S_3+\cdots+S_{10}$

$=2\left\{\left(1-\frac{1}{2}\right)+\left(\frac{1}{2}-\frac{1}{3}\right)+\left(\frac{1}{3}-\frac{1}{4}\right)+\cdots\right.$

$\left.+\left(\frac{1}{10}-\frac{1}{11}\right)\right\}$

$=2\left(1-\frac{1}{11}\right)=\frac{20}{11}$　　　 답 $\frac{20}{11}$

043 두 곡선 $y=e^x$, $y=e^{-x}$과 직선 $y=4$로 둘러싸인 부분은 그림과 같다.

$y=e^x$에서 $x=\ln y$

$y=e^{-x}$에서 $x=-\ln y$

따라서 구하는 넓이는

$\int_1^4\{\ln y-(-\ln y)\}dy=\int_1^4 2\ln y\,dy$

$=2\left[y\ln y-y\right]_1^4$

$=2(4\ln 4-4+1)$

$=16\ln 2-6$　　　　　 답 ③

044 $f(x)=3\sqrt{x-9}$로 놓으면 $f'(x)=\frac{3}{2\sqrt{x-9}}$

점 $(18,\ 9)$에서의 접선의 기울기는 $f'(18)=\frac{1}{2}$이므로 접선의 방정식은

$y-9=\frac{1}{2}(x-18)$

$\therefore y=\frac{1}{2}x$

즉, 구하는 넓이는 그림의 어두운 부분의 넓이와 같으므로

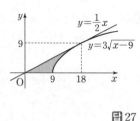

$$\frac{1}{2} \times 18 \times 9 - \int_9^{18} 3\sqrt{x-9}\,dx$$

$$=81 - \left[3 \times \frac{2}{3}(x-9)^{\frac{3}{2}}\right]_9^{18}$$

$$=81 - 54 = 27$$

달 27

045 $f(x) = e^x$으로 놓으면 $f'(x) = e^x$

접점의 좌표를 (t, e^t)이라 하면 이 점에서의 접선의 기울기는

$f'(t) = e^t$이므로 접선의 방정식은

$$y - e^t = e^t(x-t)$$

이 직선이 원점을 지나므로

$$0 - e^t = e^t(0-t) \qquad \therefore t = 1$$

즉, 곡선 $y = f(x)$ 위의 점 $(1, e)$에서의 접선의 방정식은

$$y - e = e(x-1)$$

$$\therefore y = ex$$

따라서 구하는 넓이는

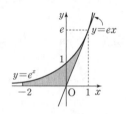

$$\int_{-2}^1 e^x\,dx - \frac{1}{2} \times 1 \times e$$

$$=\left[e^x\right]_{-2}^1 - \frac{e}{2}$$

$$=e - e^{-2} - \frac{e}{2}$$

$$=\frac{e}{2} - \frac{1}{e^2}$$

달 $\dfrac{e}{2} - \dfrac{1}{e^2}$

046 $y = \ln(x+1)$에서

$y' = \dfrac{1}{x+1}$ 이므로 곡선

위의 점 $(e-1, 1)$에서의

접선의 방정식은

$$y - 1 = \frac{1}{e}(x - e + 1)$$

$$\therefore y = \frac{1}{e}x + \frac{1}{e}$$

따라서 구하는 넓이 S는

$$S = \frac{1}{2} \times e \times 1 - \int_0^{e-1} \ln(x+1)\,dx$$

$$= \frac{e}{2} - \left[(x+1)\ln(x+1) - (x+1)\right]_0^{e-1}$$

$$= \frac{e}{2} - 1$$

달 $\dfrac{e}{2} - 1$

047 구간 $\left[0, \dfrac{\pi}{2}\right]$에서 곡선 $y = \cos x$와

x축, y축으로 둘러싸인 부분의 넓이는

$$\int_0^{\frac{\pi}{2}} \cos x\,dx = \left[\sin x\right]_0^{\frac{\pi}{2}} = 1$$

이 넓이를 직선 $x = k$가 이등분하므로

$$\int_0^k \cos x\,dx = \left[\sin x\right]_0^k = \sin k = \frac{1}{2}$$

$$\therefore k = \frac{\pi}{6}\left(\because 0 < k < \frac{\pi}{2}\right)$$

달 $\dfrac{\pi}{6}$

048 두 부분 A, B의 넓이가 서로 같으므로 [그림 1]과 [그림 2]의 어두운 부분의 넓이가 서로 같다.

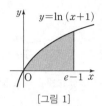 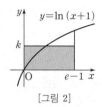

[그림 1]   [그림 2]

따라서 어두운 부분의 넓이는

$$\int_0^{e-1} \ln(x+1)\,dx$$

$x + 1 = t$로 놓으면 $dx = dt$이고,

$x = 0$일 때 $t = 1$, $x = e-1$일 때 $t = e$이므로

$$\int_0^{e-1} \ln(x+1)\,dx = \int_1^e \ln t\,dt = \left[t \ln t - t\right]_1^e = 1$$

즉, $k(e-1) = 1$이므로

$$k = \frac{1}{e-1}$$

달 $\dfrac{1}{e-1}$

049 A의 넓이와 B의 넓이가 같으므로 두 직선 $y = -2x+a$와

$x = 1$ 및 x축, y축으로 둘러싸인 부분의 넓이와 곡선 $y = e^{2x}$와

직선 $x = 1$ 및 x축, y축으로 둘러싸인 부분의 넓이가 같다.

두 직선 $y = -2x+a$와 $x = 1$ 및 x축, y축으로 둘러싸인 부분의 넓이는

$$\int_0^1 (-2x+a)\,dx = \left[-x^2 + ax\right]_0^1 = -1 + a \qquad \cdots\cdots \text{㉠}$$

곡선 $y = e^{2x}$과 직선 $x = 1$ 및 x축, y축으로 둘러싸인 부분의 넓이는

$$\int_0^1 e^{2x}\,dx = \left[\frac{1}{2}e^{2x}\right]_0^1 = \frac{e^2-1}{2} \qquad \cdots\cdots \text{㉡}$$

㉠, ㉡에서 $-1 + a = \dfrac{e^2-1}{2}$

$$\therefore a = \frac{e^2+1}{2}$$

달 ①

050 두 함수 $f(x)$, $f^{-1}(x)$는 서로 역함수 관계이므로 두 함수

$y = f(x)$, $y = f^{-1}(x)$의 그래프는 직선 $y = x$에 대하여 대칭

이고, 두 함수의 그래프의 교점의 x좌표는 함수 $y = f(x)$의 그

래프와 직선 $y = x$의 교점의 x좌표와 같다.

$\sqrt{ax} = x$에서 $ax = x^2$

$x(x-a) = 0$

$\therefore x = 0$ 또는 $x = a$

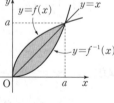

두 함수 $y = f(x)$, $y = f^{-1}(x)$의

그래프로 둘러싸인 부분의 넓이는

함수 $y = f(x)$의 그래프와 직선

$y = x$로 둘러싸인 부분의 넓이의 2배와 같으므로

$$2\int_0^a (\sqrt{ax} - x)\,dx = 2\left[\frac{2}{3}\sqrt{a}\,x^{\frac{3}{2}} - \frac{1}{2}x^2\right]_0^a$$

$$= 2\left(\frac{2}{3}a^2 - \frac{1}{2}a^2\right)$$

$$= \frac{1}{3}a^2 = \frac{16}{3}$$

$a^2 = 16$

$\therefore a = 4 \ (\because a > 0)$

달 4

051 두 함수 $f(x)$, $g(x)$는 서로 역함수 관계이므로 두 함수 $y=f(x)$, $y=g(x)$의 그래프는 직선 $y=x$에 대하여 대칭이다.

$\int_1^{e^3} f(x)\,dx = A$, $\int_0^3 g(x)\,dx = B$

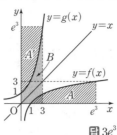

라 하면 그림에서 $A=A'$이므로

$\int_1^{e^3} f(x)\,dx + \int_0^3 g(x)\,dx$

$= A+B$

$= A'+B$

$= 3 \times e^3 = 3e^3$

目 $3e^3$

052 두 함수 $f(x)$, $g(x)$는 서로 역함수 관계이므로 두 함수의 그래프는 직선 $y=x$에 대하여 대칭이고, 두 함수의 그래프의 교점의 x좌표는 함수 $y=f(x)$의 그래프와 직선 $y=x$의 교점의 x좌표와 같다.

$\sin\dfrac{\pi}{2}x=x$에서 $x=-1$ 또는 $x=0$ 또는 $x=1$

두 함수 $y=f(x)$, $y=g(x)$의 그래프로 둘러싸인 부분의 넓이는 함수 $y=f(x)$의 그래프와 직선 $y=x$로 둘러싸인 부분의 넓이의 2배와 같으므로 구하는 넓이는

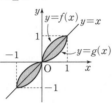

$4\displaystyle\int_0^1 \left(\sin\dfrac{\pi}{2}x - x\right) dx$

$= 4\left[-\dfrac{2}{\pi}\cos\dfrac{\pi}{2}x - \dfrac{1}{2}x^2\right]_0^1$

$= 4\left(-\dfrac{1}{2} + \dfrac{2}{\pi}\right)$

$= \dfrac{8}{\pi} - 2$

目 ④

참고

함수 $y=\sin\dfrac{\pi}{2}x$의 그래프와 직선 $y=x$는 그림과 같으므로

$\sin\dfrac{\pi}{2}x=x$에서 $x=-1$ 또는 $x=0$ 또는 $x=1$

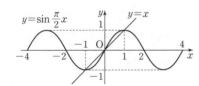

053

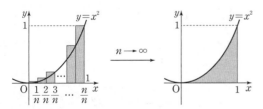

그림과 같이 구간 $[0,\,1]$을 n등분하면 각 분점의 x좌표는 왼쪽에서부터 차례로

$\dfrac{1}{n}$, $\dfrac{2}{n}$, $\dfrac{3}{n}$, $\cdots$, $\dfrac{n}{n}\,(=1)$

즉, 분점 사이의 거리는 $\dfrac{1}{n}$이다.

또 n등분한 소구간의 오른쪽 끝 점의 함숫값을 높이로 하는 직사각형을 각각 만들고, 그 넓이의 합을 S_n이라 하면

$S_n = \left(\dfrac{1}{n}\right)^2 \times \dfrac{1}{n} + \left(\dfrac{2}{n}\right)^2 \times \dfrac{1}{n} + \left(\dfrac{3}{n}\right)^2 \times \dfrac{1}{n} + \cdots + \left(\dfrac{n}{n}\right)^2 \times \dfrac{1}{n}$

$= \displaystyle\sum_{k=1}^n \left(\dfrac{k}{n}\right)^2 \times \dfrac{1}{n}$

$= \dfrac{1}{n^3} \displaystyle\sum_{k=1}^n k^2$

$= \dfrac{n(n+1)(2n+1)}{6n^3}$

따라서 구하는 넓이는

$\displaystyle\lim_{n\to\infty} S_n = \lim_{n\to\infty} \dfrac{n(n+1)(2n+1)}{6n^3} = \dfrac{2}{6} = \dfrac{1}{3}$

目 $\dfrac{1}{3}$

다른 풀이

그림과 같이 $[0,\,1]$을 n등분하여 $(n-1)$개의 직사각형을 만들고, 그 넓이의 합을 S_n이라 하면

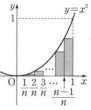

$S_n = \left(\dfrac{1}{n}\right)^2 \times \dfrac{1}{n} + \cdots + \left(\dfrac{n-1}{n}\right)^2 \times \dfrac{1}{n}$

$= \displaystyle\sum_{k=1}^{n-1} \left(\dfrac{k}{n}\right)^2 \times \dfrac{1}{n}$

$= \dfrac{(n-1)n(2n-1)}{6n^3}$

따라서 구하는 넓이는

$\displaystyle\lim_{n\to\infty} S_n = \dfrac{1}{3}$

054 $\displaystyle\lim_{n\to\infty} \dfrac{\pi}{n^2} \left(\cos\dfrac{\pi}{n} + 2\cos\dfrac{2\pi}{n} + 3\cos\dfrac{3\pi}{n} + \cdots + n\cos\dfrac{n\pi}{n}\right)$

$= \displaystyle\lim_{n\to\infty} \dfrac{\pi}{n^2} \sum_{k=1}^n k\cos\dfrac{k\pi}{n}$

$= \pi\displaystyle\lim_{n\to\infty} \sum_{k=1}^n \dfrac{k}{n} \times \cos\dfrac{k\pi}{n} \times \dfrac{1}{n}$

$= \pi\displaystyle\int_0^1 x\cos\pi x\,dx$

$f(x)=x$, $g'(x)=\cos\pi x$로 놓으면

$f'(x)=1$, $g(x)=\dfrac{1}{\pi}\sin\pi x$

$\therefore \pi\displaystyle\int_0^1 x\cos\pi x\,dx$

$= \pi\left(\left[\dfrac{x}{\pi}\sin\pi x\right]_0^1 - \displaystyle\int_0^1 \dfrac{1}{\pi}\sin\pi x\,dx\right)$

$= \pi\left(-\dfrac{1}{\pi}\left[-\dfrac{1}{\pi}\cos\pi x\right]_0^1\right) = -\dfrac{2}{\pi}$

目 ①

055 곡선 $y=\dfrac{1}{x}$과 x축 및 두 직선 $x=1$, $x=8$로 둘러싸인 부분의 넓이는

$\displaystyle\int_1^8 \dfrac{1}{x}\,dx = \left[\ln x\right]_1^8 = \ln 8$

곡선 $y=\dfrac{1}{x}$과 x축 및 두 직선 $x=1$, $x=a$로 둘러싸인 부분의 넓이는

$\displaystyle\int_1^a \dfrac{1}{x}\,dx = \left[\ln x\right]_1^a = \ln a = \dfrac{1}{2}\ln 8$

$\therefore a = \sqrt{8} = 2\sqrt{2}$

目 $2\sqrt{2}$

056 곡선 $y=e^{-x}$과 x축 및 두 직선 $x=n$, $x=n+1$로 둘러싸인 부분은 그림과 같으므로

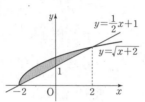

$$S_n=\int_n^{n+1} e^{-x}\,dx$$
$$=\Big[-e^{-x}\Big]_n^{n+1}$$
$$=e^{-n}-e^{-(n+1)}$$
$$\therefore \sum_{n=1}^{\infty} S_n=\lim_{n\to\infty}\sum_{k=1}^{n} S_k$$
$$=\lim_{n\to\infty}\sum_{k=1}^{n}\{e^{-k}-e^{-(k+1)}\}$$
$$=\lim_{n\to\infty}\{(e^{-1}-e^{-2})+(e^{-2}-e^{-3})+\cdots$$
$$+(e^{-n}-e^{-(n+1)})\}$$
$$=\lim_{n\to\infty}\left(\frac{1}{e}-\frac{1}{e^{n+1}}\right)=\frac{1}{e} \qquad \boxed{答}①$$

057 곡선과 직선으로 둘러싸인 부분의 넓이 $S(k)$가 최대가 되는 경우는 그림과 같이 직선 $y=\dfrac{1}{2}x+k$가 점 $(-2, 0)$을 지날 때이므로

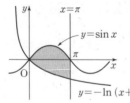

$$0=\frac{1}{2}\times(-2)+k \qquad \therefore k=1$$

곡선 $y=\sqrt{x+2}$와 직선 $y=\dfrac{1}{2}x+1$의 교점의 x좌표는

$$\sqrt{x+2}=\frac{1}{2}x+1 \text{에서 } x+2=\frac{1}{4}x^2+x+1$$
$$x^2=4$$
$$\therefore x=-2 \text{ 또는 } x=2$$
따라서 $S(k)$의 최댓값은
$$\int_{-2}^{2}\left\{\sqrt{x+2}-\left(\frac{1}{2}x+1\right)\right\}dx=\Big[\frac{2}{3}(x+2)^{\frac{3}{2}}-\frac{1}{4}x^2-x\Big]_{-2}^{2}$$
$$=\frac{7}{3}-1=\frac{4}{3} \qquad \boxed{答}\frac{4}{3}$$

058 두 곡선 $y=\sin x$, $y=-\ln(x+1)$과 직선 $x=\pi$로 둘러싸인 부분은 그림과 같다.
구하는 넓이를 S라 하면

$$S=\int_0^{\pi}[\sin x-\{-\ln(x+1)\}]dx$$
$$=\int_0^{\pi}\sin x\,dx+\int_0^{\pi}\ln(x+1)\,dx$$

$\int_0^{\pi}\ln(x+1)\,dx$에서 $x+1=t$로 놓으면 $dx=dt$이고
$x=0$일 때 $t=1$, $x=\pi$일 때 $t=\pi+1$이므로
$$\int_0^{\pi}\ln(x+1)\,dx=\int_1^{\pi+1}\ln t\,dt$$
$$=\Big[t\ln t-t\Big]_1^{\pi+1}$$
$$\therefore S=\int_0^{\pi}\sin x\,dx+\int_0^{\pi}\ln(x+1)\,dx$$
$$=\Big[-\cos x\Big]_0^{\pi}+\Big[t\ln t-t\Big]_1^{\pi+1}$$

$$=2+(\pi+1)\ln(\pi+1)-(\pi+1)+1$$
$$=2+(\pi+1)\ln(\pi+1)-\pi$$
$$\boxed{答}\,2+(\pi+1)\ln(\pi+1)-\pi$$

059 두 곡선 $y=\dfrac{2x}{x^2+1}$와 $y=x^3$의 교점의 x좌표는

$$\frac{2x}{x^2+1}=x^3 \text{에서 } x^3(x^2+1)-2x=0$$
$$x\{x^2(x^2+1)-2\}=0$$
$$x(x^4+x^2-2)=0, \ x(x^2+2)(x^2-1)=0$$
$$x(x^2+2)(x+1)(x-1)=0$$
$$\therefore x=-1 \text{ 또는 } x=0 \text{ 또는 } x=1$$

두 함수 $y=\dfrac{2x}{x^2+1}$, $y=x^3$은 모두 기함수이므로 구하는 넓이는

$$2\int_0^1\left|\frac{2x}{x^2+1}-x^3\right|dx=2\Big[\Big|\ln(x^2+1)-\frac{1}{4}x^4\Big|\Big]_0^1$$
$$=2\Big|\ln 2-\frac{1}{4}\Big|$$
$$=2\ln 2-\frac{1}{2} \qquad \boxed{答}④$$

060 $f(x)=k\ln x$라 하자.

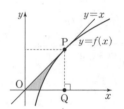

접점의 좌표를 $\mathrm{P}(p, p)$라 하면
$$f(p)=k\ln p=p \qquad \cdots\cdots ㉠$$
$$f'(x)=\frac{k}{x} \text{이므로 } f'(p)=\frac{k}{p}=1 \qquad \cdots\cdots ㉡$$
㉠, ㉡에서 $p=e$, $k=e$이므로
$$f(x)=e\ln x$$
따라서 구하는 넓이 S는
$$S=(\text{삼각형 OPQ의 넓이})-\int_1^e f(x)\,dx$$
$$=\frac{1}{2}e^2-\int_1^e e\ln x\,dx$$
$$=\frac{1}{2}e^2-e\Big[x\ln x-x\Big]_1^e$$
$$=\frac{1}{2}e^2-e(e\ln e-e+1)$$
$$=\frac{1}{2}e^2-e \qquad \boxed{答}\frac{1}{2}e^2-e$$

061

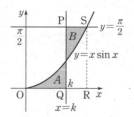

두 부분 A와 B의 넓이가 서로 같으므로
$$\int_0^{\frac{\pi}{2}} x\sin x\,dx=(\text{사각형 PQRS의 넓이})$$

$$\int_0^{\frac{\pi}{2}} x \sin x \, dx = \left[-x \cos x \right]_0^{\frac{\pi}{2}} + \int_0^{\frac{\pi}{2}} \cos x \, dx$$

$$= \left[\sin x \right]_0^{\frac{\pi}{2}} = 1$$

한편, 사각형 PQRS의 넓이는 $\left(\dfrac{\pi}{2} - k \right) \times \dfrac{\pi}{2}$이므로

$$\left(\frac{\pi}{2} - k \right) \times \frac{\pi}{2} = 1, \ \frac{\pi}{2} - k = \frac{2}{\pi}$$

$$\therefore k = \frac{\pi}{2} - \frac{2}{\pi}$$

답 $\dfrac{\pi}{2} - \dfrac{2}{\pi}$

062 두 함수 $y = \left(\dfrac{1}{e} \right)^x$, $y = \log_{\frac{1}{e}} x$는 서로 역함수 관계이므로 두 함수의 그래프는 직선 $y = x$에 대하여 대칭이다.

즉, 두 곡선과 x축, y축으로 둘러싸인 부분의 넓이는 곡선 $y = \left(\dfrac{1}{e} \right)^x$과 y축 및 직선 $y = x$로 둘러싸인 부분의 넓이의 2배와 같으므로

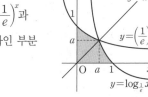

$$2 \int_0^a \left\{ \left(\frac{1}{e} \right)^x - x \right\} dx$$

$$= 2 \int_0^a (e^{-x} - x) \, dx$$

$$= 2 \left[-e^{-x} - \frac{1}{2} x^2 \right]_0^a$$

$$= 2 \left(-e^{-a} - \frac{1}{2} a^2 + 1 \right)$$

$$= -2e^{-a} - a^2 + 2 \quad \cdots\cdots \ \bigcirc$$

점 (a, a)는 곡선 $y = \left(\dfrac{1}{e} \right)^x$ 위의 점이므로

$$a = \left(\frac{1}{e} \right)^a = e^{-a}$$

$e^{-a} = a$를 $\bigcirc$에 대입하면 $-a^2 - 2a + 2$

$$\therefore k = -2$$

답 -2

063 $f(x) = 0$에서 $x = \dfrac{\pi}{2}$ $(\because 0 \le x \le \pi)$

따라서 함수 $y = f(x)$의 그래프는 점 $\left(\dfrac{\pi}{2}, 0 \right)$에서 x축과 만난다.

$f(x) + f(\pi - x) = 0$이므로 함수 $y = f(x)$의 그래프는 점 $\left(\dfrac{\pi}{2}, 0 \right)$에 대하여 대칭이다.

$$\therefore S_1 = S_2$$

$$\therefore S_1 + S_2 = 2 \int_0^{\frac{\pi}{2}} \frac{\cos x}{\sin x + 2} \, dx$$

$t = \sin x + 2$라 하면

$x = 0$일 때, $t = 2$, $x = \dfrac{\pi}{2}$일 때, $t = 3$이고

$dt = \cos x \, dx$이므로

$$2 \int_0^{\frac{\pi}{2}} \frac{\cos x}{\sin x + 2} \, dx = 2 \int_2^3 \frac{1}{t} \, dt$$

$$= 2 \left[\ln t \right]_2^3$$

$$= 2 (\ln 3 - \ln 2)$$

$$= 2 \ln \frac{3}{2}$$

답 ③

064

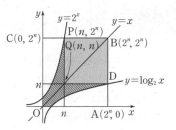

곡선 $y = 2^x$이 직선 BC와 만나는 점을 P, 점 P에서 x축에 내린 수선과 직선 $y = x$가 만나는 점을 Q라 하면

P$(n, 2^n)$, Q(n, n)

한편, 두 함수 $y = 2^x$, $y = \log_2 x$는 서로 역함수 관계이므로 두 함수의 그래프는 직선 $y = x$에 대하여 대칭이다.

$$S_n = 4^n - 2 \int_1^{2^n} \log_2 x \, dx$$

$$= 4^n - 2 \left[\frac{1}{\ln 2} (x \ln x - x) \right]_1^{2^n}$$

$$= 4^n - 2 \times \frac{1}{\ln 2} (2^n \ln 2^n - 2^n + 1)$$

$$= 4^n - 2 \left(n \times 2^n - \frac{2^n}{\ln 2} + \frac{1}{\ln 2} \right)$$

$$\therefore S(n) = 4^n - 2n \times 2^n + \frac{2^{n+1} - 2}{\ln 2}$$

$$\therefore S(2) = 16 - 4 \times 2^2 + \frac{8 - 2}{\ln 2}$$

$$= \frac{6}{\ln 2}$$

$$S(3) = 64 - 6 \times 2^3 + \frac{16 - 2}{\ln 2}$$

$$= 16 + \frac{14}{\ln 2}$$

$$S(4) = 256 - 8 \times 2^4 + \frac{32 - 2}{\ln 2}$$

$$= 128 + \frac{30}{\ln 2}$$

$$\therefore S(2) + S(3) + S(4) = 144 + \frac{50}{\ln 2}$$

답 $144 + \dfrac{50}{\ln 2}$

001 x축에 수직인 평면으로 자른 단면에서 x축과 만나는 점을 P, 곡선 $y=\sqrt{\sin x}$와 만나는 점을 Q라 하면 P$(t,\,0)$, Q$(t,\,\sqrt{\sin t}\,)$에서 $\overline{\mathrm{PQ}}=\sqrt{\sin t}$ 따라서 구하는 길이는 $\sqrt{\sin t}$이다.   目 $\sqrt{\sin t}$

002 정사각형의 한 변의 길이가 $\sqrt{\sin t}$이므로 입체도형의 단면의 넓이 $S(t)$는 $S(t)=\sqrt{\sin t}\times\sqrt{\sin t}=\sin t$ 目 $\sin t$

003 $V=\displaystyle\int_0^\pi S(t)\,dt$
$\quad =\displaystyle\int_0^\pi \sin t\,dt$
$\quad =\Big[-\cos t\Big]_0^\pi=2$ 目 2

004 $V=\displaystyle\int_1^3 \sqrt{x+2}\,dx$
$\quad =\Big[\dfrac{2}{3}(x+2)^{\frac{3}{2}}\Big]_1^3$
$\quad =\dfrac{2}{3}\times5^{\frac{3}{2}}-\dfrac{2}{3}\times3^{\frac{3}{2}}$
$\quad =\dfrac{10}{3}\sqrt{5}-2\sqrt{3}$ 目 $\dfrac{10}{3}\sqrt{5}-2\sqrt{3}$

005 $V=\displaystyle\int_0^1 e^{2x}\,dx=\Big[\dfrac{1}{2}e^{2x}\Big]_0^1=\dfrac{1}{2}e^2-\dfrac{1}{2}$ 目 $\dfrac{1}{2}e^2-\dfrac{1}{2}$

006 $V=\displaystyle\int_0^{\frac{\pi}{2}} \cos x\,dx=\Big[\sin x\Big]_0^{\frac{\pi}{2}}=1$ 目 1

007 $\dfrac{dx}{dt}=6t$, $\dfrac{dy}{dt}=3t^2-3$이므로
$s=\displaystyle\int_0^2 \sqrt{(6t)^2+(3t^2-3)^2}\,dt$
$\quad =\displaystyle\int_0^2 \sqrt{9t^4+18t^2+9}\,dt$
$\quad =\displaystyle\int_0^2 (3t^2+3)\,dt$
$\quad =\Big[t^3+3t\Big]_0^2=14$
따라서 $t=0$에서 $t=2$까지 점 P가 움직인 거리는 14이다.
    目 14

008 $\dfrac{dx}{dt}=1-t$, $\dfrac{dy}{dt}=-2\sqrt{t}$이므로
$s=\displaystyle\int_0^2 \sqrt{(1-t)^2+(-2\sqrt{t}\,)^2}\,dt$
$\quad =\displaystyle\int_0^2 \sqrt{t^2+2t+1}\,dt$
$\quad =\displaystyle\int_0^2 (t+1)\,dt$
$\quad =\Big[\dfrac{1}{2}t^2+t\Big]_0^2=4$
따라서 $t=0$에서 $t=2$까지 점 P가 움직인 거리는 4이다.   目 4

009 $\dfrac{dx}{dt}=-\sin t$, $\dfrac{dy}{dt}=\cos t$이므로
$s=\displaystyle\int_0^2 \sqrt{(-\sin t)^2+(\cos t)^2}\,dt$
$\quad =\displaystyle\int_0^2 1\,dt$
$\quad =\Big[t\Big]_0^2=2$
따라서 $t=0$에서 $t=2$까지 점 P가 움직인 거리는 2이다.   目 2

010 $\dfrac{dx}{dt}=6t$, $\dfrac{dy}{dt}=-2t$이므로 구하는 곡선의 길이 l은
$l=\displaystyle\int_0^2 \sqrt{(6t)^2+(-2t)^2}\,dt$
$\quad =\sqrt{40}\displaystyle\int_0^2 t\,dt$
$\quad =2\sqrt{10}\Big[\dfrac{1}{2}t^2\Big]_0^2=4\sqrt{10}$ 目 $4\sqrt{10}$

011 $\dfrac{dx}{dt}=\cos t$, $\dfrac{dy}{dt}=-\sin t$이므로 구하는 곡선의 길이 l은
$l=\displaystyle\int_0^{\frac{\pi}{4}} \sqrt{(\cos t)^2+(-\sin t)^2}\,dt$
$\quad =\displaystyle\int_0^{\frac{\pi}{4}} 1\,dt$
$\quad =\Big[t\Big]_0^{\frac{\pi}{4}}=\dfrac{\pi}{4}$ 目 $\dfrac{\pi}{4}$

012 $\dfrac{dy}{dx}=\sqrt{x}$이므로 구하는 곡선의 길이 l은
$l=\displaystyle\int_0^2 \sqrt{1+(\sqrt{x}\,)^2}\,dx$
$\quad =\displaystyle\int_0^2 \sqrt{1+x}\,dx$
$\quad =\dfrac{2}{3}\Big[\sqrt{(1+x)^3}\Big]_0^2$
$\quad =2\sqrt{3}-\dfrac{2}{3}$ 目 $2\sqrt{3}-\dfrac{2}{3}$

013 물의 깊이가 $t\,$cm일 때, 수면의 넓이를 $S(t)=t^2+4t\,(\mathrm{cm}^2)$라 하면 물의 깊이가 $x\,$cm인 물의 부피 $V(x)$는
$V(x)=\displaystyle\int_0^x S(t)\,dt=\int_0^x (t^2+4t)\,dt$
따라서 물의 깊이가 $3\,$cm일 때 물의 부피는
$V(3)=\displaystyle\int_0^3 (t^2+4t)\,dt$
$\qquad =\Big[\dfrac{1}{3}t^3+2t^2\Big]_0^3=27\,(\mathrm{cm}^3)$ 目 ③

014 한 변의 길이가 $\sqrt{h}\,e^{\frac{h}{2}}$인 정사각형의 넓이는
$(\sqrt{h}\,e^{\frac{h}{2}})^2=he^h$
따라서 구하는 입체도형의 부피는
$\displaystyle\int_0^{10} he^h\,dh=\Big[he^h\Big]_0^{10}-\int_0^{10} e^h\,dh=10e^{10}-\Big[e^h\Big]_0^{10}$
$\qquad\qquad =10e^{10}-(e^{10}-1)=9e^{10}+1$ 目 $9e^{10}+1$

015 밑면으로부터의 높이가 t일 때, 단면의 넓이를 $S(t)=t\ln(t^2+1)$이라 하면 높이가 x일 때, 입체도형의 부피 $V(x)$는

$$V(x)=\int_0^x S(t)\,dt=\int_0^x t\ln(t^2+1)\,dt$$

높이가 a일 때 부피가 $\dfrac{5}{2}\ln 5-2$이므로

$$V(a)=\int_0^a t\ln(t^2+1)\,dt$$

$t^2+1=k$로 놓으면 $2t=\dfrac{dk}{dt}$이고,

$t=0$일 때 $k=1$, $t=a$일 때 $k=a^2+1$이므로

$$V(a)=\int_0^a t\ln(t^2+1)\,dt$$
$$=\int_1^{a^2+1}\frac{1}{2}\ln k\,dk$$
$$=\frac{1}{2}\Big[k\ln k-k\Big]_1^{a^2+1}$$
$$=\frac{1}{2}\{(a^2+1)\ln(a^2+1)-(a^2+1)+1\}$$
$$=\frac{a^2+1}{2}\ln(a^2+1)-\frac{a^2}{2}$$

즉, $\dfrac{a^2+1}{2}\ln(a^2+1)-\dfrac{a^2}{2}=\dfrac{5}{2}\ln 5-2$이므로

$a^2=4$ $\quad\therefore a=2\ (\because a>0)$ 답 2

016 선분 AB를 한 변으로 하는 정사각형의 넓이를 $S(x)$라 하면

$$S(x)=xe^x$$

구하는 입체도형의 부피 V는

$$V=\int_1^{\ln 6}S(x)\,dx$$
$$=\int_1^{\ln 6}xe^x\,dx=\Big[xe^x\Big]_1^{\ln 6}-\int_1^{\ln 6}e^x\,dx$$
$$=\Big[xe^x-e^x\Big]_1^{\ln 6}=-6+6\ln 6$$

따라서 $a=6$, $b=6$이므로

$a+b=12$ 답 12

017 선분 PQ를 한 변으로 하는 정사각형의 넓이를 $S(x)$라 하면

$$S(x)=(\ln x)^2$$

따라서 구하는 입체도형의 부피 V는

$$V=\int_1^2 S(x)\,dx$$
$$=\int_1^2(\ln x)^2\,dx=\Big[x(\ln x)^2\Big]_1^2-2\int_1^2\ln x\,dx$$
$$=\Big[x(\ln x)^2\Big]_1^2-2\Big(\Big[x\ln x\Big]_1^2-\int_1^2 1\,dx\Big)$$
$$=\Big[x(\ln x)^2\Big]_1^2-2\Big[x\ln x\Big]_1^2+2\Big[x\Big]_1^2$$
$$=2(\ln 2)^2-4\ln 2+2$$
$$=2\{(\ln 2)^2-2\ln 2+1\}$$
$$=2(\ln 2-1)^2$$ 답 ②

018 직선 $x=t\ (1\le t\le 2)$를 포함하고 x축에 수직인 평면으로 자른 단면의 넓이를 $S(t)$라 하면

$$S(t)=\frac{\sqrt{3}}{4}\Big(3t+\frac{2}{t}\Big)^2=\frac{\sqrt{3}}{4}\Big(9t^2+12+\frac{4}{t^2}\Big)$$

따라서 구하는 입체도형의 부피 V는

$$V=\int_1^2 S(t)\,dt=\int_1^2\frac{\sqrt{3}}{4}\Big(9t^2+12+\frac{4}{t^2}\Big)dt$$
$$=\frac{\sqrt{3}}{4}\Big[3t^3+12t-\frac{4}{t}\Big]_1^2=\frac{35\sqrt{3}}{4}$$ 답 ①

019 한 변의 길이가 $2\sqrt{\sin x}$인 정삼각형의 넓이는

$$\frac{\sqrt{3}}{4}(2\sqrt{\sin x})^2=\sqrt{3}\sin x$$

따라서 구하는 입체도형의 부피 V는

$$V=\int_0^\pi \sqrt{3}\sin x\,dx$$
$$=\sqrt{3}\Big[-\cos x\Big]_0^\pi=2\sqrt{3}$$ 답 $2\sqrt{3}$

020 그림에서 점 A의 좌표를 $(\sqrt{1-y^2},\,y)$라 하면 점 B의 좌표는 $(-\sqrt{1-y^2},\,y)$이므로 $\overline{AB}=2\sqrt{1-y^2}$

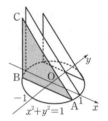

즉, 삼각형 ABC의 넓이는

$$\frac{1}{2}\times(2\sqrt{1-y^2})^2=2(1-y^2)$$

따라서 구하는 입체도형의 부피는

$$\int_{-1}^1 2(1-y^2)\,dy=2\int_0^1 2(1-y^2)\,dy=4\Big[y-\frac{1}{3}y^3\Big]_0^1$$
$$=4\times\frac{2}{3}=\frac{8}{3}$$

따라서 $p=3$, $q=8$이므로

$p+q=11$ 답 11

021 점 P의 좌표를 $(x,\,2x-x^2)$이라 하면

$$\overline{PQ}=2x-x^2$$

즉, 선분 PQ를 지름으로 하는 반원의 넓이는

$$\frac{1}{2}\times\pi\times\Big(\frac{2x-x^2}{2}\Big)^2=\frac{\pi}{8}(x^4-4x^3+4x^2)$$

따라서 구하는 입체도형의 부피는

$$\int_0^2\frac{\pi}{8}(x^4-4x^3+4x^2)\,dx=\frac{\pi}{8}\Big[\frac{1}{5}x^5-x^4+\frac{4}{3}x^3\Big]_0^2$$
$$=\frac{2}{15}\pi$$ 답 $\dfrac{2}{15}\pi$

022 그림과 같이 지름 AB의 중점을 원점, 지름 AB를 x축 위에 놓고, 호 AB 위의 점을 P라 하면 점 P에서 x축에 내린 수선의 발을 $H(x,\,0)\,(-3\le x\le 3)$이라 하자.

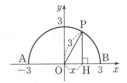

$$\overline{PH}=\sqrt{\overline{OP}^2-\overline{OH}^2}=\sqrt{9-x^2}$$

점 P를 지나고 x축에 수직인 평면으로 입체도형을 자른 단면의 넓이를 $S(x)$라 하면 $S(x)$는 반지름의 길이가 $\dfrac{\overline{PH}}{2}$인 반원의 넓이이므로

$$S(x) = \frac{1}{2} \times \pi \left(\frac{\overline{PH}}{2} \right)^2 = \frac{\pi}{2} \left(\frac{\sqrt{9-x^2}}{2} \right)^2$$

$$= \frac{\pi}{8}(9-x^2)$$

따라서 구하는 입체도형의 부피 V는

$$V = \int_{-3}^{3} S(x)\, dx$$

$$= \int_{-3}^{3} \frac{\pi}{8}(9-x^2)\, dx$$

$$= \frac{\pi}{4} \int_{0}^{3} (9-x^2)\, dx$$

$$= \frac{\pi}{4} \left[9x - \frac{1}{3}x^3 \right]_0^3$$

$$= \frac{9}{2}\pi$$

$$\therefore k = \frac{9}{2}$$

답 $\frac{9}{2}$

023 입체도형의 단면은 반지름의 길이가 e^x인 원이므로
단면의 넓이를 $S(x)$라 하면 $S(x) = \pi e^{2x}$
따라서 구하는 입체도형의 부피 V는

$$V = \int_{0}^{1} S(x)\, dx = \int_{0}^{1} \pi e^{2x}\, dx$$

$$= \pi \left[\frac{1}{2} e^{2x} \right]_0^1 = \frac{\pi}{2}(e^2 - 1)$$

답 ③

024 그림과 같이 밑면의 중심을 원점 O로 잡고 좌표축을 정한다.

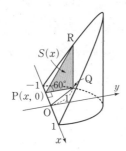

x좌표가 $x\,(-1 \leq x \leq 1)$인 점에서 x축에 수직인 평면으로 자른 단면을 삼각형 PQR라 하고 삼각형 PQR의 넓이를 $S(x)$라 하면

$\overline{PQ} = \sqrt{1-x^2}$, $\overline{RQ} = \overline{PQ}\tan 60° = \sqrt{1-x^2} \times \sqrt{3}$이므로

$$S(x) = \frac{1}{2} \times \overline{PQ} \times \overline{RQ}$$

$$= \frac{1}{2} \times \sqrt{1-x^2} \times (\sqrt{1-x^2} \times \sqrt{3})$$

$$= \frac{\sqrt{3}}{2}(1-x^2)$$

따라서 구하는 입체도형의 부피 V는

$$V = \int_{-1}^{1} \frac{\sqrt{3}}{2}(1-x^2)\, dx$$

$$= \sqrt{3} \int_{0}^{1} (1-x^2)\, dx$$

$$= \sqrt{3} \left[x - \frac{1}{3}x^3 \right]_0^1 = \frac{2\sqrt{3}}{3}$$

답 $\frac{2\sqrt{3}}{3}$

025 원기둥의 밑면의 중심을 원점 O, 밑면의 지름을 x축, y축으로 잡으면 그림과 같다. x축 위의 점 $P(x, 0)\,(-3 \leq x \leq 3)$을 지나고 x축에 수직인 평면으로 자른 단면을 삼각형 PQR라 하자.

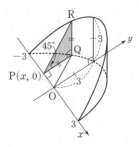

삼각형 OPQ에서 $\overline{PQ} = \sqrt{9-x^2}$이므로
$\overline{QR} = \overline{PQ}\tan 45° = \overline{PQ}$
삼각형 PQR의 넓이를 $S(x)$라 하면

$$S(x) = \frac{1}{2}\overline{PQ} \times \overline{QR} = \frac{1}{2}(9-x^2)$$

따라서 구하는 입체도형의 부피 V는

$$V = \int_{-3}^{3} \frac{1}{2}(9-x^2)\, dx$$

$$= \int_{0}^{3} (9-x^2)\, dx$$

$$= \left[9x - \frac{1}{3}x^3 \right]_0^3 = 18$$

답 18

026 그릇의 밑면의 중심을 원점 O, 지름을 x축, y축으로 잡으면 그림과 같다. 선분 AB 위의 점 $P(x, 0)\,(-3 \leq x \leq 3)$을 지나고 선분 AB에 수직인 직선이 원과 만나는 점을 Q라 하자.

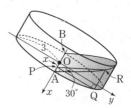

삼각형 OPQ에서 $\overline{OP} = |x|$, $\overline{OQ} = 3$이므로
$\overline{PQ} = \sqrt{9-x^2}$
점 Q에서 밑면에 수직이 되도록 그은 직선이 수면과 만나는 점을 R라 하면

$$\overline{QR} = \overline{PQ}\tan 30° = \sqrt{9-x^2} \times \frac{\sqrt{3}}{3}$$

삼각형 PQR의 넓이를 $S(x)$라 하면

$$S(x) = \frac{1}{2}\overline{PQ} \times \overline{QR} = \frac{\sqrt{3}}{6}(9-x^2)$$

따라서 구하는 물의 부피 V는

$$V = \int_{-3}^{3} \frac{\sqrt{3}}{6}(9-x^2)\, dx$$

$$= \frac{\sqrt{3}}{3} \int_{0}^{3} (9-x^2)\, dx$$

$$= \frac{\sqrt{3}}{3} \left[9x - \frac{1}{3}x^3 \right]_0^3 = 6\sqrt{3}$$

답 $6\sqrt{3}$

027 물의 깊이가 t일 때, 수면의 넓이를 $S(t)$라 하면 물의 깊이가 x일 때의 부피 $V(x)$는

$$V(x) = \int_{0}^{x} S(t)\, dt = 2x^3 + 8x$$

양변을 x에 대하여 미분하면

$$S(x) = 6x^2 + 8$$

따라서 깊이가 2일 때의 수면의 넓이는

$$S(2) = 6 \times 2^2 + 8 = 32$$

답 ④

028 물의 깊이가 t cm일 때, 수면의 넓이를 $S(t)$라 하면 물의 깊이가 x cm인 물의 부피 $V(x)$는

$$V(x)=\int_0^x S(t)\,dt$$

즉, $\int_0^x S(t)\,dt=\dfrac{1}{\ln 3}(9^x+3^x-2)$이므로 양변을 x에 대하여 미분하면

$S(x)=2\times 9^x+3^x$

$S(x)=21$일 때 물의 깊이는

$2\times 9^x+3^x=21$

$2\times(3^x)^2+3^x-21=0$

$3^x=k\ (k>0)$로 놓으면

$2k^2+k-21=0$

$(2k+7)(k-3)=0$

$\therefore k=3\ (\because k>0)$

즉, $3^x=3$에서 $x=1$

따라서 구하는 물의 깊이는 1 cm이다.　　　답 1 cm

029 물의 깊이가 t일 때의 수면의 넓이를 $S(t)$라 하면 물의 깊이가 x일 때, 꽃병에 담긴 물의 부피가 $2x(x+1)(x+5)$이므로

$$\int_0^x S(t)\,dt=2x(x+1)(x+5)=2x^3+12x^2+10x$$

위의 식의 양변을 x에 대하여 미분하면

$S(x)=6x^2+24x+10$

수면의 넓이가 40일 때 물의 깊이 x는

$6x^2+24x+10=40$에서

$x^2+4x-5=0$

$(x+5)(x-1)=0$　　$\therefore x=1\ (\because x>0)$

따라서 구하는 물의 부피는 24이다.　　　답 24

030 시각 t에서의 점 P의 위치 $x(t)$는

$$x(t)=x(0)+\int_0^t(\sin t-\sin 2t)\,dt$$

$$=0+\left[-\cos t+\frac{1}{2}\cos 2t\right]_0^t$$

$$=\frac{1}{2}-\cos t+\frac{1}{2}\cos 2t$$

따라서 시각 $t=\pi$에서의 점 P의 위치는

$$x(\pi)=\frac{1}{2}+1+\frac{1}{2}=2$$　　　답 2

031 $0\le t\le 2$에서 $v(t)=(t+1)e^{-t}\ge 0$이므로 점 P가 움직인 거리는

$$\int_0^2|(t+1)e^{-t}|\,dt=\int_0^2(t+1)e^{-t}\,dt$$

$$=\left[-(t+1)e^{-t}\right]_0^2-\int_0^2(-e^{-t})\,dt$$

$$=-\frac{3}{e^2}+1-\left[e^{-t}\right]_0^2$$

$$=-\frac{4}{e^2}+2$$　　　답 $-\dfrac{4}{e^2}+2$

032 $x=2t-8\sqrt{t+1}$에서

$$v=\frac{dx}{dt}=2-\frac{4}{\sqrt{t+1}}$$

점 P가 진행 방향을 바꿀 때

$v=0$이므로

$2-\dfrac{4}{\sqrt{t+1}}=0$에서

$t=a=3$

따라서 $0\le t\le 3$에서 점 P가 움직인 거리 s는

$$s=\int_0^3\left|2-\frac{4}{\sqrt{t+1}}\right|\,dt$$

$$=\int_0^3\left(\frac{4}{\sqrt{t+1}}-2\right)\,dt$$

$$=\left[8\sqrt{t+1}-2t\right]_0^3$$

$$=2$$

$\therefore a-s=3-2=1$　　　답 1

033 $x=3t+4,\ y=4t+3$에서

$$\frac{dx}{dt}=3,\ \frac{dy}{dt}=4$$

이므로 $0\le t\le 5$에서 점 P가 움직인 거리 s는

$$s=\int_0^5\sqrt{3^2+4^2}\,dt=\int_0^5 5\,dt=\left[5t\right]_0^5=25$$　　　답 25

034 $x=\cos t+1,\ y=1-\sin t$에서

$$\frac{dx}{dt}=-\sin t,\ \frac{dy}{dt}=-\cos t$$

이므로 $t=0$에서 $t=\pi$까지 점 P가 움직인 거리 s는

$$s=\int_0^\pi\sqrt{(-\sin t)^2+(-\cos t)^2}\,dt$$

$$=\int_0^\pi 1\,dt$$

$$=\left[t\right]_0^\pi=\pi$$　　　답 π

035 $\dfrac{dx}{dt}=e^t(\cos t-\sin t),\ \dfrac{dy}{dt}=e^t(\sin t+\cos t)$

이므로 $t=0$에서 $t=1$까지 점 P가 움직인 거리 s는

$$s=\int_0^1 e^t\sqrt{(\cos t-\sin t)^2+(\sin t+\cos t)^2}\,dt$$

$$=\int_0^1\sqrt{2}\,e^t\,dt$$

$$=\left[\sqrt{2}\,e^t\right]_0^1$$

$$=\sqrt{2}\,(e-1)$$　　　답 ①

036 $\dfrac{dx}{dt}=4(-\sin t+\cos t),\ \dfrac{dy}{dt}=-2\sin 2t$

이므로 $t=0$에서 $t=\pi$까지 점 P가 움직인 거리 s는

$$s=\int_0^\pi\sqrt{16(-\sin t+\cos t)^2+4\sin^2 2t}\,dt$$

$$=\int_0^\pi\sqrt{16(1-2\sin t\cos t)+4\sin^2 2t}\,dt$$

$$=\int_0^\pi\sqrt{16(1-\sin 2t)+4\sin^2 2t}\,dt$$

$$=\int_0^\pi\sqrt{4(\sin^2 2t-4\sin 2t+4)}\,dt$$

$$= \int_0^\pi \sqrt{4(2-\sin 2t)^2} \, dt$$

$$= \int_0^\pi 2(2-\sin 2t) \, dt$$

$$= 2\left[2t + \frac{1}{2}\cos 2t \right]_0^\pi$$

$$= 4\pi$$

$$\therefore a = 4 \hspace{2cm} \text{답} \; 4$$

037 점 P의 시각 t에서의 위치가 $\left(4t, \frac{1}{2}t^2 - 4\ln t\right)$이므로 점 P의

속도는 $\left(4, \, t - \frac{4}{t}\right)$

즉, 점 P의 시각 t에서의 속력은

$$\sqrt{4^2 + \left(t - \frac{4}{t}\right)^2} = \sqrt{16 + t^2 - 8 + \frac{16}{t^2}}$$

$$= \sqrt{t^2 + 8 + \frac{16}{t^2}} = \sqrt{\left(t + \frac{4}{t}\right)^2}$$

$$= t + \frac{4}{t}$$

산술평균과 기하평균의 관계에서

$$t + \frac{4}{t} \geq 2\sqrt{t \times \frac{4}{t}} = 4$$

등호는 $t = \frac{4}{t}$일 때 성립하므로 $t^2 = 4$에서 $t = 2$일 때 점 P의

속력은 최소가 된다.

따라서 $t = 1$부터 $t = 2$까지 점 P가 움직인 거리 s는

$$s = \int_1^2 \left(t + \frac{4}{t}\right) dt$$

$$= \left[\frac{1}{2}t^2 + 4\ln t \right]_1^2$$

$$= 4\ln 2 + \frac{3}{2} \hspace{2cm} \text{답} \; 4\ln 2 + \frac{3}{2}$$

038 점 P의 속도는 $(1 - 2\sin t, \sqrt{3}\cos t)$

ㄱ. $t = \frac{\pi}{2}$일 때, 점 P의 속도는 $(-1, 0)$이다. (참)

ㄴ. 속도의 크기, 즉 속력은

$$(\text{속력}) = \sqrt{(1-2\sin t)^2 + 3\cos^2 t}$$

$$= \sqrt{\sin^2 t - 4\sin t + 4}$$

$$= \sqrt{(2 - \sin t)^2}$$

$$= 2 - \sin t$$

즉, $t = \frac{\pi}{2}$일 때, 속도의 크기의 최솟값은 1이다. (참)

ㄷ. 점 P가 $t = \pi$에서 $t = 2\pi$까지 움직인 거리는

$$\int_\pi^{2\pi} \sqrt{(1-2\sin t)^2 + 3\cos^2 t} \, dt = \int_\pi^{2\pi} (2 - \sin t) \, dt$$

$$= \left[2t + \cos t \right]_\pi^{2\pi}$$

$$= 2\pi + 2 \; (\text{참})$$

따라서 ㄱ, ㄴ, ㄷ 모두 옳다. $\hspace{1cm} \text{답} \; ⑤$

039 $x = t^2 + 2, \, y = t^2$에서

$$\frac{dx}{dt} = 2t, \quad \frac{dy}{dt} = 2t$$

따라서 구하는 곡선의 길이 l은

$$l = \int_0^1 \sqrt{\left(\frac{dx}{dt}\right)^2 + \left(\frac{dy}{dt}\right)^2} \, dt$$

$$= \int_0^1 \sqrt{(2t)^2 + (2t)^2} \, dt$$

$$= \int_0^1 2\sqrt{2} \, t \, dt$$

$$= \left[\sqrt{2} \, t^2 \right]_0^1 = \sqrt{2} \hspace{2cm} \text{답} \; ②$$

040 $x = \theta - \sin\theta, \, y = 1 - \cos\theta$에서

$$\frac{dx}{d\theta} = 1 - \cos\theta, \quad \frac{dy}{d\theta} = \sin\theta$$

따라서 구하는 곡선의 길이 l은

$$l = \int_0^{2\pi} \sqrt{(1-\cos\theta)^2 + \sin^2\theta} \, d\theta$$

$$= \int_0^{2\pi} \sqrt{1 - 2\cos\theta + \cos^2\theta + \sin^2\theta} \, d\theta$$

$$= \int_0^{2\pi} \sqrt{2(1-\cos\theta)} \, d\theta$$

$$= \int_0^{2\pi} \sqrt{4\sin^2 \frac{\theta}{2}} \, d\theta$$

$$= \int_0^{2\pi} 2\sin \frac{\theta}{2} \, d\theta$$

$$= \left[-4\cos \frac{\theta}{2} \right]_0^{2\pi} = 8 \hspace{2cm} \text{답} \; 8$$

참고 반각의 공식

$$\sin^2 \frac{\alpha}{2} = \frac{1 - \cos\alpha}{2}$$

041 $y = \frac{1}{3}(x^2 + 2)^{\frac{3}{2}}$에서

$$\frac{dy}{dx} = \frac{1}{2}(x^2 + 2)^{\frac{1}{2}} \times 2x$$

$$= x(x^2 + 2)^{\frac{1}{2}}$$

따라서 구하는 곡선의 길이 l은

$$l = \int_0^a \sqrt{1 + \{x(x^2+2)^{\frac{1}{2}}\}^2} \, dx$$

$$= \int_0^a \sqrt{1 + x^2(x^2+2)} \, dx$$

$$= \int_0^a \sqrt{x^4 + 2x^2 + 1} \, dx$$

$$= \int_0^a \sqrt{(x^2+1)^2} \, dx$$

$$= \int_0^a (x^2 + 1) \, dx$$

$$= \left[\frac{1}{3}x^3 + x \right]_0^a = \frac{1}{3}a^3 + a$$

즉, $\frac{1}{3}a^3 + a = 12$이므로

$$a^3 + 3a - 36 = 0$$

$$(a - 3)(a^2 + 3a + 12) = 0$$

$$\therefore a = 3 \hspace{2cm} \text{답} \; 3$$

042 물의 깊이가 $x\,\text{cm}$일 때 수면의 넓이를 $S(x)$라 하면

$$S(x) = x\cos x$$

따라서 물의 깊이가 $\frac{\pi}{2}\,\text{cm}$일 때 물의 부피 V는

$$V = \int_0^{\frac{\pi}{2}} S(x)\, dx$$
$$= \int_0^{\frac{\pi}{2}} x\cos x\, dx$$
$$= \Big[x\sin x \Big]_0^{\frac{\pi}{2}} - \int_0^{\frac{\pi}{2}} \sin x\, dx$$
$$= \Big[x\sin x \Big]_0^{\frac{\pi}{2}} + \Big[\cos x \Big]_0^{\frac{\pi}{2}}$$
$$= \frac{\pi}{2} - 1 \; (\text{cm}^3)$$

답 $\left(\dfrac{\pi}{2}-1\right) \text{cm}^3$

043 한 변의 길이가 $\sqrt{e^x}$인 정삼각형의 넓이는
$$\frac{\sqrt{3}}{4} \times (\sqrt{e^x})^2 = \frac{\sqrt{3}}{4} e^x \; (\text{cm}^2)$$
따라서 구하는 부피는
$$\int_0^8 \frac{\sqrt{3}}{4} e^x\, dx = \Big[\frac{\sqrt{3}}{4} e^x \Big]_0^8$$
$$= \frac{\sqrt{3}}{4}(e^8 - 1)(\text{cm}^3)$$

답 ④

044 직선 $x=t\,(1\leq t\leq 5)$를 포함하고 x축에 수직인 평면으로 자른 단면의 넓이를 $S(t)$라 하면
$$S(t) = \left\{ \sqrt{t + \frac{\pi}{4}\sin\left(\frac{\pi}{2}t\right)} \right\}^2 = t + \frac{\pi}{4}\sin\left(\frac{\pi}{2}t\right)$$
따라서 구하는 입체도형의 부피 V는
$$V = \int_1^5 S(t)\, dt = \int_1^5 \left\{ t + \frac{\pi}{4}\sin\left(\frac{\pi}{2}t\right) \right\} dt$$
$$= \Big[\frac{1}{2}t^2 - \frac{1}{2}\cos\left(\frac{\pi}{2}t\right) \Big]_1^5 = 12$$

답 12

045 점 B의 좌표를 $(x, \sqrt{9-x^2})$이라 하면 점 A의 좌표는 $(x, 0)$이므로 $\overline{AB} = \sqrt{9-x^2}$
즉, 한 변의 길이가 $\sqrt{9-x^2}$인 정삼각형의 넓이는
$$\frac{\sqrt{3}}{4} \times (\sqrt{9-x^2})^2 = \frac{\sqrt{3}}{4}(9-x^2)$$
따라서 구하는 입체도형의 부피는
$$\int_{-3}^3 \frac{\sqrt{3}}{4}(9-x^2)\, dx = 2\int_0^3 \frac{\sqrt{3}}{4}(9-x^2)\, dx$$
$$= \frac{\sqrt{3}}{2} \Big[9x - \frac{1}{3}x^3 \Big]_0^3$$
$$= \frac{\sqrt{3}}{2} \times 18 = 9\sqrt{3}$$

답 $9\sqrt{3}$

046 밑면이 직각이등변삼각형이고 x축과 수직인 평면으로 자른 단면이 반원인 입체도형은 그림과 같다.

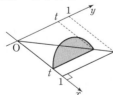

x좌표가 $t\,(0\leq t\leq 1)$일 때 반원의 반지름의 길이가 $\dfrac{t}{2}$이므로
반원의 넓이는

$$\frac{1}{2} \times \left(\frac{t}{2}\right)^2 \times \pi = \frac{t^2}{8}\pi$$
따라서 구하는 입체도형의 부피는
$$\int_0^1 \frac{t^2}{8}\pi\, dt = \frac{\pi}{8} \Big[\frac{1}{3}t^3 \Big]_0^1 = \frac{\pi}{24}$$

답 $\dfrac{\pi}{24}$

047 그림과 같이 구의 중심으로부터 $x\,\text{cm}\,(3\leq x\leq 6)$만큼 떨어진 평면으로 자른 단면은 중심이 P이고 지름이 AB인 원이므로

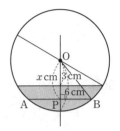

$\overline{OP}=x\,\text{cm}$, $\overline{OB}=6\,\text{cm}$에서
$\overline{PB}=\sqrt{36-x^2}\;(\text{cm})$
단면의 넓이를 $S(x)$라 하면
$$S(x) = \pi(36-x^2)\;(\text{cm}^2)$$
따라서 구하는 부피 V는
$$V = \int_3^6 \pi(36-x^2)\, dx$$
$$= \pi \Big[36x - \frac{1}{3}x^3 \Big]_3^6$$
$$= \pi(144-99) = 45\pi \;(\text{cm}^3)$$

답 $45\pi\,\text{cm}^3$

048 그림과 같이 단면인 삼각형 PQR의 넓이를 $S(x)$라 하면 $\triangle OAB \sim \triangle PQR$이고 $\overline{OA}:\overline{AB}=1:3$이므로
$\overline{PQ}:\overline{QR}=1:3$

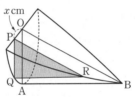

$\overline{PQ}=\sqrt{16-x^2}$이므로
$\overline{QR}=3\overline{PQ}=3\sqrt{16-x^2}$
$$\therefore S(x) = \frac{1}{2}\overline{PQ}\times\overline{QR} = \frac{3}{2}(16-x^2)$$
따라서 구하는 입체도형의 부피 V는
$$V = \int_{-4}^4 S(x)\, dx$$
$$= \int_{-4}^4 \frac{3}{2}(16-x^2)\, dx$$
$$= 3\int_0^4 (16-x^2)\, dx$$
$$= 3\Big[16x - \frac{1}{3}x^3 \Big]_0^4 = 128\;(\text{cm}^3)$$

답 $128\,\text{cm}^3$

다른 풀이
반지름의 길이가 4이고, 밑면과 밑면의 중심을 지나는 평면이 이루는 각을 θ라 하면
$$\tan\theta = \frac{12}{4} = 3$$
$$\therefore V = \frac{2}{3}r^3\tan\theta = \frac{2}{3}\times 4^3 \times 3 = 128\;(\text{cm}^3)$$

049 점 P가 운동 방향을 바꿀 때 $v=0$이므로
$v(t) = \cos \pi t = 0$에서
$$\pi t = n\pi + \frac{\pi}{2} \;(n=0,\,1,\,2,\,\cdots)$$
$$\therefore t = n + \frac{1}{2} \;(n=0,\,1,\,2,\,\cdots)$$

따라서 점 P가 출발 후 두 번째로 운동 방향을 바꾼 시각은

$t=\dfrac{3}{2}$이고 그때까지 점 P가 움직인 거리는

$$\int_0^{\frac{3}{2}} |\cos \pi t|\, dt = \int_0^{\frac{1}{2}} \cos \pi t\, dt + \int_{\frac{1}{2}}^{\frac{3}{2}} (-\cos \pi t)\, dt$$

$$= \left[\dfrac{1}{\pi} \sin \pi t \right]_0^{\frac{1}{2}} + \left[-\dfrac{1}{\pi} \sin \pi t \right]_{\frac{1}{2}}^{\frac{3}{2}}$$

$$= \dfrac{1}{\pi} + \dfrac{2}{\pi} = \dfrac{3}{\pi} \qquad \text{目 } \dfrac{3}{\pi}$$

050 $t=0$에서 $t=2\pi$까지 점 P가 움직인 거리 s는

$$s = \int_0^{2\pi} \sqrt{\left(\dfrac{\cos t}{1+t}\right)^2 + \left(\dfrac{\sin t}{1+t}\right)^2}\, dt$$

$$= \int_0^{2\pi} \sqrt{\dfrac{\cos^2 t + \sin^2 t}{(1+t)^2}}\, dt$$

$$= \int_0^{2\pi} \sqrt{\dfrac{1}{(1+t)^2}}\, dt$$

$$= \int_0^{2\pi} \dfrac{1}{1+t}\, dt$$

$$= \Big[\ln(1+t) \Big]_0^{2\pi} = \ln(1+2\pi) \qquad \text{目 } ②$$

051 $x=2\cos^3 t,\ y=2\sin^3 t$에서

$$\dfrac{dx}{dt} = 6\cos^2 t \times (-\sin t) = -6\sin t \cos^2 t$$

$$\dfrac{dy}{dt} = 6\sin^2 t \cos t$$

따라서 구하는 곡선의 길이 l은

$$l = \int_0^{\frac{\pi}{2}} \sqrt{\left(\dfrac{dx}{dt}\right)^2 + \left(\dfrac{dy}{dt}\right)^2}\, dt$$

$$= \int_0^{\frac{\pi}{2}} \sqrt{36\sin^2 t \cos^4 t + 36\sin^4 t \cos^2 t}\, dt$$

$$= \int_0^{\frac{\pi}{2}} \sqrt{36\sin^2 t \cos^2 t (\cos^2 t + \sin^2 t)}\, dt$$

$$= 6\int_0^{\frac{\pi}{2}} \sin t \cos t\, dt$$

$$= 3\int_0^{\frac{\pi}{2}} \sin 2t\, dt$$

$$= 3\left[-\dfrac{1}{2} \cos 2t \right]_0^{\frac{\pi}{2}} = 3 \qquad \text{目 } 3$$

052 $\dfrac{dx}{dt} = \dfrac{2}{t}$, $\dfrac{dy}{dt} = f'(t)$이므로 시각 t에서의 점 P의 속도는

$\left(\dfrac{2}{t},\ f'(t) \right)$

주어진 조건에 의하여 점 P가 움직인 거리 s는

$$s = \int_1^t \sqrt{\left(\dfrac{dx}{dt}\right)^2 + \left(\dfrac{dy}{dt}\right)^2}\, dt$$

$$= \int_1^t \sqrt{\left(\dfrac{2}{t}\right)^2 + \{f'(t)\}^2}\, dt$$

또한, $t = \dfrac{s+\sqrt{s^2+4}}{2}$에서 $t^2 - st - 1 = 0$

$\therefore s = t - \dfrac{1}{t}$

즉, $\displaystyle\int_1^t \sqrt{\left(\dfrac{2}{t}\right)^2 + \{f'(t)\}^2}\, dt = t - \dfrac{1}{t}$이므로

양변을 t에 대하여 미분하면

$$\sqrt{\dfrac{4}{t^2} + \{f'(t)\}^2} = 1 + \dfrac{1}{t^2}$$

양변을 제곱하여 정리하면

$$\{f'(t)\}^2 = 1 - \dfrac{2}{t^2} + \dfrac{1}{t^4},\ \{f'(t)\}^2 = \left(1 - \dfrac{1}{t^2}\right)^2$$

$t=2$일 때 점 P의 속도가 $\left(1, -\dfrac{3}{4}\right)$이므로 $f'(t) = \dfrac{1}{t^2} - 1$

그러므로 $f''(t) = -\dfrac{2}{t^3}$

$t=2$일 때 점 P의 가속도가 $\left(-\dfrac{1}{2}, a\right)$이므로

$a = f''(2) = -\dfrac{1}{4}$

$\therefore 60a = 60 \times \left(-\dfrac{1}{4}\right) = -15 \qquad \text{目 } -15$

053 t초 후 두 점 P, Q의 위치는 각각 $(\cos t, \sin t)$, $(1, -t)$이므로

선분 PQ의 중점 M의 위치는 $\left(\dfrac{\cos t + 1}{2},\ \dfrac{\sin t - t}{2} \right)$이다.

$x = \dfrac{\cos t + 1}{2},\ y = \dfrac{\sin t - t}{2}$로 놓으면

$$\dfrac{dx}{dt} = -\dfrac{\sin t}{2},\ \dfrac{dy}{dt} = \dfrac{\cos t - 1}{2}$$

따라서 $t=0$에서 $t=\dfrac{\pi}{2}$까지 변할 때, 점 M이 움직인 거리는

$$\int_0^{\frac{\pi}{2}} \sqrt{\left(\dfrac{dx}{dt}\right)^2 + \left(\dfrac{dy}{dt}\right)^2}\, dt$$

$$= \int_0^{\frac{\pi}{2}} \sqrt{\left(-\dfrac{\sin t}{2}\right)^2 + \left(\dfrac{\cos t - 1}{2}\right)^2}\, dt$$

$$= \int_0^{\frac{\pi}{2}} \sqrt{\dfrac{1 - \cos t}{2}}\, dt$$

$$= \int_0^{\frac{\pi}{2}} \sqrt{\sin^2 \dfrac{t}{2}}\, dt$$

$$= \int_0^{\frac{\pi}{2}} \sin \dfrac{t}{2}\, dt$$

$$= \left[-2\cos \dfrac{t}{2} \right]_0^{\frac{\pi}{2}}$$

$$= 2 - \sqrt{2} \qquad \text{目 } 2 - \sqrt{2}$$

memo

memo